★ 通过版面组织和管理绘制DV广告

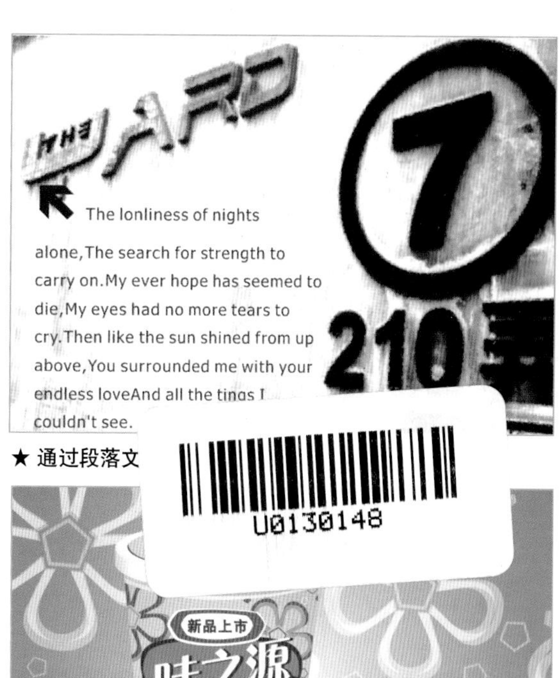

★ 通过段落文

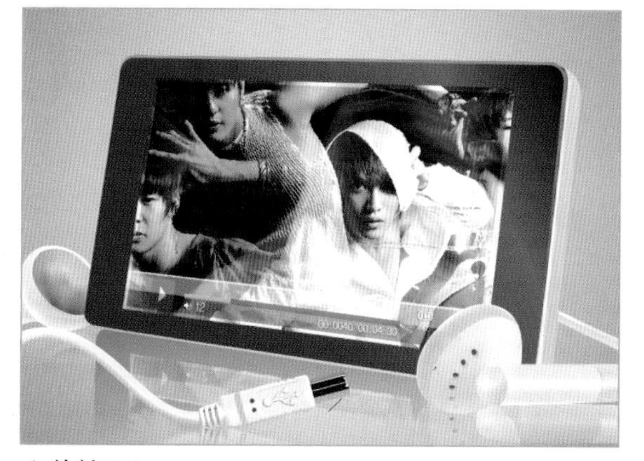

★ 绘制MP4

★ 冰激凌包装设计

★ 绘制矢量插画

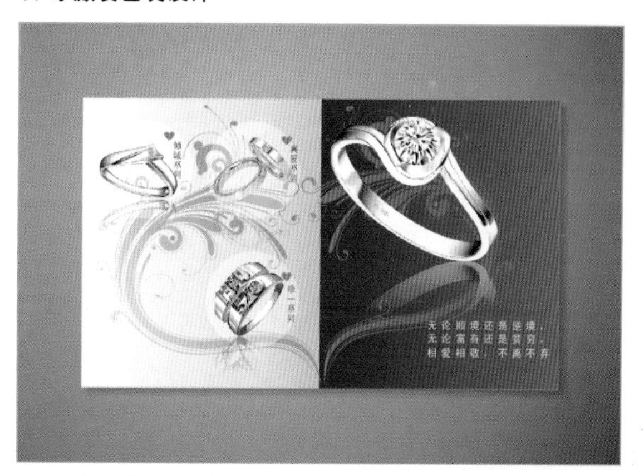

★ 戒指宣传画册设计

★ 绘制手提袋

★ 绘制香水瓶

★ 绘制水晶按钮

★ 通过星形工具设置画面背景

★ 通过沿图形排列文字绘制杂志内页

★ 通过智能填充工具绘制变形文字

★ 通过智能填充功能绘制卡通图案

★ 通过图框精确剪裁绘制产品包装

★ 通过填充实色绘制立体星形图案

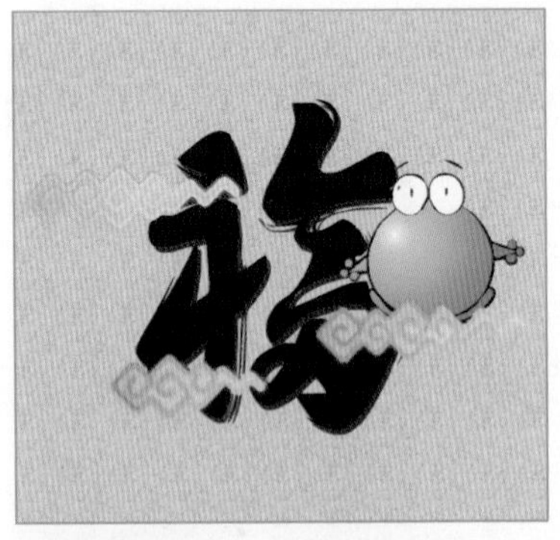

★ 通过图样填充绘制桌面图案

★通过限制图形框绘制个性文字

★ 通过基本图形绘制花朵

★ 通过修剪图形设置图像

★ 通过交互式调和工具绘制卡通人物

★ 通过交互式网状填充绘制花朵

★ 绘制童话书封面

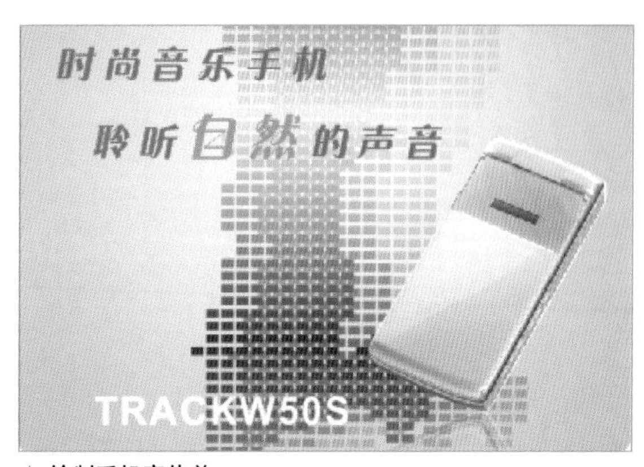

★ 绘制手机宣传单

★ 绘制化妆品广告

★ 网页界面设计

★ 绘制房地产广告

★ 绘制户外广告

★ 杂志广告设计

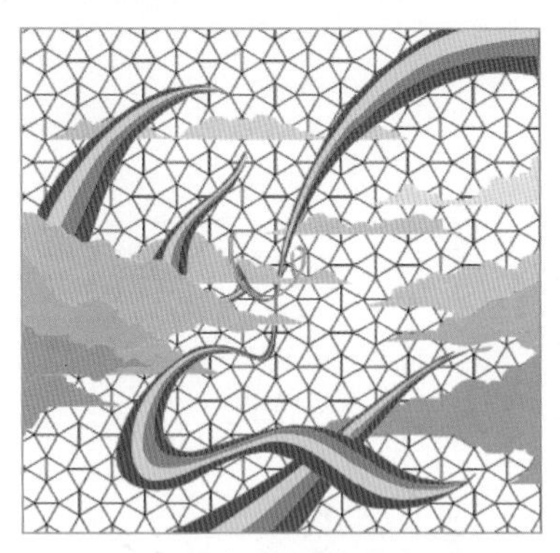
★ 通过PostScript底纹填充绘制背景

★ 通过变换图形顺序设置图像

★ 通过叠印增强视图方式查看图像

★ 通过底纹填充调整人物服装颜色1

★ 通过底纹填充调整人物服装颜色2

★ 通过立体化工具绘制立体文字

★ 通过路径文字绘制流动文字

★ 通过钢笔工具绘制发散状透明背景

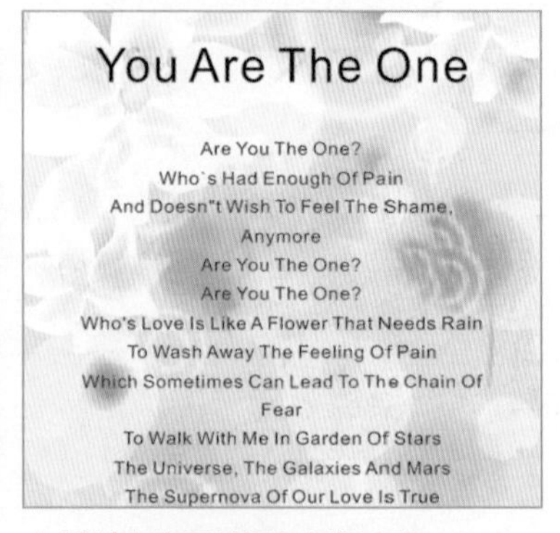

★ 通过文字工具添加祝福文字

★ 通过标注形状增加图形效果

★ 通过复制图形绘制图案

★ 通过设置轮廓线宽度描边图形

新编21世纪电脑设计专业系列教材

CorelDRAW X4

中文版标准教程

李淑琴／主编

图书在版编目 (CIP) 数据

CorelDRAW X4中文版标准教程 / 李淑琴主编. －北京：中国青年出版社，2009.4
(新编21世纪电脑设计专业系列教材)
ISBN 978-7-5006-8723-8
I.C ... II.李 ... III.图形软件，CorelDRAW X4－教材 IV. TP391.41
中国版本图书馆CIP数据核字（2009）第049110号

CorelDRAW X4中文版标准教程
李淑琴 主编

出版发行： 中国青年出版社
地 址： 北京市东四十二条21号
邮政编码： 100708
电 话：（010）59521188 / 59521189
传 真：（010）59521111
企 划： 中青雄狮数码传媒科技有限公司

责任编辑： 李廷钧 丁 伦 高 原
封面设计： 刘洪涛

印 刷： 北京机工印刷厂
开 本： 787×1092 1/16
总 印 张： 57.75
版 次： 2009年5月北京第1版
印 次： 2009年5月第1次印刷
书 号： ISBN 978-7-5006-8723-8
总 定 价： 94.00元（共3分册，各附赠1CD）

本书如有印装质量等问题，请与本社联系 电话：(010) 59521188 / 59521189
读者来信: reader@cypmedia.com
如有其他问题请访问我们的网站：www.21books.com

前言

CorelDRAW是一款功能强大的平面设计软件，广泛应用于矢量绘制、位图编辑、版式设计和包装设计等领域，该软件是广告设计师以及设计爱好者首选的图形绘制及编辑工具，该软件现今已经发展到了CorelDRAW X4版本，在功能及人性化操作方面又上升了一个高度。

本书是一本由浅入深的教材类学习书籍，作为CorelDRAW软件的培训教程，本书可以帮助平面设计的初学者快速入门与提高，也可以帮助中级用户深入了解图形绘画技巧以及图像的特殊编辑处理，还可以在一定程度上为那些CorelDRAW软件的高级用户提供一些创作过程中的艺术思路和高级技巧。

全书系统且全面地介绍了CorelDRAW X4的基础知识、界面介绍、文件的基础操作、对象的基本操作、图形的绘制与调整、对象的轮廓线编辑与颜色填充、绘图与填充的综合应用、颜色系统、高级效果应用、文本的处理、位图的使用、版面的组织和管理、打印输出基础知识的应用，在介绍基础知识后，专门特设一章，对前面的基础知识进行综合运用，引领读者亲自操作软件，进行商业实例设计。

在每个章节最后，为读者增设了思考与练习题，帮助读者在学习基础知识之后巩固记忆所学知识。在全书的最后，增设了两个附录，分别提供了用于CorelDRAW认证考试的模拟考试题，通过考题的形式，使读者能系统掌握CorelDRAW认证考试中常见题型，了解各个部分在考卷中的所占比重。

为了方便读者学习，本书配套光盘中收录了书中操作案例要应用到的原始图片，以及通过制作和编辑得到的最终文件。

本书内容详实，图文并茂，艺术性、操作性和针对性强，可作为职业学校教授数字媒体艺术类专业课程的教材，还可作为高等院校相关专业师生的参考书，同样适合于从事平面广告设计、工业设计、CIS企业形象策划、产品包装、产品造型、网页设计、印刷制版等工作人员以及电脑美术爱好者阅读。

由于时间紧迫，加之笔者水平有限，若有疏漏之处，恳请广大读者批评指正。

作 者

目录

01 初识CorelDRAW X4

02 CorelDRAW X4界面全接触

03 文件的基本操作

04 对象的基本操作

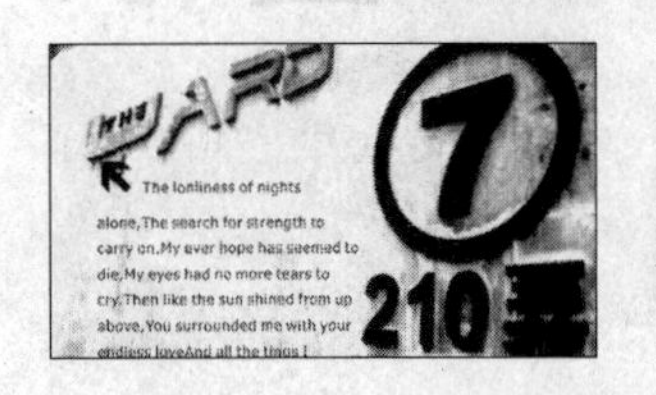
7
210
The loneliness of nights
alone,The search for strength to
carry on,My ever hope has seemed to
die,My eyes had no more tears to
cry.Then like the sun shined from up
above,You surrounded me with your
endless loveAnd all the times !

MIRO 诺罗尼
高清 新时代
¥3280
HD 1080P
4X Powerful Zoom
SDHC Compatible

目录

12 版面的组织和管理

13 打印输出

14 CorelDRAW X4实战演练

附录

初识 CorelDRAW X4

01

本课所需时间： 2 个小时

课程范例文件： 无

课后练习文件： 无

必须掌握：

- CorelDRAW X4 的新增功能

深入理解：

- CorelDRAW X4 的组件及功能
- CorelDRAW X4 的应用领域

一般了解：

- CorelDRAW 的发展历史
- CorelDRAW X4 中的图形概念

课程总览：

接触 CorelDRAW X4 之前，应了解该软件的发展历史，认识该软件的应用领域及基础概念；学习使用 CorelDRAW X4 绘制图形前，应学会如何安装与卸载该软件，了解其最新版本的新增功能，并在后面的学习中体会这些新功能。

1.1 认识 CorelDRAW X4

CorelDRAW图形软件的特点是图形处理功能强，定位精确，使用灵活，用户可以编制自己的图形处理命令或图表编辑命令，从而轻松地完成图中一些繁杂的标注工作和制表工作。下面就来认识CorelDRAW的发展历史以及CorelDRAW X4版本的相关组件。

1.1.1 CorelDRAW 发展历史

CorelDRAW由加拿大的Corel公司推出，现已快速成为世界闻名的平面图形图像设计软件之一。CorelDRAW第一版在1989年的春天问世。一年后，开发组就推出了内含滤镜以及能兼容其他绘图软件的CorelDRAW 1.01版。

CorelDRAW 2 在1991年推出，此时CorelDRAW已经具备了当时其他绘图软件所不具备的功能，如封套、立体化等。CorelDRAW 2 虽然树立了新形象，但CorelDRAW 3 的推出才是CorelDRAW的第一个里程碑。CorelDRAW 3 包括了PHOTO-PAINT、CorelSHOW、CorelCHART、Mosaic和Corel TRACE等应用程序，其启动界面如图1-1所示。

图 1-1 CorelDRAW 3 的启动界面

CorelDRAW 4 于1993年5月推出，经过整理PHOTO-PAINT和CorelCHART程序代码，这两个应用

程序在外观上更贴近CorelDRAW，CorelDRAW 4的启动界面如图1-2所示。

图 1-2　CorelDRAW 4 的启动界面

CorelDRAW 5 于1994年5月推出，这个版本兼容了之前版本中所有的应用程序，被公认为第一套功能齐全的绘图和排版软件包，其启动界面如图1-3所示。

图 1-3　CorelDRAW 5 的启动界面

CorelDRAW 8 则具有出版、绘图、照片、企业标志、企业图片等图形图像创作能力，成为了绘图设计软件中的佼佼者，该版本启动界面如图 1-4 所示。

图 1-4　CorelDRAW 8 的启动界面

平面设计的普及促进了平面设计软件的不断更新。CorelDRAW 12 为用户提供了3个难以置信的强大的图形应用程序，分别是CorelDRAW12 插图、页面排版和矢量绘图程序，Corel PHOTO-PAINT12数字图像处理程序以及Corel R.A.V. E 3 动画创建程序。该版本的启动界面还添加了铅笔图标，如图1-5所示。

图 1-5　CorelDRAW 12 的启动界面

2006年1月17日，Corel公司揭开最新图形软件设计包CorelDRAW X3的神秘面纱。该版本拥有超过40个新属性和增强的特性，CorelDRAW X3 在与用户交互方面已经达到了一个空前的高度，图标也更加精美，在安装时单击相应图标，则可以安装不同的应用程序，如图1-6所示。启动界面中则出现了绿色的蜥蜴图形，如图1-7所示。

图 1-6　选择安装程序界面

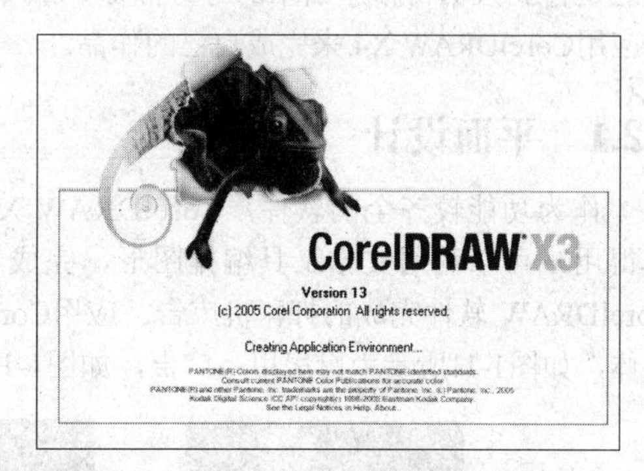

图 1-7　CorelDRAW X3 的启动界面

Corel公司于2008年1月28日发布了其获奖图形套件 CorelDRAW Graphics Suite X4， 包含了 50 多项新功能和增强功能，为用户提供了轻松处理各种项目（包括徽标和 Web 图形、多页小册子、超炫标牌和数码显示）的工具和资源，该版本的安装界面有了很大改变，如图1-8所示。启动界面也回归到CorelDRAW 3 版本时的气球图形，而且颜色更简单，如图1-9所示。

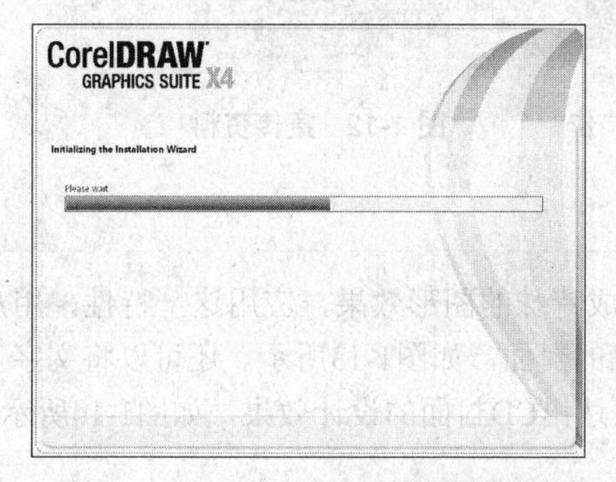

图 1-8　CorelDRAW X4 的安装界面

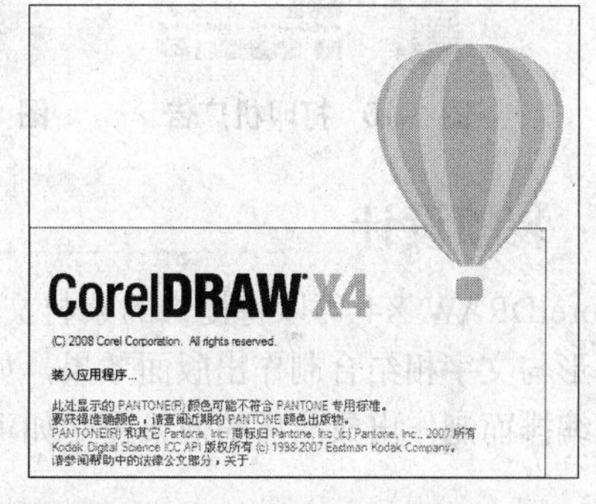

图 1-9　CorelDRAW X4 的启动界面

1.1.2　CorelDRAW Graphics Suite X4相关组件及功能

CorelDRAW Graphics Suite X4 提供了性能和价格的业界最佳组合，该获奖套件包括以下核心应用程序和内容。

- CorelDRAW X4：是一款直观的矢量图解和页面布局的应用程序，无论用户是要创建公司徽标还是需要满足严格的生产计划，都能快速地提供结果。
- Corel PHOTO-PAINT X4：是一款专业的图形编辑应用程序，使用户能够快速便捷地润饰和增强相片效果，该应用程序专门为图形工作流设计。
- Corel PowerTRACE X4：专业设计人员经常会从客户那里收到质量较差的位图图像，并面临将这些位图转换为用于名片、小册子、标志或其他宣传品的高质量矢量图像的挑战。Corel PowerTRACE X4 使得用户可以快速正确地将位图转换为可编辑的矢量图形，从而解决这一问题。
- Corel CAPTURE X4：是一款一键式屏幕捕获的实用程序，用户可以通过它从应用程序或因特网上捕获图像。

1.2 CorelDRAW 的应用领域

CorelDRAW是一个基于矢量绘图的强大绘图软件，经过多年发展，CorelDRAW软件的应用领域已经延伸到人们日常生活中的方方面面，从专业绘图和美术创作，到广告设计和VI设计等，用户都可应用CorelDRAW X4 来完成自己的作品。

1.2.1 平面设计

作为功能较齐全的软件，CorelDRAW X4 也受到了平面设计者的喜爱，其完善的绘图功能，使得用户可以利用文本工具编排图形，完成综合性的平面广告及制版工作，如图1-10所示为应用CorelDRAW 软件完成的打印机广告。应用CorelDRAW还可以在广告中添加多种矢量图形，从而表现主体，如图1-11所示为厨房用品广告，如图1-12所示为宣传资料。

图 1-10 打印机广告

图 1-11 厨房用品广告

图 1-12 宣传资料

1.2.2 装帧设计

CorelDRAW X4 可以将提供的素材文件通过编辑形成特殊的图形效果，应用这一特性，用户可以将图形与文字相结合制作出版面效果，如可以制作书籍的封面，如图1-13所示。还可以将文字及图形通过编排而制作出成品后的效果图，如可以更直观地表达出CD封面的设计效果，如图1-14所示。

图 1-13 书籍封面设计

图 1-14 CD 封面设计

1.2.3 VI设计

CorelDRAW 提供了强大的编辑曲线功能，常被用于相关的VI 设计制作。用户将编辑后的标志或图形放到合适位置上以制作VI的具体应用图形。如将标志图形放置到办公用品中形成如图1-15所示的办公系统设计。还可以应用曲线细致调整功能，制作出标志设计中的细节效果，或者与文字共同组成标志设计，如图1-16所示。

图 1-15 办公系统设计

图 1-16 标志设计

1.2.4 包装设计

包装设计也可以通过 CorelDRAW实现。通过曲线的编辑功能以及填充图形的功能，编辑包装中的各个区域，然后组成最终效果，如图1-17所示为设计的手提袋效果。用户也可以应用此方法来设计包装盒，并添加细节部分的图形和文字来说明产品的特点，合成包装盒的最终效果如图1-18所示。

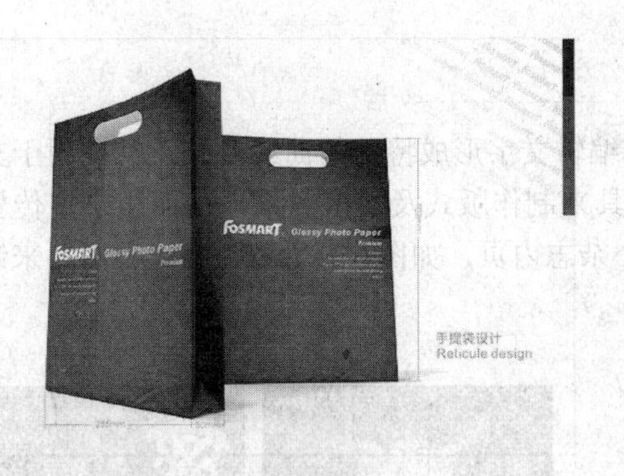

图 1-17 手提袋设计

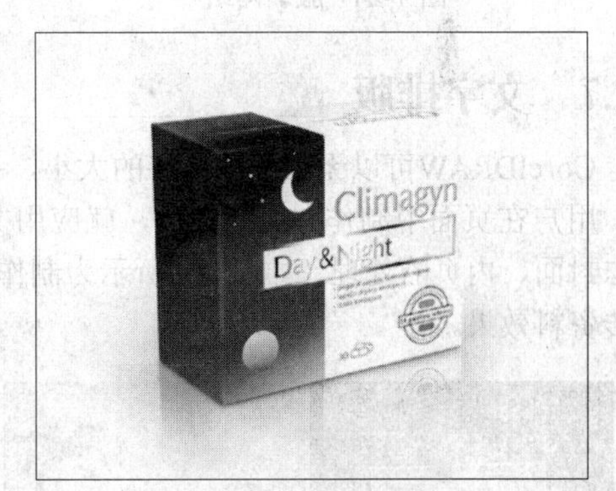

图 1-18 包装盒效果图

1.2.5 插画设计

插画设计在CorelDRAW中重点表现出了写实风格与矢量风格的区别。写实风格就是由 CorelDRAW 提供模拟绘制真实人物的方法，突出表现这类图形的逼真效果以及立体感，效果如图1-19所示，而矢量风格则是将插画中的各个区域应用编辑曲线法绘制出来后，再将各个图形填充上大面积单一的颜色即可，如图1-20所示为矢量人物插画。

图 1-19 写实风格人物插画

图 1-20 矢量人物插画

1.2.6 网站界面设计

网站界面设计也可以在CorelDRAW中完成。通过应用绘制图形并编辑为合适形状的功能可以制作出网站界面的背景及人物，也可以根据不同位置的需要设置文字的颜色及大小等，从而形成层次感，除了能够编辑本身绘制的图形外，也可将素材文件放置到界面中。如图1-21所示的服装网站，就应用 了较多的曲线图形，如图1-22所示的购物网站界面，则应用了较多的矩形图形。

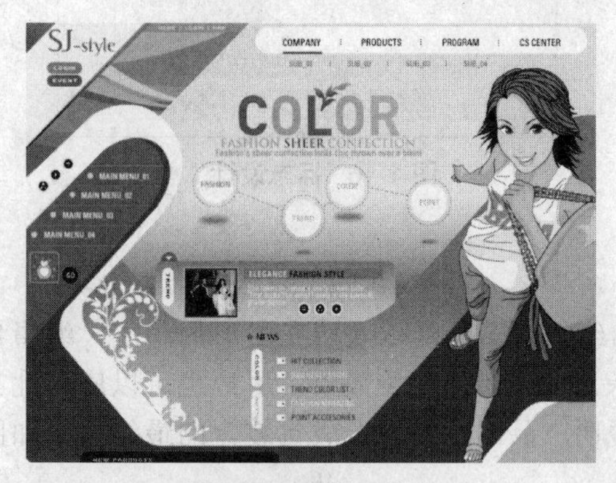

图 1-21 服装网站

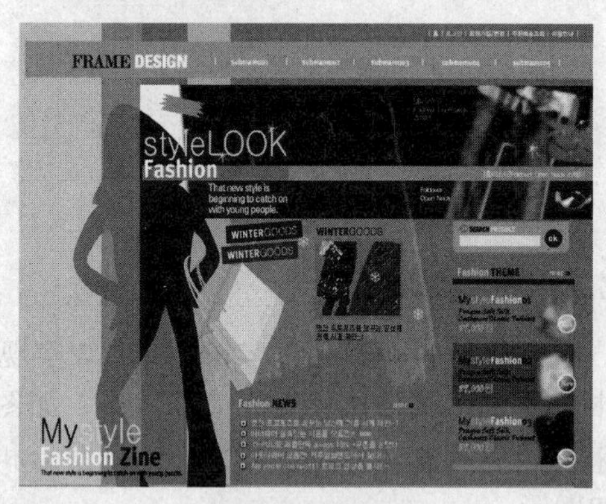

图 1-22 购物网站

1.2.7 文字排版

CorelDRAW可以无限缩放文字的大小，并通过编辑文字形成特殊的曲线效果，常被用于文字排版。用户在页面中制作完成背景后，就应用文本工具来制作版式及文字效果，从而用于宣传资料及杂志封面、内页的处理。如图1-23所示为制作的一个杂志内页，如图1-24所示为分正反两面来制作的宣传资料效果。

图 1-23 杂志内页

图 1-24 宣传资料

1.3 CorelDRAW X4 中的图形概念

在应用CorelDRAW X4 制作图形之前，读者应先来了解常用的图形概念，以及该软件主要处理的图形类型及其优缺点。

1.3.1 矢量图形

1. 矢量图形的概念及特性

矢量图形使用直线和曲线来描述图形，这些图形的元素是一些点、线、矩形、多边形、圆和弧线等等，它们都是通过数学公式计算获得的，所以矢量图形文件体积一般较小。矢量图形最大的优点是无论放大、缩小或旋转操作都不会使图形失真。Adobe公司的Illustrator、Corel公司的CorelDRAW等软件是众多矢量图形设计软件中的佼佼者。

基于矢量的绘图同分辨率无关，将它缩放到任意大小或以任意分辨率在输出设备上打印，都不会影响清晰度。因此，矢量图形是文字（尤其是小字）和线条图形（比如徽标）的最佳选择。矢量图形放大显示后不会产生马赛克，并且和未缩放时的效果相同，如图1-25所示的矢量图形，应用缩放工具将局部图形放大显示，并没有对放大后的效果产生影响，如图1-26所示。

图 1-25 矢量图形

图 1-26 放大后的图形

2. 矢量图形的文件格式

矢量图形的格式很多，如AI、EPS、SVG、DWG、CDR、WMF等。当打开某种图形文件时，程序会根据每个对象的代数式计算出这个对象的属性并显示出来。编辑这样图形的软件也叫矢量图形编辑器，如AutoCAD、CorelDRAW、Illustrator、Freehand等。

3. 矢量图形文件的特点

从前面所学习的矢量图形的概念等可以看出矢量图形的共同特点，介绍如下。

（1）可以无限放大图形中的细节，不用担心会失真而出现马赛克现象。

（2）一般线条的图形和卡通图形，存成矢量图文件比存成点阵图文件的容量要小很多。

（3）存盘后文件的大小与图形中对象个数和每个对象的复杂程度成正比，而与图形面积和色彩的丰富程度无关所谓对象的复杂程度是指其结构复杂度，如五角星比矩形复杂，一条任意曲线比一条直线复杂。

（4）通过软件，矢量图可以方便地转化为点阵图，而点阵图转化为矢量图就需要经过复杂而庞大的数据处理，并且生成的矢量图质量无法和原来的图形比拟。

1.3.2 位图图像

1. 位图概念

位图图像也被称为点阵图像或绘制图像，是由称作像素的单个点组成，这些点可以通过不同的排列和染色以构成图样。将位图放大时，可以看到构成整个图像的无数单个方块。扩大位图尺寸就是增大单个像素，从而使线条和形状显得参差不齐，然而，从稍远的位置观看，位图图像的线条和形状又会显得连续。由于每个像素都是单独染色，用户可以通过以每次一个像素的频率操作所选择区域，产生近似相片的逼真效果，如加深阴影和加重颜色。下面对比放大图像与原图像之间的效果，将素材图像导入到窗口中，应用缩放工具在图1-27中单击查看局部图像效果，可以看到图像局部形成马赛克效果，变得较模糊，效果如图1-28所示。

图 1-27　打开位图图形

图 1-28　放大显示后的图形

2. 位图文件格式

位图文件的格式很多，如BMP、PCX、GIF、JPG、TIF、PSD等。同样的图形，分别存为以上几种文件格式时，文件的字节数会有一些差别，尤其是JPG格式，其点矩阵经过了复杂的压缩算法，大小只有BMP格式的1/20到1/35。

3. 位图文件特点

如果对位图文件进行存盘，可以发现所有位图文件有以下特点。

（1）图形面积越大，文件的字节数越多。

（2）文件的色彩越丰富，文件的字节数越多。

以上这些特点是所有位图共有的，这种图形表达方式很像初中数学课上在坐标纸上逐点描绘函数图形，虽然可以把图形描绘得很漂亮，但用放大镜看这个函数图形的局部时，就是一个个粗糙的点。编辑这样图形的软件叫点阵图形编辑器，如Power TRACE、Photoshop等。

1.4　CorelDRAW X4 的安装与卸载

在系统中安装CorelDRAW X4软件只要通过安装对话框中的步骤提示逐步进行操作即可，卸载软件则首先要打开控制面板窗口，然后选择所要删除的程序即可。

1.4.1　安装CorelDRAW X4 的系统要求

- Windows XP（Service Pack 2 或更高版本）或 Windows Vista（32 位或 64 位版本）
- 512 MB内存，430 MB 硬盘空间
- Pentium III，800MHz 处理器或AMD Athlon XP
- 1024 × 768 或更高分辨率的显视器
- DVD 驱动器
- 鼠标或写字板

1.4.2　CorelDRAW X4 的安装

安装CorelDRAW X4 要先收集信息，然后再进行安装，用户可以根据对话框中提示的内容进行操作，注意选择需要安装的相关组件、设置存储路径以及输入相关用户的信息等，具体内容介绍如下。

CorelDRAW X4的安装较为简单方便，用户只需要跟据对话框中的提示操作，留意选择需要安装

的相关组件、存储路径以及用户相关信息等内容即可，具体操作步骤如下。

Step 01 将安装光盘放置到光驱中，Windows系统自动弹出如图1-29所示的欢迎界面，在该界面中提供了CorelDRAW X4套件的安装、观看培训视频、安装CorelDRAW屏保和壁纸三个选项，将光标移动至“安装CorelDRAW Graphics Suite X4”选项上，左侧将显示气球图标，单击该名称即可安装套件，如图1-30所示。

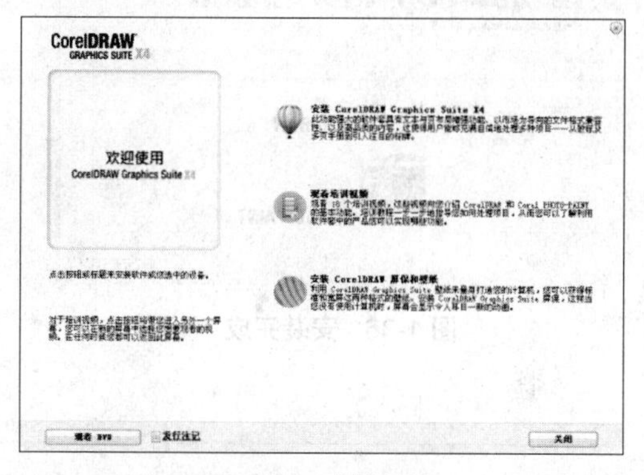

图 1-29　欢迎界面

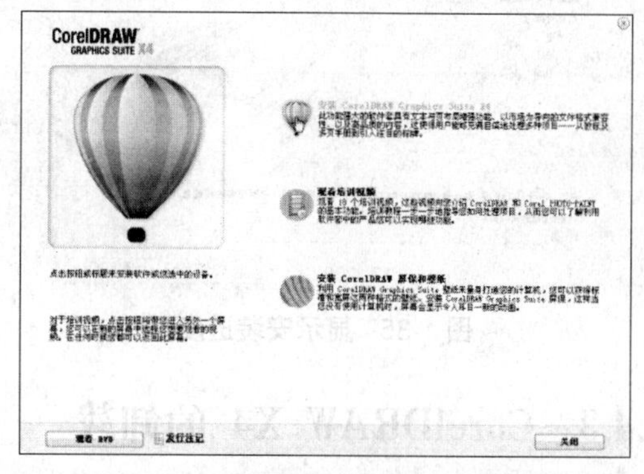

图 1-30　单击要安装的套件名称

Step 02 单击套件名称后，弹出初始化安装向导界面，如图1-31所示，初始化完成后，弹出许可证协议条款对话框，如图1-32所示，勾选对话框中的复选框，再单击“下一步”按钮继续安装套件。

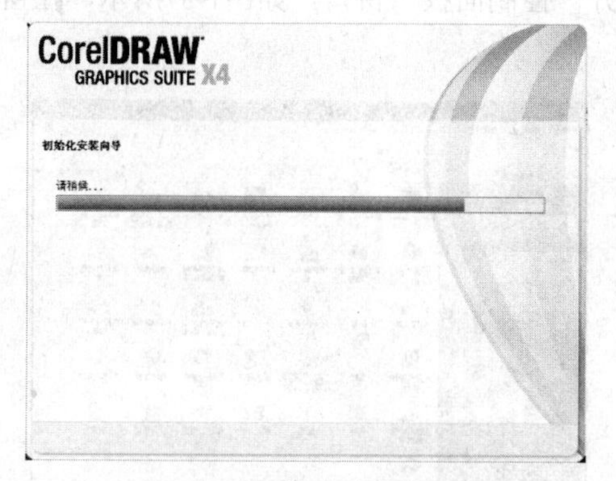

图 1-31　初始化安装向导

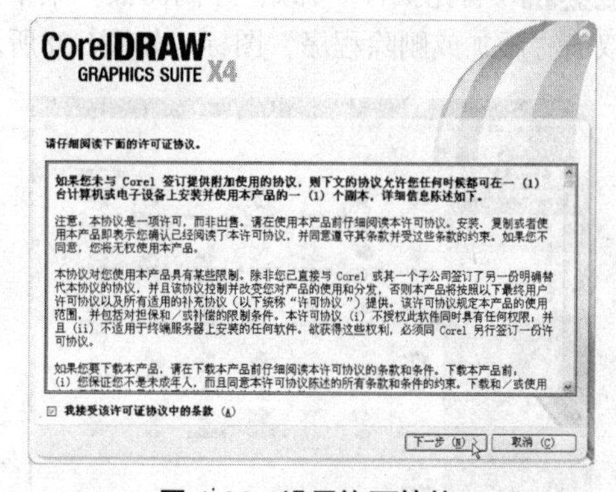

图 1-32　设置许可协议

Step 03 在弹出的对话框中填写相关的注册信息，如图1-33所示，输入用户名后，在光盘上找到光盘安装的序列号并输入，单击“下一步”按钮，弹出选择安装程序的对话框，勾选需要安装的程序，若单击“浏览”按钮可重新设置文件的安装路径，如图1-34所示，设置完成后单击“现在开始安装”按钮。

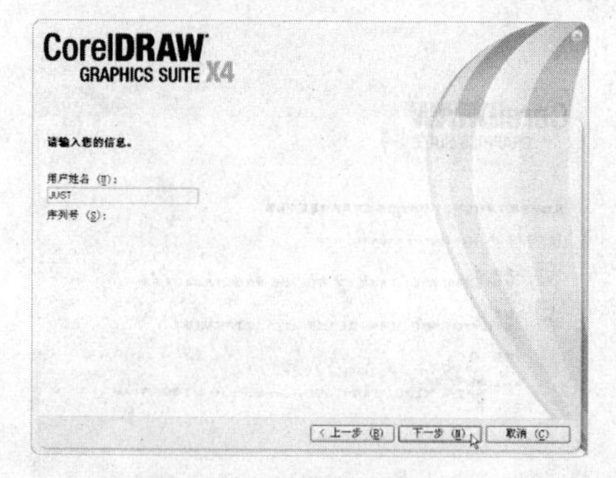

图 1-33　设置注册信息

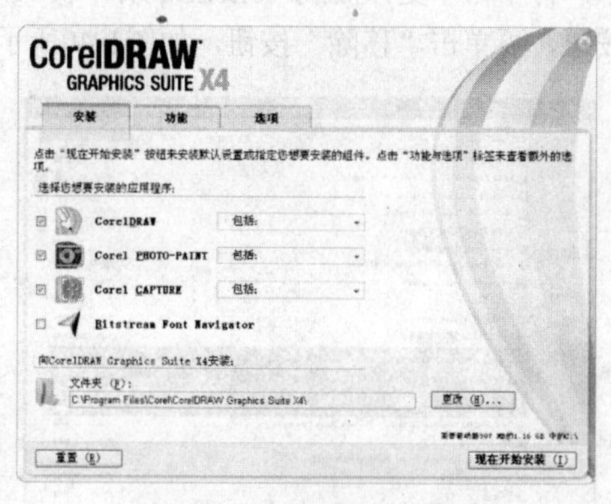

图 1-34　选择安装程序

Step 04 确定开始安装后，将弹出安装过程对话框，如图1-35所示，当进度条显示安装完成后，弹出完成安装界面，如图1-36所示，单击“完成”按钮即可退出光盘安装向导。

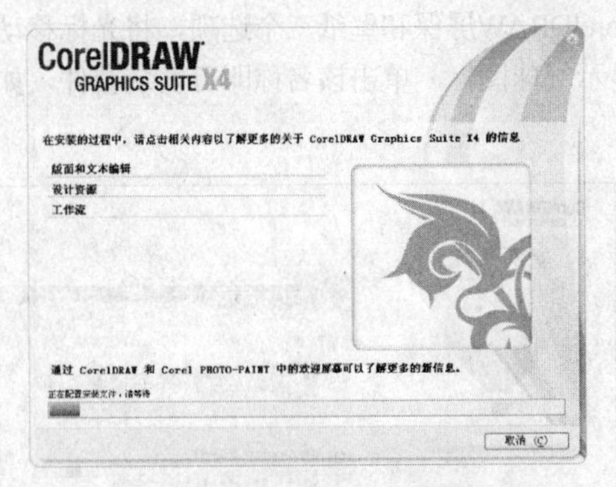

图 1-35 显示安装进度

图 1-36 安装完成

1.4.3 CorelDRAW X4 的卸载

CorelDRAW X4 软件的卸载是通过“控制面板”实现的，在“控制面板”对话框中单击“添加或删除程序”图标，在打开的对话框中选择要删除的程序，然后在弹出的对话框中根据提示进行操作即可完成卸载软件，具体操作步骤如下。

Step 01 首先执行“开始>控制面板”菜单命令，打开“控制面板”窗口，如图1-37所示，在窗口中双击“添加或删除程序”图标，如图1-38所示。

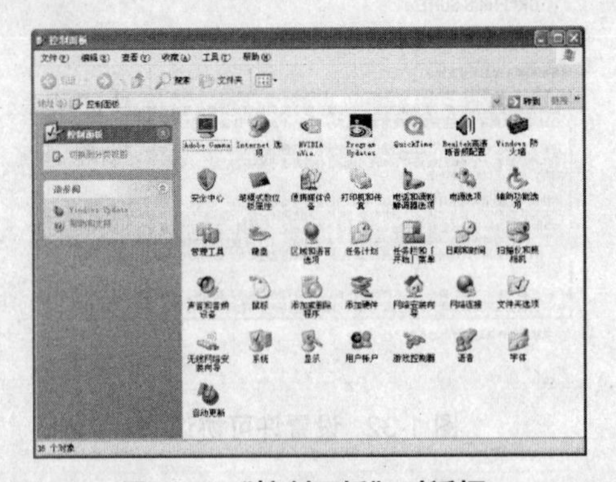

图 1-37 “控制面板”对话框

图 1-38 双击图标

Step 02 在打开的“添加或删除程序”窗口中选择要删除的CorelDRAW X4的相关组件，如图1-39所示，再单击“更改|删除”按钮开始卸载软件，在打开的CorelDRAW X4安装向导中选择“移除”单选按钮，再单击“移除”按钮，如图1-40所示。

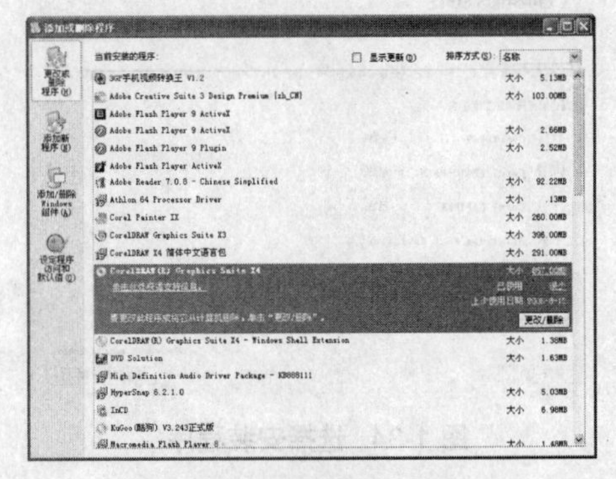

图 1-39 选择删除的程序

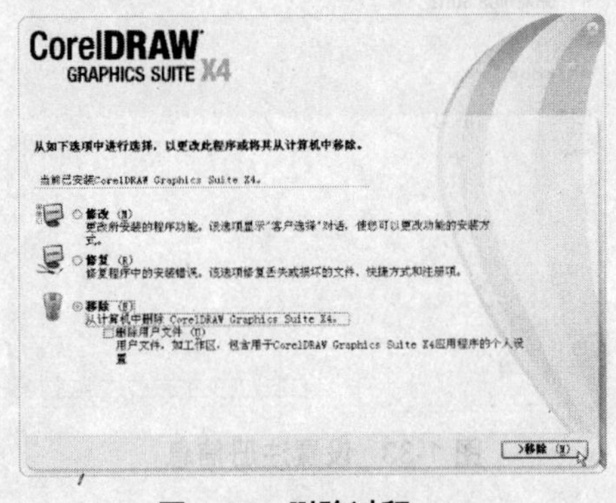

图 1-40 删除过程

Step 03　显示CorelDRAW X4软件的移除进度如图1-41所示，进度条显示进度完成，将打开软件移除完成界面，如图1-42所示，单击“完成”按钮即可。

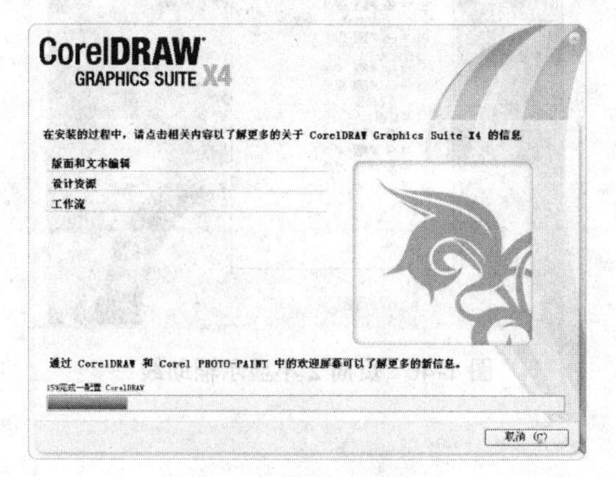

图 1-41　正在移除软件

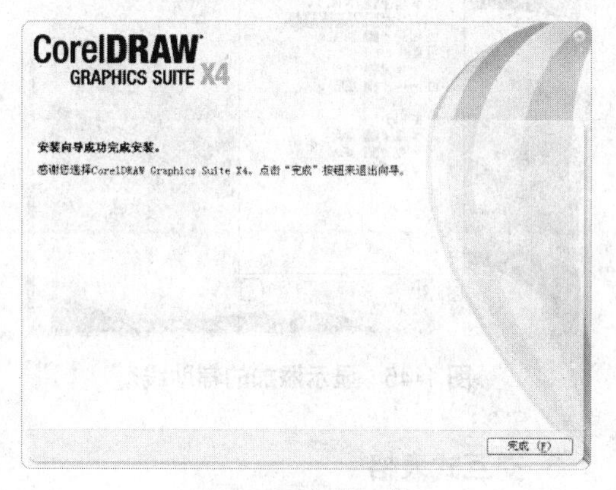

图 1-42　完成卸载

1.5　CorelDRAW X4 的新增功能

CorelDRAW Graphics Suite X4 包含 50 多项新功能和显著增强功能，能够为用户提供轻松处理徽标和 Web 图形、多页小册子、超炫标牌和数码显示等项目的工具和资源。

1.5.1　CorelDRAW Graphics Suite X4 新功能

CorelDRAW Graphics Suite X4 具有 50 多项重大改进的新功能，下面分别介绍如下。

1. 活动文本格式

CorelDRAW Graphics Suite X4 引入了活动文本格式，使用户能够先预览文本格式选项，然后再将其应用于文档，这样就可以预览许多不同的格式设置选项（包括字体、字体大小和对齐方式），避免了在设计过程中的“反复试验”，非常省时。只需使用文本工具输入一段文字，并在字体下拉列表中选择字体，即可预览所有段落文字效果，如图1-43所示。用户还可以对设置完成后的字体设置对齐方式，选择对齐方式同时还可以预览对齐后的文字效果，如图1-44所示。

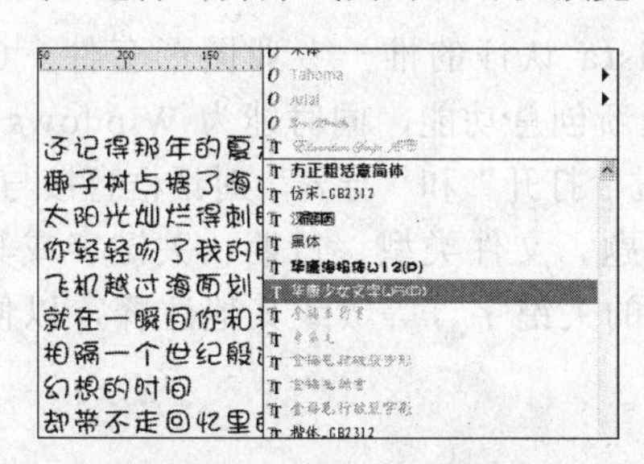

图 1-43　预览字体效果

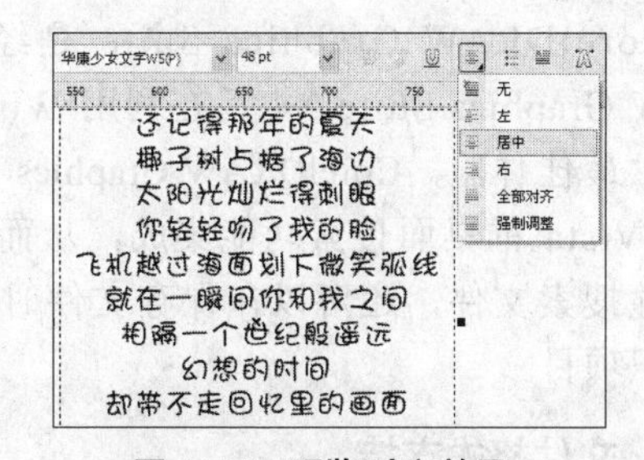

图 1-44　预览对齐效果

2. 独立的页面图层

该功能可以独立控制文档每页的图层并对其编辑，从而减少出现包含空图层的页面的情况。用户还可以为单个页面添加独立辅助线，为整篇文档添加主辅助线，所以能够基于特定页面创建不同的图层，而不受单个文档结构的限制。创建一个由两个页面组成的图像窗口，在页面1中创建辅助线，即可在相应的图层中显示出来，如图1-45所示，而此时打开页面2，却无法看到辅助线，如图1-46所示。

图 1-45 显示添加的辅助线

图 1-46 页面 2 不显示辅助线

3. 交互式表格

新增加的交互式表格工具可以创建和导入表格，提供文本和图形的强大结构布局，轻松地对表格和表格单元格进行对齐、调整大小等操作，以满足用户的设计需求。应用表格工具在图中绘制表格，并填充上颜色，效果如图1-47所示。此外，还可以在各单元格中转换带分隔符的文本，轻松添加并调整图形。将表格转换为文本框，在其中输入文字的效果如图1-48所示。

图 1-47 绘制表格图形

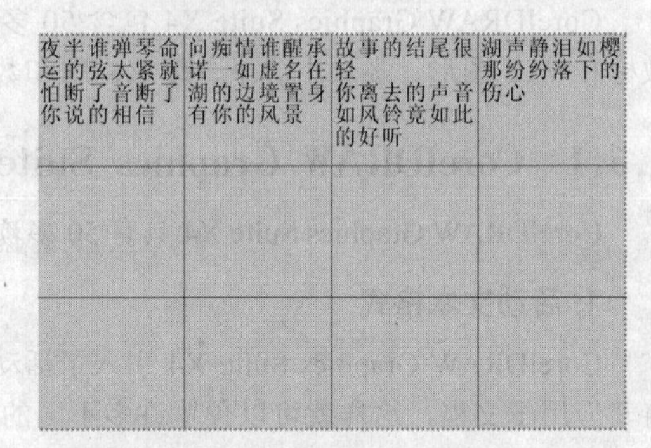

图 1-48 转换为文本框

4. Windows Vista 集成

CorelDRAW Graphics Suite 是经过 Windows Vista 认证的惟一专业图形套件。CorelDRAW Graphics Suite X4 旨在利用 Windows Vista 的最新创意功能，同时能为 Windows XP 用户提供最佳体验。CorelDRAW Graphics Suite X4 可以通过“打开”和“导入”对话框直接与 Windows Vista 的桌面搜索功能集成，从而能够按作者、主题、文件类型、日期、关键字或其他文件属性搜索文件，还可以在保存文件时轻松地添加自己的关键字、等级或其他注释，以便更好地组织项目。

5. 文件格式支持

通过增加对 Microsoft Office Publisher 的支持，CorelDRAW Graphics Suite X4 保持了其在文件格式兼容性方面的市场领先地位。该套件还能与 Microsoft Word 2007、Adobe Illustrator Creative Suite 3、Adobe Photoshop CS3、PDF 1.7 (Adobe Acrobat 8)、AutoCAD DXF、AutoCAD DWG、Corel Painter X 无缝集成，与客户和同事交换文件比以往更轻松，CorelDRAW X4 中制作的图形还能存储为其他格式的文件，便于相互之间的应用。将图形存储为DWG格式文件，仍可以用于AutoCAD如图1-49所示，若将图形存储为WMF格式文件，在Windows中也能继续应用，如图1-50所示。

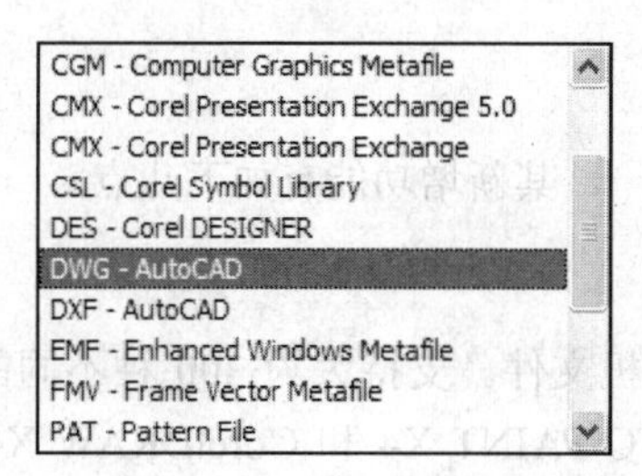

图 1-49 存储为 DWG 格式文件

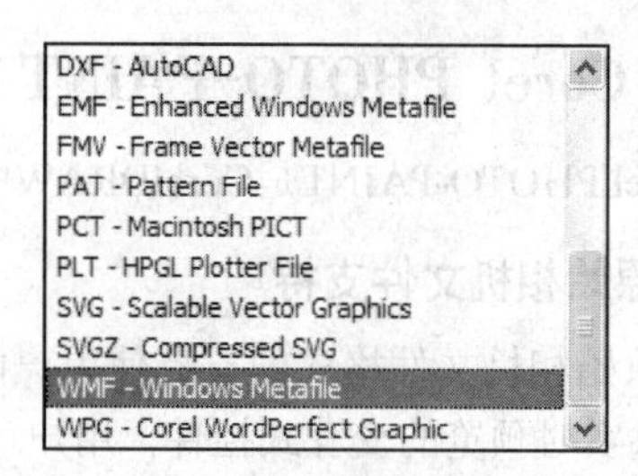

图 1-50 存储为 WMF 格式文件

6. 专业设计的模板

CorelDRAW Graphics Suite X4 包括 80 个经专业设计且可自定义的模板，帮助用户轻松设计。设计员注释中随附了这些灵活且易于自定义的模板，这些注释提供了有关模板设计选择的信息、针对基于模板输出设计的提示，以及针对在自定义模板同时应遵守设计原则的说明，如图1-51所示为创建的名片设计模板，如图1-52所示为创建的明信片设计模板。

图 1-51 名片设计模板

图 1-52 明信片设计模板

7. 专用字体

CorelDRAW Graphics Suite X4 扩展了新字体的选择范围，可针对不同用户，提供特殊的字体选择。专用字体选择范围包括了 OpenType 跨平台字体，可为 WGL4 格式的拉丁语、希腊语和斯拉夫语输出提供增强的语言支持。

8. 欢迎屏幕

通过 CorelDRAW Graphics Suite X4 的欢迎屏幕，用户可以在一个集中位置访问最近使用过的文档、模板和学习工具（包括提示与技巧以及视频教程）。为激发用户灵感，欢迎屏幕还包括一个图库，展示了由世界各地 CorelDRAW Graphics Suite 用户创作的设计作品，CorelDRAW X4 欢迎屏幕的内容更加丰富，添加有新增功能说明文字及使用方法，如图1-53所示，而且还可以查看其他地区所绘制的矢量图形效果，如图1-54所示。

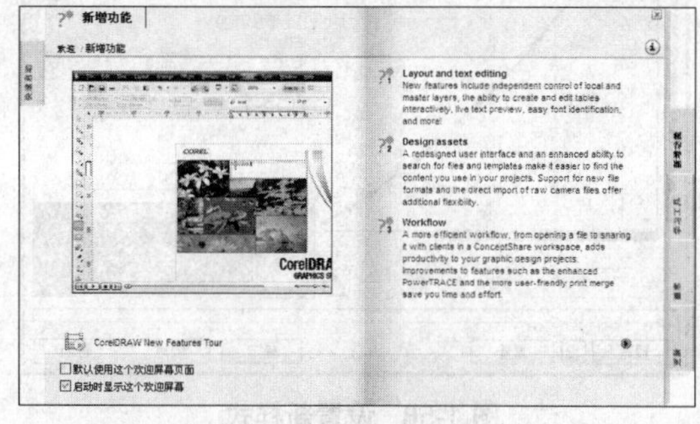

图 1-53 新增功能说明

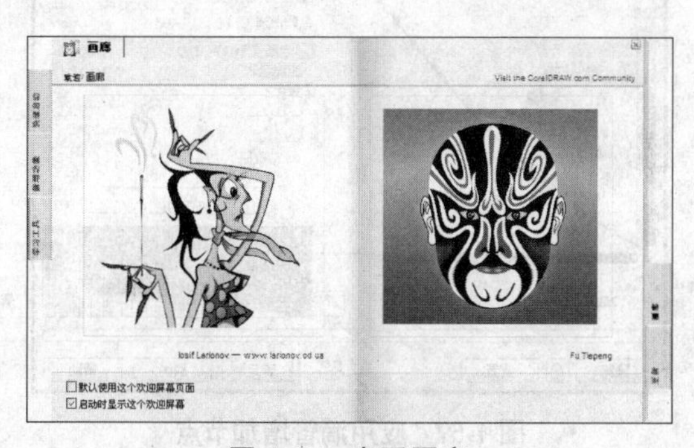

图 1-54 查看图库

1.5.2 Corel PHOTO-PAINT 新增功能

Corel PHOTO-PAINT是CorelDRAW中很有特色的工具之一，其新增功能有如下几点。

1. 原始相机文件支持

对原始相机文件格式的支持使用户能够直接使用原始相机文件。支持大约 300 种不同的相机类型，提供实时预览的交互式控件，用户可以通过 Corel PHOTO-PAINT X4 和 CorelDRAW X4 查看文件属性及相机设置、调整图像颜色和色调并改善图像质量。

2. 矫正图像

快速轻松矫正以某个角度扫描或拍摄的图像。通过 PHOTO-PAINT 的交互式控件、带有垂直和水平辅助线的网格以及可实时提供结果的集成柱状图，矫正扭曲的图像比以往更轻松。打开图形，使用矫正图像功能编辑图形的效果如图1-55所示，再旋转图形的效果如图1-56所示。

图 1-55 “矫正图像”对话框

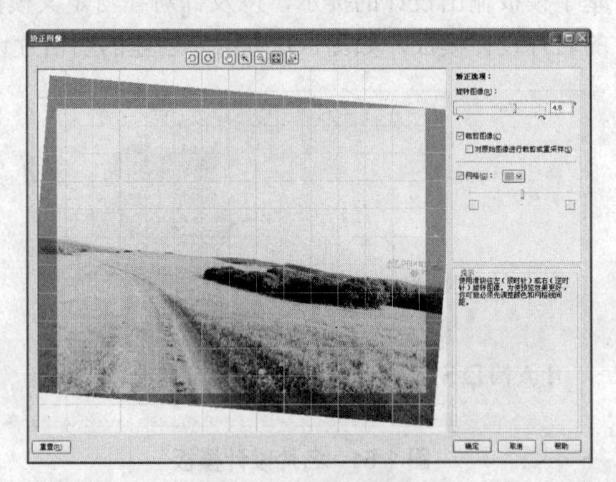

图 1-56 旋转图像

3. 调和曲线

通过增强的“调和曲线”功能，用户可以更精确地调整图像。现在可使用集成的柱状图接收实时反馈，还可以使用新的滴管工具在其图像的色调曲线上精确特定颜色的位置，沿着色调曲线选择、添加或删除节点。打开“调和曲线”对话框，可以在中间添加多个节点，如图1-57所示，调整更为精确的图像效果。用户也可以通过设置曲线的样式来进行翻转等操作，从而形成新的曲线样式，如图1-58所示。

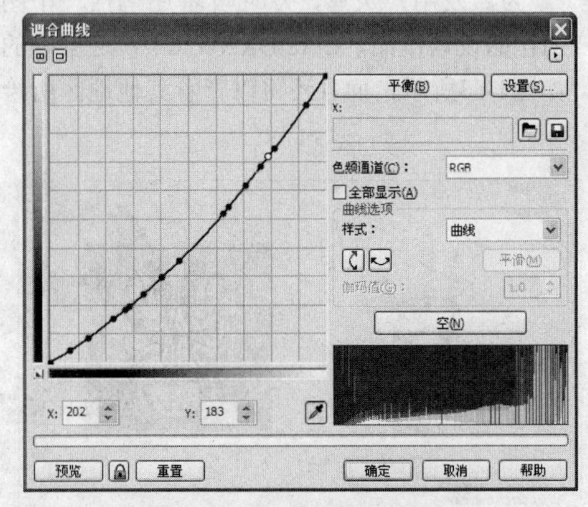

图 1-57 应用滴管增加节点

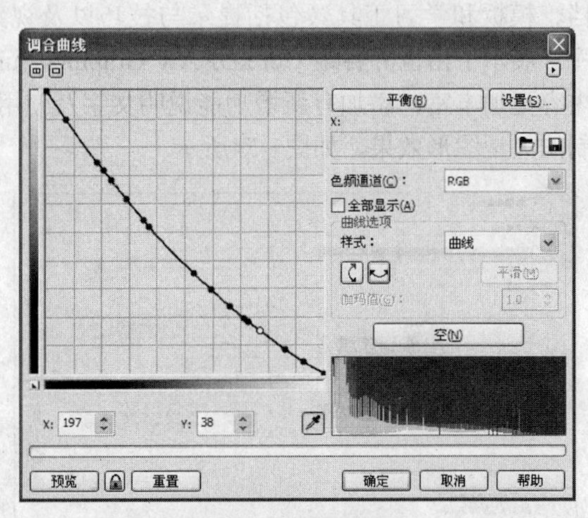

图 1-58 设置新样式

1.6 本章小结

CorelDRAW X4 的基础知识可以从四个方面来认识。首先是软件的发展历史和各个版本的特点，接下来了解该软件的应用领域，知道学习该软件的用途，第三是要了解应用该软件时常用的基本概念，以及CorelDRAW X4绘制图形的类型和特点，最后学习如何安装与卸载该软件，为后面应用该软件绘制图形提供平台。

1.7 专业解析

1. 文件损坏了无法打开怎么办？

答：碰到这种情况，首先要想到备份文件，CorelDRAW一般默认有备份，即每隔10分钟系统自动备份一次，并以“文件名_自动备份”命名。需要打开时，只需重命名，把原文件名后面的“_自动备份”删掉，并添加扩展名“.CDR”，就可以用CorelDRAW直接打开了。新手使用或系统不够稳定时，建议不要关闭自动备份。

2. 如何快速将位图转为矢量图？

答：安装CorelDRAW时同时安装CorelTRACE组件，这样在CorelDRAW里直接在位图上单击右键，会出现一个描绘点阵图，可以方便地进入CorelTRACE界面，把位图转换成矢量图。

3. 安装时出现提示“Internal Error 25001. NO enough disk space to extract Isscript. engine files”，应该如何处理？

答：这是硬盘空间不足造成的。这里提示读者，不管安装什么软件，尽量不要安装到默认盘C盘，因为C盘保留的空间越大，相对软件运行的速度就越快，即使系统坏了需要重装系统，也不需要重新安装这些软件了。

1.8 思考与练习

1. 填空题

（1）基于矢量的绘图同__________无关，将它缩放到任意大小或以任意分辨率通过输出设备打印出来，都不会影响清晰度。

（2）矢量图形又被称为__________。

（3）位图的分辨率越高，图形就越__________。

2. 选择题

（1）下面属于CorelDRAW X4新增功能的是（ ）。

A.捕捉目标功能　　B.动态向导功能

C.表格工具　　D.智能填充工具

（2）位图的最小组成单位是（ ）。

A.10个像素　　B.二分之一个像素

C.一个像素　　D.四分之一像素

（3）在CorelDRAW中可以处理的图像类型为（ ）。

A.位图　　B.矢量图

C.位图和矢量图　　D. 点阵图

3. 判断题

（1）位图图像，也被称为点阵图像或绘制图像，是由称作像素的单个块组成。（　）

（2）矢量图形放大显示后会影响清晰度。（　）

（3）活动文本格式是CorelDRAW X4软件的新增功能。（　）

4. 问答题

（1）调和曲线的主要功能是什么？

（2）矢量图与位图的区别有哪些？

（3）简述CorelDRAW的应用领域。

5. 上机题

（1）根据学习的安装软件知识将CorelDRAW X4软件安装到电脑中。

（2）创建安装完成的CorelDRAW X4软件的桌面快捷方式。

（3）将安装到电脑中的CorelDRAW X4 软件卸载。

CorelDRAW X4 界面全接触 02

本课所需时间： 2个小时

课程范例文件： sample\第2章\

课后练习文件： 无

必须掌握：

- CorelDRAW X4 的界面组成

深入理解：

- "标准"工具栏的应用
- 工具箱的应用

一般了解：

- 快捷键的定制
- 工作空间的定制

课程总览：

本章主要讲解CorelDRAW X4 的默认工作界面，将界面分为几个部分分别进行讲解，读者能从讲解中了解到界面各个组成部分的作用，并能根据个人喜好和习惯自定义和设置界面，使其更个性化。

2.1 CorelDRAW X4 界面介绍

运行CorelDRAW X4 应用程序，即可显示出CorelDRAW X4的操作界面，该界面主要由标题栏、菜单栏、"标准"工具栏、属性栏、工具箱、泊坞窗和绘图区域等元素组成，如图2-1所示，各个区域的作用在后面依次讲述。

图 2-1 操作界面

2.1.1 标题栏

标题栏位于操作界面的顶部，其显示的是应用程序的名称、图形的文件名。如果已经对该图形进行保存，还会显示图形的保存路径，在标题栏的右侧有三个控制窗口的按钮，分别为"最小化"按钮、"最大化"按钮和"关闭"按钮，如图2-2所示。

CorelDRAW X4 - [图形1]

图 2-2 标题栏

标题栏中的窗口控制按钮主要控制窗口的显示范围。单击“最小化”按钮可以将打开的图像窗口显示为图标，再次单击图标，则窗口还原为默认大小，如图2-3所示。单击“最大化”按钮将应用程序显示为最大化，此时界面边缘不能完全显示，如图2-4所示。

图 2-3 还原为默认大小

图 2-4 最大化显示图像窗口

单击“关闭”按钮则退出当前编辑程序。如果正在编辑图形，单击标题栏中的按钮后，会弹出提示保存的对话框，如图2-5所示。如果在弹出的提示对话框中单击“是”按钮，则会打开“保存绘图”对话框，选择存储绘图的路径，并设置保存图形的名称和格式，如图2-6所示，完成后单击“保存”按钮即可。

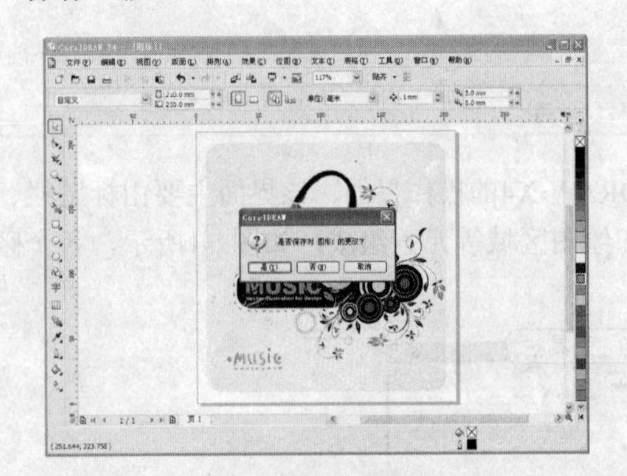

图 2-5 弹出提示对话框

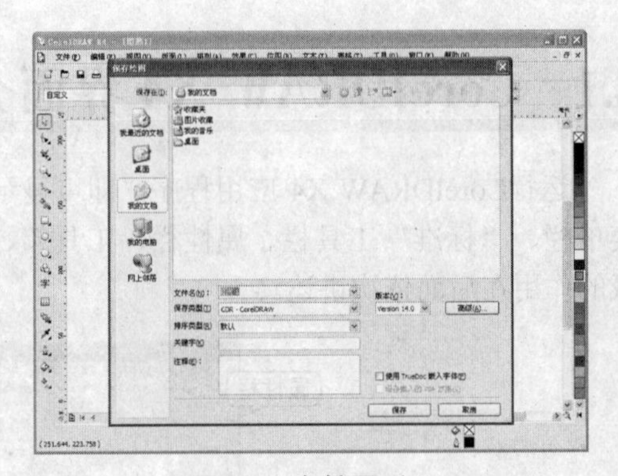

图 2-6 存储图形

2.1.2 菜单栏

菜单栏是所有菜单的集合，是控制图形的实际操作。菜单栏共包含有12类菜单，分别为文件菜单、编辑菜单、视图菜单、版面菜单、排列菜单、效果菜单、位图菜单、文本菜单、表格菜单、工具菜单、窗口菜单和帮助菜单，如图2-7所示，根据不同的菜单名称可以看出该菜单具体所包含相关命令的作用。

文件(F) 编辑(E) 视图(V) 版面(L) 排列(A) 效果(C) 位图(B) 文本(T) 表格(T) 工具(O) 窗口(W) 帮助(H)

图 2-7 菜单栏

1. 文件菜单

文件菜单中包含对文件的基础操作命令，主要包括新建文件、保存文件、导入或者导出文件，将制作完成的图形以其他形式发布或打印等等操作的相关命令，如图2-8所示。

2. 编辑菜单

编辑菜单中主要包含对对象的操作命令，主要有复制、粘贴、剪切等操作的相关命令，除了这些操作命令，还包括在图形中插入条形码或新对象的命令，如图2-9所示。

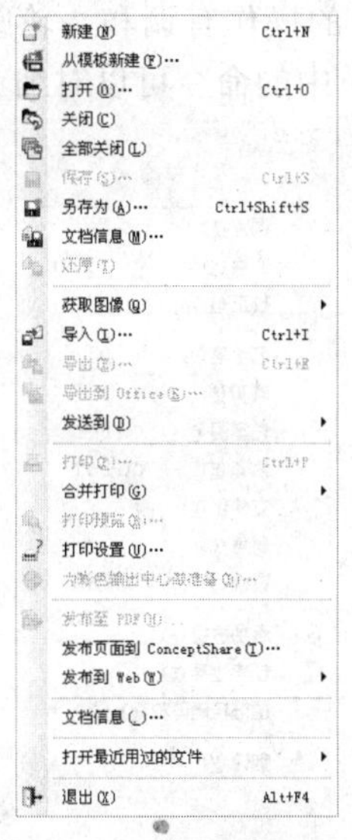

图 2-8　文件菜单

图 2-9　编辑菜单

3. 视图菜单

视图菜单中提供的是图形在窗口中显示模式和预览模式的相关设置命令，根据图形的不同用途选择合适的显示模式，还可以通过设置辅助工具节省制作图形的时间，如图2-10所示。

4. 版面菜单

版面菜单中的命令主要针对页面的相关设置和操作，主要包括插入新的页面、删除所选择的页面、重命名页面、切换页面方向，页面设置，为页面背景添加一个图案等相关操作的命令，如图2-11所示。

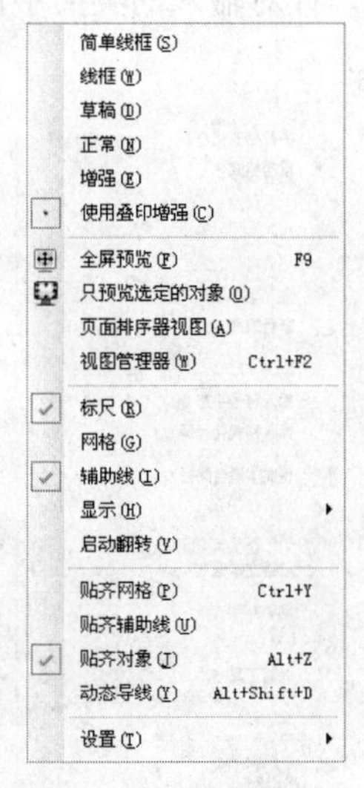

图 2-10　视图菜单

图 2-11　版面菜单

5. 排列菜单

排列菜单中的命令主要是针对一个或多个对象之间的操作，如图形的变换、调整以及对齐与分布等操作，通过设置调整图层和页面的顺序及分布，也能进行锁定和群组对象操作，如图2-12所示。

6. 效果菜单

效果菜单中的命令主要用于为对象添加特殊效果，主要包含的操作有调和、轮廓图、封套、立体化、斜角、透镜等，通过交互式工具对图形编辑后，效果菜单中的命令可以对细节部分进行调整，如图2-13所示。

图 2-12 排列菜单

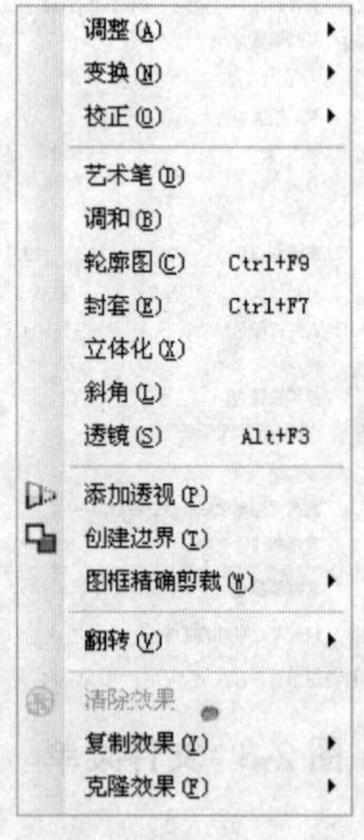

图 2-13 效果菜单

7. 位图菜单

位图菜单提供的命令主要是针对位图图像的操作，如果是矢量图形则先要将其转换为位图才能进行编辑，用户可以根据提供的命令制作出各种创造性效果，如图2-14所示。

8. 文本菜单

文本菜单中的命令主要是为文本的编辑和排列服务，最大限度地满足文本的各种变换。用户可以设置段落文本的间距和行距，也可以设置美术字的大小与间距，针对输入的英文字母还可以设置大小写，如图2-15所示。

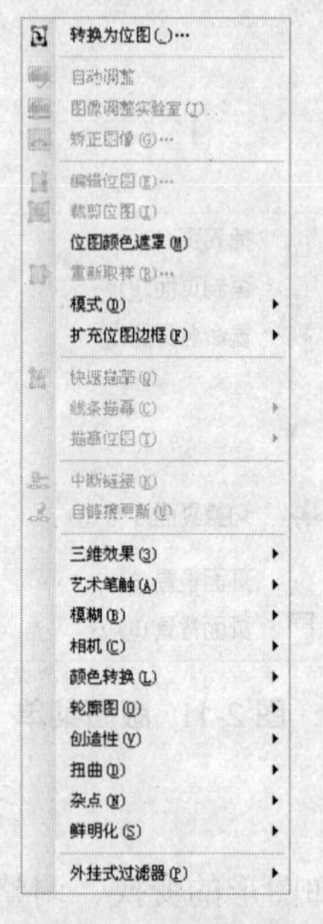

图 2-14 位图菜单

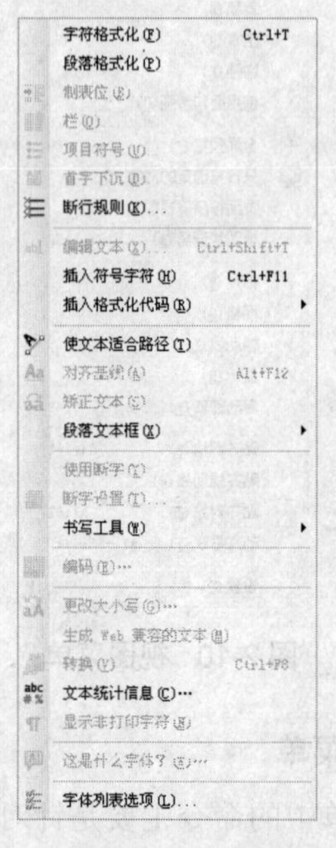

图 2-15 文本菜单

9. 表格菜单

表格菜单是CorelDRAW X4中新增的菜单，是根据新增的表格工具而添加的，该菜单中所提供的命令都是与表格的基本操作相关的，如平均分布、合并单元格、拆分单元格等，如图2-16所示。

10. 工具菜单

工具菜单中的命令主要针对自定义软件的操作，提供了多种管理器和快捷方式，其中特别提供了颜色编辑器，用户可以通过打开“调色板编辑器”来创建新颜色，并添加到调色板中，如图2-17所示。

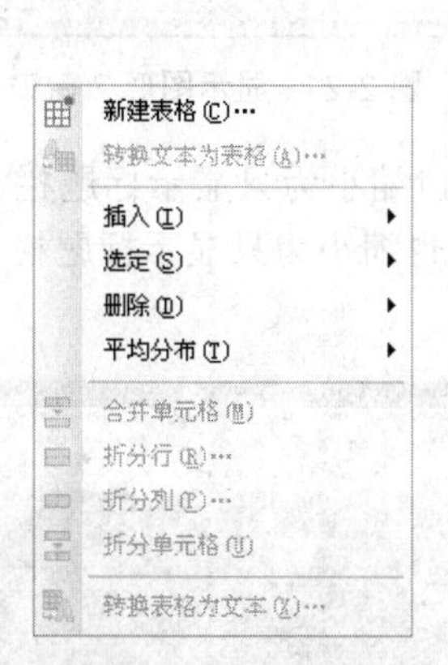

图 2-16　表格菜单

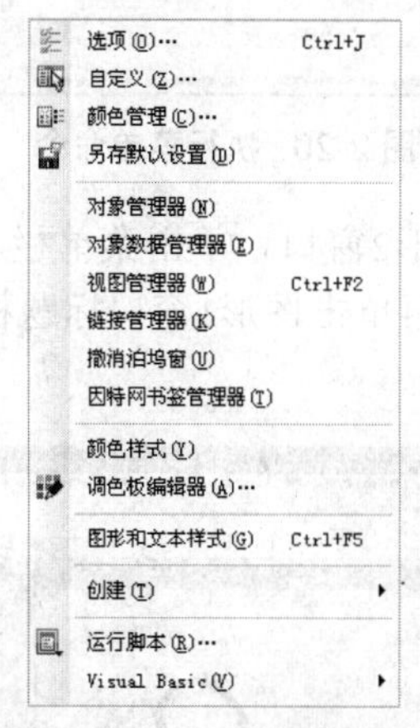

图 2-17　工具菜单

11. 窗口菜单

窗口菜单的命令主要针对窗口的排列及显示进行操作，包括对窗口进行水平或垂直平铺，或者通过执行相关命令将调色板或泊坞窗在窗口中显示出来，如图2-18所示。

12. 帮助菜单

帮助菜单所包含的命令主要用于说明应用程序，以及标示出新增功能，还可以更新应用程序，解决用户遇到的相关问题，如图2-19所示。

图 2-18　窗口菜单

图 2-19　帮助菜单

以窗口菜单中的命令为例来说明菜单的使用方法。用户通过窗口菜单中的命令可以切换显示不同的图形窗口，执行“窗口>图形2”菜单命令，如图2-20所示，执行该操作后即可显示图形2的图形窗口，如图2-21所示。

图 2-20　执行菜单命令

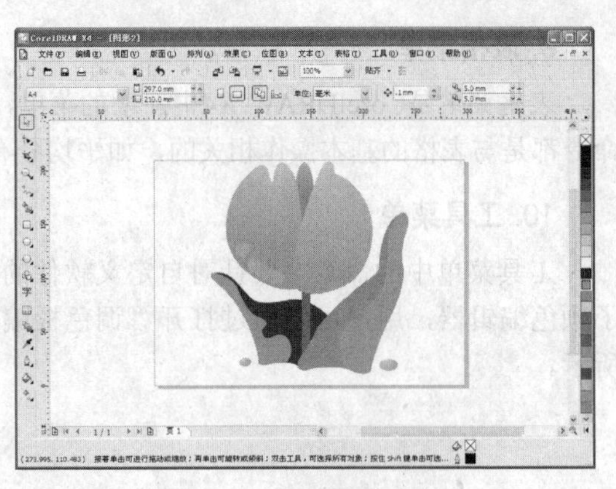

图 2-21　显示图形 2 窗口

选择图形2窗口，单击菜单栏右侧的按钮，将该图形窗口缩小为只显示标题栏，如图2-22所示，如果再单击图形1窗口标题栏右侧的按钮，则将图形1也缩小为只显示标题栏，如图2-23所示。

图 2-22　缩小窗口

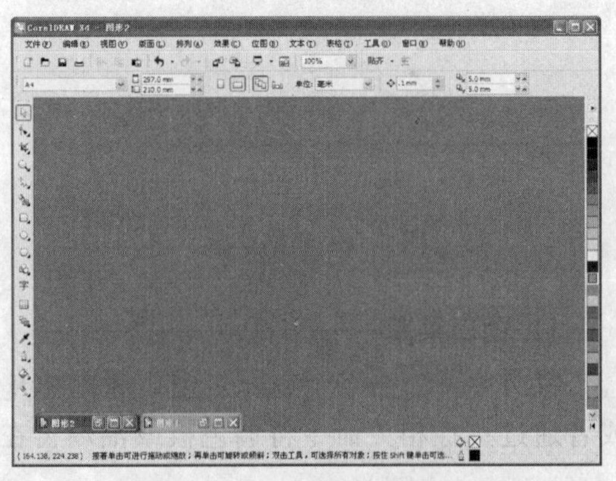

图 2-23　缩小显示为标题栏

选择图形2并单击标题栏中的按钮，即可还原图形窗口，如图2-24所示，再单击菜单栏右侧的按钮，将图形窗口平铺显示，如图2-25所示。

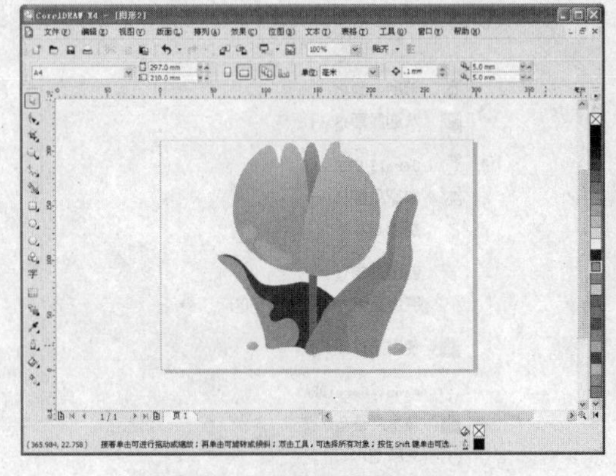

图 2-24　还原图形窗口

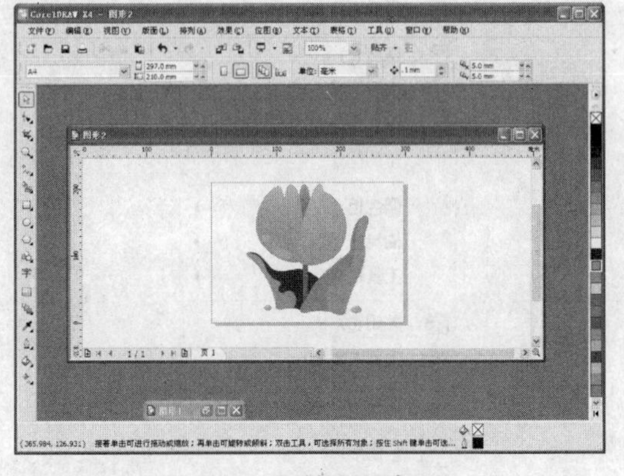

图 2-25　平铺显示窗口

将图像窗口返回到正常状态下显示，选择图形2并单击菜单栏右侧的“关闭”按钮，关闭图形，只留下图形1，如图2-26所示。将图形1向下还原显示后，可以在图形窗口中查看到图形2已经被关闭，如图2-27所示。

图 2-26　关闭图形 2

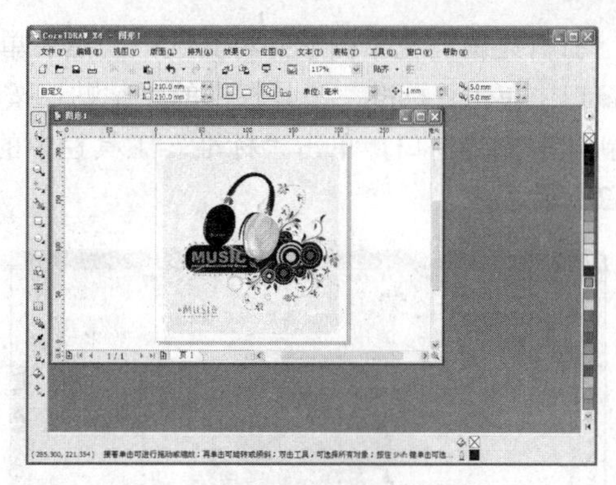
图 2-27　向下还原图形 1 窗口

2.1.3　标准工具栏

“标准”工具栏中汇集了一些常用命令，包括“新建”、“打开”、“保存”、“导入”、“导出”、“复制”、“粘贴”等，通过这些命令可以快速地编辑和操作图形，如图2-28所示，其中不同按钮的名称如表2-1所示。

图 2-28 “标准”工具栏

表 2-1　标准栏按钮

图标	名称	图标	名称
	新建文件按钮		撤销按钮
	打开文件按钮		重做按钮
	保存文件按钮		导入文件按钮
	打印文件按钮		导出文件按钮
	剪切文件按钮		应用程序启动器按钮
	复制文件按钮		欢迎屏幕按钮
	粘贴文件按钮	100%	缩放级别下拉列表
贴齐	贴齐对象按钮		选项按钮

应用“标准”工具栏中的按钮可以快速对图形进行操作，选择当前要编辑的图像窗口，如图2-29所示，单击“标准”工具栏中的“新建”按钮，在图像窗口中创建一个新的文件，如图2-30所示。

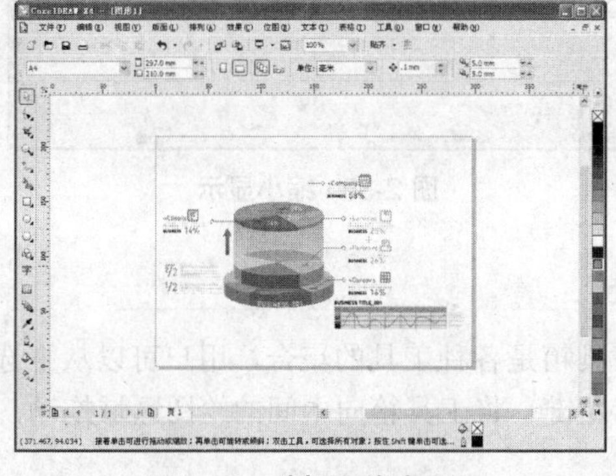
图 2-29　选择图像窗口

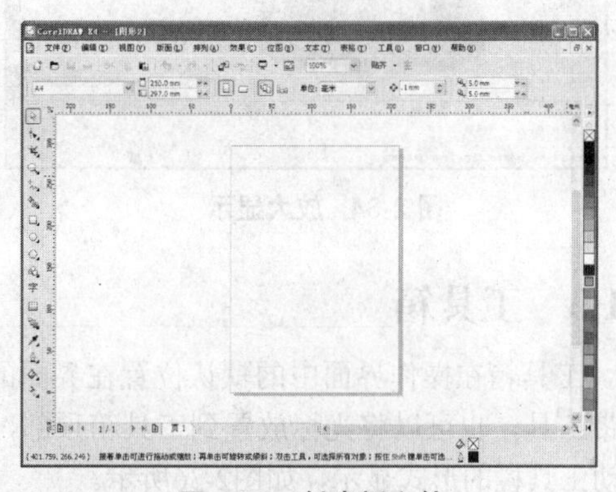
图 2-30　创建新文件

打开之前的花朵图形并将其选中，然后单击“标准”工具栏中的“复制”按钮，再在图形1图像窗口中单击“标准”工具栏中的“粘贴”按钮，将复制的花朵图形粘贴，如图2-31所示。再选择刚新建的图形窗口，单击“标准”工具栏中的“粘贴”按钮，将花朵图形粘贴到新窗口中，如图2-32所示。

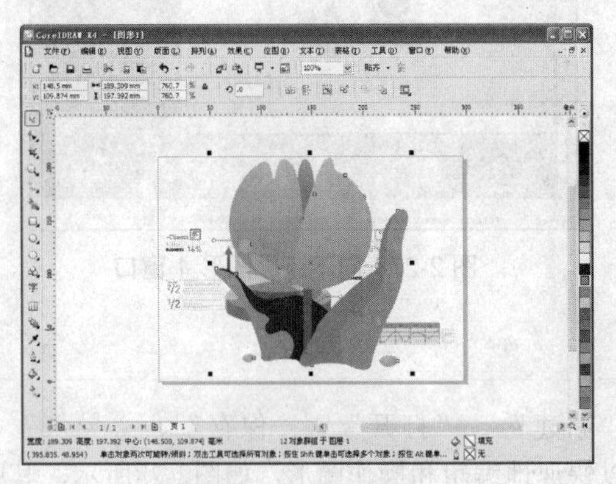

图 2-31 粘贴图形

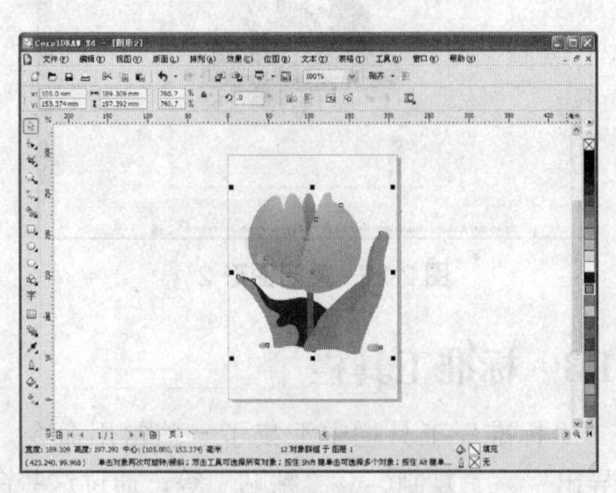

图 2-32 粘贴到新建窗口

2.1.4 属性栏

属性栏中显示的是所选择工具的控制选项，根据所选择工具的不同会变化，未选取任何工具时，会显示页面等设置的相关选项，如图2-33所示。

图 2-33 属性栏

以缩放工具为例说明属性栏的图形操作。首先单击工具箱中的“缩放工具”按钮，则属性栏显示为，单击属性栏中的“放大”按钮，并在图像窗口中单击，可以将图形放大显示，如图2-34所示，如果单击属性栏中的“缩小”按钮，在图像窗口中单击，则可以将图形缩小显示，如图2-35所示。

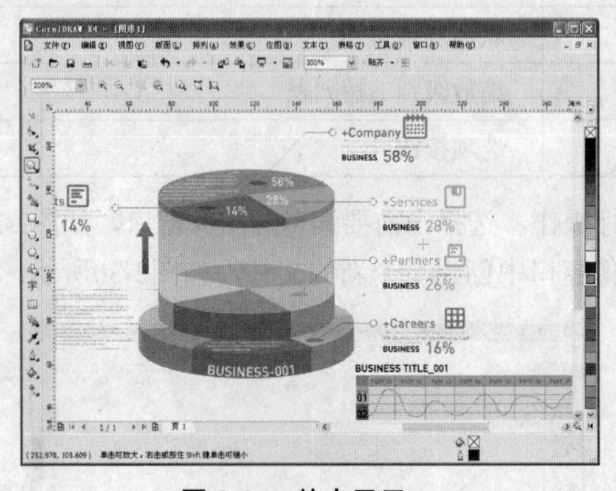

图 2-34 放大显示

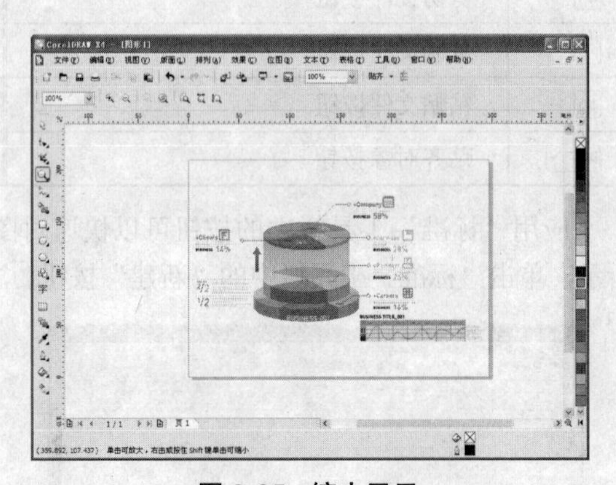

图 2-35 缩小显示

2.1.5 工具箱

工具箱在操作界面中的默认位置在界面的左侧，工具箱是各种工具的集合，用户可以从中选择自带工具，也可以将光标放置到工具箱顶部，按住鼠标左键，将工具箱向中间的绘图区域拖动，以浮动工具栏的形式显示，如图2-36所示。

图 2-36 以浮动工具栏的形式显示工具箱

从工具箱中选取工具，主要通过按住工具箱中相应的工具按钮，在弹出工具条中选择隐藏的工具，选取形状工具后打开隐藏工具条，查看其余工具按钮，如图2-37所示。按住“滴管工具”按钮，打开该工具的工具条，如图2-38所示，从中查看隐藏的所有工具。

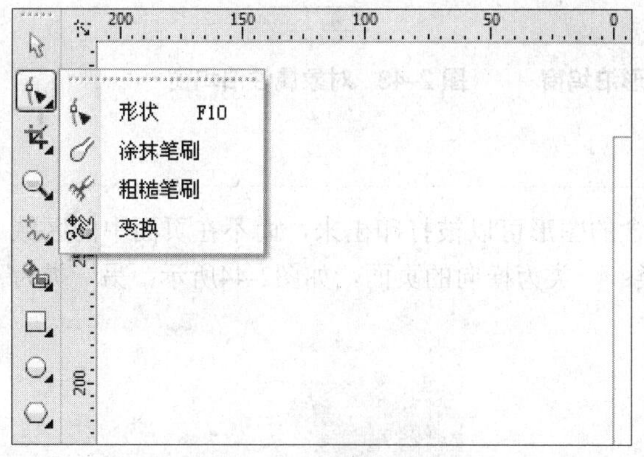

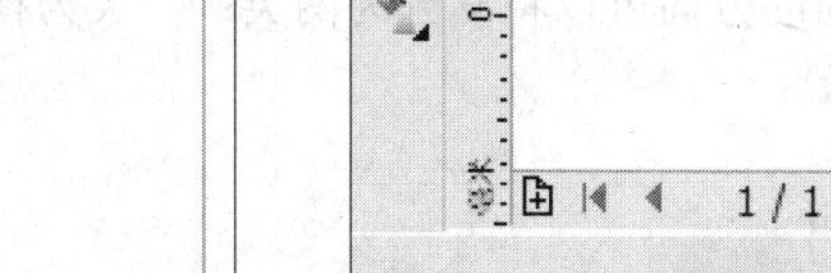

图 2-37 形状工具

图 2-38 滴管工具

下面以裁剪工具为例说明如何应用工具箱中的工具进行图形编辑。首先按住相应工具按钮，在弹出的隐藏工具条中选择相应工具，如图2-39所示。这里选择裁剪工具，然后在图中拖动，并设置裁剪选取框的大小，设置到合适大小后双击图像即可将图形裁剪，如图2-40所示。

图 2-39 选择裁剪工具

图 2-40 裁剪后的图形

2.1.6 泊坞窗

CorelDRAW包含了多种泊坞窗，泊坞窗的主要作用是通过提供的相关按钮对图形进行变换，下面主要介绍调和、造形和对象属性泊坞窗的用法。在调和泊坞窗中，用户可以设置调和步长、调和加速、调和颜色以及杂项调和选项，如图2-41所示。造形泊坞窗的主要作用是修剪绘制的图形，通常用于多个图形之间的修剪、焊接等操作，可以设置保留的对象，如图2-42所示。对象属性泊坞窗显示的是当前选择图形的属性，包括填充类型、边缘轮廓等，如图2-43所示。

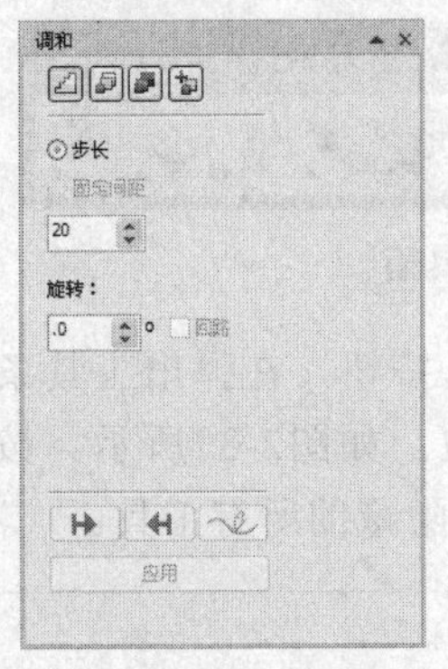

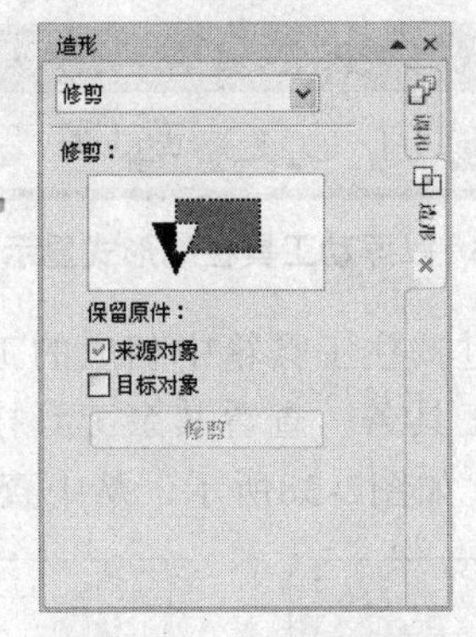

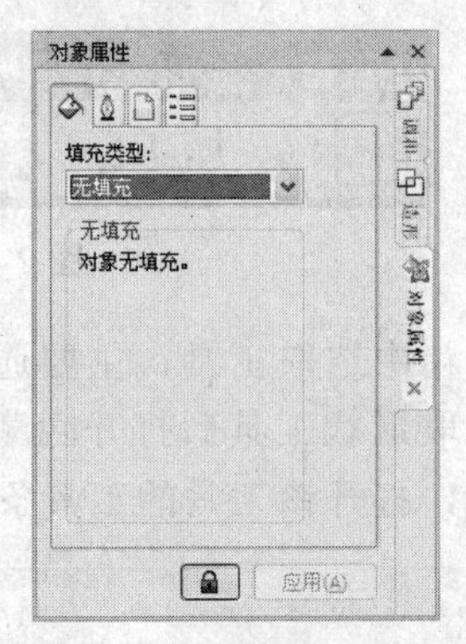

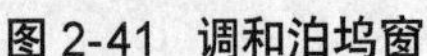

图 2-41　调和泊坞窗　　图 2-42　造形泊坞窗　　图 2-43　对象属性泊坞窗

2.1.7　绘图区域

绘图区域是指操作图形时的页面，该页面所包含的图形可以被打印出来，而不在页面中的区域则不会打印出来。根据页面的方向可以将其分为两类：一类为横向的页面，如图2-44所示；另一类为纵向的页面，如图2-45所示。

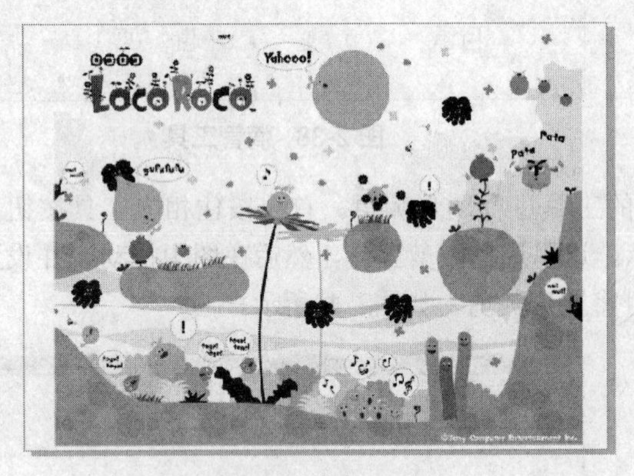

图 2-44　横向页面

图 2-45　纵向页面

2.2　工作环境的定制

工作环境的定制是指设置工具区域，包括定制工作空间、定制快捷键、定制颜色栏、定制菜单、编辑工具按钮以及控制页面方向，用户可根据操作需要对环境进行设置，使其符合个人习惯，提高工作效率。

2.2.1　工作空间的定制

工作空间的定制是指通过设置使工作区域更符合个人的风格习惯，用户可以根据需要将菜单命令的图标变大，还可以设置自动备份，保存和编辑绘制的图形。

1. 设置图标大小

菜单中命令项前的图标大小分为三类，分别为3-小、2-中和1-大，数值越大，菜单中命令项前的图标也就越大，设置步骤如下。

Step 01 首先执行“工具>选项”命令，打开“选项”对话框，在对话框的左侧展开“工作区”选项，再展开“自定义”选项，然后单击“命令栏”选项，切换到“命令栏”选项面板，如图2-46所示。在“按钮”下拉列表中可以选择相关选项，如图2-47所示选择“1-大”。

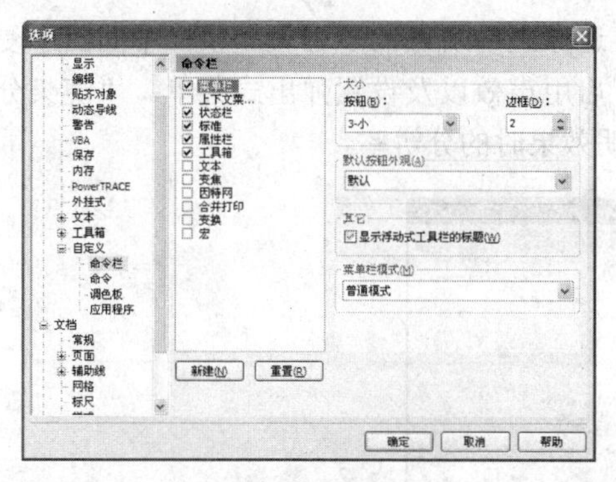

图 2-46　选择设置命令栏

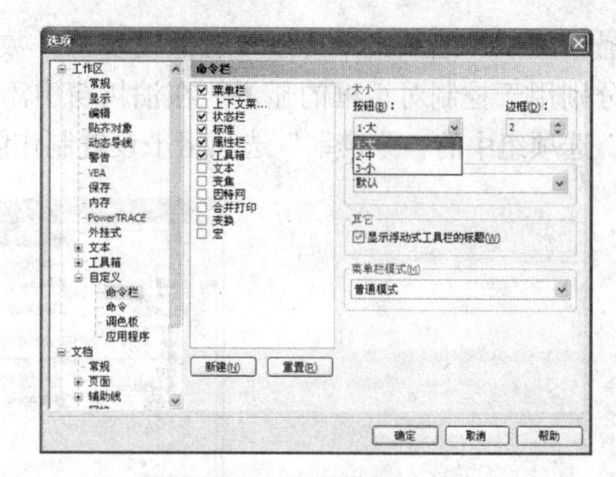

图 2-47　设置按钮大小

Step 02　确定后可以通过菜单中的相关图标来查看按钮大小，打开“版面”菜单，可以看出各命令项前的图标都变大了，更易看清其中相关的命令，如图2-48所示。打开其他菜单也可以查看其中命令项图标的变化，如图2-49所示。

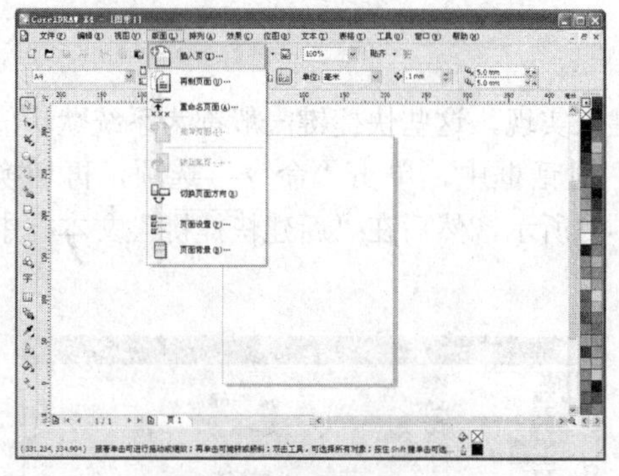

图 2-48　查看菜单

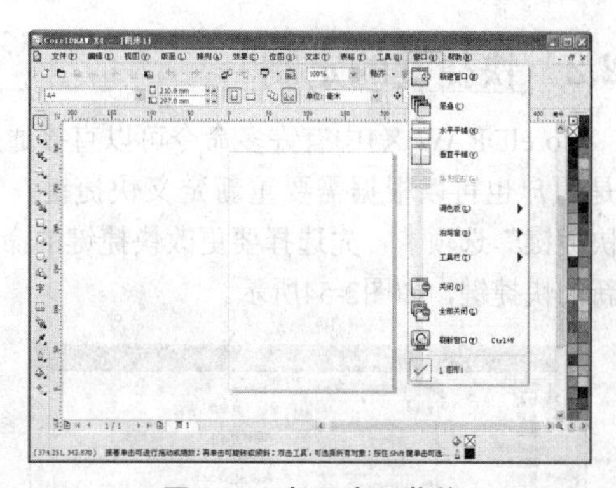

图 2-49　打开窗口菜单

2. 设置自动备份

自动备份指的是在“选项”对话框中设置存储图形的路径，以及自动保存的时间，如图2-50所示。通过设置自动备份可以防止程序出现问题时丢失制作的图形效果，单击“特定文件夹”单选按钮，再单击“浏览”按钮，打开“浏览文件夹”对话框，在该对话框中可以指定要保存图形的路径，方便后面查找图形，如图2-51所示。

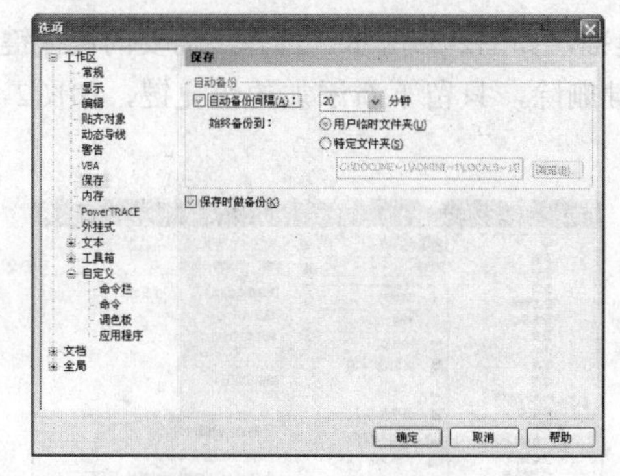

图 2-50　设置自动备份

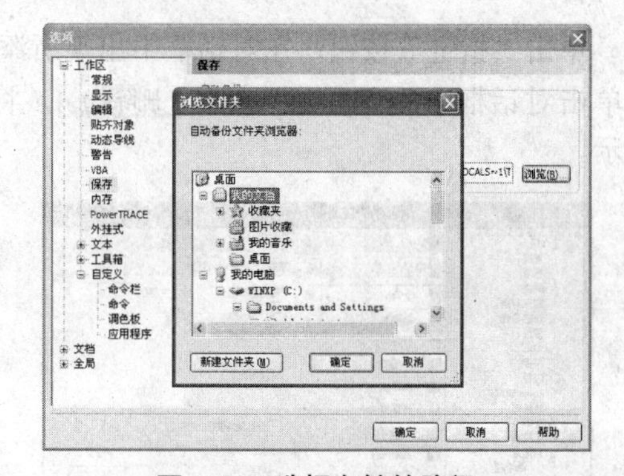

图 2-51　选择存储的路径

3. 设置常规选项

“常规”选项面板主要包括“撤销级别”选项组和“渲染分辨率”选项组，如图2-52所示，在

“撤销级别”选项组中可以设置撤销步骤，数值越大，还原之前所做的步骤就越多，中间四个复选框分别用于控制对话框的显示、在泊坞窗中添加标题、启用声效以及设置弹出式菜单。“渲染分辨率”选项组中的“分辨率”选项用于设置制作阴影和透明效果时的分辨率。

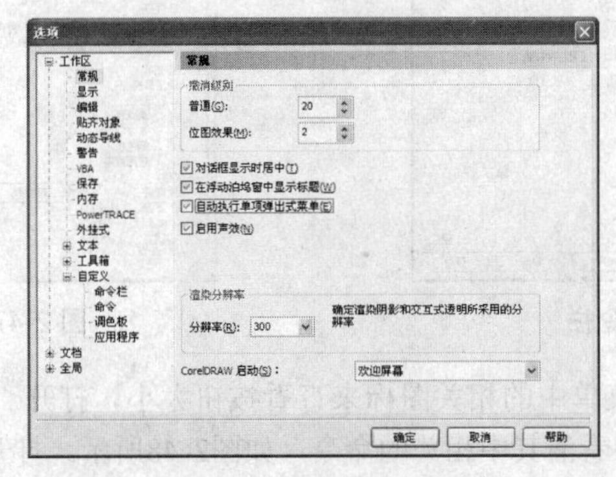

图 2-52　设置常规选项

2.2.2　快捷键的定制

CorelDRAW X4中有许多命令可以直接通过按快捷键来实现，这些快捷键一般都为系统默认值，但是用户也可以根据需要重新定义快捷键，在“选项”对话框中，单击“命令”选项，再切换到“快捷键”选项卡，先选择要更改快捷键的命令，如图2-53所示，然后在“新建快捷键”文本框中输入新的快捷键，如图2-54所示。

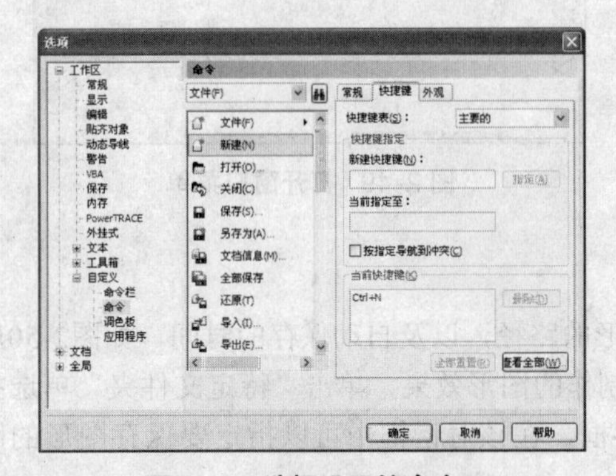

图 2-53　选择设置的命令

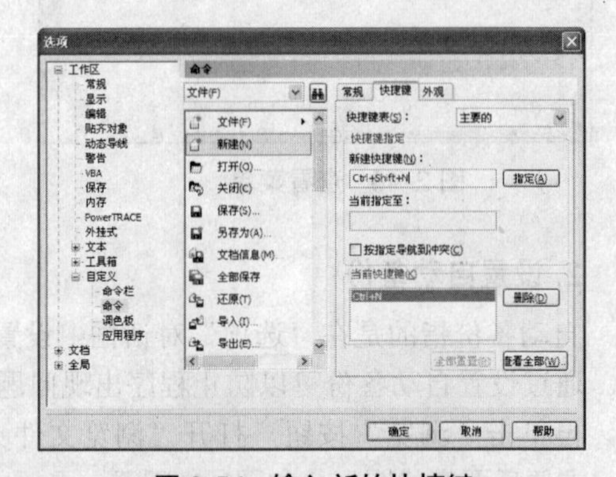

图 2-54　输入新的快捷键

单击“指定”按钮，在对话框中出现所添加的快捷键，如图2-55所示。选择不需要的快捷键，并单击对话框中的“删除”按钮 删除(D) ，将此快捷键删除，只留下新添加的快捷键，如图2-56所示。

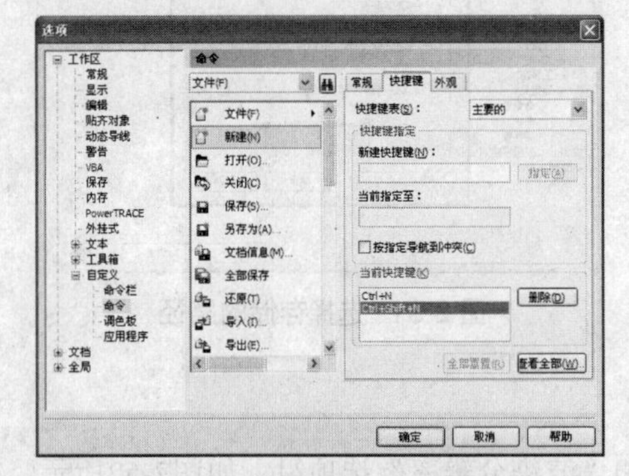

图 2-55　添加了新的快捷键

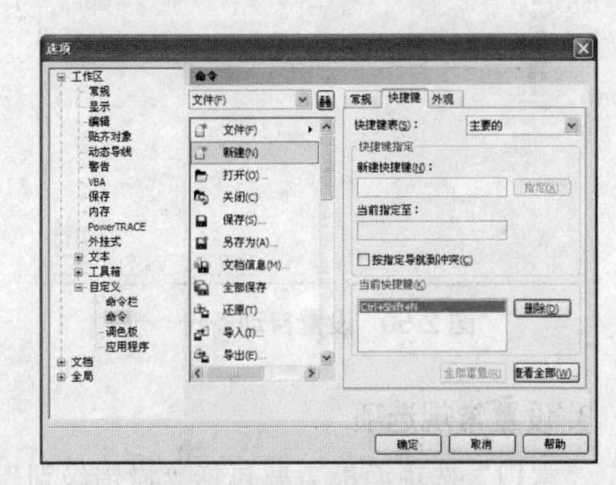

图 2-56　删除多余快捷键

设置完成后单击“确定”按钮，返回图像窗口，查看编辑后的快捷命令可以执行“文件>新建”菜单命令，如图2-57所示，可以看到该命令的快捷键已经发生了变化，按下该快捷键可以创建一个新的图像窗口，如图2-58所示。

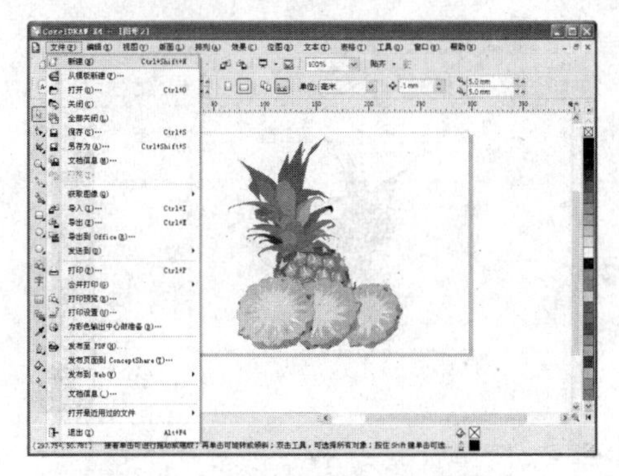

图 2-57　查看设置的快捷键

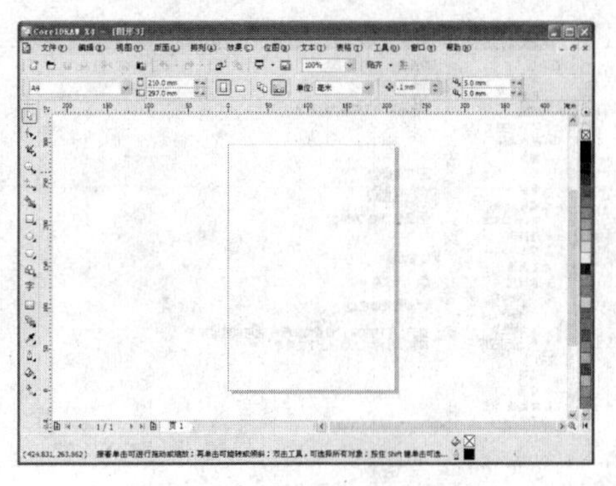

图 2-58　应用新的快捷键

2.2.3　颜色栏的定制

颜色栏的控制是指设置调色板在图像窗口中的排列位置及样式，在“选项”对话框中打开“调色板”选项面板，在相应的位置输入数值或者勾选相应的复选框即可完成设置，如图2-59所示。

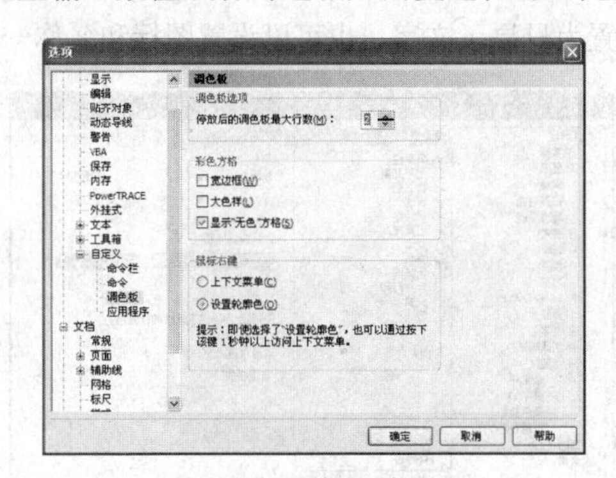

图 2-59　调色板的设置

具体定制颜色栏的操作步骤如下。

Step 01　打开“sample\第2章\原始文件\7.cdr”文件，在“选项”对话框中设置调色板的栏数。选择“调色板”选项就可以打开相关的选项面板，在“调色板选项”选项组中通过设置“停放后的调色板最大行数”来调整调色板的栏数，如图2-60所示，这里设置为3，完成设置后单击“确定”按钮，此时可以在图像窗口的右侧看到调色板已经变成了3栏，如图2-61所示。

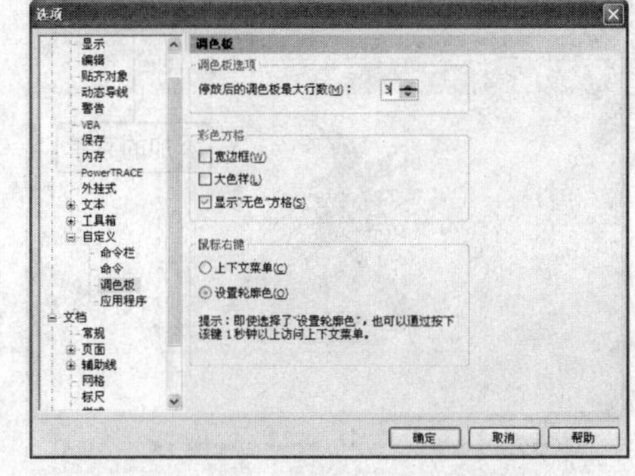

图 2-60　设置调色板栏数

图 2-61　设置后的调色板

Step 02 继续在“选项”对话框中设置，在“彩色方格”选项组中勾选“宽边框”复选框和“大色样”复选框，如图2-62所示。设置完成后单击“确定”按钮，可以在图像窗口的右侧查看所设置的调色板样式，如图2-63所示。

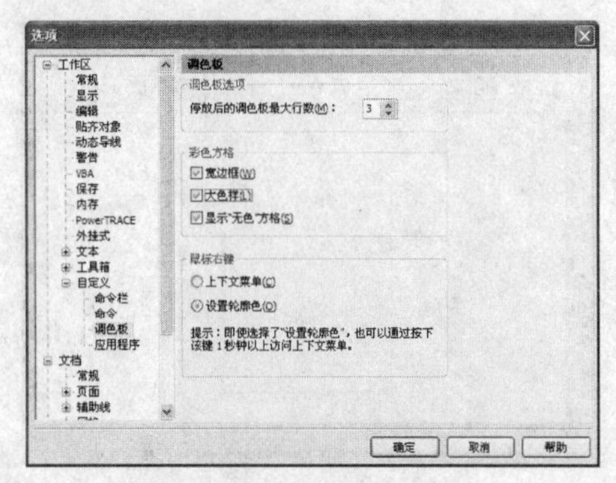

图 2-62　设置彩色方格

图 2-63　设置后的效果

2.2.4　菜单的定制

菜单的定制是指根据用户需要创建新的菜单，在“选项”对话框中单击左侧的“命令栏”选项，在右侧的选项面板中就可以设置所要控制的菜单，还可以设置下拉菜单中命令的显示图标大小，设置菜单栏的外观时，可以设置为只显示文字，也可以设置图标和名称一起显示，如图2-64所示。

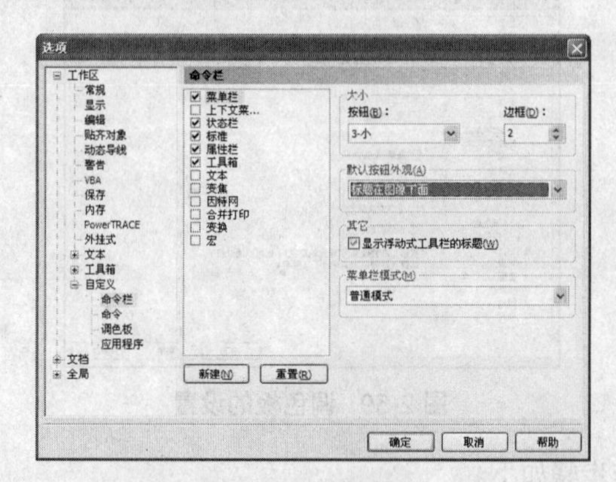

图 2-64　控制菜单

Step 01 添加新菜单。首先在菜单栏右侧的空白区域单击鼠标右键，在弹出的快捷菜单中执行“自定义>菜单栏>添加新菜单”命令，如图2-65所示。执行操作后在菜单栏的右侧可以看到新增的菜单，如图2-66所示。

图 2-65　添加新菜单

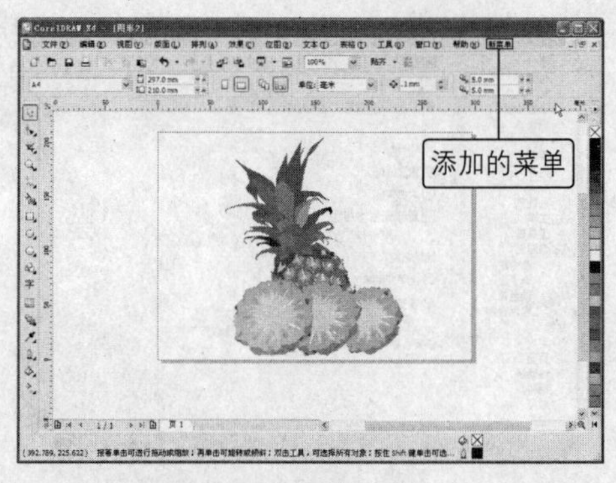

图 2-66　新建菜单

Step 02　在菜单栏中添加图标。在菜单栏右侧的空白区域单击鼠标右键，在弹出的快捷菜单中执行“自定义>菜单栏>标题在图像下面”命令，如图2-67所示。执行该操作后可以看到，在菜单栏的顶部添加了按钮，如图2-68所示。

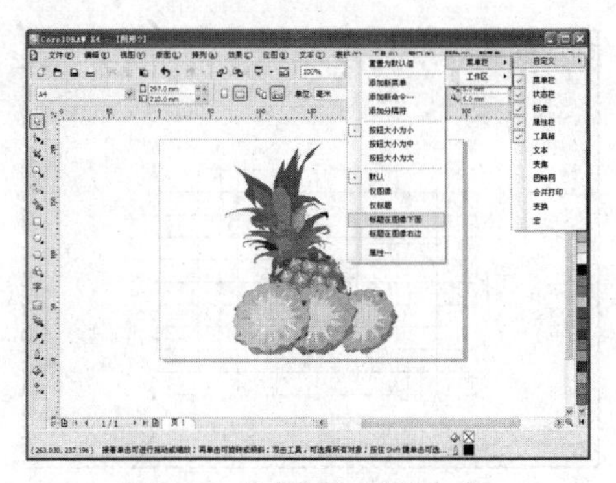

图 2-67　执行添加图标命令

图 2-68　添加图标效果

Step 03　对于菜单栏中已经添加的图标，可以设置为以大图标显示。在上面弹出的菜单中选择“按钮大小为大”命令，如图2-69所示。执行该步操作后可以将菜单栏上方的图标变大，如图2-70所示。

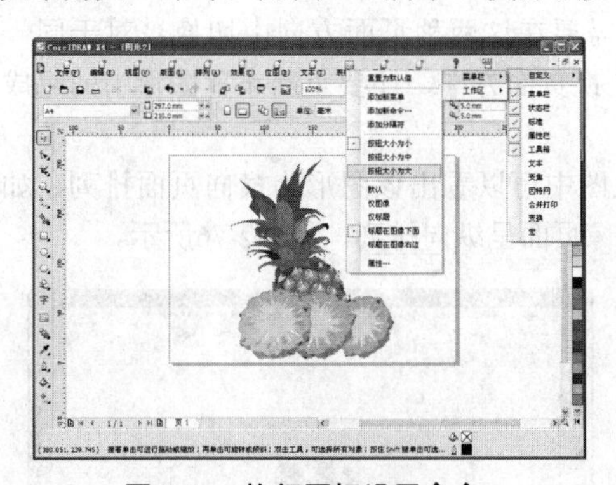

图 2-69　执行图标设置命令

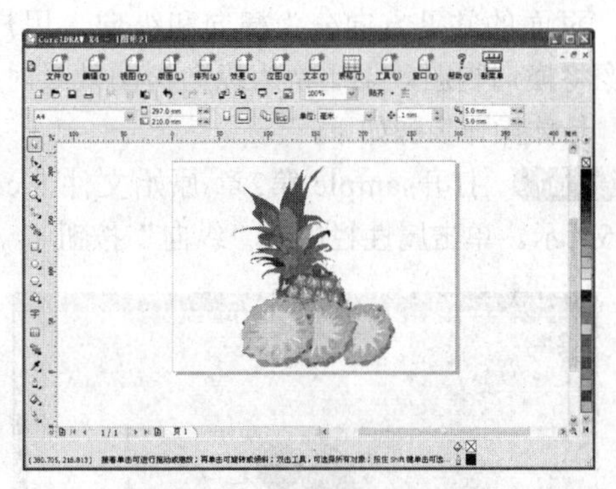

图 2-70　设置图标大小效果

2.2.5　工具按钮的编辑

编辑工具按钮主要通过设置“选项”对话框的参数，先选择要编辑的工具，再在相应的选项组中设置控制该工具的参数。具体设置步骤如下。

Step 01　首先打开“选项”对话框，单击左侧的“工具箱”选项，选择要编辑的工具，打开该工具的选项面板，这里选择图纸工具，如图2-71所示，根据需要进行设置，此处保持系统默认值，设置完成后单击“确定”按钮，然后选取工具箱中图纸工具，在绘图区中拖动鼠标，出现默认网格图形，如图2-72所示。

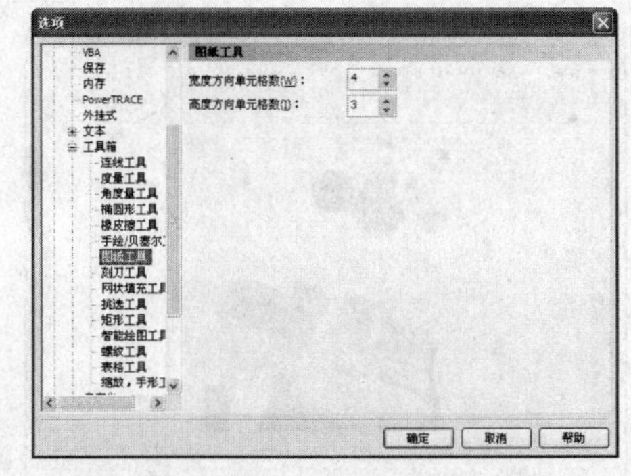

图 2-71　选择“图纸工具”选项面板

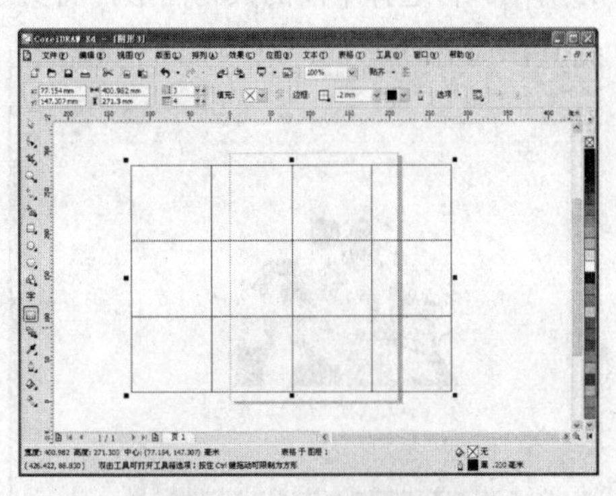

图 2-72　默认网格图形

Step 02 继续在对话框中设置图纸样式，将宽度方向单元格数设置为8，将高度方向单元格数设置为10，如图2-73所示。设置完成后单击“确定”按钮，再选择图纸工具在图中拖动，绘制出设置的图表，如图2-74所示。

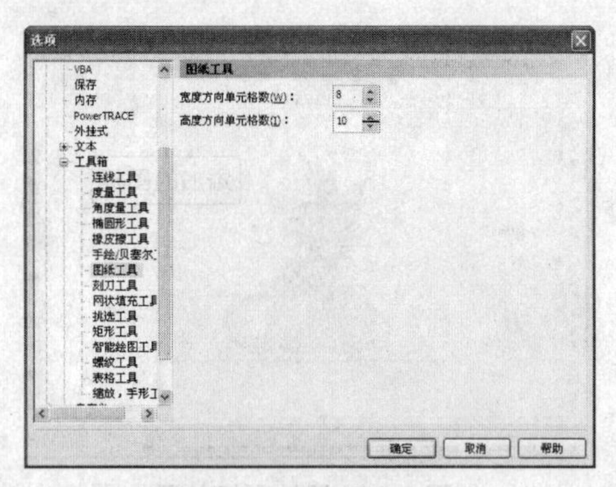

图 2-73 设置图纸样式

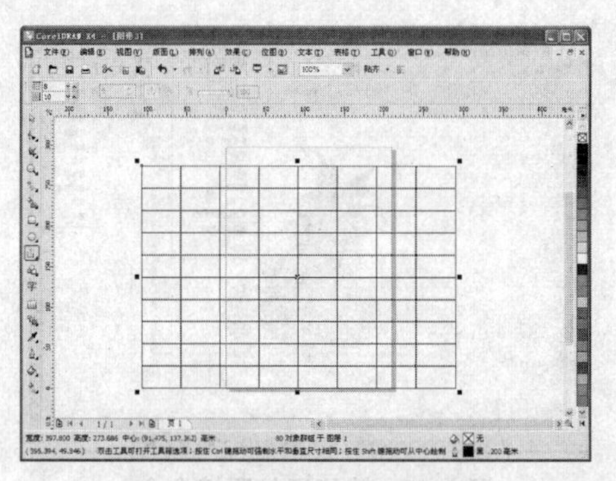

图 2-74 设置图纸样式效果

2.2.6 控制页面方向

页面的常见方向分为横向和纵向，用户可以根据需要在这两种页面方向中切换，对于同一个图像将横向构图效果更换为纵向构图效果时，不仅要更换页面方向，还要重新设置图形中的组成部分，具体操作步骤如下。

Step 01 打开sample\第2章\原始文件\8.cdr文件，从图中可以看出该图形为横向页面排列，如图2-75所示。单击属性栏中的“纵向”按钮 □，使打开图像页面呈纵向排列，如图2-76所示。

图 2-75 打开图形

图 2-76 页面纵向排列

Step 02 设置图形的背景效果，应用挑选工具选取背景图形，将其变换到和页面相同的大小，如图2-77所示。再选择中间的人物图形，将其边缘与背景边缘对齐，效果如图2-78所示。

图 2-77 调整背景图形

图 2-78 设置后的图形

2.3 本章小结

CorelDRAW X4在界面上有很大创新，应用相关命令及工具更为简便，更符合人们的操作习惯，通过介绍界面中各组成部分的作用，使读者了解到不同组成部分的具体使用方法和用途，方便以后熟练地操作软件进行图形绘制。

2.4 专业解析

1. 哪些快捷键能够有效地提高工作效率？

答：常用的快捷键有：

Ctrl+A 全选对象，Delete删除所选对象；

Ctrl+Z 后退一步，Ctrl+X剪切所选对象，Ctrl+C复制所选对象，Ctrl+V粘贴对象；

按F4回到标准页面，按F9全屏显示；

按空格键则切换当前工具与前一工具；

Ctrl+T切换至文本格式， Ctrl+Shift+ <> 单行调整段落文本的字距 。

2. CorelDRAW 的工具栏、属性栏、菜单和泊钨窗口不见了怎么办？

答：这种情况常发生在新手身上，通常是由于误操作，将工具栏、属性栏等拖到屏幕以外的地方去了。其实它们没有被关闭，只是看不到罢了。解决的方法很简单，只需重置CorelDRAW默认选项即可。方法是按住F8，双击桌面上的CorelDRAW图标，提示是否要恢复到初始值，单击“确定”即可。这个办法对解决工具栏，属性栏不见或移位等问题均适用。

2.5 思考与练习

1. 填空题

（1）当需要重新操作一系列命令时，可以使用__________栏中的命令。

（2）在CorelDRAW中，可以通过__________开始绘图。

（3）状态栏显示的对象信息包括__________、__________和__________。

2. 选择题

（1）关于网格、标尺和辅助线的说法正确的是（　）。

A. 都是用来帮助准确绘图和排列对象

B. 借助网格可以准确地绘制和对齐对象

C. 标尺用来帮助用户在“绘图窗口”中确定位置和大小

D. 辅助线在打印时不出现

（2）当单击一个图像时，它的周围出现（　）个控制手柄 。

A.4　　B.6　　C.8　　D.9

（3）拖动对象时按住（　）键，可以使对象只在水平或垂直方向移动。

A. Shift　　B. Alt　　C. Ctrl　　D. Esc

3. 判断题

（1）尺度线上的文字样式可以改变。（　）

（2）要在CorelDRAW中，创建对象副本可以通过拖曳对象的同时单击右键进行创建。（　）

（3）对象是指在绘图区域中创建或放置的任何项目。（ ）

4. 问答题

（1）菜单栏中包含的菜单命令有哪些？

（2）版面菜单的主要作用是什么？

（3）泊坞窗的主要作用是什么？

5. 上机题

（1）创建一个纵向的页面，如图2-79所示，再将其设置为横向页面，如图2-80所示。

图 2-79　纵向页面　　　　图 2-80　转换为横向页面

（2）自定义较大菜单显示，如图2-81所示。

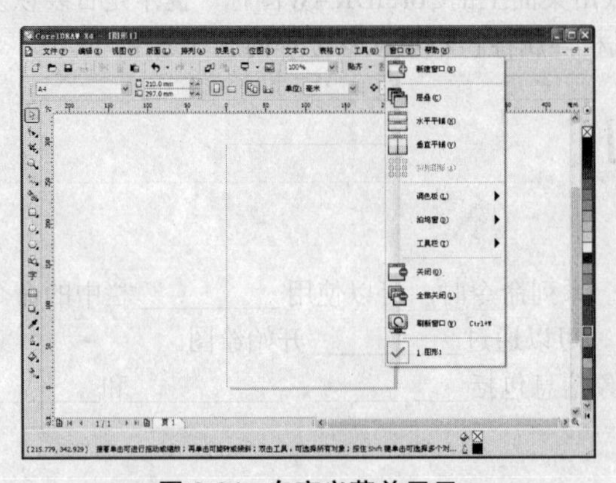

图 2-81　自定义菜单显示

（3）在图像窗口中打开“颜色”泊坞窗和“变换”泊坞窗，如图2-82所示。

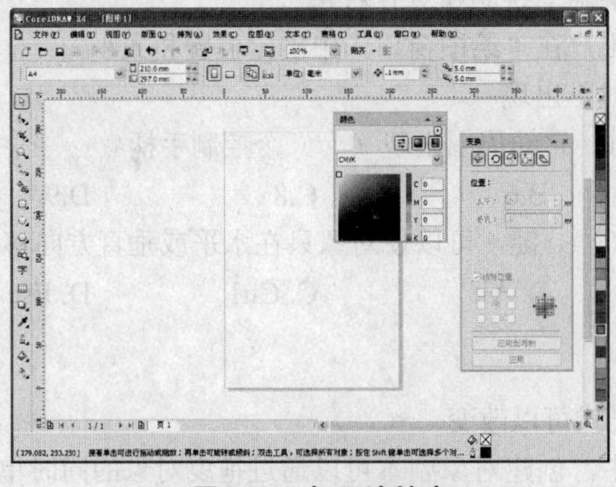

图 2-82　打开泊坞窗

03

文件的基本操作

本课所需时间： 3个小时

课程范例文件： sample\第3章\

课后练习文件： exercise\第3章\

必须掌握：

- 辅助工具的应用

深入理解：

- 文件的基本操作
- 文件视图预览模式
- 视图的显示模式

一般了解：

- 文件的格式

课程总览：

本章从新建文件等基础内容讲起，简单介绍了图像窗口中常用的视图模式。如何合理选择最合适的预览方式和视图模式，以及通过设置常用的辅助工具为文件的基础操作提供方便，也是必须要掌握的知识点。

3.1 文件的基本操作概述

文件的基本操作从新建文件开始，讲解创建新文件的不同方法，然后讲解如何对已存储文件进行打开和保存操作，而导入和导出文件是该节的难点，矢量图通过导入转换为位图等其他格式的图形再进行编辑。

3.1.1 新建文件

启动应用程序后，执行新建文件操作可以绘制新图形的图像窗口，新建文件的主要方法有应用文件菜单新建，应用启动界面新建以及从模板新建文件，用户可以根据需要选择最合适的创建方法。

1. 从菜单新建文件

启动CorelDRAW X4应用程序后，执行“文件>新建”菜单命令，如图3-1所示，在图像窗口中新建一个白色文档，大小为默认值，如图3-2所示。

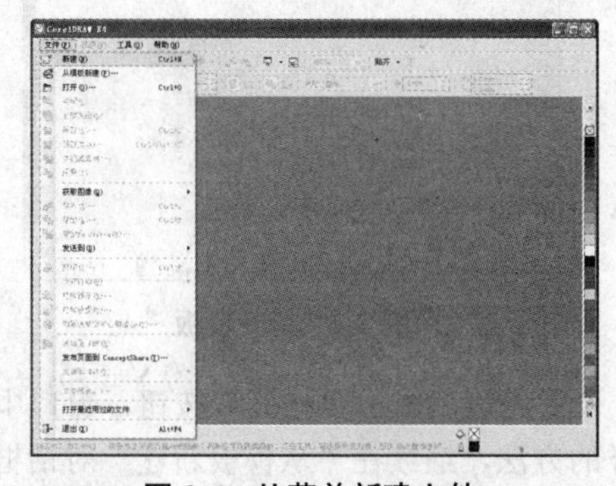

图3-1 从菜单新建文件

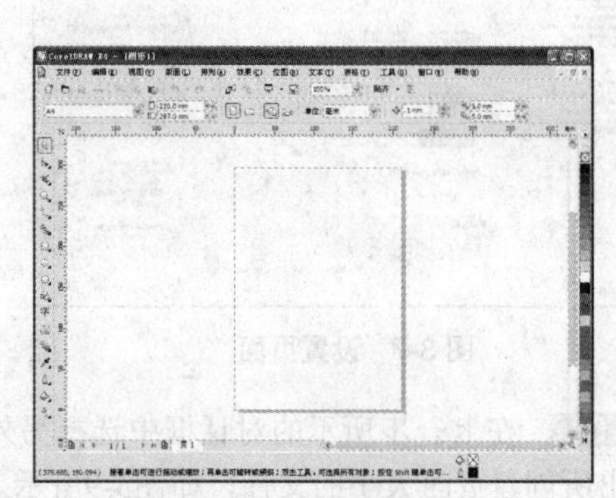

图3-2 新建的文件

2. 通过快速启动界面新建文件

在帮助菜单中选择“欢迎屏幕”命令，打开“快速启动”界面，如图3-3所示，单击“新建空文件”选项，即可创建默认大小的文件，如图3-4所示。

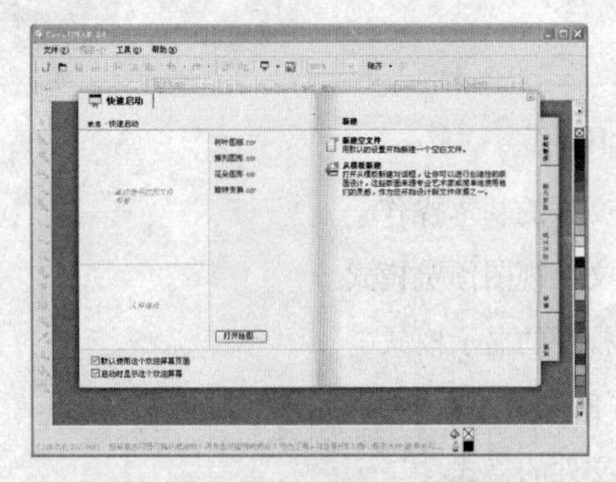

图 3-3 “快速启动”界面

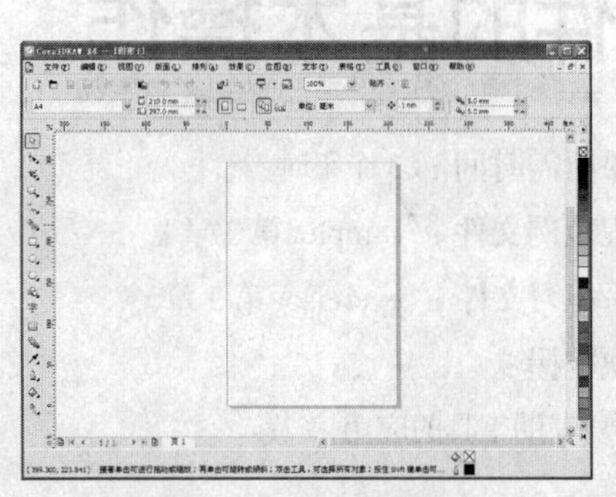

图 3-4 创建的新文件

3. 从模板新建文件

新建模板文件是指从系统所提供的样式中选择并创建出已经设置好的文件，在“从模板新建”对话框中可以选择和预览模板的样式，然后根据需要选择合适的模板，具体操作步骤如下。

Step 01 通过帮助菜单打开“快速启动”界面，在界面中单击“从模板新建”选项，如图3-5所示，即弹出“从模板新建”对话框，单击选择对话框中合适的模板，并进行预览，如图3-6所示。

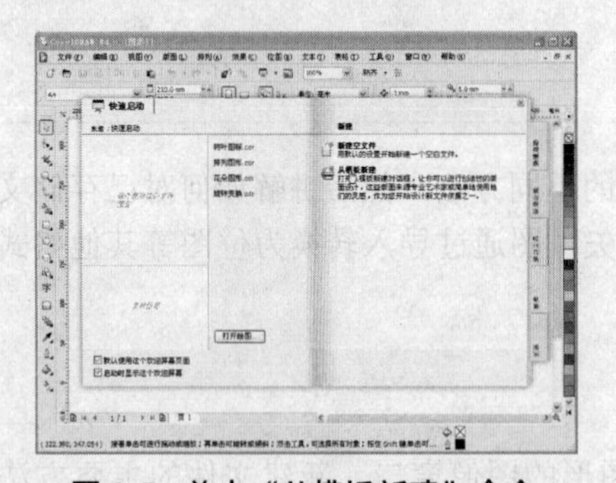

图 3-5 单击“从模板新建”命令

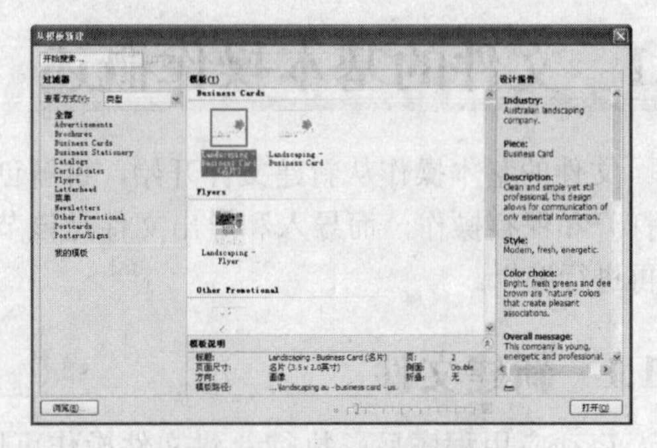

图 3-6 选择模板并预览

Step 02 在“从模板新建”对话框中可以设置页面大小，如图3-7所示。在“从模板新建”对话框中设置完成后单击“打开”按钮，在界面中即显示出模板，如图3-8所示。

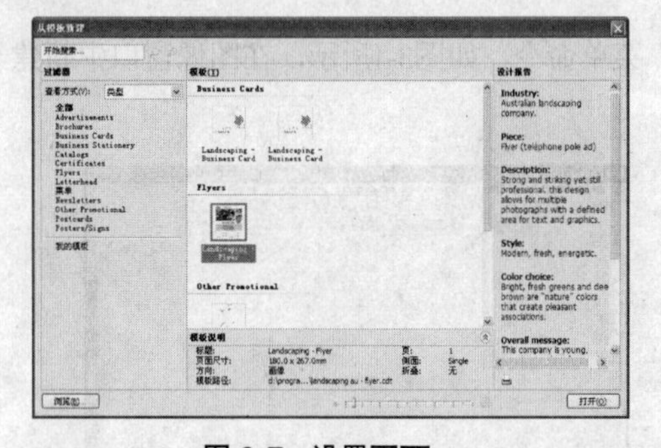

图 3-7 设置页面

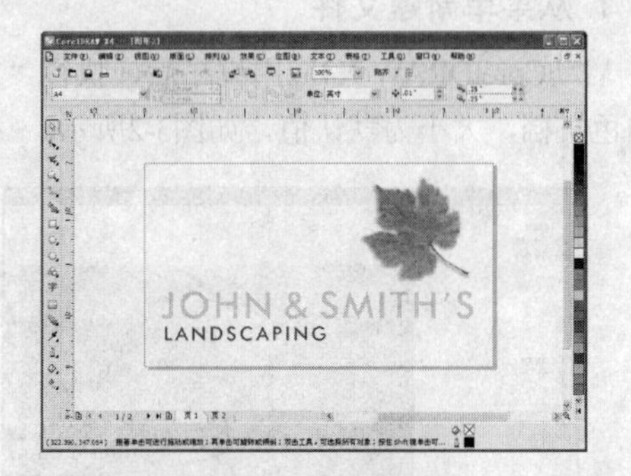

图 3-8 打开模板

Step 03 在上一步所示的对话框中选择另外的模板，设置完成后单击“打开”按钮，窗口中则会显示出所创建页面大小的文件，如图3-9所示。应用同样的方法，继续在“从模板新建”对话框选择另外的模板，如图3-10所示为打开的T恤模板图案。

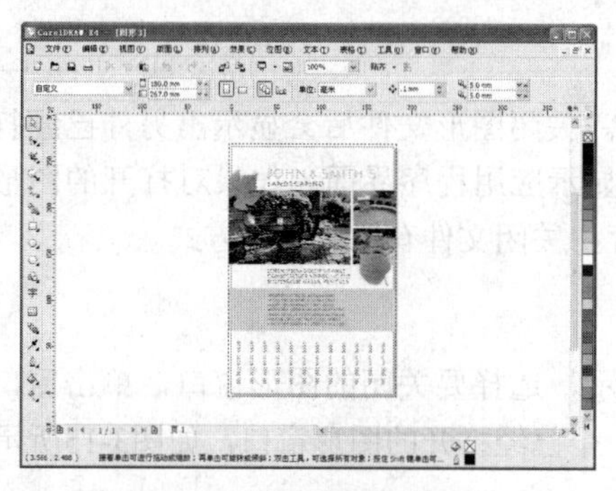

图 3-9 打开页面文件

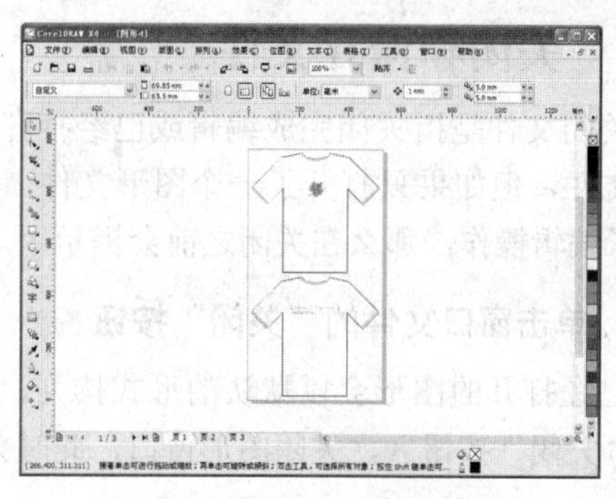

图 3-10 打开 T 恤样式图案

3.1.2 打开文件

打开文件操作主要针对CorelDRAW X4程序所支持的文件格式，即矢量图形。用户可以对再次打开的图形文件重新编辑。打开文件的方法有以下几种。

（1）执行菜单命令打开文件具体操作步骤如下。

Step 01 启动CorelDRAW X4应用程序，执行“文件>打开”菜单命令，如图3-11所示，弹出“打开绘图”对话框，在该对话框中单击要打开的图形，在右侧的预览框中可以查看图形效果，如图3-12所示。

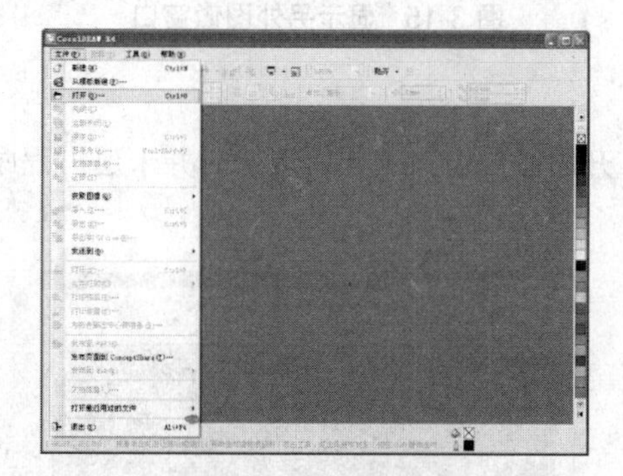

图 3-11 执行相关命令

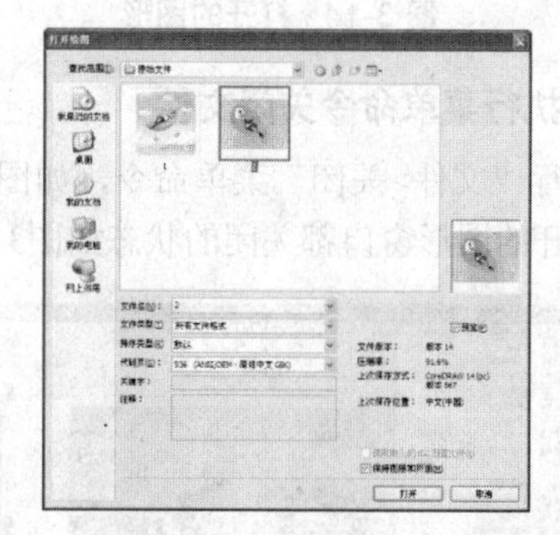

图 3-12 “打开绘图”对话框

Step 02 单击“打开”按钮，将提供的素材文件打开，如图3-13所示。

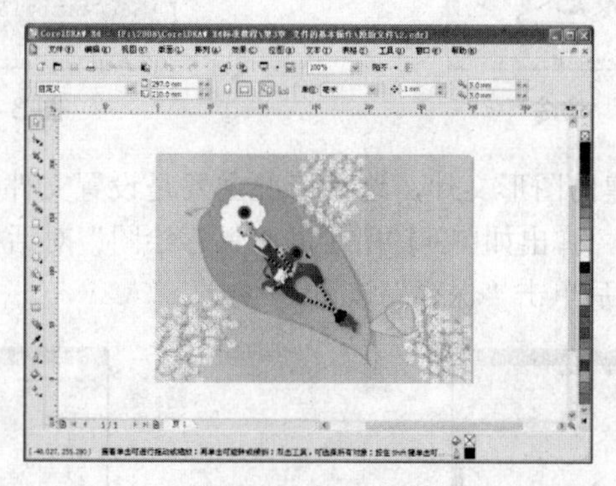

图 3-13 打开图形

（2）通过快捷键Ctrl+O打开文件。

（3）在欢迎界面窗口中单击“打开上次编辑的图形”或“打开图形”图标。

（4）单击工具栏中的“打开文件”按钮。

3.1.3 关闭和保存文件

关闭文件是指关闭完成编辑或已经打开的图形文件。关闭图形文件后会显示出另外已经打开的图形文件，但如果只打开了一个图形文件，则关闭后只显示应用程序界面。如果对打开的图形文件进行了编辑操作，那么在关闭之前会提示用户对文件保存，关闭文件有以下几种方式。

1. 单击窗口文件的“关闭”按钮×

已经打开的图形会以默认的形式排列，如图3-14所示，选择要关闭的图形窗口，单击窗口右上方的“关闭”按钮×，关闭图形窗口，此时会显示另外一个已经打开的图形窗口，如图3-15所示。

图 3-14 打开的图形

图 3-15 显示另外图像窗口

2. 执行菜单命令关闭文件

执行“文件>关闭”菜单命令，如图3-16所示，将打开的图像窗口关闭，但此时并未退出程序，所有打开的图形窗口都关闭的状态如图3-17所示。

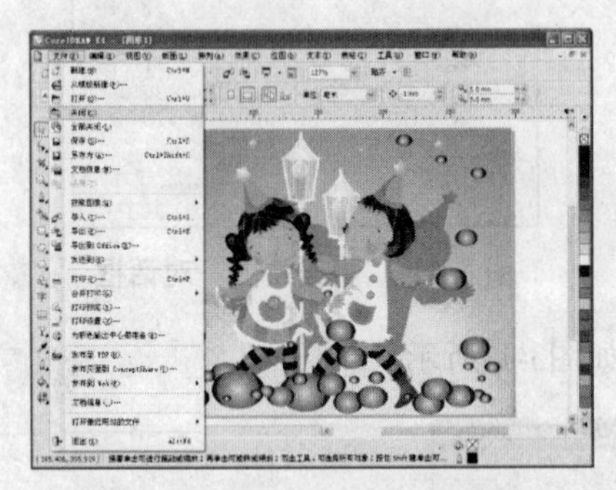

图 3-16 执行“关闭”命令

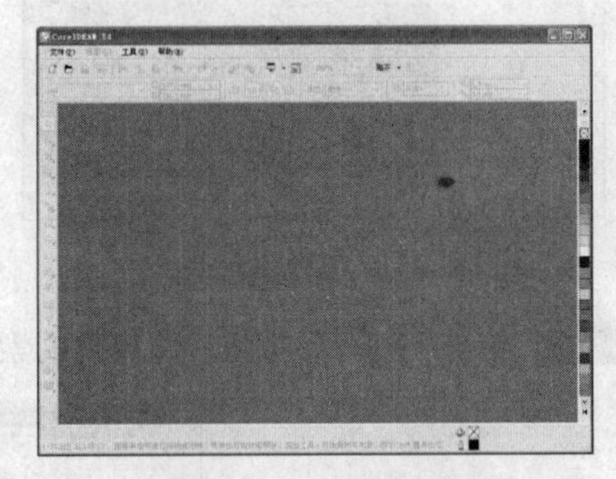

图 3-17 关闭后的窗口

保存操作可以针对新创建的图形文件，这种情况主要是设置文件存储路径，执行“文件>保存为”菜单命令，如图3-18所示，弹出如图3-19所示的“保存绘图”对话框，在该对话框中设置要保存文件的名称和文件格式，完成后单击“保存”按钮。

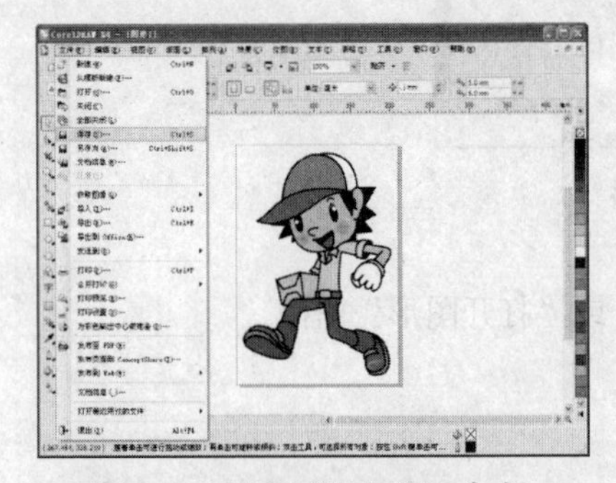

图 3-18 执行“保存为”命令

图 3-19 “保存绘图”对话框

保存操作也可针对重新编辑已保存的文件。对于已经保存的文件，对其重新编辑后，可以直接按Ctrl+S键保存。

3.1.4 导入和导出文件

导入文件的目的是在CorelDRAW X4图像窗口中能够打开其他格式的文件，并能应用其所提供的工具及命令对图像进行编辑，用户可以通过“标准”工具栏中的“导入”按钮进行导入，也可以通过文件菜单中的相关命令导入图形。

导出文件则是将CorelDRAW X4编辑后的图像转换为另外的格式并存储，通过导出文件可以将原本的矢量图形转换为位图导出，也可以将矢量图形和位图的组合共同转为位图后导出，导出后的图形不能再像矢量图形一样重新编辑，要将其作为整体使用。

1. 导入文件

导入文件的方法一般有三种，分别为通过菜单命令导入文件，或是通过单击标准工具栏中的“导入”按钮导入文件，以及通过按快捷键Ctrl+I导入文件，这里以使用菜单命令为例说明导入文件的具体操作。

Step 01 启动CorelDRAW X4，创建一个新文件，执行“文件>导入”命令，如图3-20所示，打开“导入”对话框，在对话框中选择要导入图形的存储路径，并选择要导入的图形，如图3-21所示。

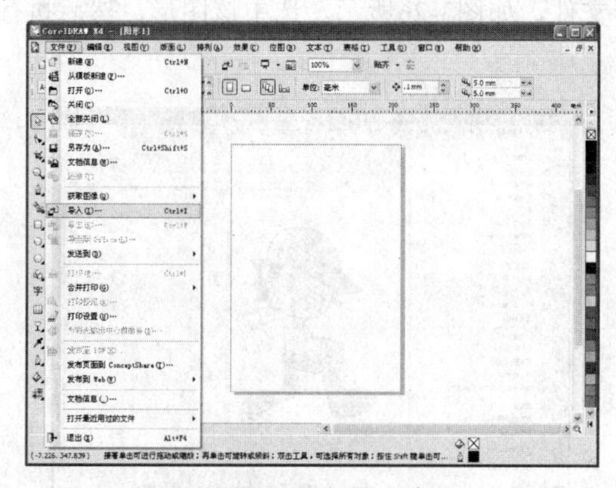

图 3-20 执行导入命令

图 3-21 导入对话框

Step 02 在“导入”对话框中选择图形后单击“导入”按钮，此时页面中的光标变成了一个黑色图标，周围显示该图形的相关信息，如图3-22所示，用户可以通过拖动鼠标确定导入图像的位置及大小，如图3-23所示。

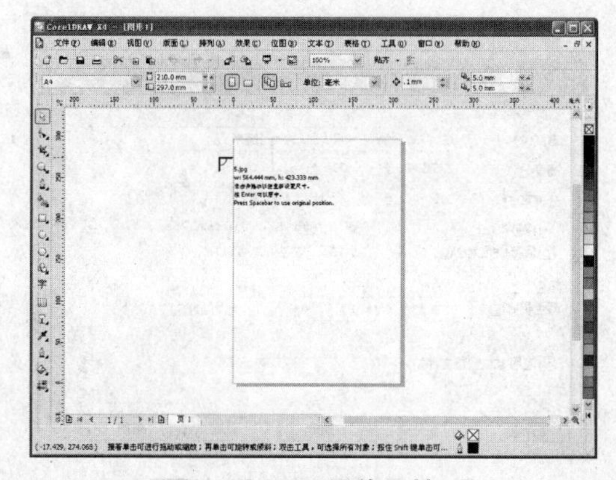

图 3-22 显示图像属性

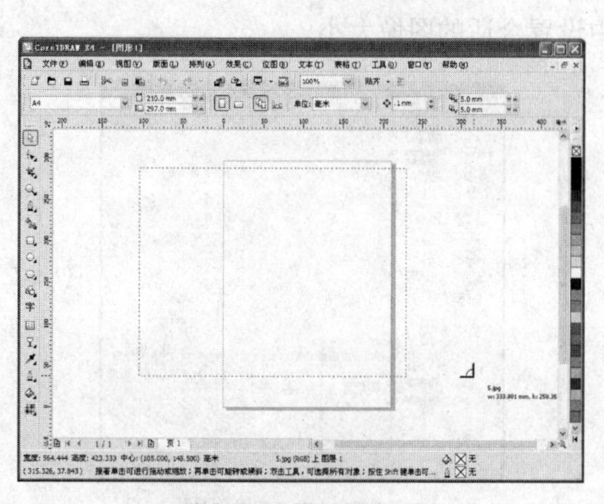

图 3-23 拖动鼠标

Step 03 确定位置及大小后，释放鼠标左键即可在页面中导入所需图形，如图3-24所示，然后将图形调整至合适大小，对页面方向也进行调整，调整后的图形如图3-25所示。

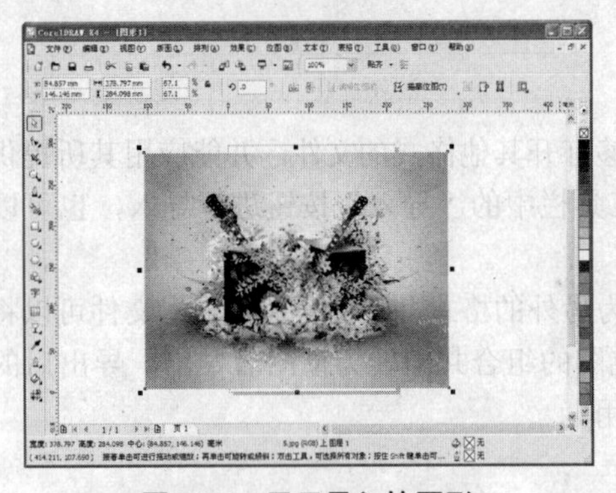

图 3-24 显示导入的图形

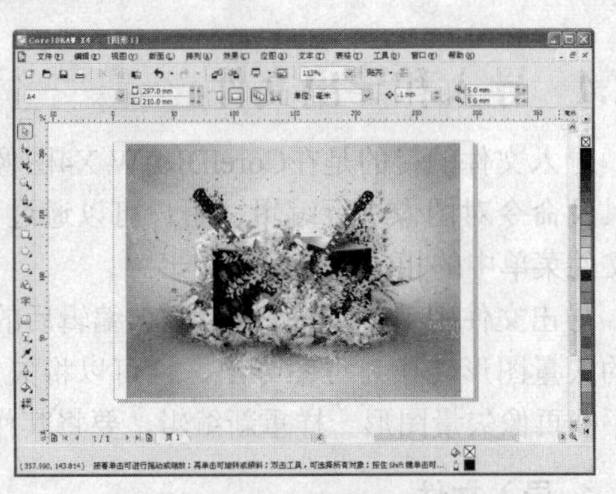

图 3-25 设置完成后的页面

2. 导出文件

导出文件是将在CorelDRAW X4中编辑好的图形保存为其他不同格式的文件，如JPEG格式的图像，以便其他程序使用图像，导出文件时可以将窗口中的所有图形都导出为一个新图形，也可以只导出选中的图形，步骤如下。

Step 01 打开“sample\第3章\原始文件\2.cdr”图形文件，如图3-26所示，选中该图形，然后执行“文件>导出”命令，如图3-27所示。

图 3-26 打开图形文件

图 3-27 执行导出命令

Step 02 执行上一步命令后，弹出“导出”对话框，如图3-28所示。在该对话框中选择导出图像的存储路径，设置完成后单击“导出”按钮，弹出“转换为位图”对话框，如图3-29所示，在对话框中设置合适的图像大小。

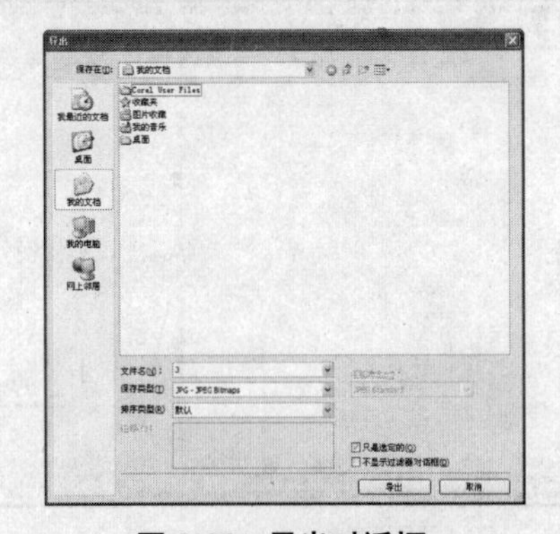

图 3-28 导出对话框

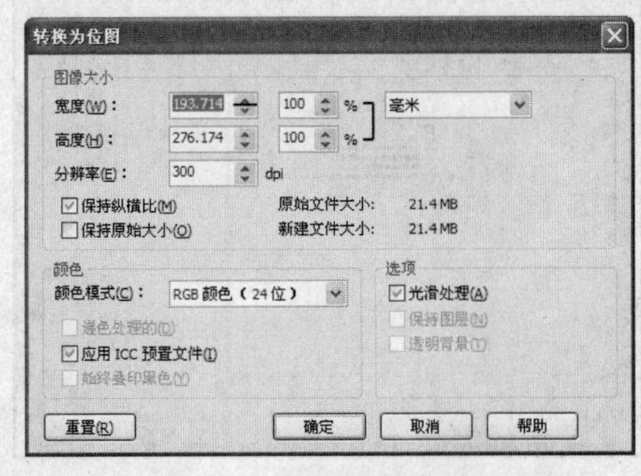

图 3-29 转换为位图对话框

Step 03　设置完成后单击“确定”按钮，将弹出如图3-30所示的“JPEG导出”对话框，在对话框中设置压缩比例等参数，设置完成后单击“确定”按钮，可以在设置的路径中查看到导出的图像文件，如图3-31所示。

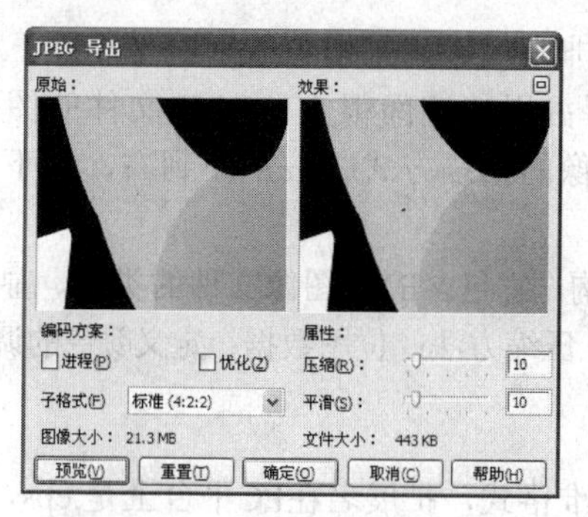

图 3-30　JPEG 导出对话框

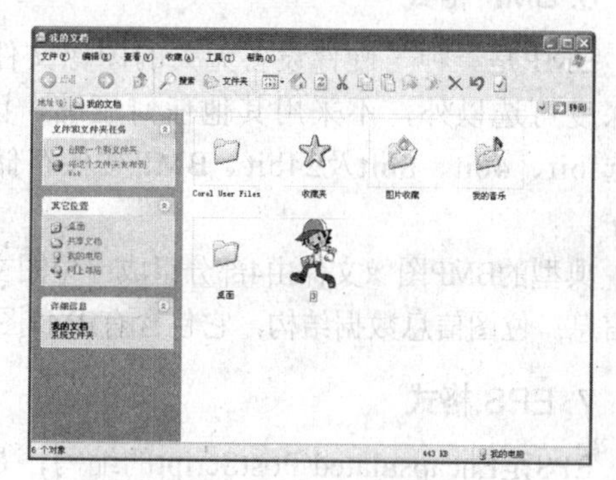

图 3-31　查看导出文件

3.1.5　文件的格式

文件格式定义了应用程序在文件中保存信息的方式。如果要使用非当前应用程序创建的一个文件，需要导入该文件。反之，如果要在一个应用程序中打开另一个应用程序所创建的文件，那么需要将该文件以前一个应用程序所能识别的文件格式方式导出。以下所列举的文件格式都是CorelDRAW X4中常用的，请仔细比较各种文件格式之间的差异及不同用途。

1. JPG 格式

即JPEG图像格式，扩展名是.jpg，其全称为Joint Photograhic Experts Group。它是利用一种失真式的图像压缩方式将图像压缩在很小的储存空间中，其压缩比率通常在10 : 1～40 : 1之间。这样图像可以占用较小的空间，所以很适合应用在网页中。JPEG格式的图像主要压缩的是高频信息，对色彩信息保留较好，因此也普遍应用于需要连续色调的图像中。

2. TIF 格式

TIF图像格式扩展名是.tif，全名是Tagged Image File Format。它是一种非失真的压缩格式（最高也只能做到2～3倍的压缩比）能保持原有图像的颜色及层次，但占用空间很大。例如一个200万像素的TIF图像，差不多要占用6MB的存储容量，故TIF常用于较专业的用途，如书籍出版、海报等，极少应用于互联网上。

3. CDR 格式

CDR格式是绘图软件CorelDRAW的专用图形文件格式，由于CorelDRAW是矢量图形绘制软件，所以CDR格式可以记录文件的属性、位置和分页等。但它的兼容度比较差，虽然所有CorelDRAW应用程序均能够使用，但其他图像编辑软件却打不开此类文件，而且不同版本的CorelDRAW 所产生的CDR文件是不一样的，要用相同版本的软件才能打开。

4. GIF 格式

GIF图像格式扩展名是.gif。它在压缩过程中，图像的像素资料不会丢失，但是图像的色彩会丢失。GIF格式最多只能储存256色，所以通常用来显示简单的图形及字体。有一些数码相机会有一种名为Text Mode的拍摄模式，在该模式下拍摄的照片即被储存成GIF格式。

5. RAW 格式

RAW图像格式扩展名是.raw，RAW格式是一种无损压缩格式，它的数据是没有经过相机处理的原文件，因此它的大小要比TIF格式略小。该种格式的文件需要把它上传到电脑后，用某些特定的图像软件将其直接导入成TIF格式才能处理。

6. BMP 格式

BMP是一种与硬件设备无关的图像文件格式，使用非常广。它采用位映射存储格式，除了图像深度可选以外，不采用其他任何压缩，因此，文件所占用的空间很大。BMP文件的图像深度可选lbit、4bit、8bit及24bit。BMP文件存储数据时，图像的扫描方式是按从左到右、从下到上的顺序。

典型的BMP图像文件由4部分组成：位图文件头数据结构，它包含BMP图像文件的类型、显示内容等信息；位图信息数据结构，它包含有BMP图像的宽、高、压缩方法；位图数据；定义颜色的调色板。

7. EPS 格式

EPS是Encapsulated PostScript的缩写，是跨平台的标准格式，扩展名在PC平台上是.eps，在Macintosh平台上是.epsf，主要用于矢量图像和光栅图像的存储。EPS格式采用 PostScript语言描述，并且可以保存一些其他类型信息，例如多色调曲线、Alpha通道、分色、剪辑路径、挂网信息和色调曲线等，因此EPS 格式常用于印刷或打印输出。

3.2 文件预览模式的选择

CorelDRAW X4中提供了多种文件预览模式，方便查看所绘制的图像效果。主要有三种视图效果，分别为全屏预览模式、只预览选定的对象模式以及页面排序器视图，各视图针对不同的图像而设置。

3.2.1 全屏预览

全屏预览就是将预览打开的图形，预览图形时，CorelDRAW X4的程序窗口不可见，屏幕中间只会显示图像效果。选择要预览的图形，执行“视图>全屏预览”命令，如图3-32所示，在屏幕中只出现该图形效果，如图3-33所示，要返回到图像窗口中只需要在图形中单击鼠标即可。

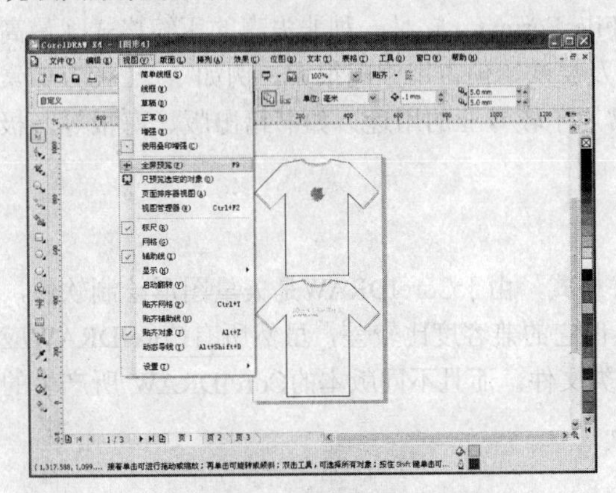

图 3-32 执行全屏预览命令

图 3-33 全屏显示图像

3.2.2 只预览选定的对象

只预览选定的对象是指在预览模式下只显示应用挑选工具所选择的图形，其余图形均消失不见。首先选择挑选工具选择要预览的图形，执行“视图>只预览选定的对象”命令，如图3-34所示，屏幕中将所选择的图形全屏显示，其余图形则隐藏不见，如图3-35所示。

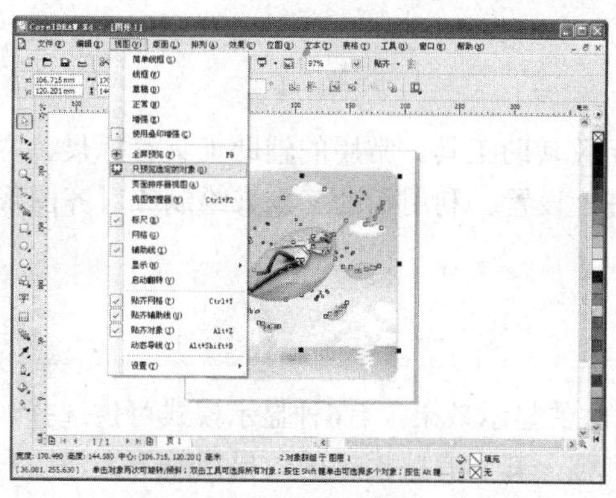

图 3-34　执行菜单命令

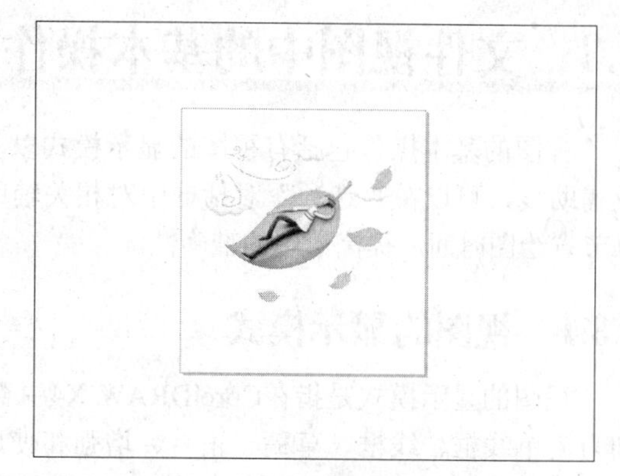

图 3-35　预览选定的图像

3.2.3　页面排序器视图

页面排序器视图即可以在图像窗口中同时查看多个页面的缩略效果，且图形的缩略图比例固定，不会因为光标在图中的滑动而更改，该排序方式主要针对有多个页面的图形，只有一个页面的图形不需要应用此方式查看，步骤如下。

Step 01　将sample\第3章\原始文件中的5.jpg文件和6.jpg文件的图形导入到窗口中，如图3-36所示。当前显示的为页面1，在页面导航器中单击页面2，可以查看页面2中的图像效果，如图3-37所示。

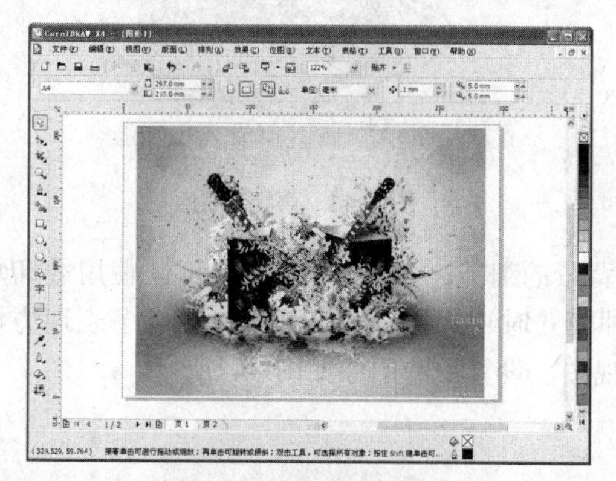

图 3-36　打开图像

图 3-37　打开页面 2

Step 02　执行“视图>页面排序器视图”命令，如图3-38所示，即可在图像窗口中查看以页面顺序进行排列的缩略图效果，如图3-39所示。

图 3-38　执行页面排序器视图命令

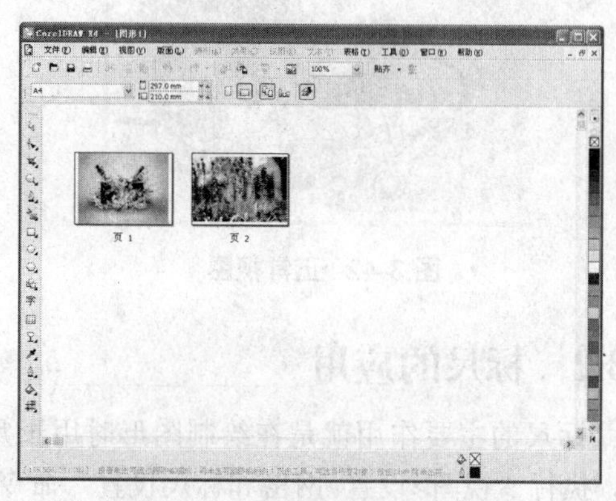

图 3-39　按照页面顺序显示效果

3.3 文件视图中的基本操作

视图的基本操作包括有视图的显示模式以及设置相关辅助工具。常用的辅助工具有标尺、网格及辅助线，可以在“选项”对话框中对相关辅助工具进行设置。利用辅助工具来绘制或对齐图形可以节省绘图时间，提高绘图的准确性。

3.3.1 视图的显示模式

视图的显示模式是指在CorelDRAW X4中查看图像时的显示效果，有6种显示模式可供选择，分别为简单线框、线框、草稿、正常、增强和使用叠印增强，其中有些模式的效果相差不大，用户可以选择其中一种模式表示即可。可以在视图菜单中选择这些模式，执行“视图>简单线框”命令，可以显示出图形的外框，如图3-40所示；执行“视图>草稿”命令又可以显示图形的大致效果，草稿效果不会清晰地显示出图形效果，如图3-41所示。

图 3-40 简单线框视图

图 3-41 草稿视图

正常视图则可以较完全地显示出图形效果，甚至背景的细节，效果如图3-42所示。使用叠印增强视图和增强视图时图形效果差别不大，应用这两种模式时还原图像本身效果，在细节表现方面更为突出，且叠印增强视图为CorelDRAW X4的默认视图，设置后的图像如图3-43所示。

图 3-42 正常视图

图 3-43 使用叠印增强视图

3.3.2 标尺的应用

标尺的主要作用就是在绘制图形时用于尺寸参考，使绘制的图形大小更为精确，固化实际图形。执行“视图>设置>网格和标尺设置”命令打开“选项”对话框，单击左侧相应选项即可对辅助线进行设置，如图3-44所示。

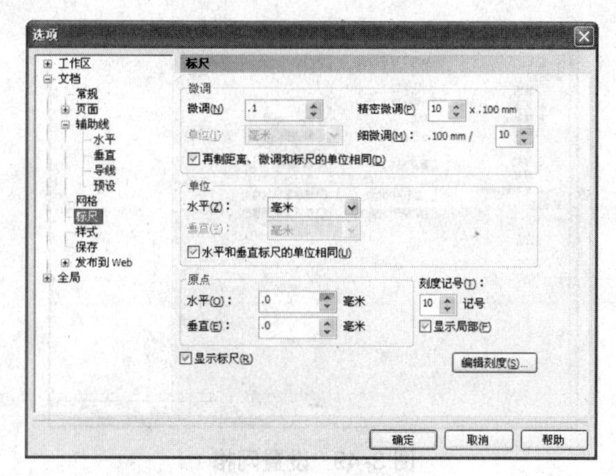

图 3-44　设置标尺

在“选项”对话框中标尺的设置主要包括微调、单位和原点，执行“视图>标尺”命令，如图3-45所示，可以将视图中的标尺在图像窗口中显示出来，如图3-46所示。如果已经显示有标尺的图形则可以通过执行“视图>标尺”命令将标尺隐藏。

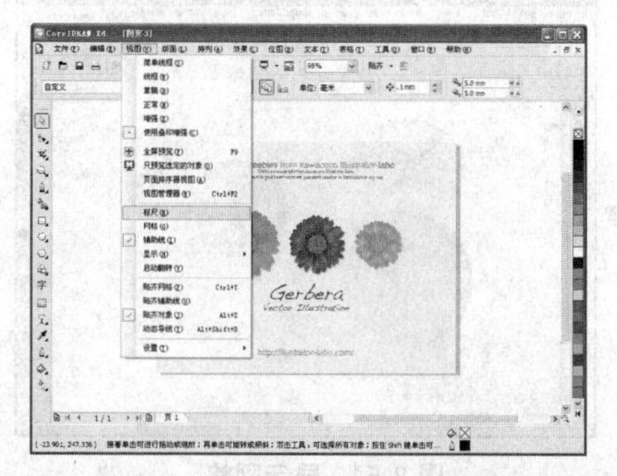

图 3-45　执行“标尺”命令

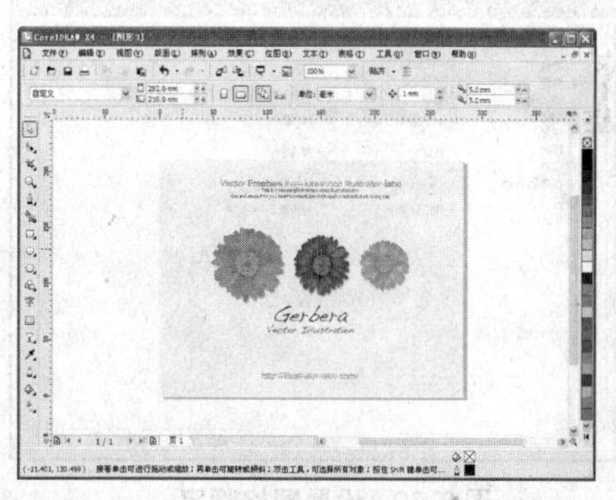

图 3-46　显示标尺

常规的标尺以0刻度开始，并按照比例延伸，用户也可以通过拖动标尺起始处的按钮来调整起始标尺的刻度，选择标尺处的按钮，将其向图像方向拖动，如图3-47所示，即可对标尺的起始刻度进行设置，如图3-48所示。

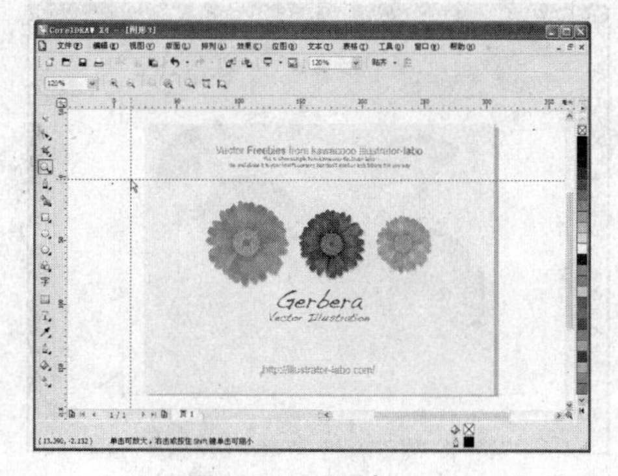

图 3-47　重设标尺

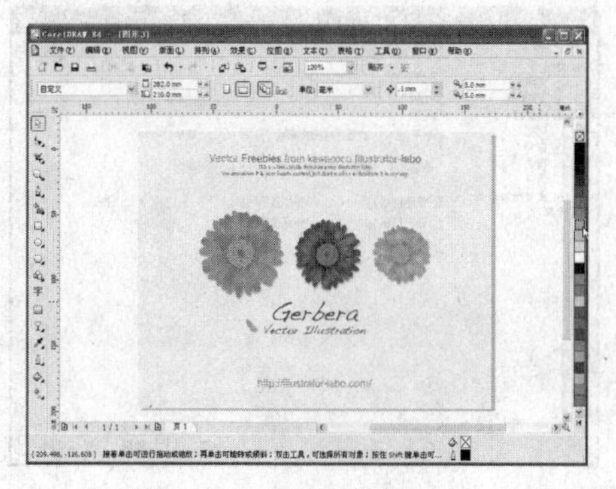

图 3-48　设置后的标尺

3.3.3　网格的应用

网格是页面中大小相同的格子图形，并且布满整个绘图区域，执行“视图>网格”命令即可在页面中显示出网格，可以通过打开“选项”对话框对网格的频率及间隔等参数设置，如图3-49所示。

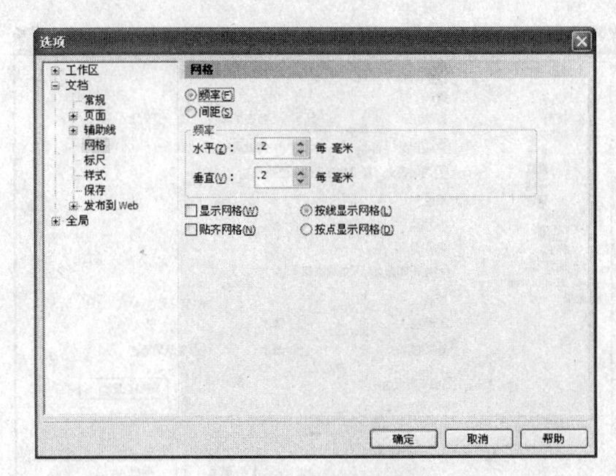

图 3-49 设置网格

网格可以根据用户设置的数值更换密度及其之间的间隔，在打开的“选项”对话框中选择“网格”选项，在右侧的选项区中就可以进行设置，设置频率为0.2每毫米，如图3-50所示，设置完成后单击“确定”按钮，即可在图像窗口中显示出设置的网格，如图3-51所示。

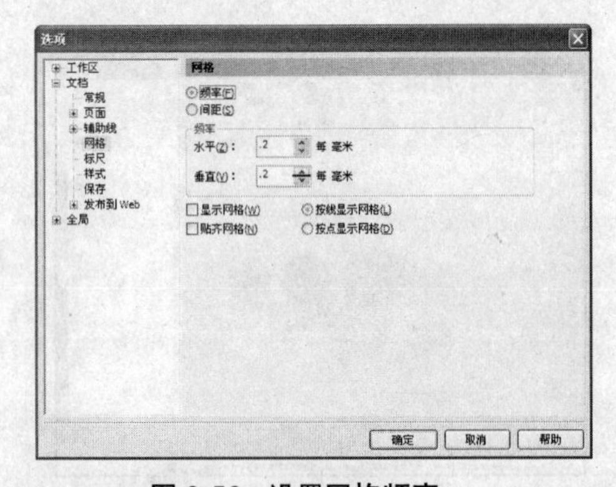

图 3-50 设置网格频率

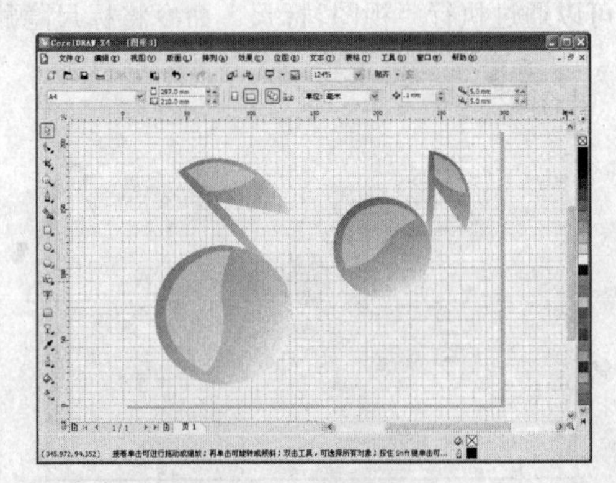

图 3-51 显示网格

网格的间距控制的是网格之间的距离，数值越大网格之间的距离也越大，在“选项”对话框中分别将水平和垂直间距都设置为15.0毫米，如图3-52所示，在对话框中设置完成后单击“确定”按钮返回到绘图区域，可以看到设置后的网格变大，如图3-53所示。

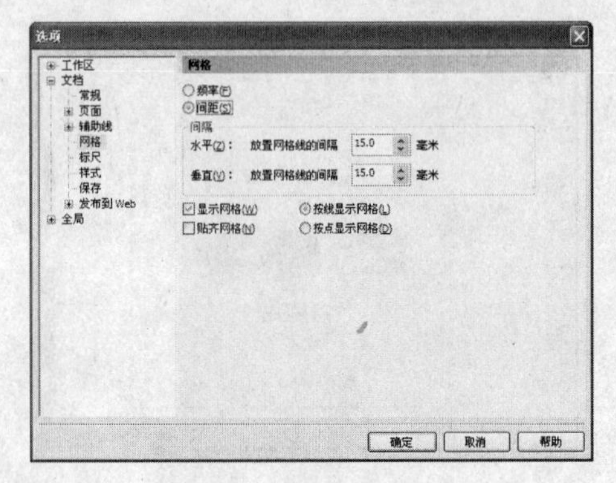

图 3-52 设置网格间距

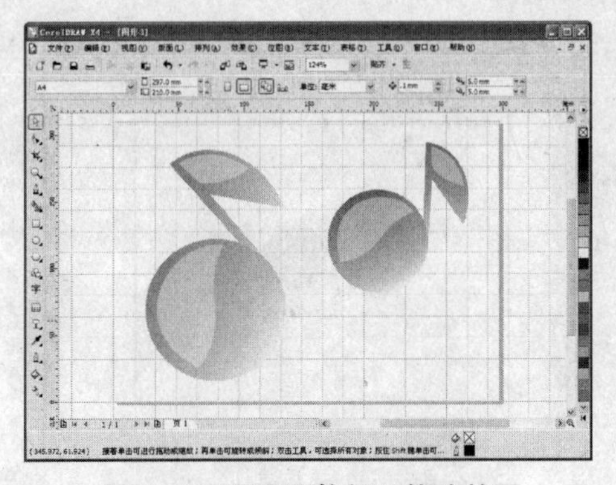

图 3-53 显示网格间距修改效果

3.3.4 辅助线的应用

辅助线的作用主要是在绘制图形时使绘制的图形贴齐辅助线，帮助所绘制的图形对齐，移动图形时也可以将图形向辅助线上进行拖动，从而使图形沿着辅助线排列。

1. 辅助线的设置

辅助线的设置主要在“选项”对话框中完成，执行“视图>设置>辅助线设置”命令，可以打开“选项”对话框，如图3-54所示，在该对话框中可以设置辅助线的颜色等参数。

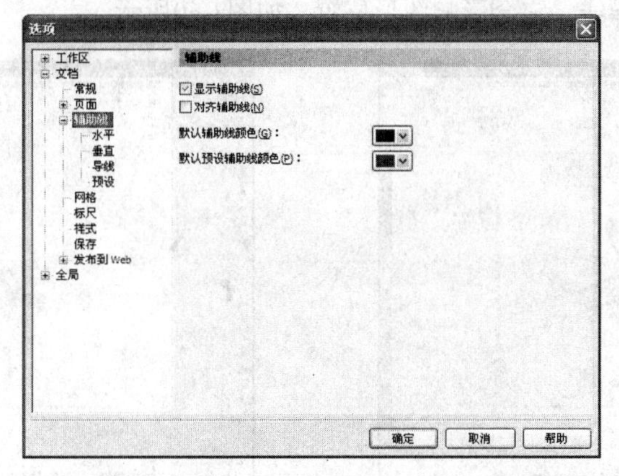

图 3-54　设置辅助线

创建辅助线非常简单，用户可以直接通过单击标尺，并向中心页面拖曳鼠标来完成。例如单击水平标尺位置并向下拖动鼠标，如图3-55所示，可以在页面中创建一条水平的辅助线如图3-56所示。

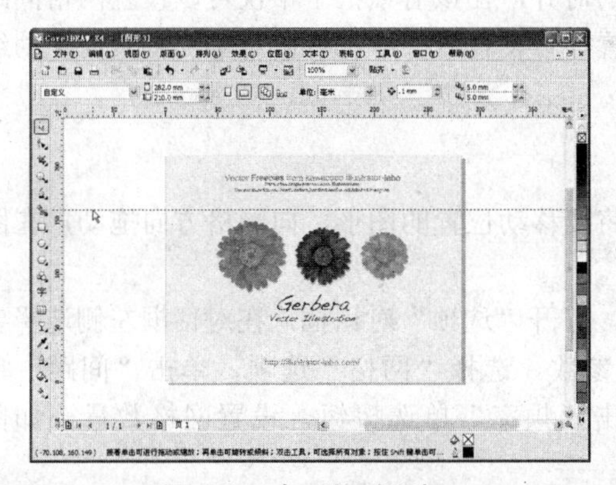

图 3-55　向下拖动鼠标

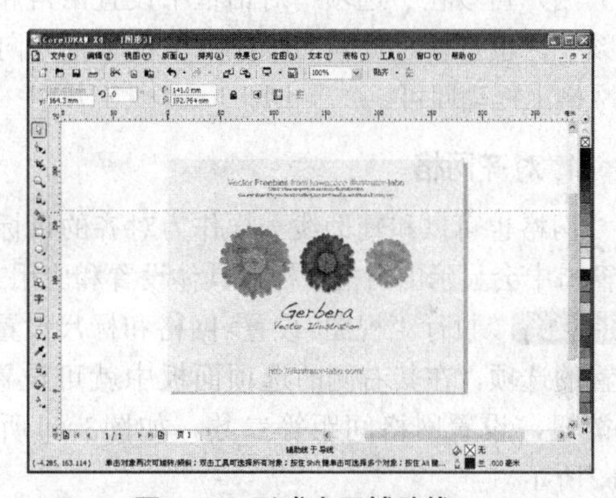

图 3-56　形成水平辅助线

继续创建辅助线，从标尺左侧向图形窗口中拖动鼠标，释放鼠标后可以创建垂直的辅助线，如图3-57所示，连续使用鼠标从上到下或从左向右进行拖动，可以在窗口中创建多条辅助线，如图3-58所示。

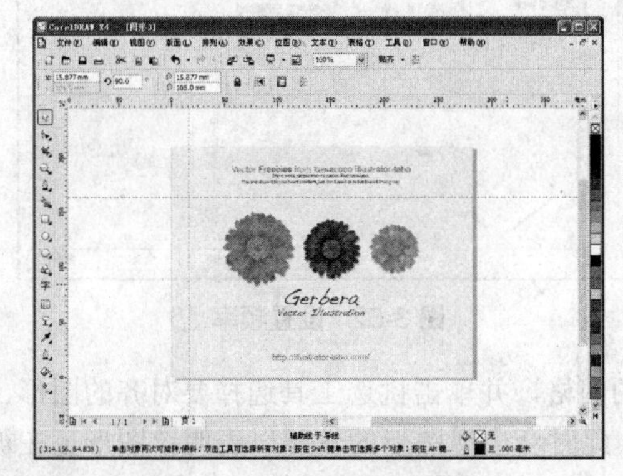

图 3-57　创建垂直的辅助线

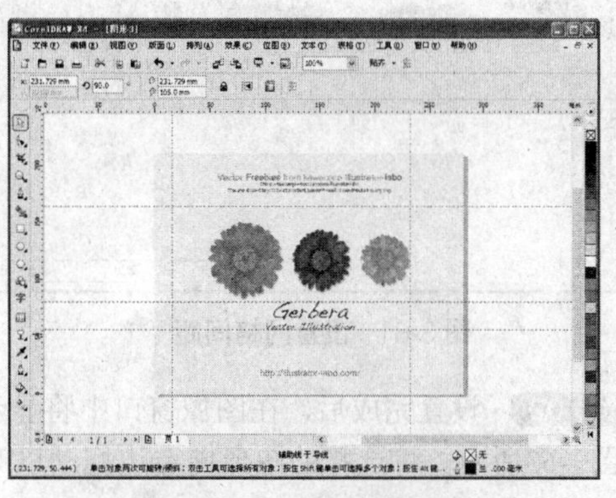

图 3-58　创建多条辅助线

2. 动态导线

动态导线只有在拖动图形时才会显示出来，动态导线会形成交叉的形状。执行“视图>动态导线”命令，如图3-59所示，即可在图中显示动态导线，选取将要移动的图形然后移动，可以在图中看到拖动图形时出现的动态导线，它会影响图形位置，如图3-60所示。

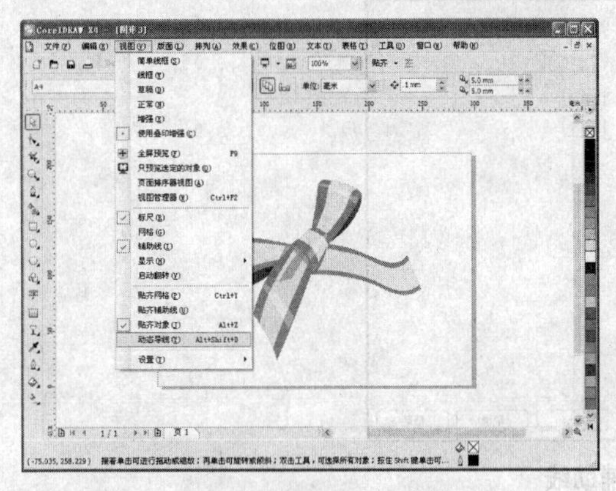

图 3-59　执行动态导线命令

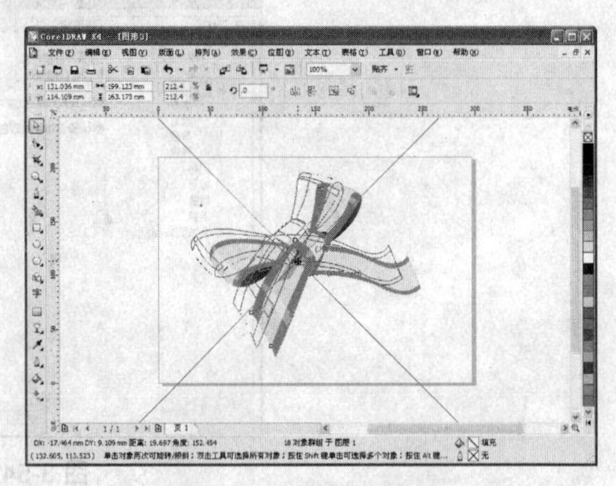

图 3-60　显示动态导线

3.3.5　对齐网格和辅助线

用户可以在“选项”对话框中设置网格和辅助线的对齐，在该对话框中不仅可以设置网格间距和频率，也可以设置辅助线在水平及垂直方向上的位置等。设置后，单击目标对象，将其向辅助线或网格上拖动即可。

1. 对齐网格

网格也可以和辅助线一样作为对齐的目标，选取将要移动位置的图形，向网格方向拖动，在图形窗口中会显示出网格字样，具体设置和应用方法如下。

Step 01　执行“视图>设置>网格和标尺设置”命令，打开“选项”对话框，在对话框左侧选择要设置的选项，在其右侧的选项面板中就可设置相关的参数。选择“网格”选项，单击“间距”单选按钮，设置网格间距等参数，如图3-61所示。单击“频率”单选按钮，设置网格数量，如图3-62所示。

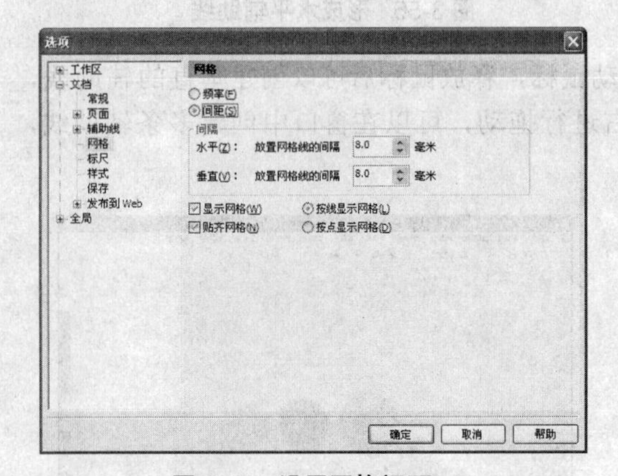

图 3-61　设置网格间距

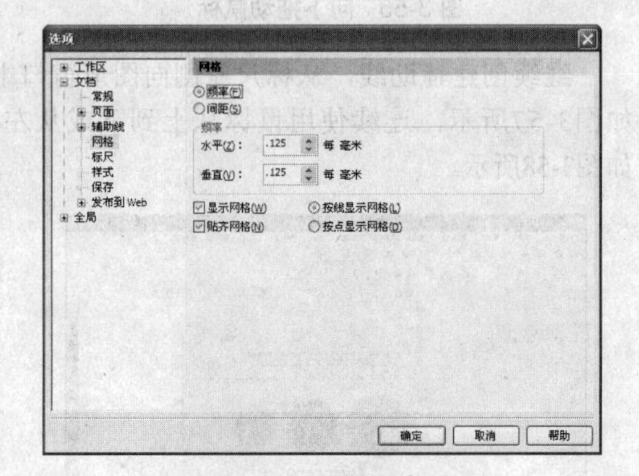

图 3-62　设置频率

Step 02　设置完成后，在图像窗口中将显示设置好的网格，并单击挑选工具选择要对齐的图形，如图3-63所示。将选择的图形向右边拖动以对齐网格，此时会出现图形的轮廓以表明该图形正在被拖动，如图3-64所示。

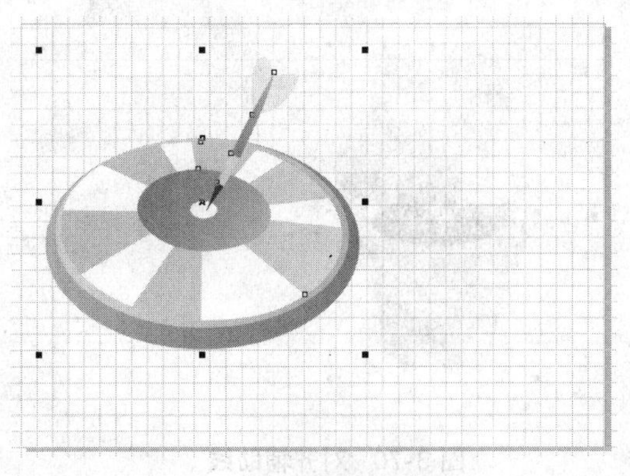

图 3-63　选择要对齐的图形

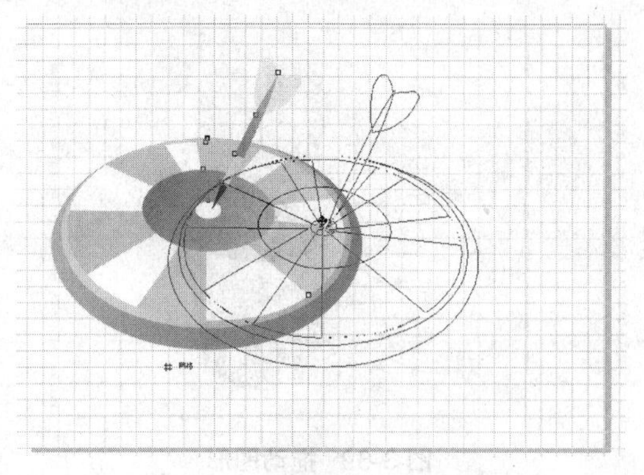

图 3-64　拖动图形对齐网格

Step 03　将图形拖动到中间位置时释放鼠标，如图3-65所示。继续选择图形，将其向右侧拖动，释放鼠标后的图形如图3-66所示。

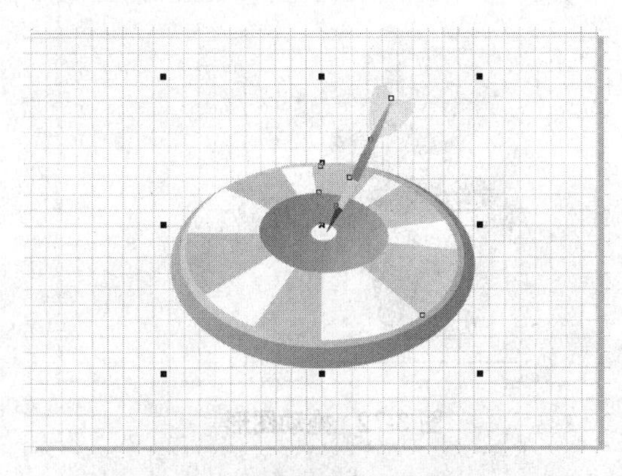

图 3-65　移动到中间位置

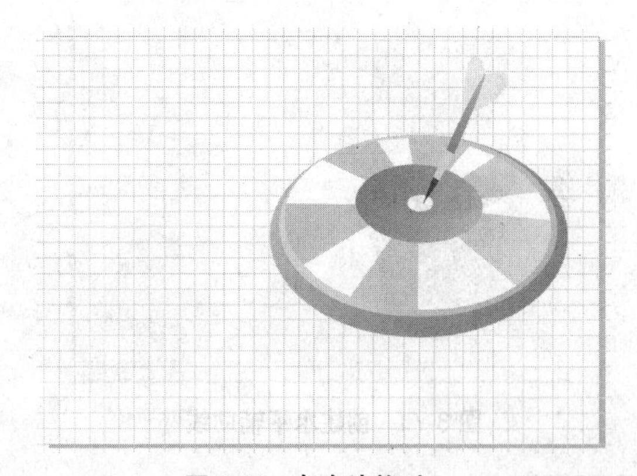

图 3-66　向右边拖动

2. 对齐辅助线

对齐辅助线操作可以将图形与创建的辅助线对齐。拖动图形，贴齐辅助线。除水平及垂直辅助线外，用户也可以应用旋转图形的方法，将创建的辅助线旋转，使旋转后的图形也能与之对齐。

Step 01　打开sample\第3章\原始文件\12.cdr文件，如图3-67所示。从垂直的标尺处向右拖动鼠标，创建垂直辅助线，如图3-68所示。

图 3-67　打开图形

图 3-68　创建垂直辅助线

Step 02　单击挑选工具，选择图形后向左边的辅助线上拖动，如图3-69所示，使图形对齐辅助线，效果如图3-70所示。

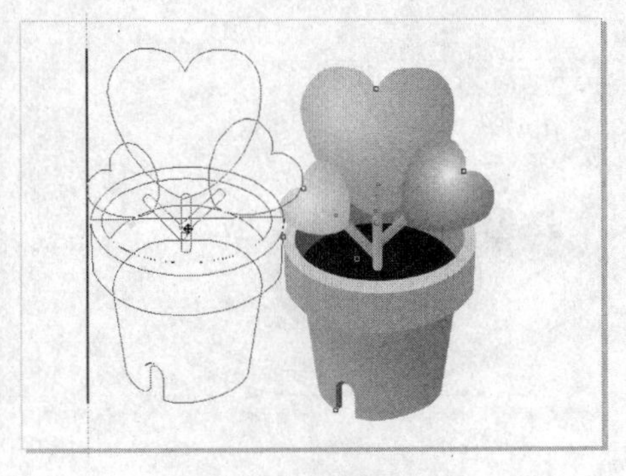

图 3-69　拖动图形

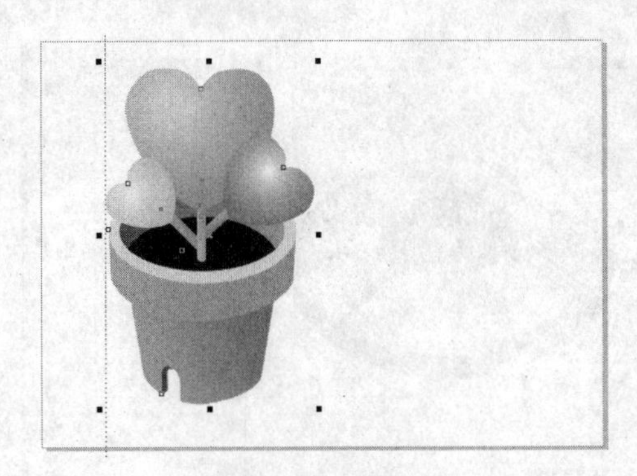

图 3-70　对齐辅助线

Step 03　继续创建辅助线，在水平标尺处向下拖动鼠标，创建水平辅助线，如图3-71所示。然后单击挑选工具选择花盆图形，向水平辅助线上拖动，如图3-72所示。

图 3-71　创建水平辅助线

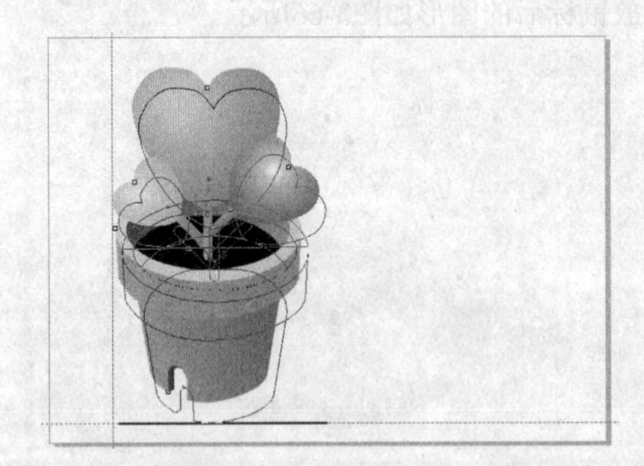

图 3-72　拖动图形

Step 04　图形对齐底部辅助线的效果如图3-73所示，然后再次调整图形位置，使图形同时对齐垂直和水平辅助线，如图3-74所示。

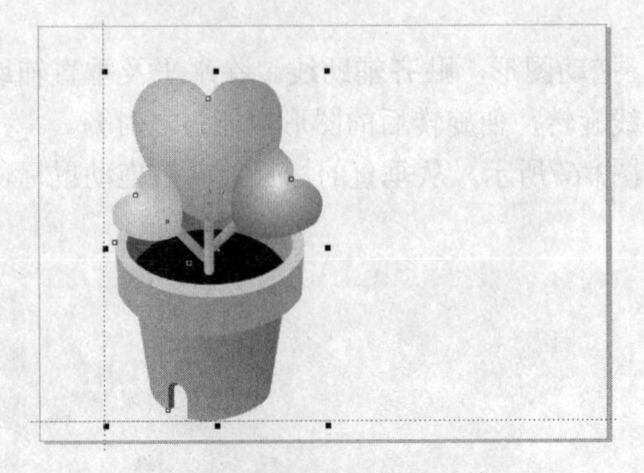

图 3-73　对齐底部辅助线

图 3-74　同时对齐辅助线

3.4　综合实例——杂志内页的制作

杂志内页的制作分为三个部分：首先是绘制背景图形，通过矩形工具绘制一个和页面相同大小的背景，使用交互式填充工具填充渐变色；然后绘制中间的主体图形，使用钢笔工具绘制出不规则的图形，并分别复制到页面中的各个位置上；最后应用文本工具添加文字，具体操作步骤如下。

Step 01　创建一个新文件，双击"矩形工具"按钮，生成一个和页面同大小的矩形，选择交互式填充工具，在图中拖动鼠标，如图3-75所示。在属性栏中将填充类型设置为"射线"，然后分别在图形的中间和边缘填充上两种颜色，填充后的效果如图3-76所示。

图 3-75 绘制背景图形

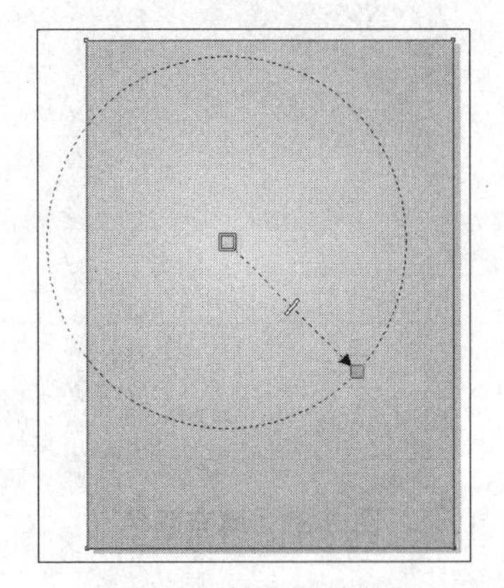
图 3-76 填充后的效果

Step 02 绘制页面中的图形。选择工具箱中的椭圆形工具，在图中绘制出多个椭圆，如图3-77所示。选择绘制的所有椭圆图形，单击属性栏中的“焊接”按钮，将这些椭圆焊接为一个图形，如图3-78所示。

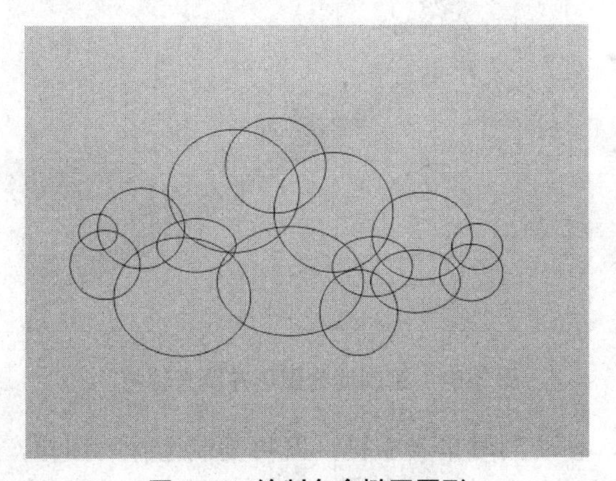
图 3-77 绘制多个椭圆图形

图 3-78 焊接后的图形

Step 03 继续绘制云朵图形。在图中应用椭圆形工具绘制多个椭圆，如图3-79所示，利用挑选工具选择刚才绘制的多个椭圆，并进行焊接操作，如图3-80所示。

图 3-79 绘制另外的椭圆

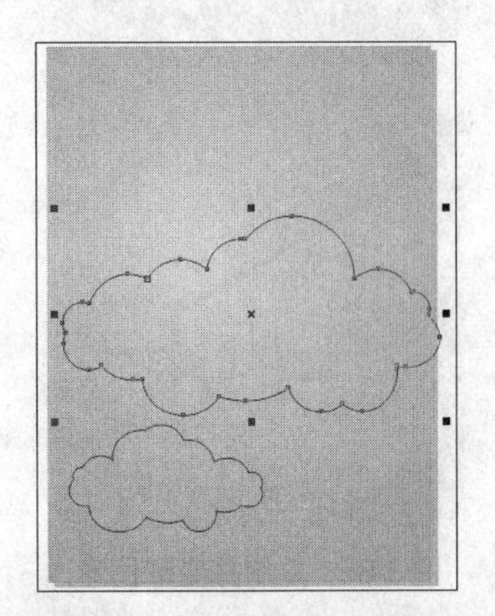
图 3-80 焊接后的云朵图形

Step 04 分别选取绘制的云朵图形，填充上合适的颜色，效果如图3-81所示。选择工具箱中钢笔工具，在图中绘制出多个不规则图形，如图3-82所示。

图 3-81　填充颜色

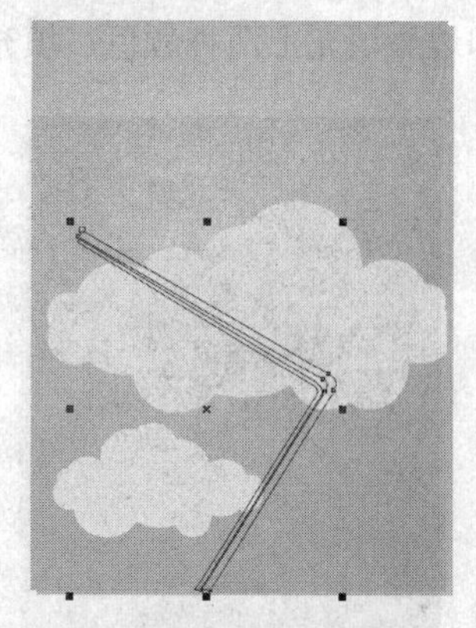

图 3-82　绘制不规则图形

Step 05　填充绘制的图形。利用挑选工具分别选择不规则图形，并填充上不同的颜色，效果如图3-83所示。再应用钢笔工具在图中绘制出老鹰图形，并填充上黑色，效果如图3-84所示。

图 3-83　填充后的图形

图 3-84　绘制动物图形并填充颜色

Step 06　选择之前绘制的老鹰和转角的彩虹图形，移动同时单击右键，既可复制选择的图像，将复制的图形旋转，并适当缩小，如图3-85所示。继续复制组合的图形，并调整图形，效果如图3-86所示。

图 3-85　复制并变形图形

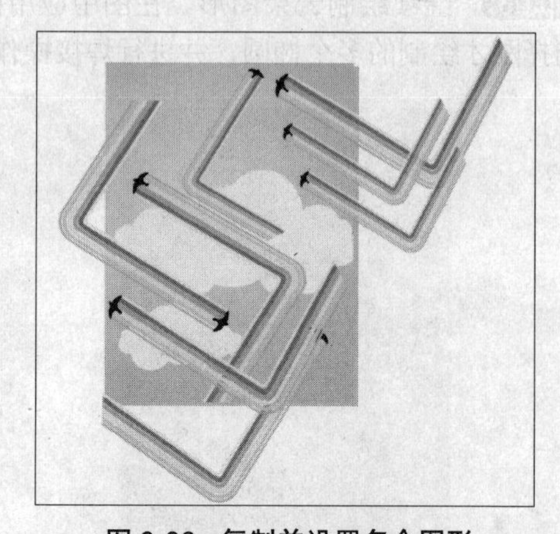

图 3-86　复制并设置多个图形

Step 07　选择矩形工具在页面底边绘制一个大小合适的矩形，如图3-87所示，按住Shift键同时选中包含在矩形路径内部的彩虹形状，再单击属性栏中的“修剪”按钮，将超出边缘的图形修剪掉，设置边缘效果如图3-88所示。

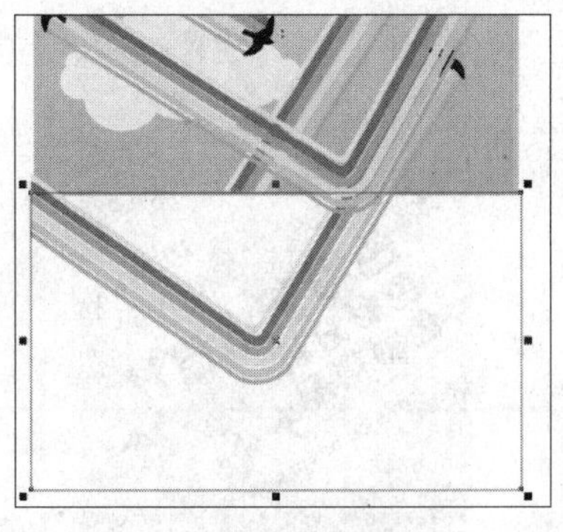

图 3-87　绘制矩形形状

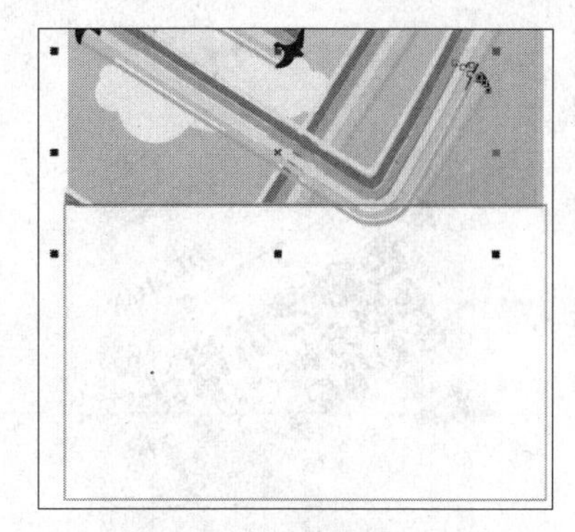

图 3-88　修剪图形效果

Step 08　继续在边缘绘制矩形。选择条纹图形，应用前面所讲的修剪图形的方法，修剪掉多余的图形，如图3-89所示。然后应用椭圆形工具在条纹图形上面绘制出多个椭圆并焊接，再将其填充上颜色，如图3-90所示。

图 3-89　修剪其余的图形

图 3-90　绘制云朵图形

Step 09　添加文字。选择工具箱中的“文本工具”字，在图中单击，输入文字，并将文字旋转到合适位置上，如图3-91所示。在其余位置上也输入文字，并旋转到合适位置上，如图3-92所示。

图 3-91　输入文字

图 3-92　添加其他文字

Step 10　添加细节图形。应用椭圆形工具，在图中绘制多个椭圆，分别填充上不同的颜色，效果如图3-93所示。应用文本工具在图中合适的位置处输入文字，如图3-94所示。

图 3-93　添加细节图形

图 3-94　完成后的效果

3.5　本章小结

文件的基本操作包括常见的新建文件、保存文件、关闭文件以及导入/导出文件操作。在CorelDRAW X4中可以选择最适合当前绘制图形的显示模式，并应用包括标尺、辅助线以及网格等辅助工具为绘制图形提供便捷。

3.6　专业解析

1. 建立新文件失败怎么解决？

答：出现这种情况是因为CorelDRAW启动时会读取Windows默认打印机的信息，所以当默认打印机读取不到资料时就会出现“建立新文件失败”的提示。解决方法是删除原有打印机或网络打印机，重新安装一个本地打印机，如果没有本地打印机，安装一个系统自带的虚拟打印机即可。

2. PSD 文件与 CorelDRAW 文件如何互换？

答：如果CorelDRAW文件想在Photoshop中应用，需要输出成JPEG格式，以.PSD后缀的Photoshop文件要在CorelDRAW中应用只需在CorelDRAW中直接导入即可，同时还能保留图层，将图形解组后编辑。CorelDRAW输出位图时要注意比例与实际像素，输出尺规按上一次输出，此时需要单击右边的锁，才能退回当前比例。

3. CorelDRAW 同其他矢量处理软件通用的格式有哪些？

答：CorelDRAW与其它矢量软件的通用格式有：CMX，EPS，EMF，WMF。

4. CorelDRAW 文件如何转成 MAC Illustrator 文件而不出现乱码？

答：试试输出为EPS、AI，WMF等格式。

3.7　思考与练习

1. 填空题

（1）CorelDRAW X4文件的扩展名是__________。

（2）视图显示模式包括__________、__________、__________、__________、增强和使用叠印增强。

（3）按Alt+F8键可以打开“__________”泊坞窗。

2. 选择题

（1）如果要创建用于因特网的图像应选用的标尺单位是（　）。

A. 像素　　B. 毫米　　C. 磅

（2）下列属于排列对象位置关系的有（　）。

A. 置于此物件前　　B. 向前一个　　C. 反向排列　　D. 到最前面

（3）以下放大倍数中CorelDRAW不能达到的是（　）。

A. 400%　　B. 400000%　　C. 4000000%

3. 判断题

（1）CorelDRAW X4软件能产生位图格式的文件。（　）

（2）当我们需要绘制一个正圆形或正方形时，需要按住Esc键。（　）

（3）CorelDRAW不可以用来绘制工程图纸。（　）

4. 问答题

（1）全屏浏览所查看对象的样式是什么？

（2）请简述辅助线的作用？

（3）JPEG格式的用途和特点是什么？

5. 上机题

（1）将图形沿着辅助线靠齐。原图形如图3-95所示，首先在图形中间创建辅助线，然后将图形向辅助线拖动对齐，如图3-96所示。

图 3-95　选择图形

图 3-96　设置后的图形

（2）绘制星形图标，效果如图3-97所示。

（3）制作有文字的杂志内页，效果如图3-98所示。

图 3-97　制作星形图标

图 3-98　制作杂志内页

对象的基本操作

04

本课所需时间： 3个小时

课程范例文件： sample\第4章\

课后练习文件： exercise\第4章\

必须掌握：

- 对象的变换与选择

深入理解：

- 对象的顺序、排列与对齐
- 对象的修整功能

一般了解：

- 对象的锁定与解锁
- 对象的基本设置

课程总览：

对象的基本操作包括图形的变换和基本设置、群组与解组、对象的顺序、排列及对齐分布，这些都是制作复杂图形的基础。通过本章的学习，读者可以对图形进行基本的编辑和排列等操作。

4.1 对象的选择和基本变换功能

对象的选择是编辑图形的基础，一般通过挑选工具完成。图形的变换则通过“变换”泊坞窗完成，该泊坞窗中有多种选项可供设置，如设置图形的位置，设置图形的倾斜、变换等。

4.1.1 选择对象

选择对象的主要是应用挑选工具。选择对象有三种情况：选择单个对象，选择全部对象，以及选择群组中的单个对象。

1. 选择单个对象

选择单个对象主要指选择单独的对象，所选对象可以是单个图形，也可以将群组后的图形作为一个单个对象。打开“sample\第4章\原始文件\1.cdr”文件，单击工具箱中的“挑选工具”按钮，再单击要选择的对象即可，如图4-1所示，单击图形后，该图形周围出现控制手柄。单击底部图形选取该图形，如图4-2所示。对于较小的图形也可以采用此方法，单击要选择的图形即可，如图4-3所示。

图4-1 选择中间图形

图4-2 选择底部图形

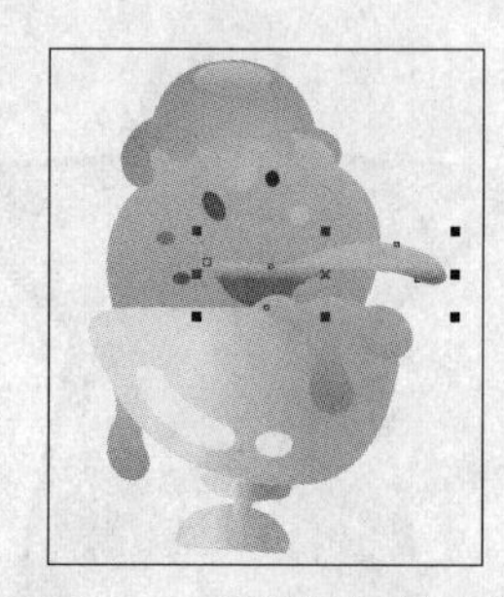

图4-3 选择较小的图形

2. 选择全部对象

选择全部对象是指选取当前图形窗口中的所有图形。双击工具箱中的“挑选工具”按钮，可以将图像窗口中所有图形都选取。打开sample\第4章\原始文件\2.cdr文件，如图4-4所示，可以看到其中包含了多个绘制的小图形，将这些图形全部选择后的效果如图4-5所示。

图 4-4 打开图形

图 4-5 选择全部图形

3. 选择群组中的单个对象

选择群组中的单个对象时，按住Ctrl键然后单击要选择的对象即可。选中对象后，周围的控制手柄变为圆点。打开sample\第4章\原始文件\3.cdr文件，如图4-6所示，这是一个群组后的水果图形，按住Ctrl键单击其中的橘黄色水果就可以将该水果图形单独选择，如图4-7所示。

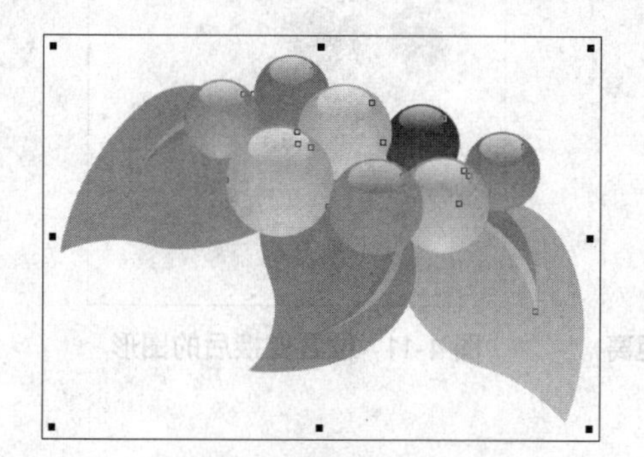

图 4-6 打开群组图形

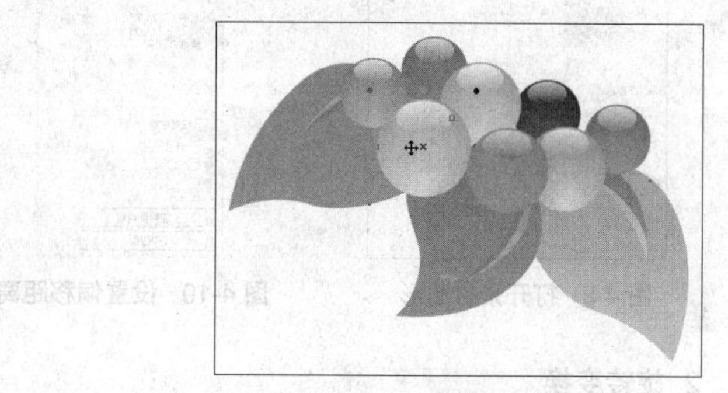

图 4-7 选择单个图形

4.1.2 对象的基本变换

对象的基本变换包括的位置变换、旋转变换、缩放、大小变换及倾斜等。用户可以将原图形通过设置放置到不同的位置或角度上，也可以设置图形的大小等，在CorelDRAW X4中通过打开“变换”泊坞窗来设置这些参数，如图4-8所示。用户也可以执行“排列>变换”命令来选择相应的操作。

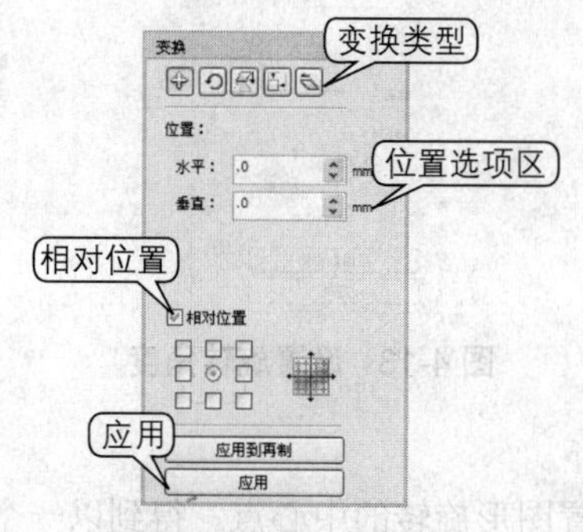

图 4-8 “变换”泊坞窗

变换类型：在“变换”泊坞窗中有5种类型可供选择。执行“窗口>泊坞窗>变换”命令，再选择变换类型，即可打开相应的“变换”泊坞窗。在打开的泊坞窗中，也可以通过单击变换类型的按钮，切换至相应类型的变换泊坞窗。单击“位置”按钮，可以变换图形的位置。单击“旋转”按钮，可以设置所选择图形的角度，单击“缩放和镜像”按钮，将选择的图形水平或垂直翻转。单击“大小”按钮，设置所选图形的缩放比例。单击“倾斜”按钮，设置所选图形在水平或垂直方向倾斜的角度。

位置选项区：用于设置图形的水平位置或垂直位置，变换类型不同，此处的选项也不相同，如设置旋转变换，则此处设置旋转的角度。

相对位置：用于设置变换后的图形与原图形之间的距离。

应用：有两种选项，单击“应用到再制”按钮，则在设置的位置或角度处出现一个新图形，而单击“应用”按钮则直接将所选图形按照设置的角度或距离进行变换。

1. 位置变换

位置变换通过设置将选择的图形在水平位置或垂直位置上移动。打开sample\第4章\原始文件\4.cdr图形，如图4-9所示。在“变换”泊坞窗中，单击“位置”按钮，设置水平位置为20mm，如图4-10所示。设置完成后单击“应用到再制”按钮，则在图中形成再制后的图形，连续单击“应用到再制”按钮，可以创建多个图形，如图4-11所示。

图 4-9　打开素材图形

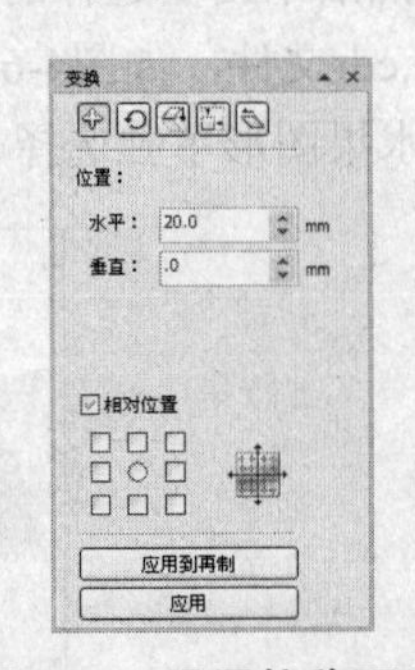

图 4-10　设置偏移距离

图 4-11　位置变换后的图形

2. 旋转变换

旋转变换是将图形按照设置的角度变换。打开sample\第4章\原始文件\5.cdr图形文件，如图4-12所示。然后打开“变换”泊坞窗，单击“旋转”按钮，将角度设置为20°，然后单击“应用到再制”按钮，如图4-13所示，将选择的图形按照设置的角度旋转，效果如图4-14所示。

图 4-12　打开素材图形

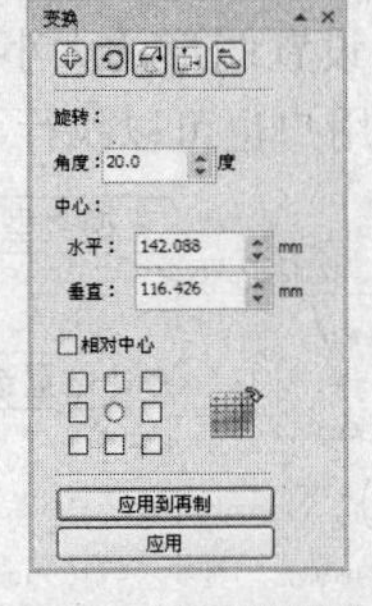

图 4-13　设置旋转角度

图 4-14　变换后的图形效果

旋转变换图形的具体步骤如下。

设置选择的角度时，可以设置图形旋转的中心点，得到以一个点为中心旋转的新图形。

Step 01　选择椭圆形工具绘制一个椭圆，并填充合适的颜色，如图4-15所示。然后单击选择工具双击图形，使其处在可以旋转的状态，此时将中心点向下移动，如图4-16所示。打开“变换”泊坞窗，将角度设置为30°，如图4-17所示。

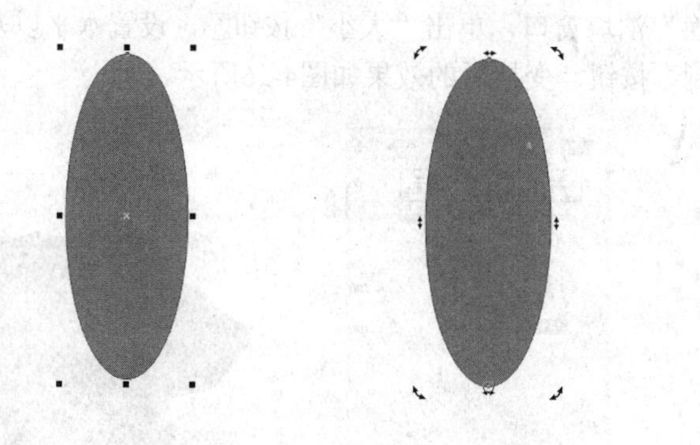

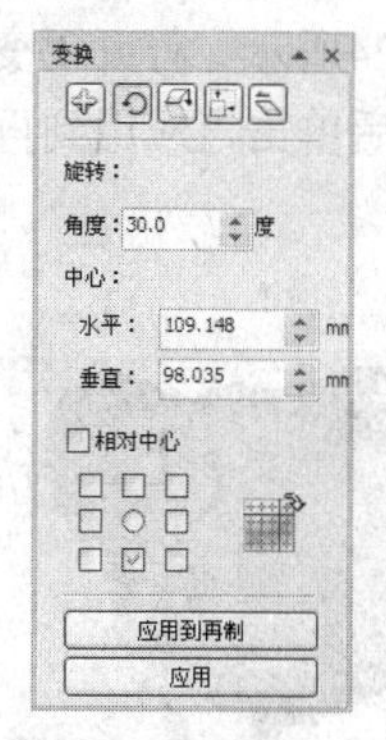

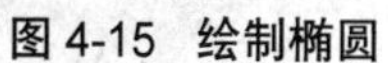

图 4-15　绘制椭圆　　图 4-16　下移旋转中心点　　图 4-17　设置角度

Step 02　单击“应用到再制”按钮，将图形按照设置的角度旋转，如图4-18所示。继续单击“应用到再制”按钮再创建一个新图形，如图4-19所示。连续单击该按钮直至形成形状完整的花朵图形，如图4-20所示。

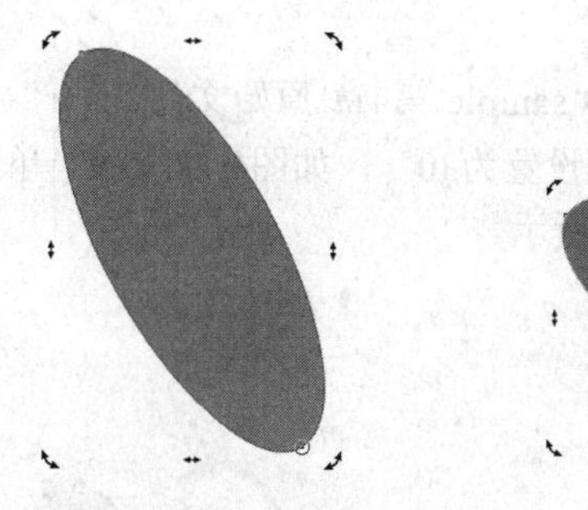

图 4-18　旋转后的图形

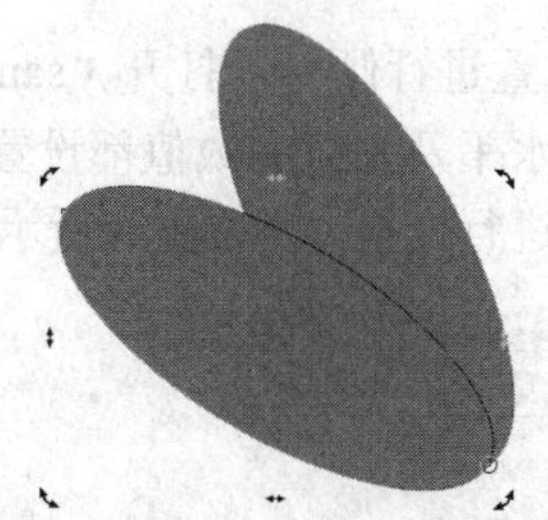

图 4-19　再制后的图形

图 4-20　完成后的图形

3. 缩放和镜像

缩放和镜像是将新图形沿水平或垂直方向缩放或者形成镜像图形。打开“sample\第4章\原始文件\6.cdr”图形，如图4-21所示。选择该图形，打开“变换”泊坞窗，单击“缩放和镜像”按钮，将水平参数值设置为50%，如图4-22所示。设置完成后单击“应用到再制”按钮，可以看到在图中形成了一个按照比例缩放的新图形，如图4-23所示。

图 4-21　打开素材图形

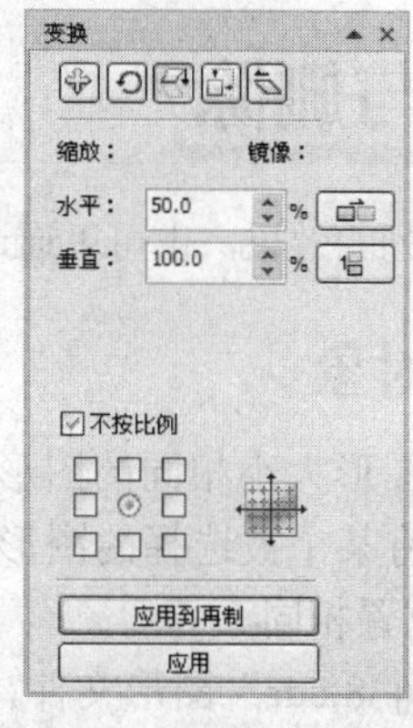

图 4-22　设置缩放比例

图 4-23　缩放后的图形

4. 大小变换

大小变换是通过设置相应的数值将图形变大或者变小，打开“sample\第4章\原始文件\4.cdr”图形文件，如图4-24所示。打开“变换”泊坞窗口，单击“大小”按钮，设置水平以垂直参数值，如图4-25所示，最后单击“应用到再制”按钮，变换后的效果如图4-26所示。

图 4-24 打开素材图形

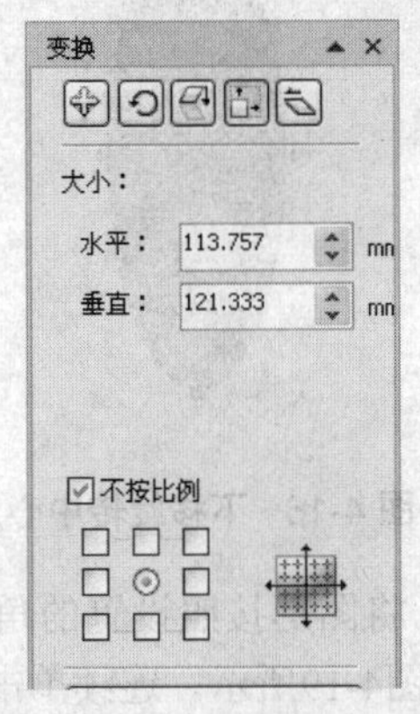

图 4-25 设置变换的比例

图 4-26 变换后的图形

5. 倾斜

倾斜就是将图形沿水平位置或垂直位置进行倾斜，打开“sample\第4章\原始文件\7.cdr”文件，如图4-27所示。单击“倾斜”按钮，将水平及垂直的数值都设置为30°，如图4-28所示。单击“应用”按钮，将原图形按照设置的倾斜数值进行变换，如图4-29所示。

图 4-27 打开素材图形

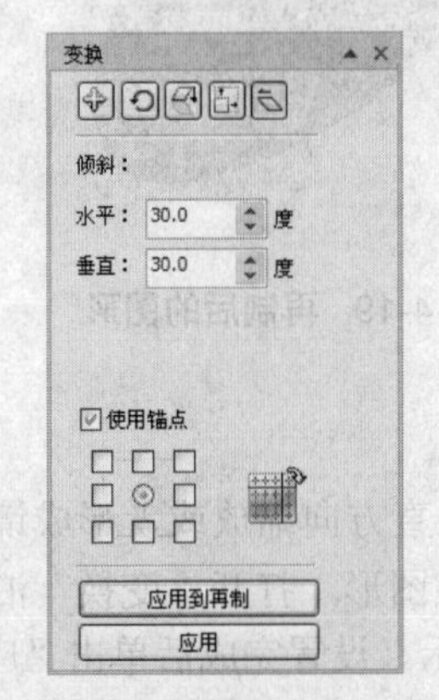

图 4-28 设置倾斜角度

图 4-29 倾斜后的图形

4.2 对象的复制、粘贴与删除

对象的基本设置可以形成多种图形排列的效果，也可以通过剪切或删除的方法多余的图形去除。

4.2.1 复制、剪切和粘贴图形对象

通过复制和粘贴操作可以得到和原图形大小相同的图形，再通过移动操作可以在图像窗口中形成多个相同的图形。剪切图形的目的是将某个被选择的图形从一个图像窗口移动到另外一个图像窗口中，而粘贴所在位置和剪切时的图形位置相同。

Step 01 打开“sample\第4章\原始文件\8.cdr”图形文件，如图4-30所示。选择该图形后按Ctrl+C键复制图形，再按Ctrl+V键粘贴图形，并将粘贴的图形变小，效果如图4-31所示。

图 4-30　打开素材图形

图 4-31　复制后的图形

Step 02　选取上一步中变换大小后的图形，将其旋转一定角度，效果如图4-32所示。继续选择棒棒糖图像并复制，粘贴后变换到合适大小，放置到如图4-33所示的位置。

图 4-32　旋转后的图形

图 4-33　复制新图像

4.2.2　删除图形对象

在CorelDRAW X4中有三种方法删除不需要的图形：单击挑选工具选择要删除的图形，直接按Delete键将其删除；通过执行“编辑>删除”命令删除；也可以单击鼠标右键，在弹出的快捷菜单中选择“删除”命令删除。打开“sample\第4章\原始文件\9.cdr”文件，单击挑选工具选择要删除的花朵图形，如图4-34所示，然后按Delete键将其删除，删除后的图形如图4-35所示。

图 4-34　选择花朵图形

图 4-35　删除后的图形

4.3 对象的群组与解组

群组和解组是针对图形组合的两种操作。用户可以通过群组的方法组合多个图形，方便后续对图形进行整体编辑。解组则是针对已经群组的图形，将其变换为多个可以编辑和更改的图形。

4.3.1 群组多个对象

群组对象方便用户对图形进行整体移动和编辑。首先单击挑选工具，选择要群组的对象，然后按快捷键Ctrl+G将图形群组，对于已经群组的图形还可以再与另外选取的图形群组。

Step 01 打开“sample\第4章\原始文件\10.cdr”图形文件，图中的图形并未群组，如图4-36所示。单击用挑选工具选择其中的雪花图形，如图4-37所示。

图 4-36 打开素材图形

图 4-37 选择雪花图形

Step 02 按住Shift键同时单击其他雪花图形，将其全部选取。然后按Ctrl+G键将雪花图形群组，如图4-38所示。再单击挑选工具，选择所有图形，并按Ctrl+G键将所有图形群组，如图4-39所示。

图 4-38 群组雪花图形

图 4-39 群组所有图形

4.3.2 群组对象的解组

在需要对群组中的对象单独编辑时，可以对群组对象设置“取消群组”将群组解组，在编组对象中，若是包含了多层次的编组对象，可以使用“取消全部群组”，将多重对象的编组全部解组为单独的图形对象。

Step 01 选择前面群组的图形，如图4-40所示。单击属性栏中的“取消群组”按钮，将群组解散。解组后，之前已经群组过的图形可以应用挑选工具进行选取，如图4-41所示。

图 4-40 选择群组的图形

图 4-41 解散后的群组

Step 02 再单击属性栏中的“取消群组”按钮，可以将群组的图形在此解散群组，如图4-42所示，对于左边的图形也可以应用同样的方法解散群组，如图4-43所示。

图 4-42 解散单个群组

图 4-43 解散其余群组

4.4 对象的锁定与解锁

锁定对象是为了保护某些不需要编辑的图形不被误修改，锁定后，对象的位置及颜色等属性不能被修改，通过解锁可以释放锁定的对象，图形解锁后可以重新进行编辑和调整。

执行“窗口>泊坞窗>属性”命令，打开“对象属性”泊坞窗，如图4-44所示。在该泊坞窗中可以对图形进行锁定及解锁等操作。单击锁定按钮，将图形锁定。如果当前选择的图形已经被锁定，单击“解除锁定对象”按钮以解锁。

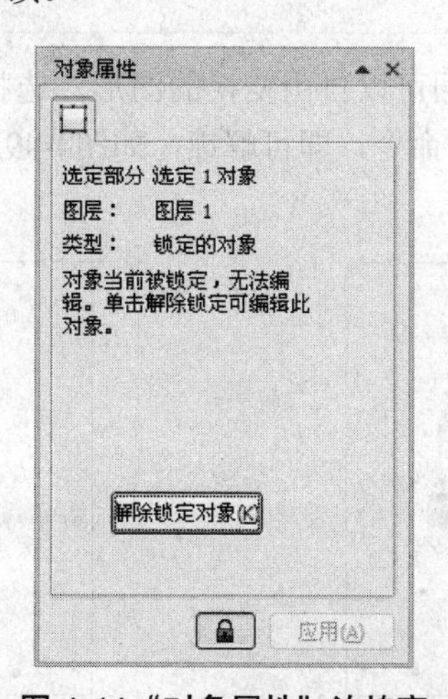

图 4-44 “对象属性”泊坞窗

4.4.1 对象的锁定

对象的锁定是为了防止误操作，将对象锁定后，用户不能对该对象再进行任何操作，锁定后的对象周围会出现锁状的图标，锁定对象的具体操作步骤如下。

Step 01 打开“sample\第4章\原始文件\11.cdr”文件，选择要锁定的图形，单击鼠标右键，在弹出的菜单中选择“锁定对象”命令，如图4-45所示。执行该操作后，即可以将其锁定，且图形周围出现锁状的图标，如图4-46所示。

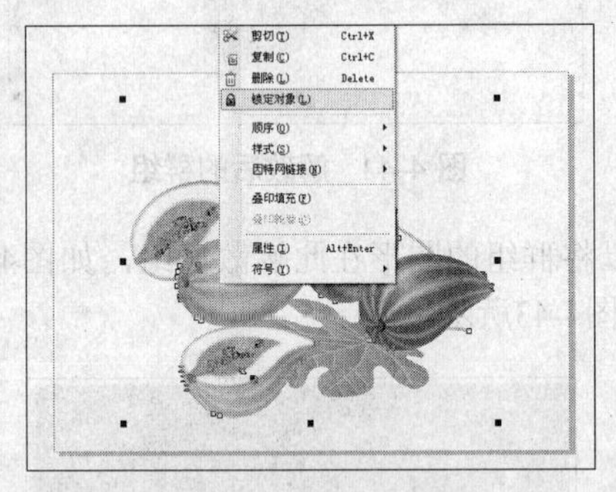

图 4-45 选择锁定命令

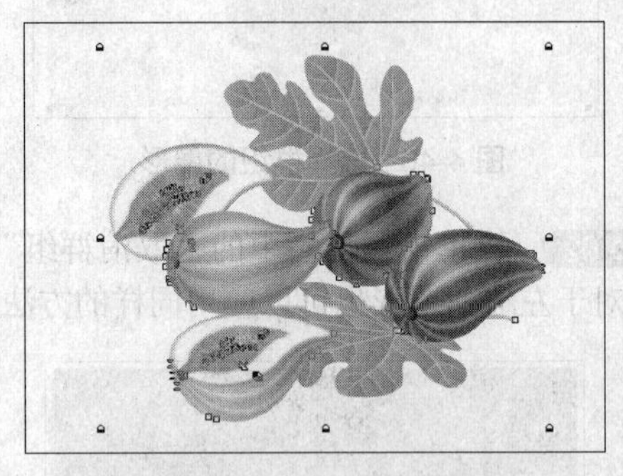

图 4-46 锁定后的图形

Step 02 在群组的对象上执行了锁定命令后，按住Ctrl键时选中群组中的单一图形对象，在选中的图形周围也会出现锁定状态，如图4-47所示，再按住Ctrl键单击群组中的其他图形对象，同样会在选中的图形周围出现锁定状态，如图4-48所示。

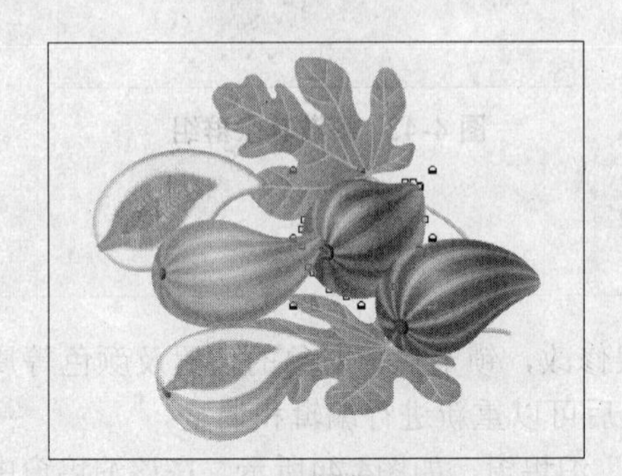

图 4-47 选择图形对象

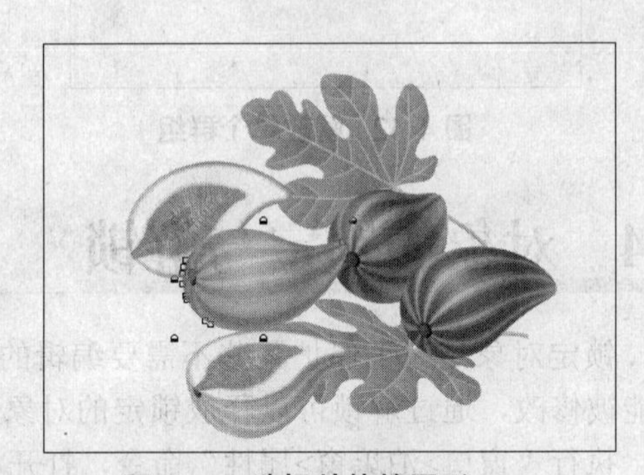

图 4-48 选择其他的图形

4.4.2 对象的解锁

解锁就是将锁定后的图形再变回可以自由变换的图形。选择锁定图形，单击鼠标右键，在弹出的快捷菜单中选择“解除锁定对象”命令，即可解锁，如图4-49所示。图形解锁后，用户可以重新将其选择，如图4-50所示。

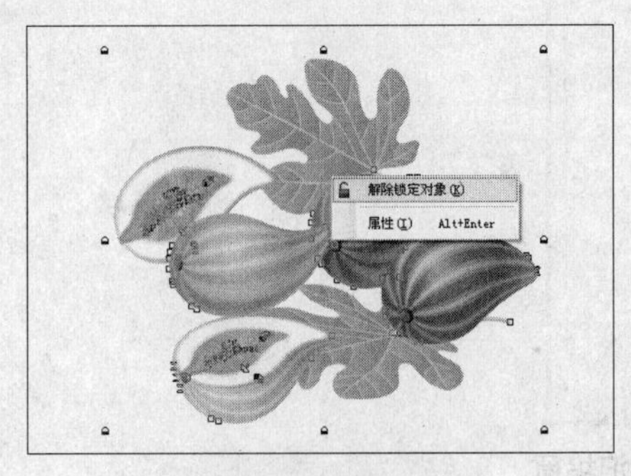

图 4-49 选择解锁命令

图 4-50 解锁后的图形

4.5 对象的顺序、排列与对齐

对象的顺序、排列和对齐主要通过“排列”菜单中的相关命令来完成。用户只需选择相应的命令就可以设置对象的顺序、对齐和分布方式，也可以设置图层与图形、页面与图形之间的顺序和排列方式。

4.5.1 对象的顺序

对象的顺序是指图形之间的前后关系，图层和图形的关系以及页面与图形之间的关系。执行“排列>顺序”命令，在弹出的下拉菜单中选择相应命令来设置，如图4-51所示，主要顺序命令有：到页面前面、到页面后面、到图层前面、到图层后面、向前一层、向后一层、置于此对象前和置于此对象后。

图 4-51 顺序命令

Step 01 打开“sample\第4章\原始文件\12.cdr”文件，首先单击挑选工具，选择要调整顺序的图形，如图4-52所示。然后执行“排列>顺序>向后一层”命令，调整图形顺序后的效果如图4-53所示，从中可以看出，被选择的圆环图形放置到了心形图形的后面。

图 4-52 选择圆环图形

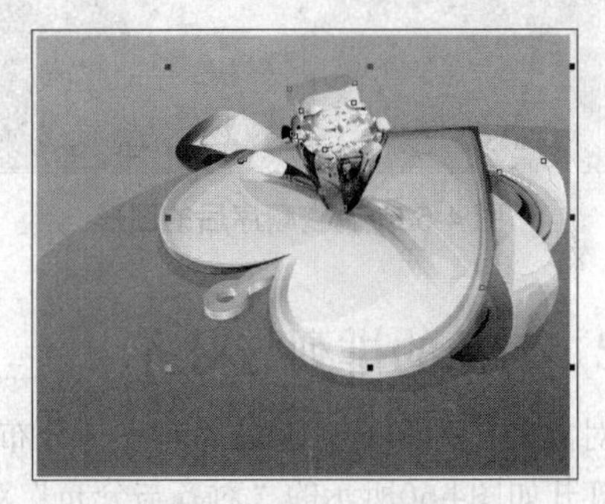

图 4-53 向后一层

Step 02 也可以设置页面和图形之间的关系。选择要编辑的宝石图形，如图4-54所示，执行“排列>顺序>到页面后面”命令，即可将该图形放置到所有图形的后面，即被隐藏不见，如图4-55所示。

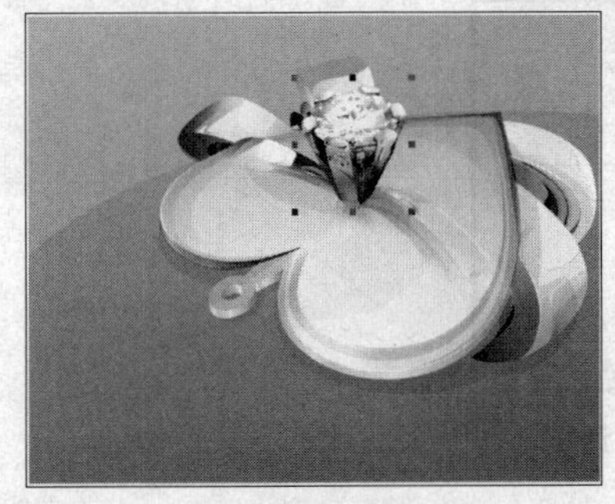

图 4-54 选择宝石图形

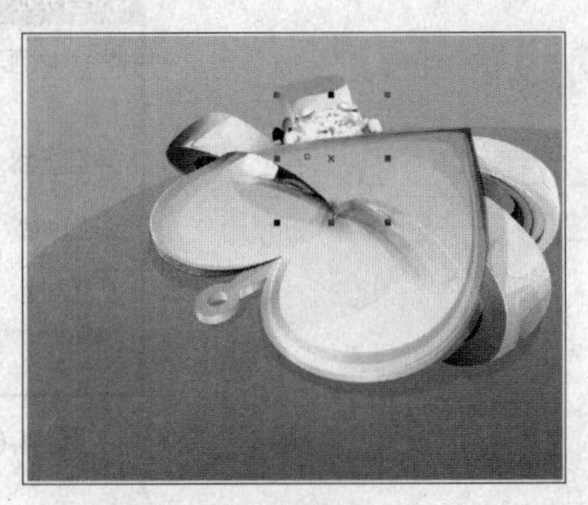

图 4-55 到页面后面

Step 03 选择绘制的圆环图形，如图4-56所示，执行“排列>顺序>置于此对象前”命令，此时光标变为黑色箭头，单击心形图形，如图4-57所示。

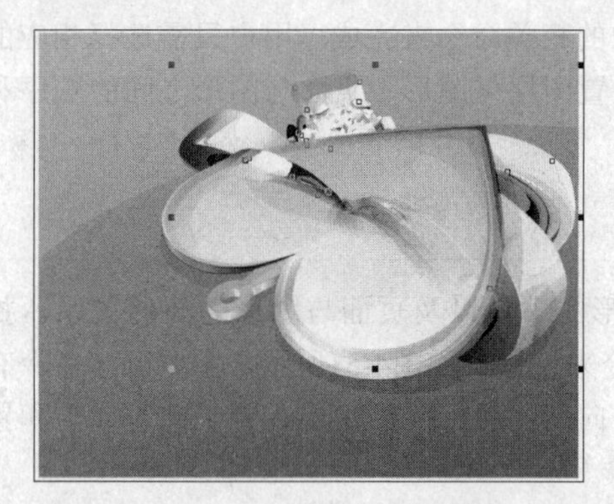

图 4-56 选择圆环图形

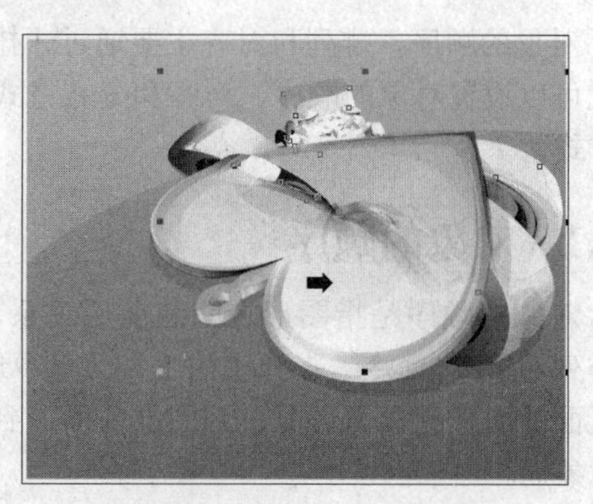

图 4-57 单击心形对象

Step 04 执行上一步操作后，将选择的圆环图形放置到心形图形的上面，效果如图4-58所示。继续应用调整图形顺序的方法，将宝石图形也放置到心形图形和圆环图形的上方，调整顺序后的图形如图4-59所示。

图 4-58 调整顺序后的图形

图 4-59 调整到最上面

4.5.2 对象的排列与对齐

对象的排列和对齐通过“对齐与分布”对话框完成，执行“排列>对齐与分布>对齐与分布”命令，打开如图4-60所示的“对齐与分布”对话框，在该对话框中设置所选择图形之间的对齐方式和分布方式，勾选相应复选框，最后单击“应用”按钮即可。用户也可以同时勾选多个复选框来设置，这样得到的图形效果与位置更加精确。

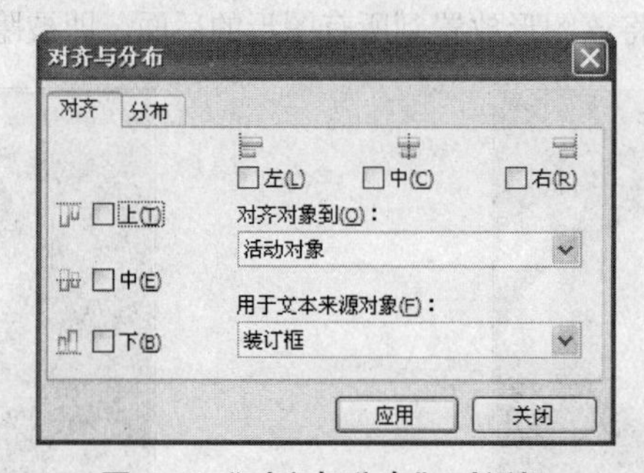

图 4-60 “对齐与分布”对话框

Step 01 打开“sample\第4章\原始文件\13.cdr”图形文件，可以看到两个图形不在一条水平线上，如图4-61所示。用户可以通过设置对齐方式来编辑图形。打开“对齐与分布”对话框，勾选“左”复选框，再单击“应用”按钮，将两个图形设置为左对齐，效果如图4-62所示。

图 4-61 打开原图形

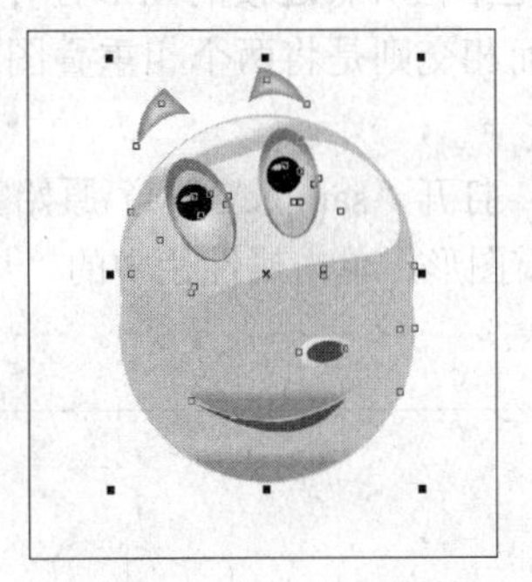

图 4-62 左对齐后的图形

Step 02 撤销上一步操作，执行“排列>对齐和分布>顶端对齐”命令，将选择的两个图形的顶端对齐，效果如图4-63所示。再执行“排列>对齐和分布>底端对齐”命令，则将所选择图形的底端对齐，效果如图4-64所示。

图 4-63 顶端对齐

图 4-64 底端对齐

Step 03 用户还可以设置图形与页面之间的对齐和分布方式。选择要编辑的图形，执行“排列>对齐和分布>在页面居中”命令，将两个图形都移动到页面的中间位置，且它们的中心点重叠，如图4-65所示。另外还可以设置与页面的其他关系，如图4-66所示为设置页面垂直居中后的图形排列方式。

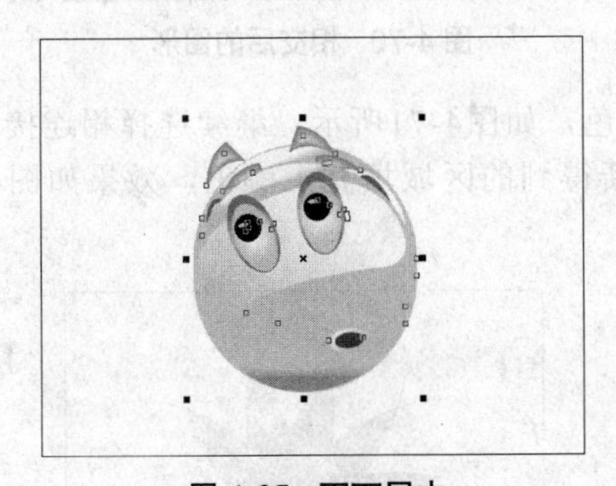

图 4-65 页面居中

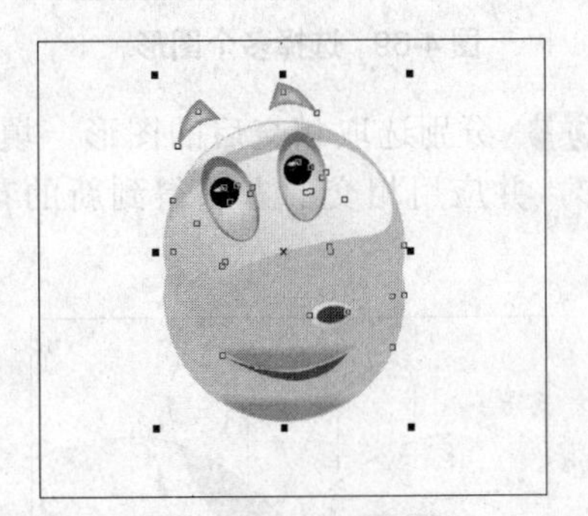

图 4-66 页面垂直居中

4.6 对象的修整功能

对象的修整是将绘制的多个图形编辑成新的图形效果，包括焊接、相交、修剪对象、创建新对象以及前减后与后减前等操作，主要针对的是多个图形之间的变换。

4.6.1 焊接与相交

焊接是指将所有连接的图形合并为只有一个轮廓的图形，该操作要求所焊接的图形位置要有重叠部分。而相交则是将两个相重叠图形的中间区域形成一个新图形，即新形成的图形为两个图形的重叠区域。

Step 01 打开“sample\第4章\原始文件\14.cdr”图形文件，如图4-67所示。然后应用挑选工具选择所有的花瓣图形，单击属性栏中的“焊接”按钮，将所有图形焊接为只有一个轮廓的图形，效果如图4-68所示。

图 4-67 打开素材图形

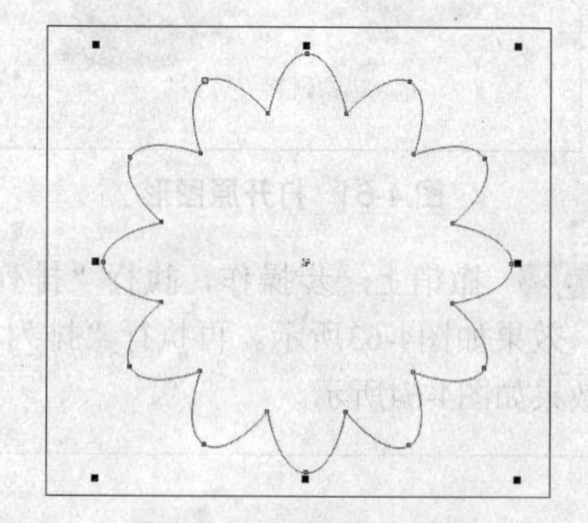

图 4-68 焊接后的图形

Step 02 撤销上一步操作应用挑选工具选择两个相邻的椭圆图形，如图4-69所示，单击属性栏中的“相交”按钮，即可将中间相交的区域生成一个新图形，如图4-70所示。

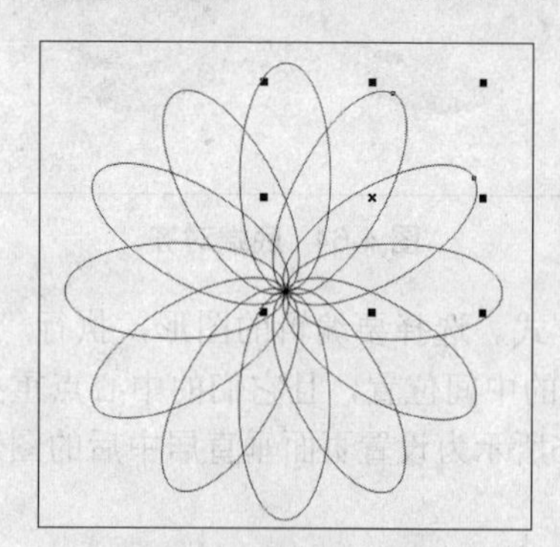

图 4-69 选择多个图形

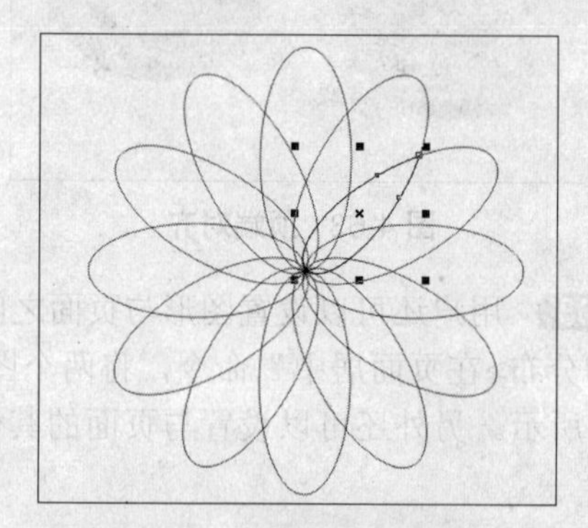

图 4-70 相交后的图形

Step 03 分别选取相交后的图形，填充上不同的颜色，如图4-71所示。继续选择相连接的椭圆图形，并应用相交的方法得到新的花瓣图形，将新得到的区域填充上颜色，效果如图4-72所示。

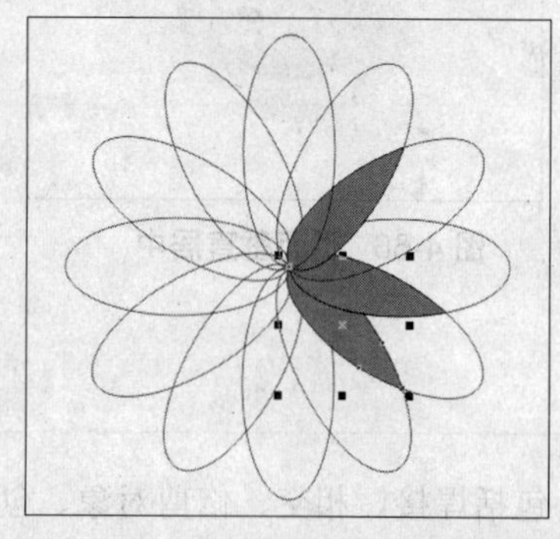

图 4-71 填充后的图形

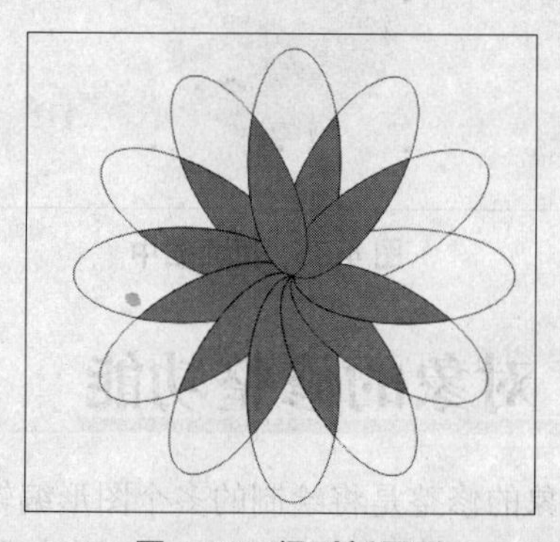

图 4-72 得到新图形

4.6.2　修剪对象

修剪对象是指将图形从参照物的形状中剪去。修剪的对象可以是群组对象，也可以是位图图像，但是未闭合的曲线是不能进行修剪的。修剪时要同时选择所修剪的对象，并注意选择对象的先后顺序，其中后面选择的对象为修剪操作的目标对象。

Step 01　打开“sample\第4章\原始文件\15.cdr”图形文件，如图4-73所示，从图中可以看出花朵图像有一部分在底部的背景之外，通过修剪操作可以将其变整齐。首先应用矩形工具沿背景边缘绘制一个矩形，如图4-74所示。

图 4-73　打开修剪的图形

图 4-74　绘制矩形图形

Step 02　按住Shift键单击花朵图形，同时选择矩形及花朵图形，如图4-75所示。单击属性栏中的“修剪”按钮，将超出边缘的花朵图形修剪掉，效果如图4-76所示。

图 4-75　选择修剪图形

图 4-76　修剪后的图形

提 示　在修剪图形时要确定选择修剪图形的先后顺序，后选择的图形为被修剪的图形，前面选择的图形为参照对象。

Step 03　继续修剪图形，选择绘制的矩形和左侧超出边缘的花朵图形，如图4-77所示，然后执行修剪操作，修剪完成后将绘制的矩形删除，效果如图4-78所示。

图 4-77　选择修剪图形

图 4-78　修剪后的效果

4.6.3　创建新对象

创建新对象是在选择的图形周围再形成一个新图形，而该新图形的轮廓会将原图形的中间区域忽略，从而形成一个完整的闭合图形。打开“sample\第4章\原始文件\16.cdr”图形文件，如图4-79所示，选择所有的花纹图形，单击属性栏中的“创建围绕选定对象的新对象”按钮，沿花纹图形会出现一个新轮廓，利用挑选工具选择新图形，并移动其位置，图形效果如图4-80所示。

图 4-79　打开素材图形

图 4-80　形成新对象

提 示

创建的新对象轮廓为原图形焊接后的新轮廓，图形为一个整体，可以对其进行移动或者填充等操作。

4.6.4　前减后与后减前

图形之间的修剪效果和位置有很大关系，位置的不同会影响到生成新图形的效果，所以在修剪时也可以根据前后位置关系得到不同的图形效果。

1. 前减后

前减后从字面上看就是将前面的图形剪去后面的图形，留下剩余的图形，而新图形与前面的图形属性相同。首先应用绘图工具绘制出要相减的图形，如图4-81所示，绘制两个椭圆图形并将其都选择，然后单击属性栏中的“前减后”按钮，将后面的图形从前面的图形中减去，得到的图形效果如图4-82所示。

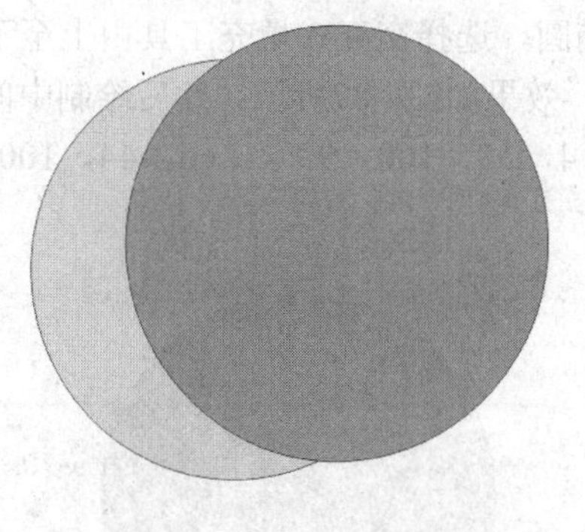

图 4-81　绘制两个椭圆

图 4-82　前减后效果

2. 后减前

后减前就是将前面的图形从后面的图形中减去，留下相减后的图形，同样要选择所要编辑的两个图形，如图4-83所示，单击属性栏中的“后减前”按钮，即可得到新图形，效果如图4-84所示。

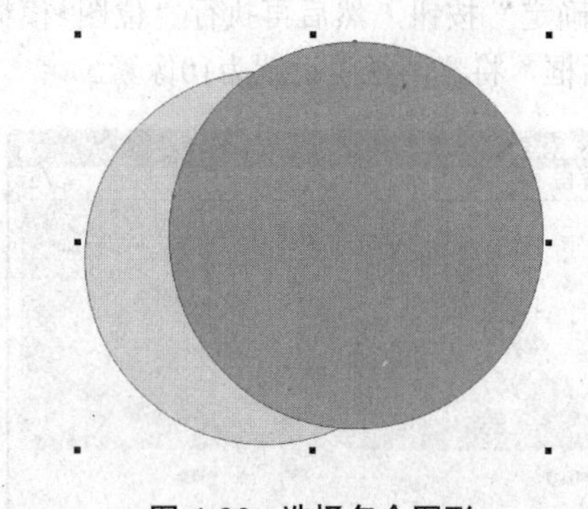

图 4-83　选择多个图形

图 4-84　后减前效果

4.7　综合实例——水晶按钮的制作

制作水晶按钮从绘制基本的圆形开始，应用修剪工具及绘制工具等得到边缘图形，并分别填充上不同的颜色。对于中间亮部区域的图形，可以转换为位图后，应用滤镜编辑，突出水晶按钮的特点，具体操作步骤如下。

Step 01　选择工具箱中的椭圆形工具，在图中拖动，绘制出一个大小合适的椭圆，如图4-85所示。然后应用交互式填充工具填充图形，填充的CMYK色值由上到下分别为（12，55，97，0）和（6，29，96，0）填充后的效果如图4-86所示。

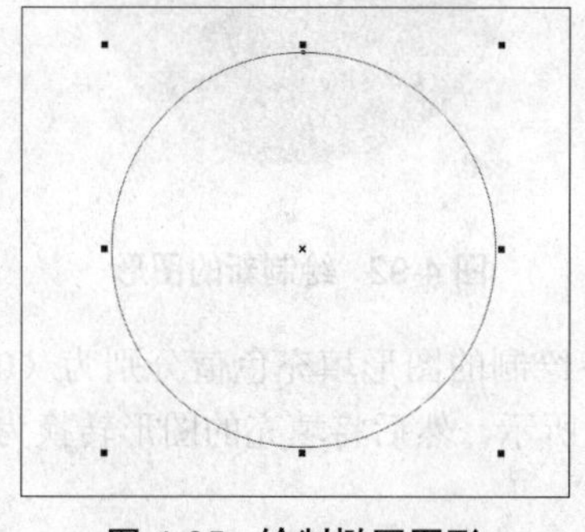

图 4-85　绘制椭圆图形

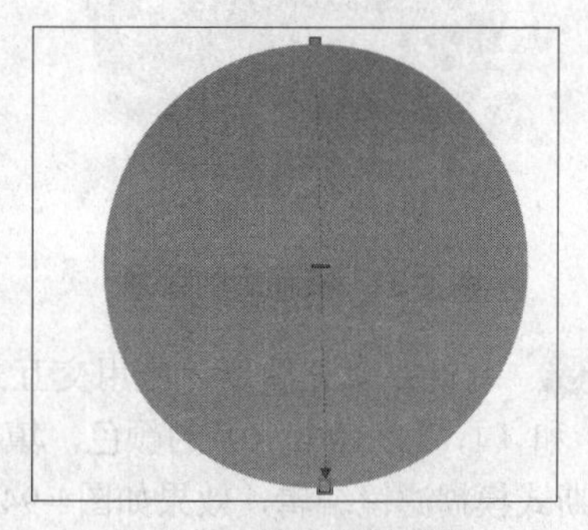

图 4-86　填充后的图形

Step 02 继续绘制按钮图形。绘制一个较上一步更小的椭圆，选择交互式填充工具由上至下填充色值分别为（11，50，96，0）和（6，26，96，0）的颜色，效果如图4-87所示。然后绘制中间的亮部区域，应用交互式填充工具由上至下填充上色值分别为（4，53，100，9），（0，44，100，2）和（1，30，100，3）的颜色，效果如图4-88所示。

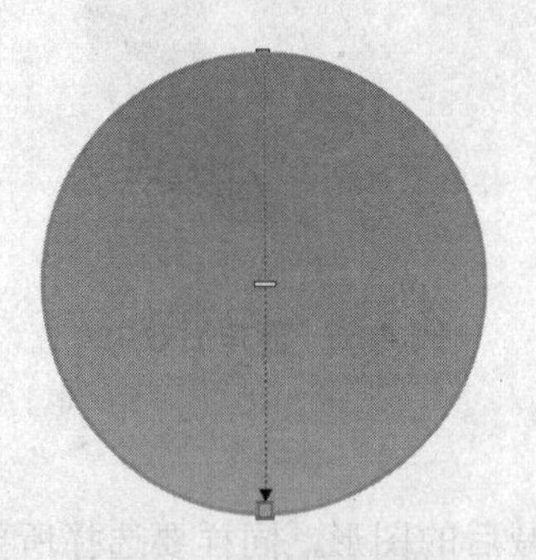

图 4-87 填充后的图形

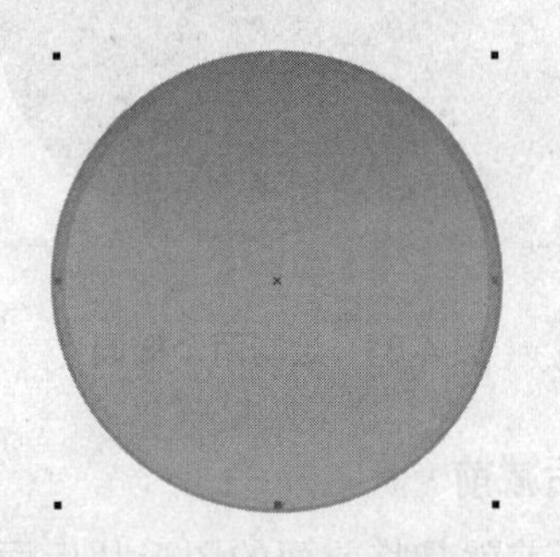

图 4-88 绘制中间的区域

Step 03 选择上一步绘制的图形，执行“位图>转换为位图”命令，弹出如图4-89所示的“转换为位图”对话框，在该对话框中勾选相应的复选框，单击“确定”按钮，然后再执行“位图>模糊>高斯式模糊”命令，打开如图4-90所示的“高斯式模糊”对话框，将“半径”设置为10像素。

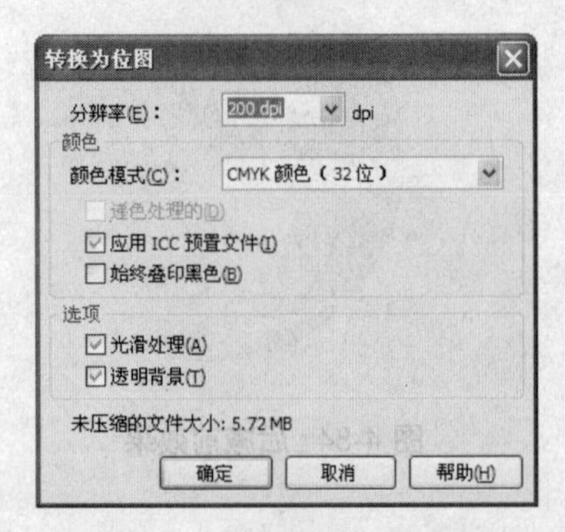

图 4-89 “转换为位图”对话框

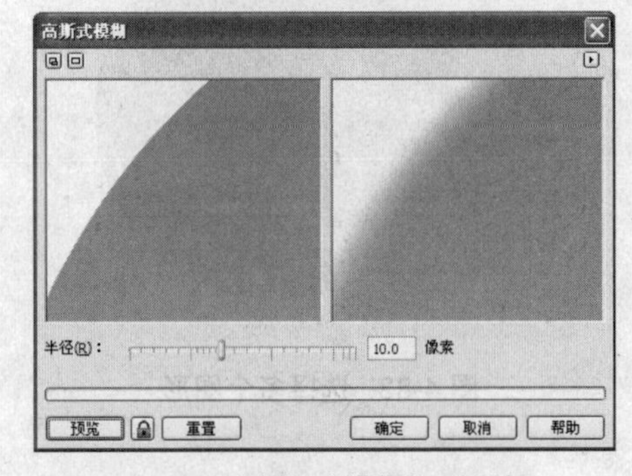

图 4-90 “高斯式模糊”对话框

Step 04 设置完成后单击“确定”按钮，中间的区域变模糊后的效果如图4-91所示，选择钢笔工具绘制一个封闭的路径，效果如图4-92所示。

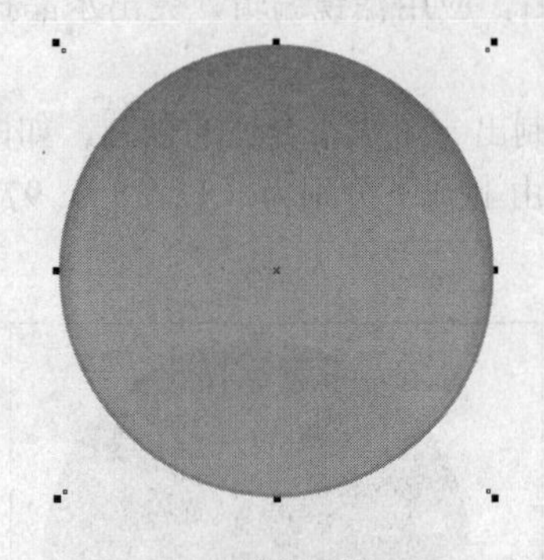

图 4-91 模糊后的效果

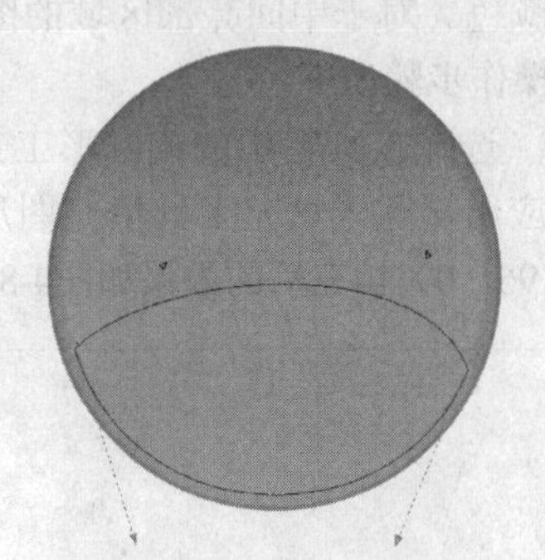

图 4-92 绘制新的图形

Step 05 编辑并填充图形，应用交互式填充工具将上一步绘制的图形填充色值分别为（0，22，99，2）和（1，1，100，4）的颜色，填充后的效果如图4-93所示，然后将填充的图形转换为位图，并用高斯式模糊滤镜编辑，效果如图4-94所示。

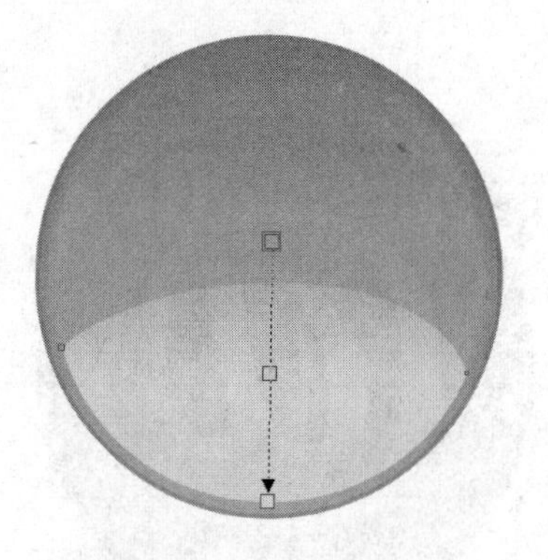
图 4-93 填充后的图形

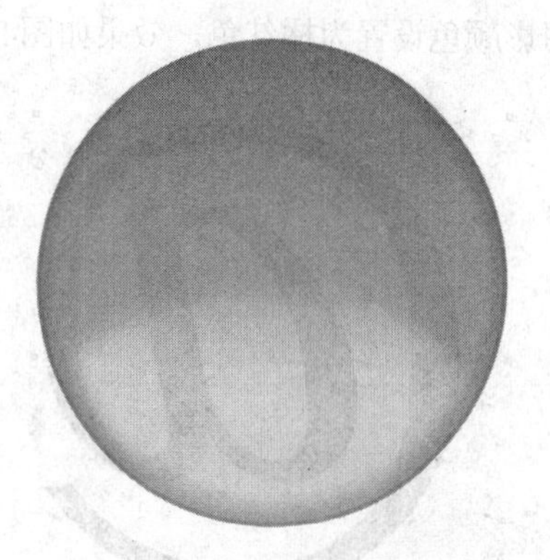
图 4-94 应用滤镜后的效果

Step 06 继续调整按钮图形，将步骤2中创建的椭圆复制后，填充渐变颜色CMYK色值分别为（4，54，100，9），（1，45，100，2），（0，42，100，2），（1，29，100，3）和（1，32，100，3）效果如图4-95所示。同样将该图形转换为位图，应用高斯式模糊滤镜编辑转换后的位图，完成后的图形如图4-96所示。

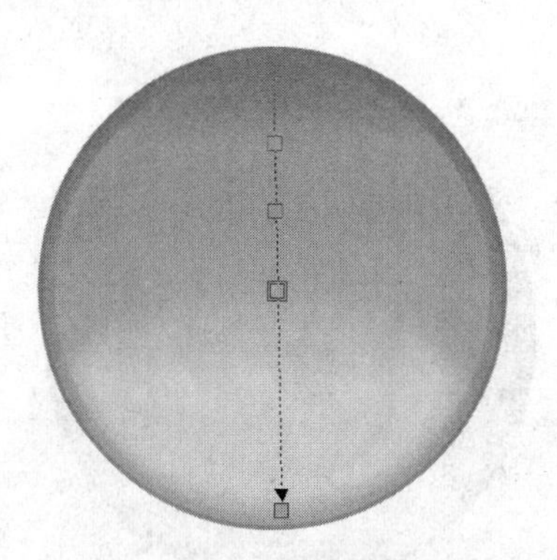
图 4-95 绘制中间区域

图 4-96 对位图应用滤镜后的效果

Step 07 选择所有图形，执行“效果>调整>色度/饱和度/亮度”命令，打开“色度/饱和度/亮度”对话框，在对话框中设置“饱和度”为10，设置“亮度”为-15，设置完成后，单击“确定”按钮，调整后的效果如图4-97所示。选择其余图形，调整其效果，如图4-98所示。

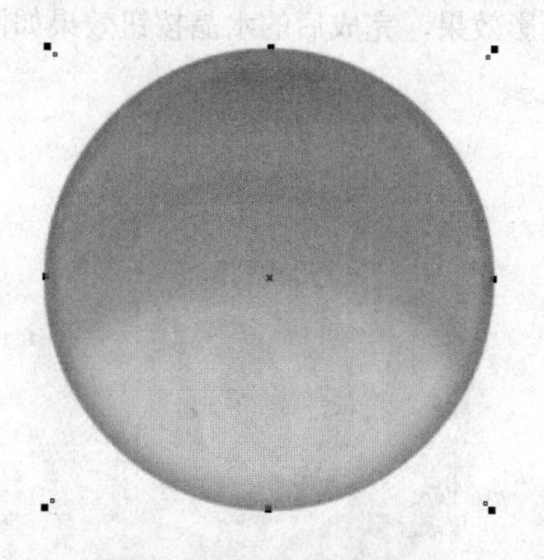
图 4-97 编辑后的效果

图 4-98 调整其余图像效果

Step 08 应用文本工具在图中输入网络符号，并设置字体和大小，如图4-99所示。然后将设置好的文字拖动到按钮的中间位置，并填充为白色，使用工具箱中的交互式阴影工具为文字添加阴影，并将阴影颜色设置为橘红色，效果如图4-100所示。

图 4-99 输入文字

图 4-100 设置文字效果

Step 09 绘制按钮高光区域，应用椭圆形工具在图中的顶部位置绘制一个椭圆，如图4-101所示，并将绘制的椭圆填充为白色，单击工具箱中的“轮廓”按钮，在弹出的菜单中选择“无”菜单命令，并去除轮廓线，如图4-102所示。

图 4-101 绘制椭圆图形

图 4-102 填充后的图形

Step 10 选择工具箱中的交互式透明度工具，在绘制的椭圆形中由上至下拖动鼠标，将高光变为透明效果，如图4-103所示。最后为图形添加阴影效果，选择最后一层的椭圆图形，应用交互式阴影工具在图中由中心位置向右侧拖动，即可形成阴影效果，完成后的水晶按钮效果如图4-104所示。

图 4-103 调整图形透明度

图 4-104 添加阴影后的效果

4.8　本章小结

本章主要讲述对象的基本操作，对基础图形的变换和修整等编辑。应用挑选工具选择对象，并进行移动或旋转等操作，通过属性栏中的相关按钮完成对象的群组和解组操作，而对象的顺序、排列和对齐则应用了排列菜单中的相关命令。

4.9　专业解析

1. 如何快速选择被遮挡的图形？

答：使用CorelDRAW绘制图形时，由于绘制的图形相互重叠且越来越多，造成不容易选择绘制图形下方的对象。可以按住Alt键同时单击要选择的被遮挡的图形对象即可。

2. 如何对图形同时旋转和缩放？

答：在CorelDRAW中，拖动图形对象的旋转手柄时，同时按住Shift键，就可以同时旋转和缩放图形对象；若是按住Alt键，则可以同时旋转和变形倾斜图形对象。

3. 如何使用快捷键对图形对象进行对齐操作？

答：快捷键如下，E水平居中对齐，R右对齐，T顶部对齐，B底部对齐，C垂直居中对齐，L左对齐。

4.10　思考与练习

1. 填空题

（1）让多个对象左对齐，按__________键。

（2）使所选对象整齐排列，可用__________。

（3）要将两条线段连接成一条线段，首先应将它们__________。

2. 选择题

（1）选择多个对象执行焊接命令，得到的对象属性是（　）。

A. 同最下的对象　　B. 同最上的对象

C. 同最后选取对象　　D. 同最先选取对象

（2）双击挑选工具等于按（　）键。

A. Ctrl+A　　B. Ctrl+F4

C. Ctrl+D　　D. Ctrl+F2

（3）在“复制”与“剪切”命令中，能保持图形放在剪贴板上又同时保留在屏幕上的是（　）。

A. 两者都可以　　B. 复制命令　　C. 剪切命令

3. 判断题

（1）应用艺术笔工具时，选择“喷罐”选项绘制后，可以通过先执行“拆分”命令后再编辑。（　）

（2）对一群组对象渐变填充，然后解组的结果是所有对象的填充属性均为无。（　）

（3）同时选择多个对象，执行焊接命令，所得到对象的填充属性和最先选取的对象相同。（　）

4. 问答题

（1）简述对图形对象进行群组的优势？

（2）简述挑选工具的用途？

（3）简述群组多个对象的方法？

5. 上机题

（1）通过旋转变换制作出花朵图形，如图4-105所示。然后将所绘制的花朵图形焊接，填充上合适的渐变色，并去除轮廓线效果，如图4-106所示。

图 4-105 绘制花朵图形

图 4-106 填充后的图形

（2）应用修剪图形的方法制作出树叶图标。首先绘制出树叶的外形，如图4-107所示。再应用修剪等方法制作出中间的空白区域，并分别填充上合适颜色，完成后的图标效果如图4-108所示。

图 4-107 绘制树叶外形

图 4-108 制作完成的图标

（3）应用对齐图形的方法，将图形排列整齐。排列之前的效果如图4-109所示，排列之后的图形如图4-110所示。

图 4-109 排列之前的图形

图 4-110 排列后的图形

05

图形的绘制与调整

本课所需时间： 4个小时

课程范例文件： sample\ 第5章\

课后练习文件： 无

必须掌握：

▶ 曲线的绘制

深入理解：

▶ 矩形和椭圆形的绘制

▶ 多边形和螺旋曲线的绘制

一般了解：

▶ 基本形状的应用

▶ 表格的绘制

课程总览：

图形绘制包括规则图形的绘制和不规则图形的绘制。规则图形是指常见几何图形用户可以利用相关工具绘制，而不规则图形则需要应用手绘工具来完成。对于绘制的图形，用户都可以应用形状工具或者填充工具进行编辑和填充。

5.1 基本几何图形的绘制

基本几何图形主要是指应用CorelDRAW X4 提供的相关工具绘制出的矩形、椭圆等多边形图形。选择工具的不同，其绘制图形的方法也不同，比如在绘制同时借助其他按键，形成正圆形或者正方形等特殊效果。

5.1.1 矩形和椭圆形的绘制

应用矩形工具和椭圆形工具绘制的都是规则的几何图形，在相应的属性栏中用户可以设置绘制图形的边框及圆角等参数。

1. 矩形工具

矩形工具的主要作用就是绘制矩形图形。选择工具箱中的矩形工具□，属性栏随之改变，显示出与矩形相关的设置和操作，主要包括圆角设置，边框设置和转换为曲线操作等，如图5-1所示。

图 5-1 矩形工具属性栏

提 示 双击工具箱中的“矩形工具”按钮，可以创建一个和页面相同大小的矩形，而且位于页面的中心位置上。

矩形工具不仅可以绘制矩形图形，也可以绘制圆角矩形。对于绘制出的矩形图形，用户可以应用调色板填充上合适的颜色并设置边框效果。绘制一个普通的矩形。如图5-2所示，然后在矩形工具属性栏中设置圆角的弧度参数，在数值框中输入数值20，使矩形的四角弯曲形成一定的弧度，如

图5-3所示。输入的数值越大，圆角的效果也就越明显，将数值设置为50后的矩形效果如图5-4所示。

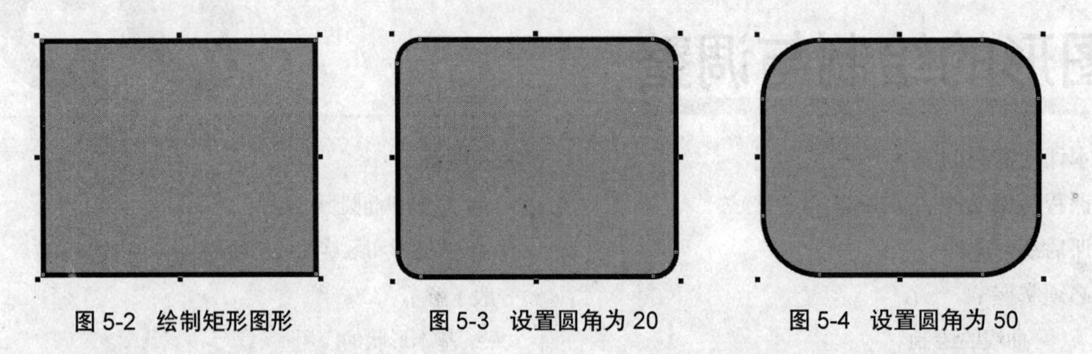

图 5-2　绘制矩形图形　　图 5-3　设置圆角为 20　　图 5-4　设置圆角为 50

提 示

应用矩形工具绘制正方形图形时，需要在按住 Ctrl 键的同时拖动鼠标绘制。

按住矩形工具按钮，可以看到还有另外一种工具即3点矩形工具，该工具可以绘制倾斜的矩形和正常的矩形。其使用方法和矩形工具有少许差异，单击工具箱中的“3点矩形工具”按钮，然后在页面中单击并拖动鼠标，如图5-5所示，释放鼠标再拖动图形，就能形成大小合适的矩形，如图5-6所示。

图 5-5　拖动鼠标　　图 5-6　形成矩形

2. 椭圆形工具

椭圆形工具可以绘制三种类型的图形，用户可以在属性栏中对绘制完成的椭圆形进行设置，实现这三类图形之间的切换。应用椭圆形工具绘制的默认图形为椭圆，如图5-7所示。单击该工具属性栏中的“饼形”按钮，椭圆图形变为饼形，如图5-8所示。单击属性栏中的“弧形”按钮则转换为圆弧图形，如图5-9所示。修改属性栏中的“起始和结束角度”的数值参数，还可以改变圆饼和圆弧的开口大小。

图 5-7　绘制椭圆形　　图 5-8　绘制饼形　　图 5-9　绘制圆弧

同样椭圆形工具组中也包含另外一种工具即3点椭圆形工具，应用该工具可以绘制倾斜的椭圆图形及正圆图形。选择该工具，在图中单击后拖动出一条直线，该直线作为绘制圆形的直径，如图5-10所示，释放鼠标后再拖动，预览椭圆图形的变换，形成倾斜的椭圆，如图5-11所示。此时如果按住Ctrl键，再稍微释放鼠标则可绘制出正圆图形，如图5-12所示。

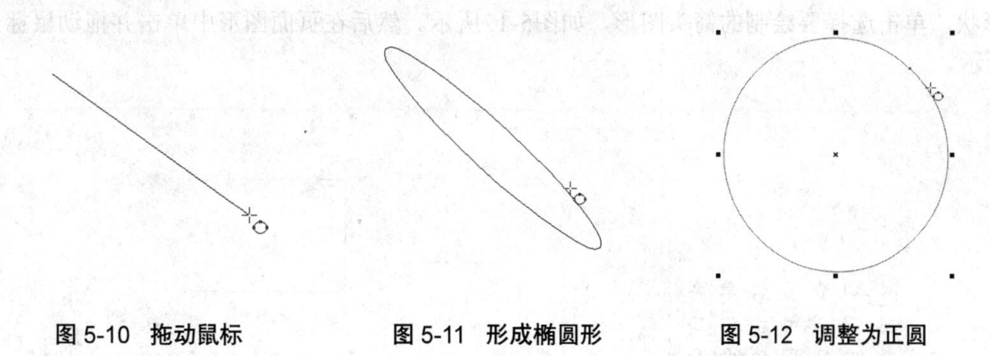

图 5-10　拖动鼠标　　图 5-11　形成椭圆形　　图 5-12　调整为正圆

5.1.2　基本形状的绘制

基本形状主要通过基本形状工具组绘制完成。其中基本形状工具用于绘制常见的特殊图形，箭头形状工具主要绘制各种样式的箭头图形，流程图形状工具主要绘制流程形状图形，标题形状工具主要为图形中的标题添加特定形状的底色。

1. 基本形状

基本形状工具中包含多种常见图形，直接选择提供的图形按钮就可以在绘图区域绘制梯形、心形、圆弧等圆形。具体绘制步骤如下。

Step 01　选择基本形状工具，在该工具属性栏中单击“完美形状”按钮，在弹出的完美形状中选择心形图形，如图5-13所示。然后在页面合适的位置上单击并拖动鼠标，绘制的图形如图5-14所示。

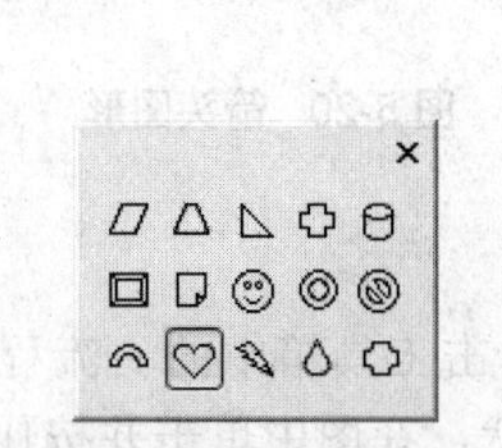

图 5-13　选择合适的形状

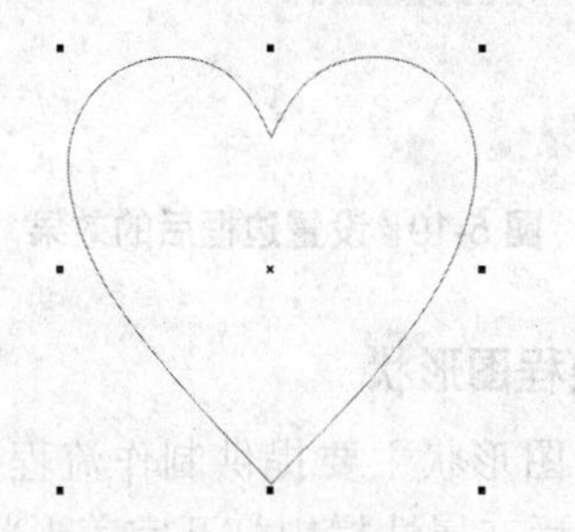

图 5-14　绘制的心形

Step 02　应用交互式填充工具将心形图形填充射线型渐变，填充后的效果如图5-15所示，用户还可以重新设置图形的边框和轮廓，将心形图形应用在如图5-16所示的效果中。

图 5-15　填充后的颜色

图 5-16　完成的效果

2. 箭头形状

箭头形状工具包括了各种箭头图形，在完美形状中可以选择其提供的箭头图形来绘制，用户还可以对绘制的箭头图形填充颜色，边缘的轮廓也可以重新设置和编辑。

Step 01 首先创建一个新的图形窗口，单击工具箱中的“完美形状”按钮，在属性栏中打开完美形状，单击选择要绘制的箭头图形，如图5-17所示。然后在页面图形中单击并拖动鼠标，如图5-18所示。

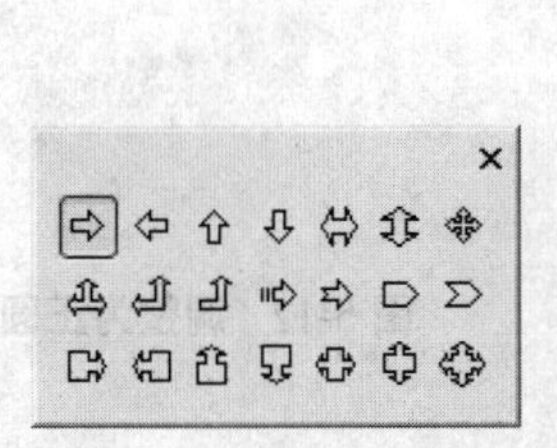

图 5-17 选择合适图形

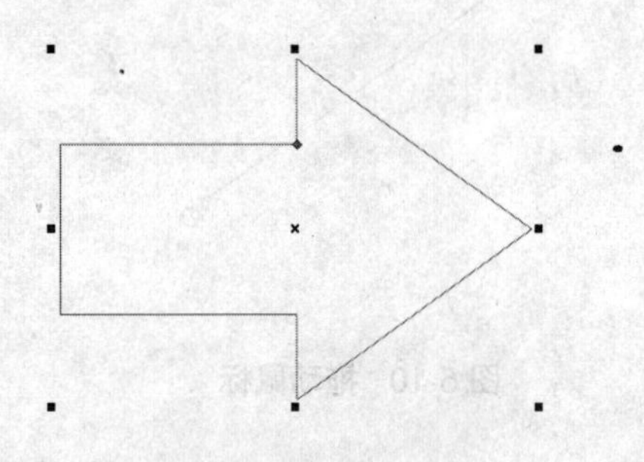

图 5-18 绘制箭头图形

Step 02 按快捷键F12打开“轮廓笔”对话框，设置箭头图形的边缘，设置其宽度为2.0mm，设置颜色为绿色，选择样式为虚线，单击“确定”按钮，边缘如图5-19所示。用户还可以将绘制的图形转换为曲线，编辑成所需的形状，并重新填充颜色，应用到如图5-20所示的图形效果中。

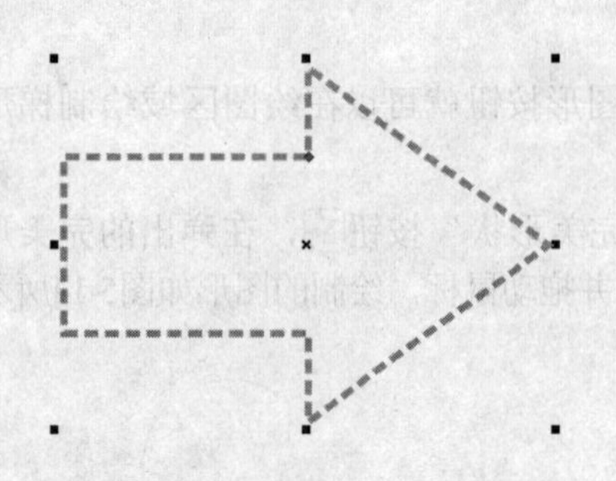

图 5-19 设置边框后的效果

图 5-20 箭头图形

3. 流程图形状

流程图形状主要提供制作流程效果中用到的相关图形，单击工具箱中的“流程图形状”按钮，然后在属性栏中打开完美形状，在其中选择要绘制的形状，在图中单击并按住鼠标右键，拖动绘制出如图5-21所示的图形。选择另外的形状，同样应用上述方法绘制，绘制的图形如图5-22所示。

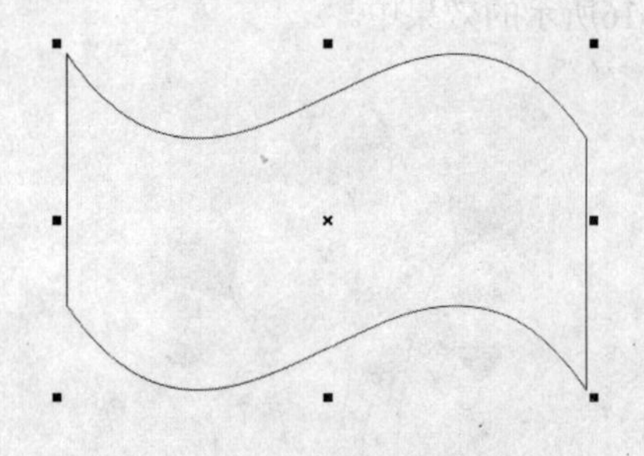

图 5-21 绘制流程图形状 1

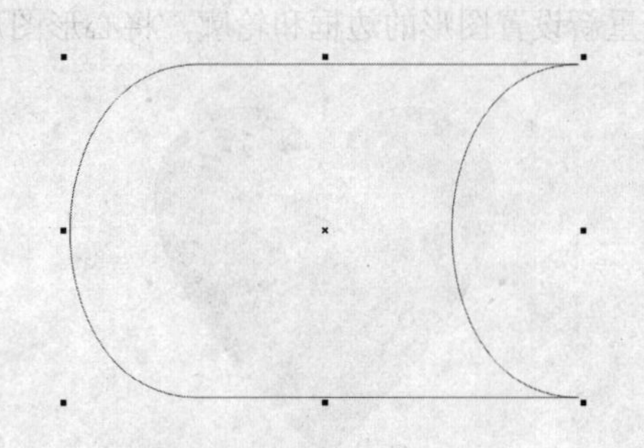

图 5-22 绘制流程图形状 2

4. 标题形状

标题形状的作用是为标题制作出一定形状的底色，通过颜色和形状的变化来突出表现重点对象，下面以POP海报的制作为例进行讲述。

Step 01　打开“sample\第5章\原始文件\1.cdr”图形文件，如图5-23所示，然后单击工具箱中的“标题形状”按钮，在其属性栏的完美形状中选择所需形状，以绘制爆炸效果为例，绘制出的图形如图5-24所示。

图 5-23　打开图形

图 5-24　绘制爆炸图形

Step 02　将绘制的图形拖动到广告的底部，并缩放到合适大小，如图5-25所示，然后填充为黄色，执行“排列>顺序>置于此对象后”命令，再单击价格对象，标题形状效果如图5-26所示。

图 5-25　调整图形位置

图 5-26　填充后的图形

5. 标注形状

标注形状主要是在添加说明文字时起指示和引导作用，通过设置标注形状突出要说明的主题对象，对于已经绘制的图形还可以对该图形进行填充、设置图形轮廓等操作。

Step 01　打开“sample\第5章\原始文件\2.cdr”图形文件，如图5-27所示。单击工具箱中的“标注形状”按钮，在其属性栏中打开完美形状，选择标注的类型，如选择云朵类型，在页面中单击并按住鼠标进行拖动，绘制的标注如图5-28所示。

图 5-27　打开图形

图 5-28　绘制的标注图形

Step 02 将绘制的图形旋转，放置到页面合适的位置中，如图5-29所示。将绘制的图形填充为白色并去除轮廓线，最后应用文本工具在图中输入文字，放置到标注图形上面，如图5-30所示。

图 5-29 调整标注方向

图 5-30 输入文字后的效果

5.1.3 多边形、螺旋曲线和图纸的绘制

应用多边形工具组绘制的图形都为规则多边形，也可以通过形状工具对多边形编辑，将其变换为不规则图形。

1. 多边形工具

选择多边形工具，在图中绘制的图形默认为五边形，如图5-31所示。用户可以直接在多边形工具的属性栏中更改边数。单击“转换为曲线”按钮，将绘制的图形转换为曲线，可以对其进行编辑，如图5-32所示为制作的足球图像。

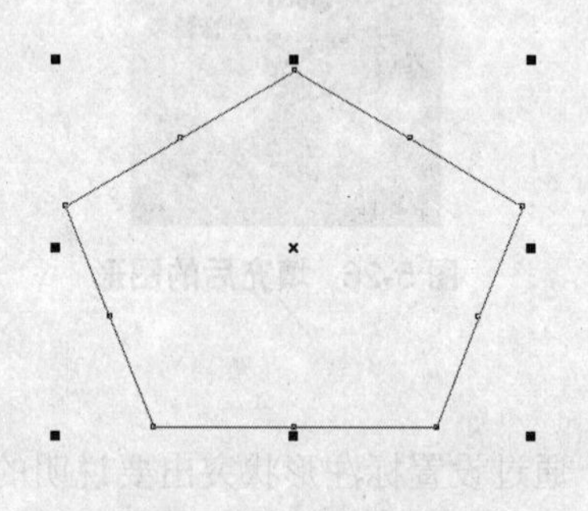

图 5-31 绘制五边形

图 5-32 绘制的足球图形

Step 01 首先应用多边形工具在图中，绘制出所需边数的多边形，然后应用形状工具选择其中一个节点，并向内部拖动鼠标，如图5-33所示，形成类似星星的多边形效果，如图5-34所示。

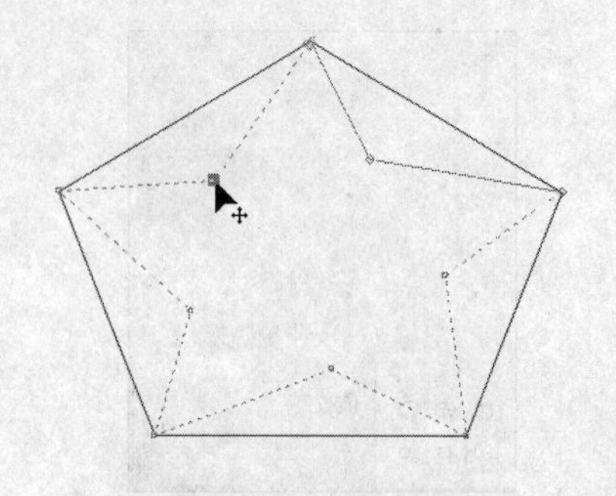

图 5-33 向中心拖动

图 5-34 形成星星形状

Step 02　应用形状工具将选择的节点向右拖动，如图5-35所示，释放鼠标后形成扭曲的多边形，如图5-36所示。

图 5-35　向右侧拖动

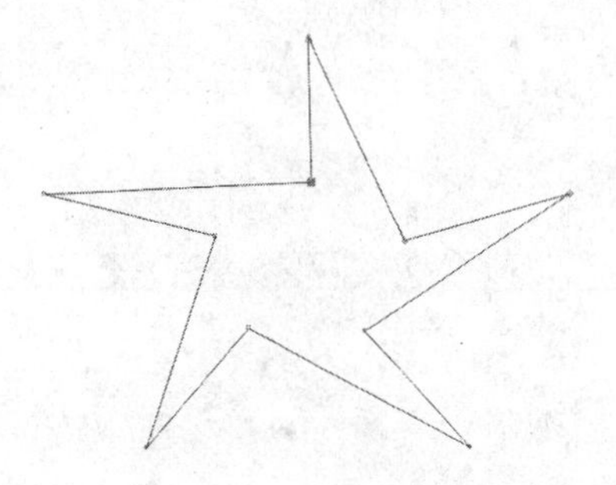

图 5-36　形成扭曲多边形

Step 03　连续使用此方法多次编辑图形。使用形状工具继续向右侧拖动节点，如图5-37所示，将图形扭曲和旋转后的图形如图5-38所示。

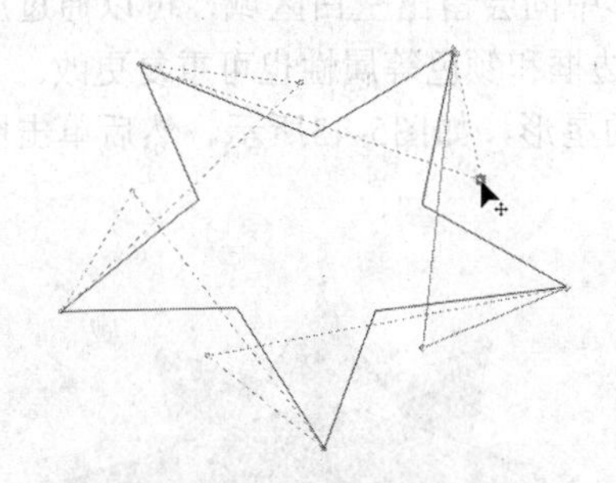

图 5-37　使用鼠标拖动

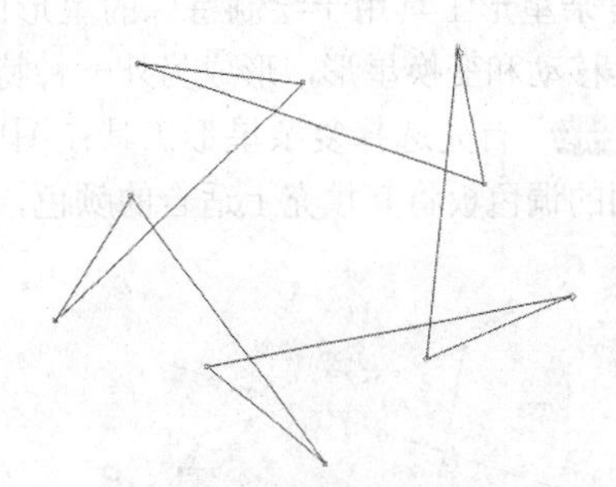

图 5-38　绘制出特殊形状

2. 星形工具

多边形工具组还包含星形工具和复杂形状工具。星形工具主要是绘制星形状图形。图形由多个边组成，通过设置可以变换绘制图形的边数，而且星角的锐度也可以设置，即设置角的平滑程度，数值越大角越尖锐。

Step 01　首先选择星形工具，在图中拖动形成五角星图形，系统默认边数为5，如图5-39所示。应用调色板将绘制的五角星填充上合适的颜色，效果如图5-40所示。

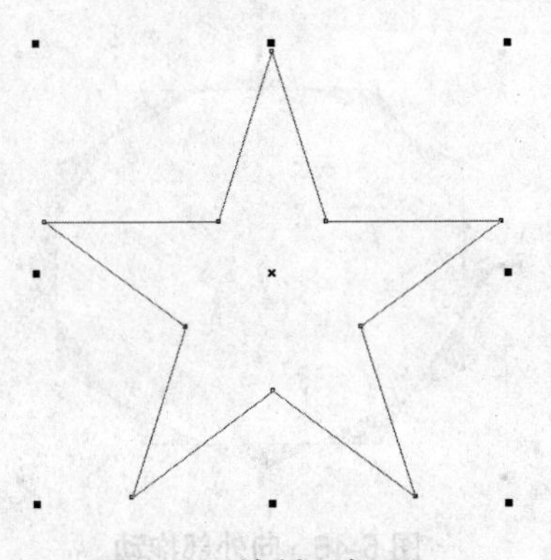

图 5-39　绘制五角星

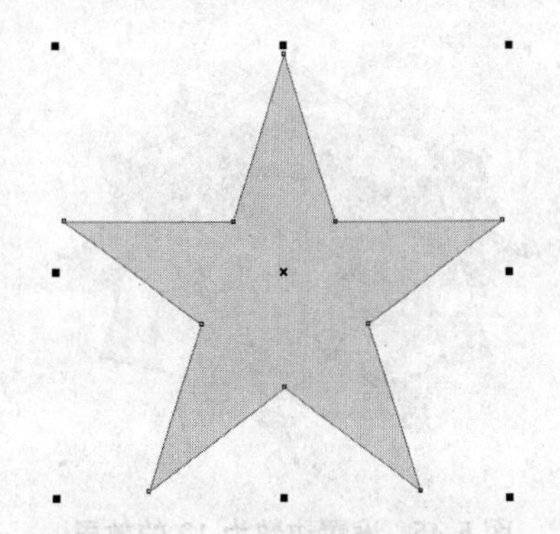

图 5-40　填充后的图形

Step 02　将绘制的图形转换为曲线，应用形状工具对其编辑，制作成圆角图形，效果如图5-41所示。打开“sample\第5章\原始文件\3.cdr”图形文件，并在上面绘制出多个五角星，填充上合适颜色，效果如图5-42所示。

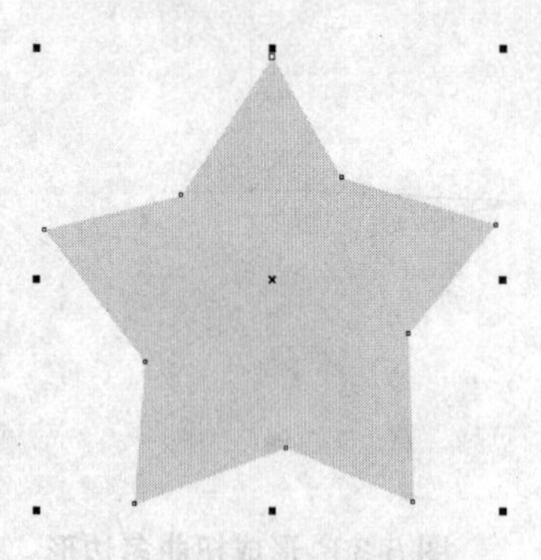

图 5-41　编辑后的图形

图 5-42　完成后的效果

3. 复杂星形工具

复杂星形工具用于绘制特殊的星形图形，所绘制的图形中间会留出空白区域，可以通过应用形状工具移动和变换星形，形成另外一种特殊效果的星形，其边框和颜色等属性也可重复更改。

Step 01　首先选择复杂星形工具在图中绘制出默认锐度的星形，如图5-43所示。然后单击图形通过右侧的调色板将其填充上适合的颜色，如图5-44所示。

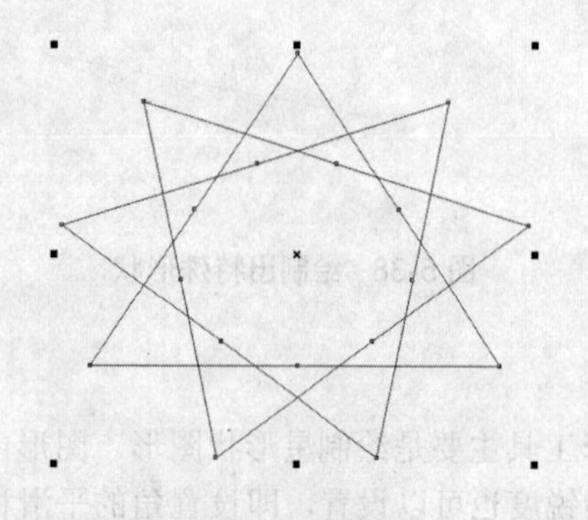

图 5-43　绘制星形

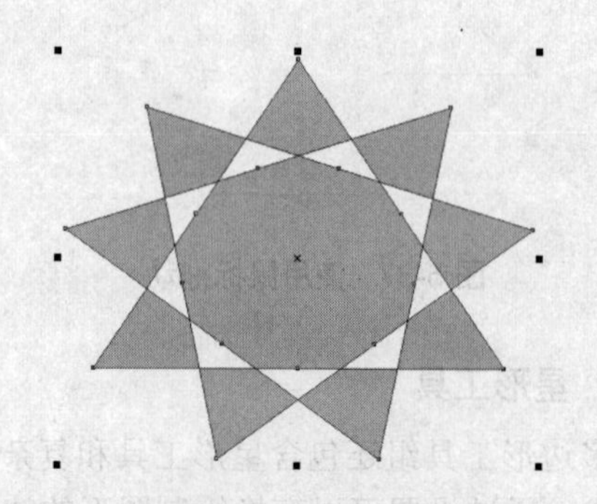

图 5-44　填充后的图形

Step 02　在属性栏中设置图形。设置星形图形的边数为12，设置后的星形效果如图5-45所示。然后应用形状工具选择其中的一个节点，并向外部拖动，形成扩展的星形，如图5-46所示。

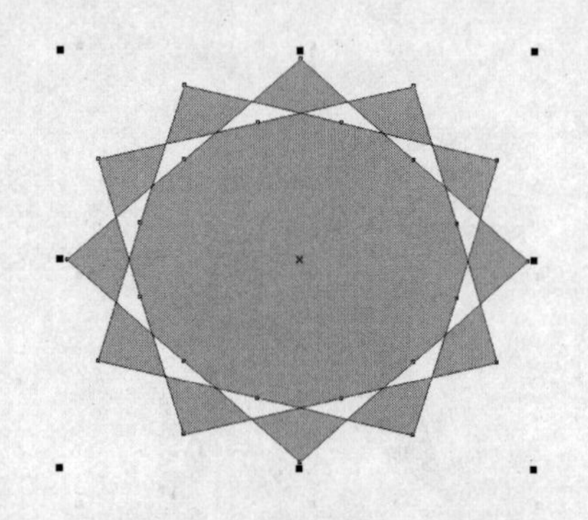

图 5-45　设置边数为 12 的效果

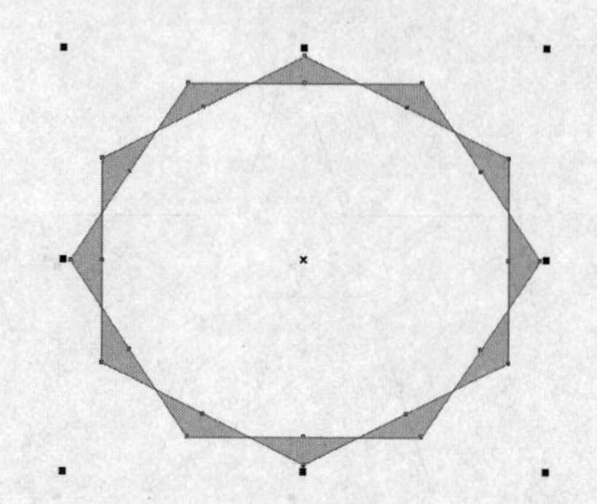

图 5-46　向外部拖动

Step 03　应用形状工具编辑图形，使用形状工具选择其中一个节点，将其向中间拖动，预览效果如图5-47所示，释放鼠标后即可看到拖动节点后的效果如图5-48所示。

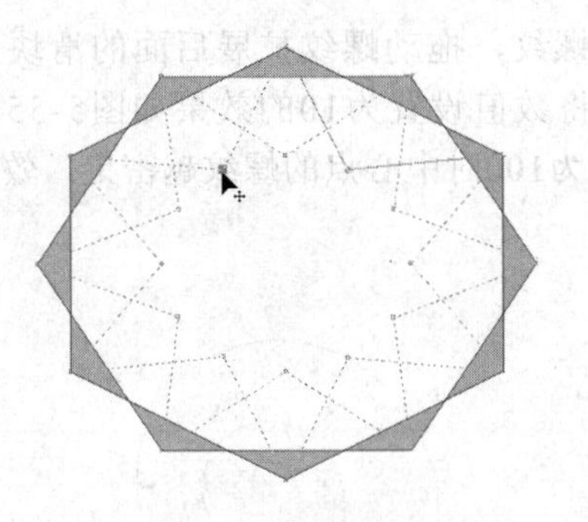

图 5-47　向内部拖动

图 5-48　调整后的图形

4. 螺纹工具

螺纹工具主要用于绘制旋转的线条图形，形成漩涡效果。选择工具箱中的螺纹工具，该工具的属性栏如图5-49所示。在属性栏中可以设置控制螺纹的相关参数，主要包括螺纹类型，螺旋回圈和螺纹扩展的设置。

图 5-49　螺纹工具属性栏

螺旋回圈是指对数式螺纹回旋时的距离，数值越大，距离中心点越近，螺旋效果越明显。将螺旋回圈设置为5，螺旋程度不是很明显，如图5-50所示。将螺旋回圈设置为10，螺旋程度变明显，如图5-51所示。将数值设置为100，绘制的螺纹效果如图5-52所示。

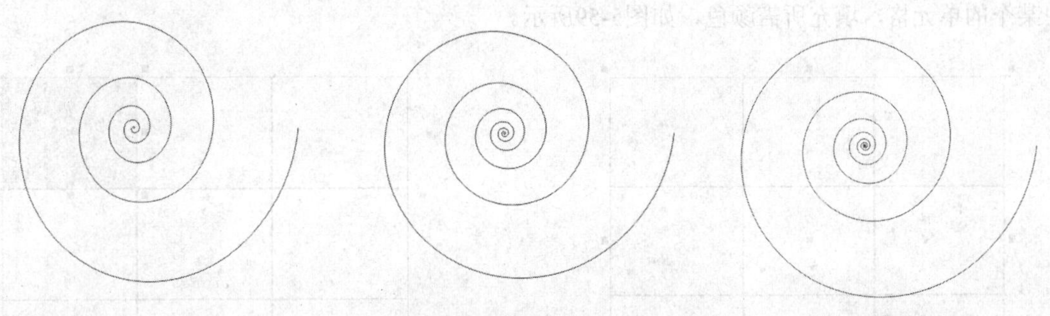

图 5-50　设置为 5　　图 5-51　设置为 10　　图 5-52　设置为 100

在属性栏中有两种螺纹可供选择，单击相应按钮后即可进行绘制。单击属性栏中的“对称式螺纹”按钮，然后按住鼠标在图中拖动，绘制的图形如图5-53所示。单击属性栏中的“对数式螺纹”按钮，并设置合适的螺纹扩展参数，在图中绘制的图形如图5-54所示。

图 5-53　对称式螺纹

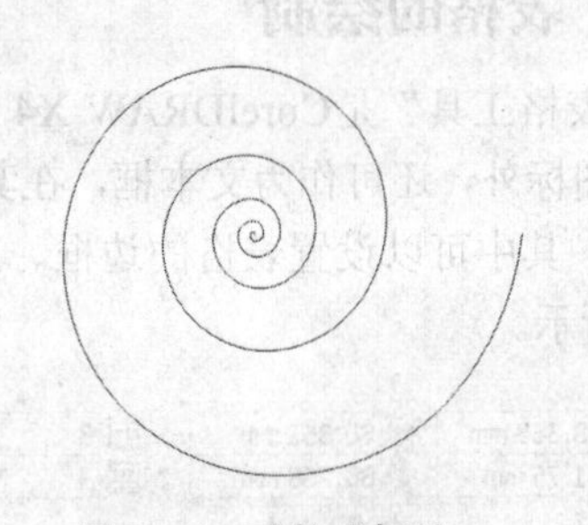

图 5-54　对数式螺纹

螺纹扩展参数设置只针对对数式螺纹。选择对数式螺纹，拖动螺纹扩展后面的滑块来设置参数大小，数值越大螺纹越大，数值越小螺纹越平均。将数值设置为10的效果如图5-55所示，设置为50时螺纹越靠近中心位置，如图5-56所示。当数值为100时中心点的螺纹越密集，效果如图5-57所示。

图 5-55　数值为 10　　图 5-56　数值为 50　　图 5-57　数值为 100

5. 图纸工具

图纸工具的作用是绘制表格图形。使用该工具绘制的表格和使用表格工具绘制的表格有所不同，在应用图纸工具绘制的表格中，图形可以通过执行解组命令而选取单元格，并能对单元格进行移动、填充等操作，而应用表格工具绘制的表格在解组后只能单独选取最外面的矩形和中间绘制的单个线条，而不能独立选择某个单元格。

选择工具箱中的图纸工具，并在其属性栏中将表格行数和列数都设置为3，然后在图中绘制表格如图5-58所示。单击属性栏中的“取消群组”按钮，将表格拆分，使用挑选工具可以选择其中某个的单元格，填充所需颜色，如图5-59所示。

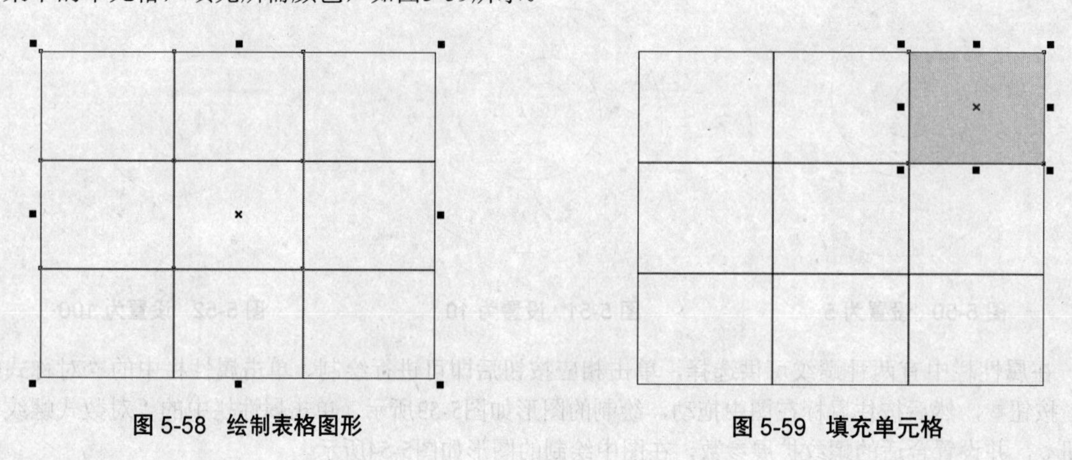

图 5-58　绘制表格图形　　图 5-59　填充单元格

5.1.4　表格的绘制

“表格工具”是CorelDRAW X4 新增的工具，主要用于绘制表格图形，绘制如表格图形除了可以作为图标外，还可作为文本框，在其中输入文字。选择工具箱中的表格工具，即可查看该工具的属性栏，其中可以设置表格的边框、颜色、轮廓等参数，不同的设置会对不同的表格产生影响，如图5-60所示。

图 5-60　表格工具属性栏

1. 设置表格数值

表格数值是指表格的行与列的组成个数。在属性栏的数值框内输入相应的数值即可进行变换，如图5-61所示为设置行数为3，列数为4的表格，如果将行数设置为5，表格图形会随之变成如图5-62所示的效果。

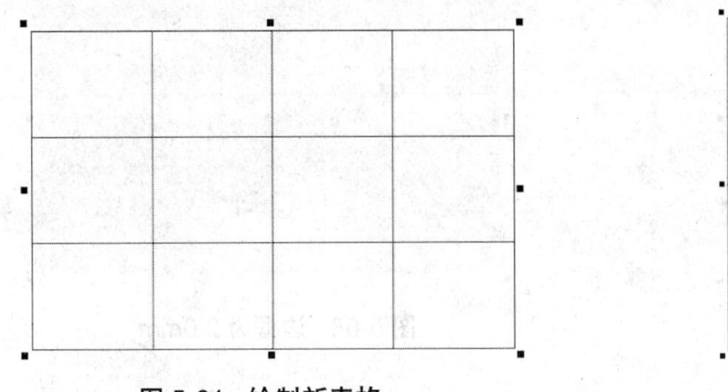

图 5-61　绘制新表格

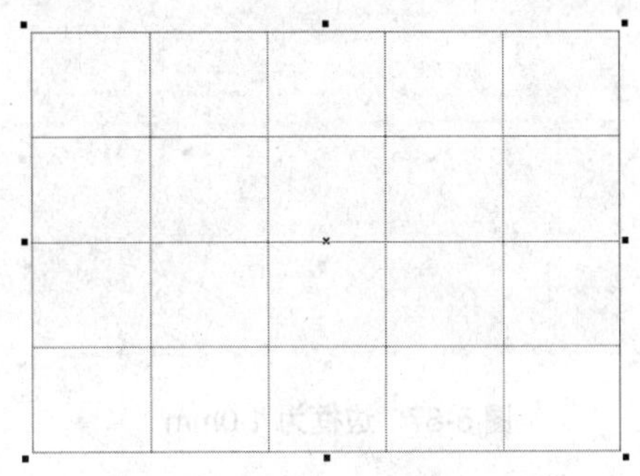

图 5-62　修改数值后的表格

2. 设置表格颜色

表格颜色通过图像窗口中的调色板来设置。选择绘制完成的表格，单击右侧相应的颜色色块即可填充上颜色，如图5-63所示为填充黄色效果。如果单击右侧调色板中的蓝色色块，即可将表格又填充为蓝色，效果如图5-64所示。

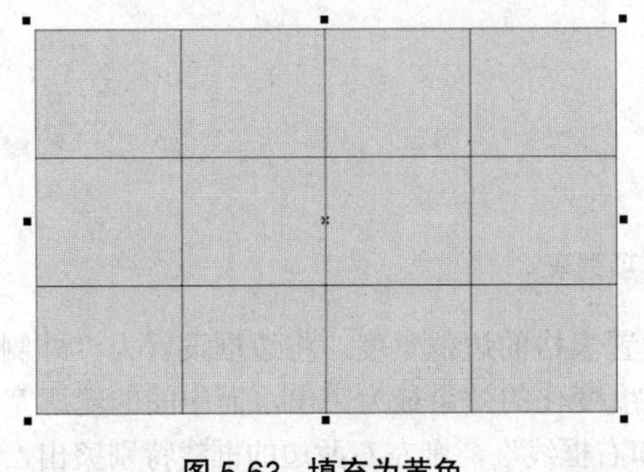

图 5-63　填充为黄色

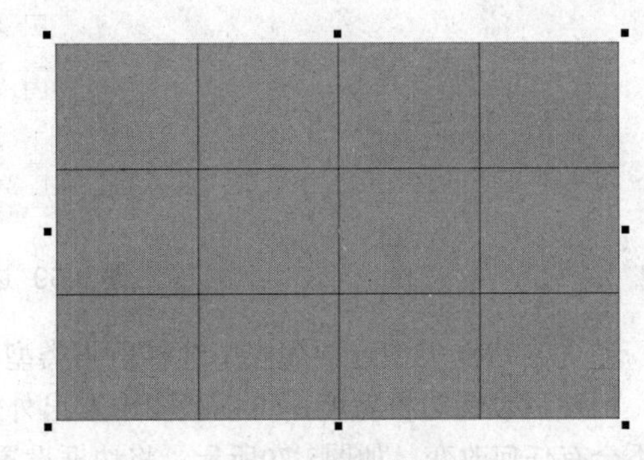

图 5-64　填充为蓝色

3. 设置边框颜色和宽度

对于表格边框的设置，用户可以直接通过在调色板相应的颜色上单击鼠标右键，即可为边框设置颜色，如图5-65所示将边框设置为红色，如图5-66所示将边框又设置为绿色。

图 5-65　设置红色边框

图 5-66　设置绿色边框

边框宽度可以在表格工具的属性栏中设置。在“轮廓宽度”下拉列表中直接选择相应的数值或者输入所需数值即可。将边框设置为1.0mm的效果如图5-67所示，将边框设置为2.0mm时的效果如图5-68所示。

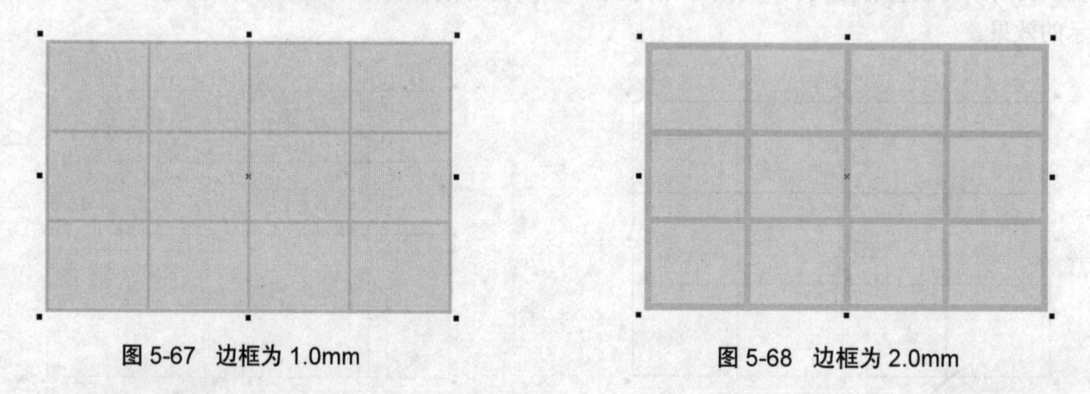

图 5-67　边框为 1.0mm　　图 5-68　边框为 2.0mm

4. 设置边框类型

边框类型是指框线的分布位置。主要在边框类型选项中设置。单击属性栏中的边框类型按钮，即打开边框类型选项列表，如图5-69所示。该选项列表包括9种类型，分别为所有框线、内部框线、外侧框线、上和下框线、左和右框线、上框线、下框线、左框线以及右框线。

图 5-69　边框类型选项列表

首先在边框类型选项列表中选择所需类型，然后设置表格的边框宽度。将边框设置为“外侧框线”，然后设置边框宽度，可以从图中看出外侧框线宽度变化的效果最为突出，而中间的轮廓宽度则不会有任何改变，如图5-70所示。将边框设置为“左和右框线”，则左右两边的框线特别突出，如图5-71所示。

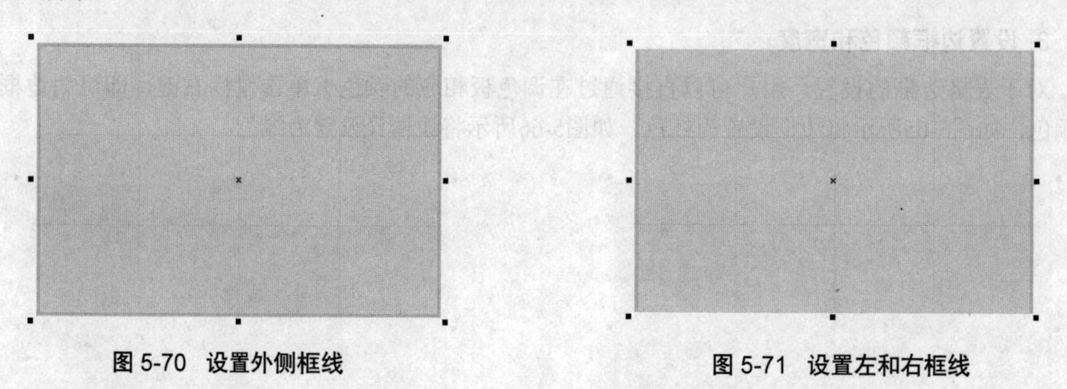

图 5-70　设置外侧框线　　图 5-71　设置左和右框线

5.2　曲线的绘制

曲线绘制是CorelDRAW X4 中较为重要的知识点，通过相应曲线工具可以绘制较为复杂的图形。从较为简单的手绘工具和贝塞尔工具讲起，用户可以通过设置得到平滑的曲线。艺术笔工具的主要作用是模拟各种笔触效果，通过设置得到各种图形排列成的艺术图案。交互式连线工具和度量工具则较为特殊，分别用于绘制连接线和度量图形长度及角度等，不过不经常应用。而智能填充工具则通过填充图形得到相交的中间区域。

5.2.1 手绘工具和贝塞尔工具的应用

手绘工具和贝塞尔工具的主要作用都是绘制平滑曲线。手绘工具用于绘制随意的线条图形，而贝塞尔工具通常用于绘制较复杂的图形轮廓，应用该工具可以边绘制边调整线条的弧度。

1. 手绘工具

应用手绘工具可以在页面中绘制任意曲线。在手绘工具的属性栏中，通过在手绘平滑文本框中输入数值或者调整滑块来控制手绘图形的平滑程度。应用手绘工具绘制图形之前要先设置，将数值设置为0，然后使用手绘工具在图中拖动，图形效果如图5-72所示，形成的节点较多，线条不平滑，将数值设置为50后效果如图5-73所示，节点减少且较平滑，将数值设置为100后效果如图5-74所示，形成了平滑的线条。

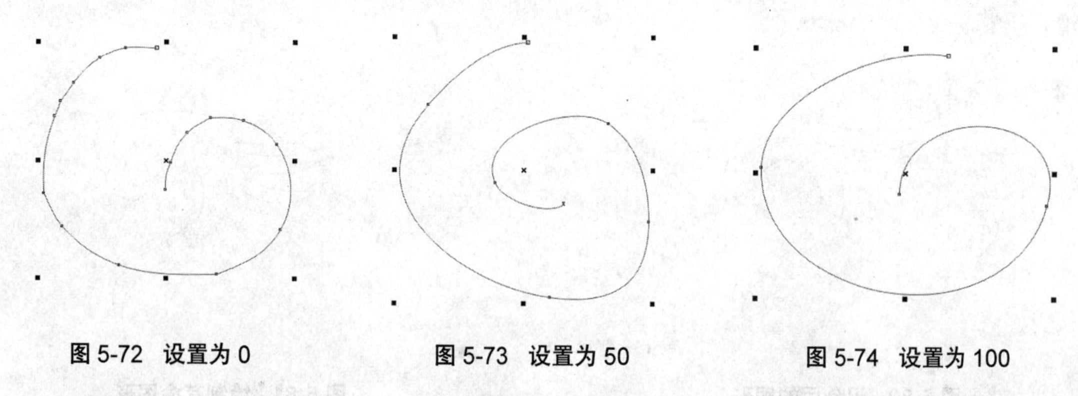

图 5-72 设置为 0　　图 5-73 设置为 50　　图 5-74 设置为 100

应用手绘工具绘制的图形通常以单个线条存在，如果要将绘制的图形填充上色，则需要将其转换为曲线。在手绘工具属性栏中，有一个较突出的功能为自动闭合曲线功能，可以自动将绘制的线条闭合为图形并填充。首先应用手绘工具在图中随意绘制线条，如图5-75所示，然后单击属性栏中的“自动闭合曲线”按钮，即可形成如图5-76所示的图形，该方法对于应用手绘工具绘制的两个相连的线条同样也适用，闭合后的图形如图5-77所示。

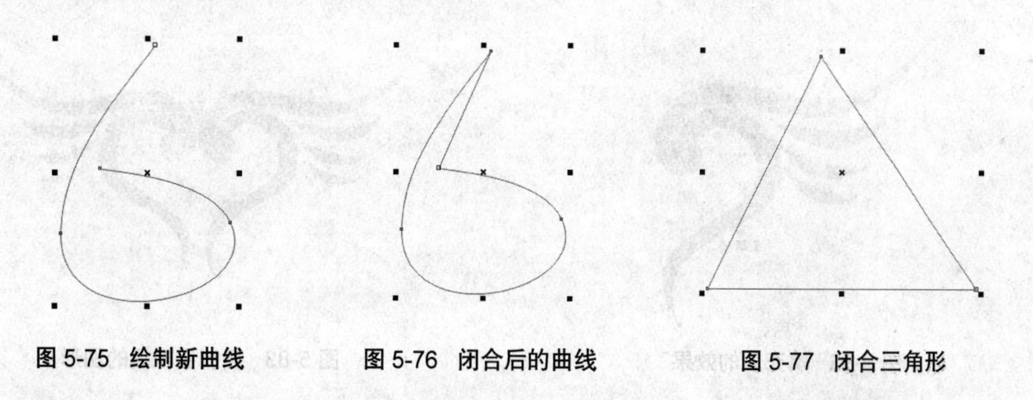

图 5-75 绘制新曲线　　图 5-76 闭合后的曲线　　图 5-77 闭合三角形

2. 贝塞尔工具

贝塞尔工具是经常用于绘制曲线的工具之一，因为该工具在绘制线条时可以边绘制变拖动节点以编辑和调整曲线的弯曲程度，在绘制较为复杂的图形时比较方便快捷，具体操作如下。

Step 01 首先选择工具箱中的贝塞尔工具，在图中单击后拖动鼠标形成弯曲的线条，连续单击并拖动形成由多个节点组成的线条，如图5-78所示。继续应用贝塞尔工具在图中拖动直至绘制出连续性的曲线图形，如图5-79所示。

图 5-78 使用贝塞尔工具拖动　　图 5-79 绘制图形

Step 02 连续使用贝塞尔工具在图中单击并拖动，制作出弯曲的图形，如图5-80所示。继续应用贝塞尔工具在图中绘制出其余的曲线图形，效果如图5-81所示，并应用形状工具将绘制的图形调整平滑。

图 5-80 闭合后的图形

图 5-81 绘制其余图形

Step 03 选取将前面绘制完成的图形，单击属性栏中的“焊接”按钮，然后应用交互式填充工具为图形填充上合适的渐变色，如图5-82所示。按+号键复制图形，并单击属性栏中的“水平镜像”按钮，将镜像后的图形向右边移动，放置到合适的位置上，完成后的效果如图5-83所示。

图 5-82 填充后的效果

图 5-83 复制变换后的图形

5.2.2 艺术笔工具的应用

艺术笔工具可以模拟出各种艺术效果，通过其提供常见的艺术类型和笔触可以绘制出富有创造性的图形效果。选取该工具后，在属性栏中将会显示出与之相关的参数，比如艺术笔的类型、工具的宽度等，如图5-84所示，用户可以通过设置参数来影响图形的绘制效果。

图 5-84 艺术笔工具属性栏

1. 艺术笔类型

预设类型是系统默认的艺术笔效果，单击属性栏中的“预设”按钮，在图中绘制并预览图形的效果，如图5-85所示。释放鼠标后则形成圆滑的笔触效果，如图5-86所示。

图 5-85 绘制预览

图 5-86 绘制的预设笔触效果

笔刷效果则是模拟常用的画笔笔触。在笔触列表中用户可以选择自带的多种笔触效果，根据颜色和笔触形状来区别不同的笔触效果。单击艺术笔工具属性栏中的“笔刷”按钮，然后选择笔触类型后，使用艺术笔工具在图中绘制，笔触效果如图5-87所示。

喷罐效果则是应用各种图形在绘制的路径中形成排列的效果。单击属性栏中的“喷罐”按钮，然后在“喷涂列表文件列表”下拉列表中选择图形，最后在图中拖动鼠标绘制出喷射后的图形，如图5-88所示。

图 5-87 笔刷图形效果

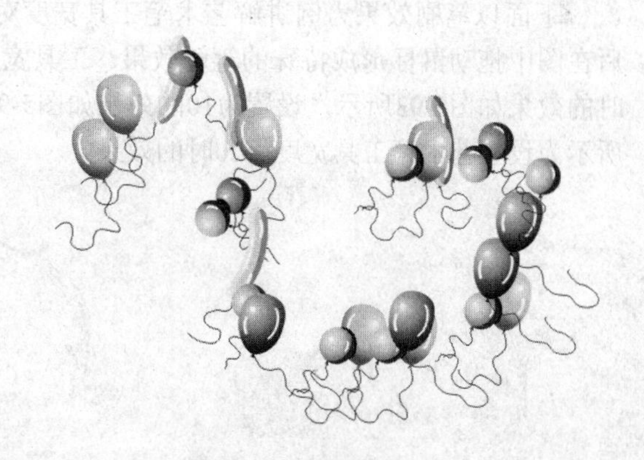

图 5-88 喷罐效果

书法效果是模拟毛笔在页面中绘制的效果，形成的图形有特殊的厚度及边缘。在属性栏中单击“书法”按钮，然后在图中拖动鼠标，形成书法笔触有棱角的效果，如图5-89所示。对于绘制后的图形，还可以设置宽度及颜色，比如通过调色板将笔触填充上合适的颜色。

压力效果与系统默认的预设效果相似。单击属性栏中的“压力”按钮，然后在图中绘制出圆滑的笔触效果，如图5-90所示。

图 5-89　书法效果

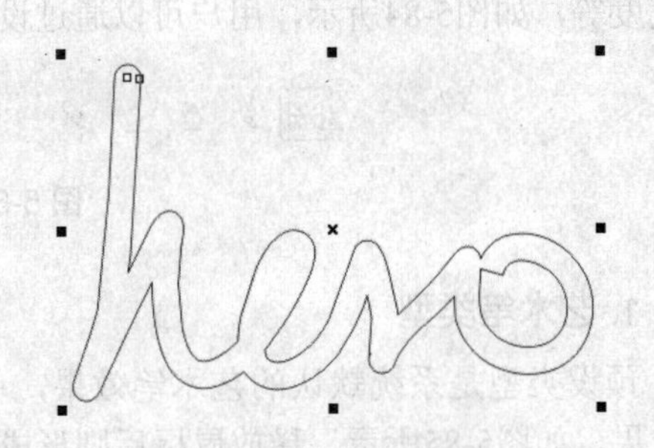

图 5-90　压力效果

2. 手绘平滑的设置

在属性栏中有控制绘制图形平滑度的参数，可以通过鼠标拖动滑块来调节，数值越大绘制的曲线越平滑，反之则为粗糙的线条效果。将手绘平滑数值设置为0，绘制的图形为带有曲折效果的线条，如图5-91所示。将手绘平滑数值设置为100时绘制的效果如图5-92所示。

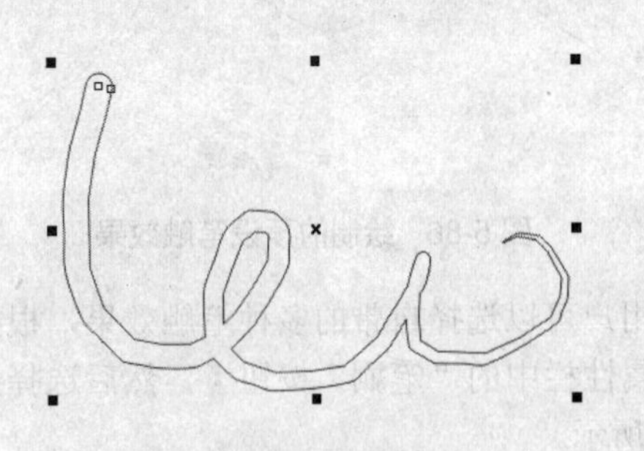

图 5-91　平滑数值为 0

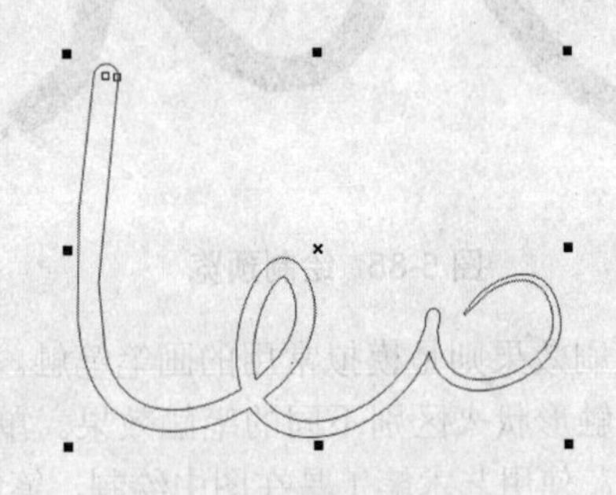

图 5-92　平滑数值为 100

3. 艺术笔工具宽度的设置

下面以笔刷效果为例讲解艺术笔工具宽度对效果的影响。单击属性栏中的“笔刷”按钮，然后在图中拖动鼠标形成特殊的笔触效果。工具宽度的设置决定了艺术效果的明显程度，设置宽度为5时的效果如图5-93所示，设置为10的效果如图5-94所示，设置的数值越大笔触效果越明显，如图5-95所示为设置艺术笔工具宽度为20时的效果。

图 5-93　设置为 5

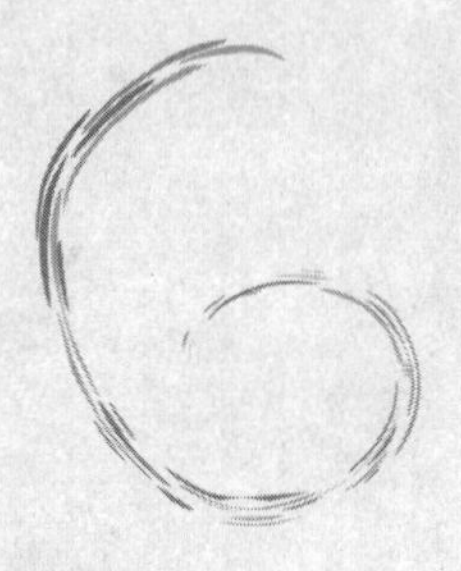

图 5-94　设置为 10

图 5-95　设置为 20

4. 设置不同样式

下面以喷罐效果为例讲解样式设置对效果的影响。单击属性栏中的“喷罐”按钮，然后在“喷涂列表文件列表”中选择要喷涂的样式和图形，选择树叶图形后，树叶将按照在图中绘制的路径不规则排列，如图5-96所示。用户还可以直接在列表中选择另外的图形以更改效果，例如选择卡通图形，如图5-97所示。或者选择帽子图形，如图5-98所示。

图 5-96　选择树叶图形

图 5-97　选择卡通图形

图 5-98　选择帽子图形

5. 创建播放列表对话框

单击属性栏中的"喷涂列表对话框"按钮，打开"创建播放列表"对话框，如图5-99所示。在对话框的右侧选择要删除的图形，并单击"移除"按钮，将不需要的图形删除，如图5-100所示。完成后单击"确定"按钮，从图中可以看出，移除所选择的图形后，在应用喷涂时该图形将不再存在，效果如图5-101所示。

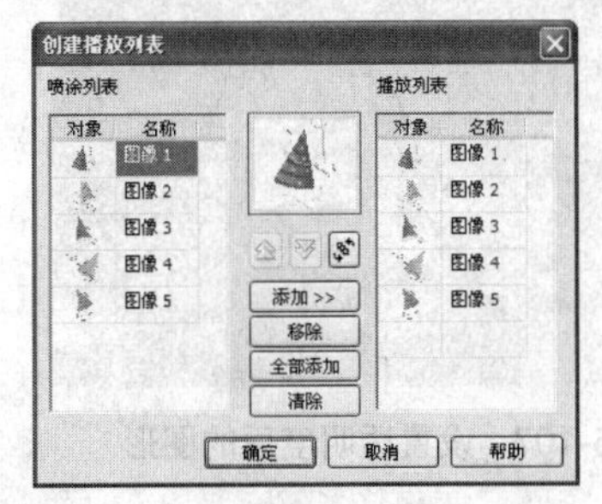

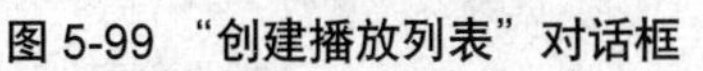

图 5-99 "创建播放列表"对话框

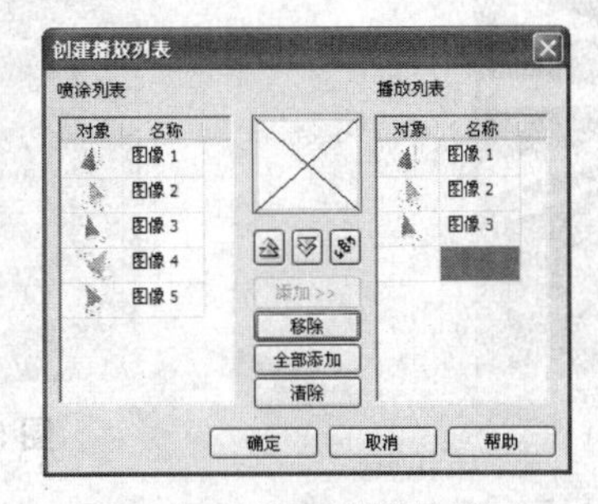

图 5-100　设置删除的图形

图 5-101　删除后的图形效果

5.2.3　钢笔工具的应用

利用钢笔工具可以绘制出水平、垂直或者弯曲的线条以及不规则的图形，绘制完成时按住Ctrl键并单击空白区域，才能绘制新的线条图形。绘制弯曲的图形时可以通过拖动鼠标来调整曲线的走向，并预览图形效果。具体步骤如下。

Step 01　首先利用钢笔工具沿水平位置绘制，绘制出两个矩形图形，如图5-102所示。分别选取所绘制的图形，利用交互式填充工具为其填充渐变颜色，效果如图5-103所示。

图 5-102　绘制多个矩形

图 5-103　填充后的效果

Step 02 选择工具箱中的钢笔工具，在图中绘制不规则的图形，如图5-104所示。继续应用钢笔工具在图中拖动绘制出更多不规则的图形，所绘制图形的中心点都在一个点上，最后以这个中心点为圆心绘制一个圆形，绘制完成的图形如图5-105所示。

图 5-104　绘制不规则图形

图 5-105　连续绘制图形

Step 03 选择绘制完成的图形，除圆形外，均进行焊接操作并填充为白色，如图5-106所示。然后应用交互式透明度工具对其编辑，设置合适的透明度，完成后的效果如图5-107所示。

图 5-106　填充后的效果

图 5-107　设置透明度后的图形

5.2.4　交互式连线工具和度量工具的应用

1. 交互式连线工具

交互式连线工具主要用于制作流程图，它可以连接所绘制的图形，指示图形的流动过程，创建垂直的连接线，或创建成角的连接线，用户可以根据实际图形来选择。

Step 01 创建一个新页面，并用椭圆形工具和矩形工具在图中绘制流程图，添加标题文字，如图5-108所示。然后选择图形并设置图形的轮廓宽度，将边缘宽度设置为1.0mm，设置后的效果如图5-109所示。

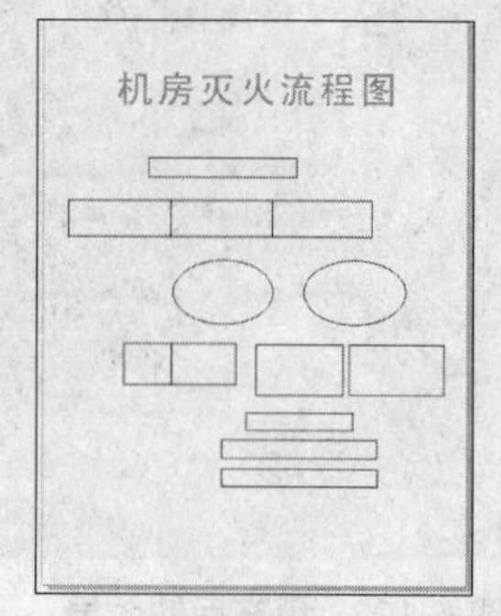

图 5-108　绘制流程图

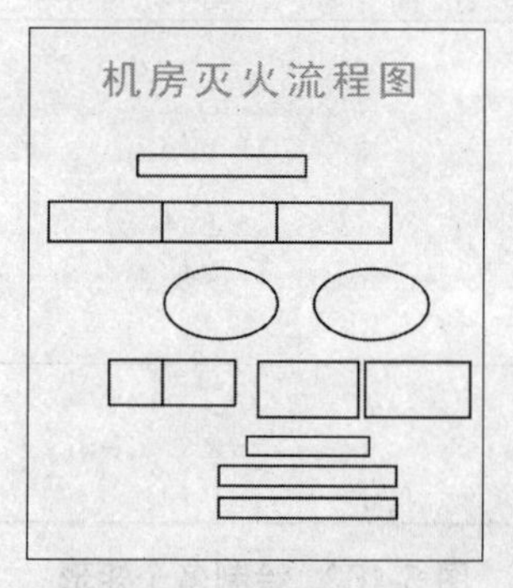

图 5-109　设置边框效果

Step 02 使用文本工具在图中输入所需文字，并放置到各方块或椭圆中，如图5-110所示。然后选择交互式连线工具，单击属性栏中“直线连接器”按钮，从上向下绘制连接线，如图5-111所示。

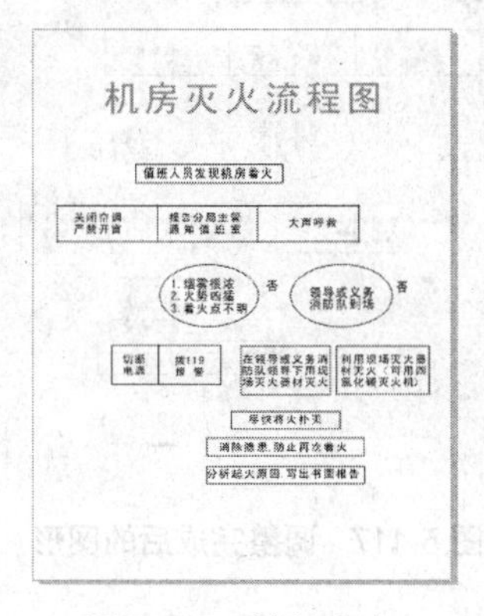

图 5-110 输入文字

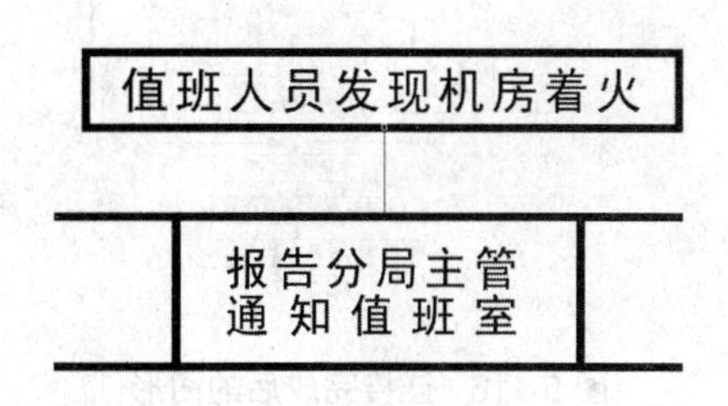

图 5-111 绘制连接线

Step 03 设置线条至合适的粗细，在属性栏中的“终止箭头选择器”下拉列表中选择合适的箭头图形，如图5-112所示。按照绘制该垂直箭头图形的方法，在其余位置也绘制多个箭头图形，如图5-113所示。

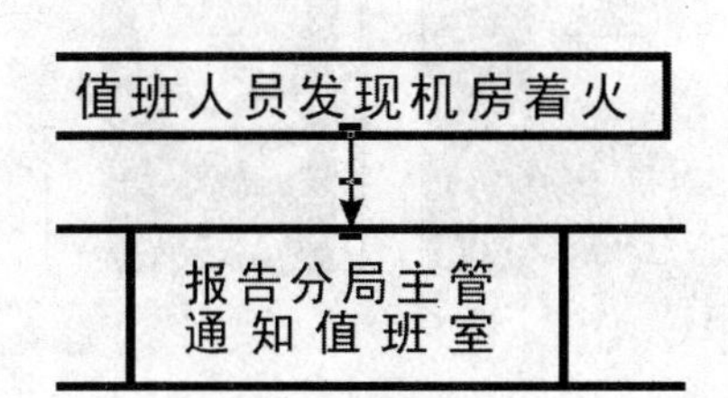

图 5-112 设置箭头

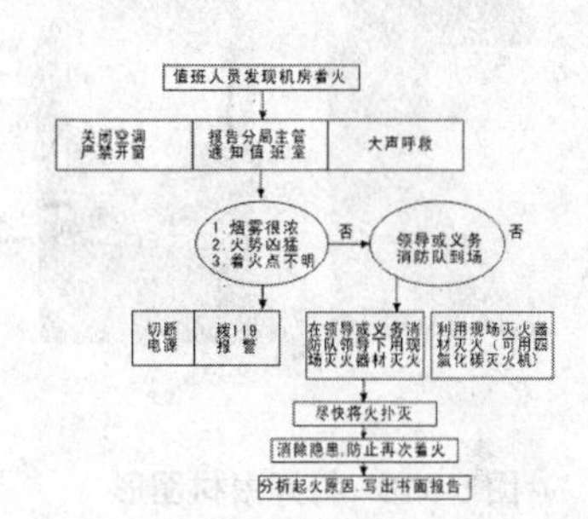

图 5-113 绘制所有连线的箭头

Step 04 单击属性栏中的“成角连接器”按钮，然后在图形之间绘制连线，将相近的图形连接，如图5-114所示。再应用形状工具编辑绘制的连接线，如图5-115所示。

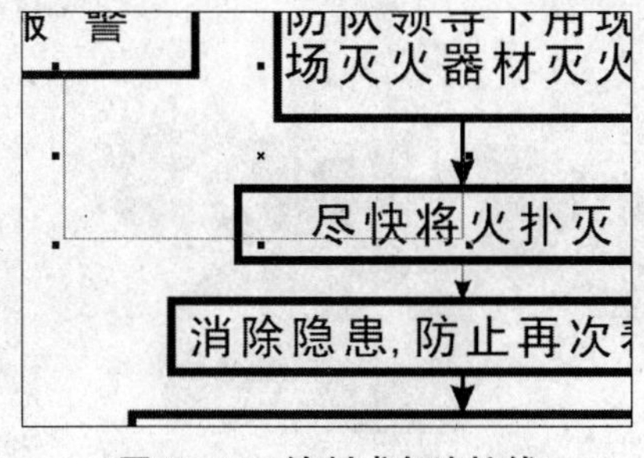

图 5-114 绘制成角连接线

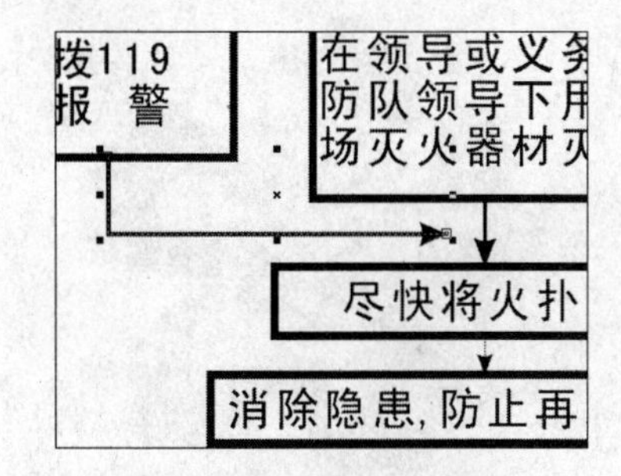

图 5-115 调整后的图形

Step 05 应用交互式连线工具在图中将其余部位的图形连接，效果如图5-116所示。然后导入“sample\第5章\原始文件\4.JPG”图形文件，并裁剪掉不需要的区域，并为图形设置合适的透明度，调整完成后的图像效果如图5-117所示。

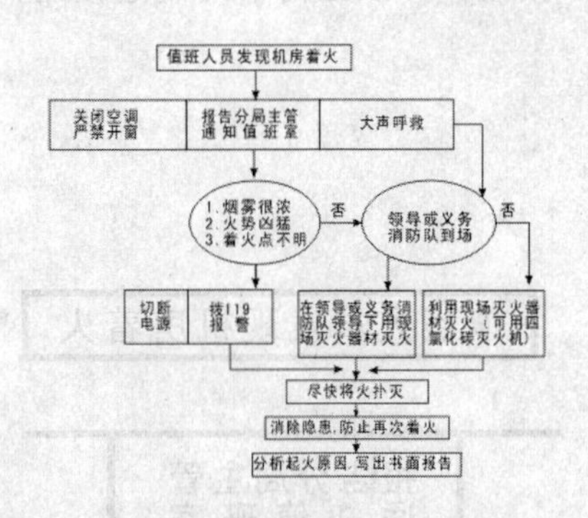

图 5-116　连接完成后的图形

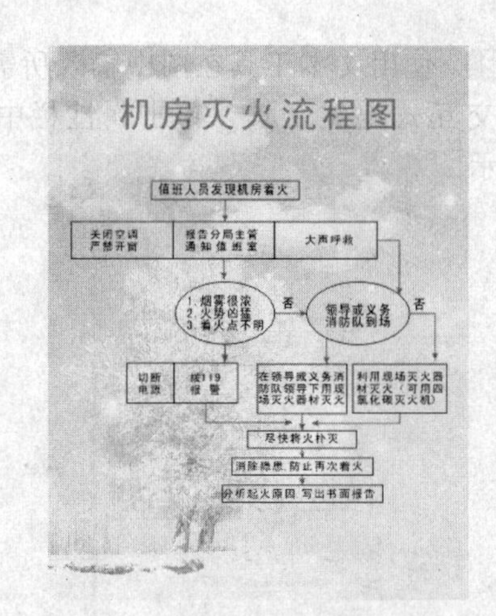

图 5-117　调整完成后的图形

2. 度量工具

度量工具可以测量图形垂直与水平的距离和长度。选择度量工具后，单击属性栏中的“垂直度量工具”按钮I，即可测量垂直的距离，打开“sample\第5章\原始文件\5.cdr”图形文件，如图5-118所示。从起点向终点拖动鼠标，即可测量图形的垂直距离，如图5-119所示。

图 5-118　打开素材图形

图 5-119　度量图形高度

度量工具除了可以测量线条的长度外，还可以测量绘制图形的角度。选取度量工具后，单击属性栏中的“角度量工具”按钮，打开sample\第5章\原始文件\6.cdr素材图形，如图5-120所示。单击花瓣边缘选择两个点，再拖动鼠标，即可测量花瓣的角度，如图5-121所示。

图 5-120　打开花瓣图形

图 5-121　度量花瓣角度

5.2.5　智能填充工具的应用

智能填充工具可以填充两个相交区域，通常针对较为不好选择的区域。应用该工具填充后的区域可以形成一个独立的图形，能够重新编辑或移动，但是在填充图形时要注意的是图形之间的顺序。

Step 01　打开“sample\第5章\原始文件\7.cdr”图形文件，如图5-122所示。然后选择工具箱中的智能填充工具，在属性栏中将填充的颜色设置为淡黄，在图形中相应的位置上单击，即可填充上颜色，如图5-123所示。

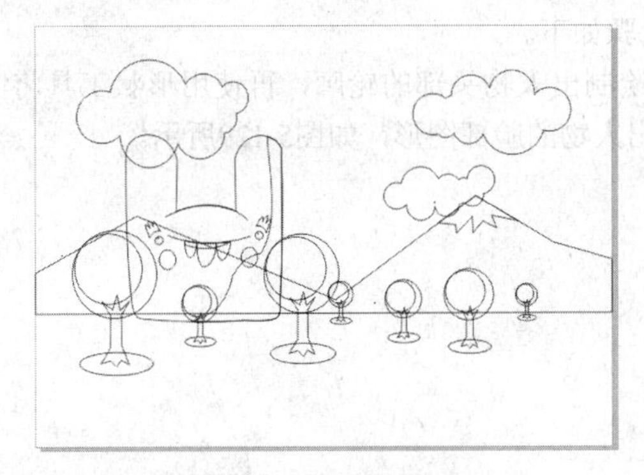

图 5-122　打开素材图形

图 5-123　填充后的图形

Step 02　与上述填充图形的方法相同，应用智能填充工具在其余云朵图形上填充合适的颜色，如图5-124所示，然后填充图像中的人物图形，并去除轮廓线。应用智能工具填充细节部分的图形时可能会产生误差，用户可以应用“颜色”泊坞窗设置颜色后再填充，效果如图5-125所示。

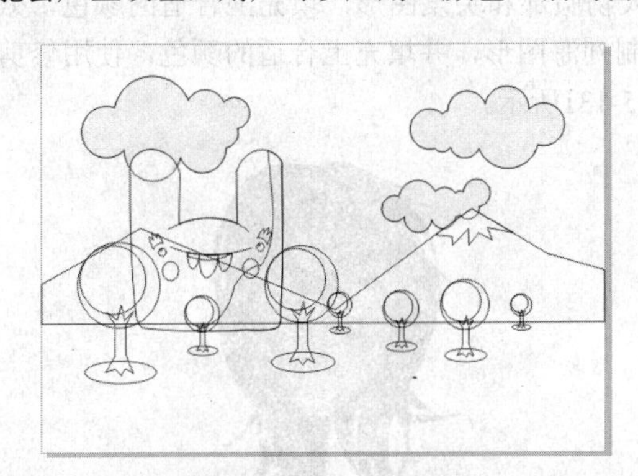

图 5-124　填充云朵图形

图 5-125　填充其余图形

Step 03　填充其余图形后，选择所有的卡通图形，应用智能填充工具填充颜色，完成的图形如图5-126所示。然后打开前面应用钢笔工具绘制的背景图形，将其拖动到已经填充好的卡通图形中，并放置到最后面的位置，效果如图5-127所示。

图 5-126　填充完成的图形

图 5-127　添加背景

5.3 综合实例——矢量插画的绘制

矢量插画的绘制过程先从人物的头部开始，绘制出头发的大致轮廓后再绘制五官图形，头部绘制完成后绘制人物身体图形，再将手臂和衣服都绘制出来；然后是绘制细节图形，如手镯、话筒等，将其摆放到画面中正确的位置上；最后为绘制的人物图形添加矢量图形，应用绘制几何图形的方法绘制矩形和椭圆，并分别填充上颜色，具体操作步骤如下。

Step 01 首先绘制人物头顶的轮廓。应用钢笔工具绘制出人物头部的轮廓，再使用形状工具将其调整为平滑的曲线，如图5-128所示。以同样方法绘制出人物的脸部图形，如图5-129所示。

图 5-128 绘制头发轮廓

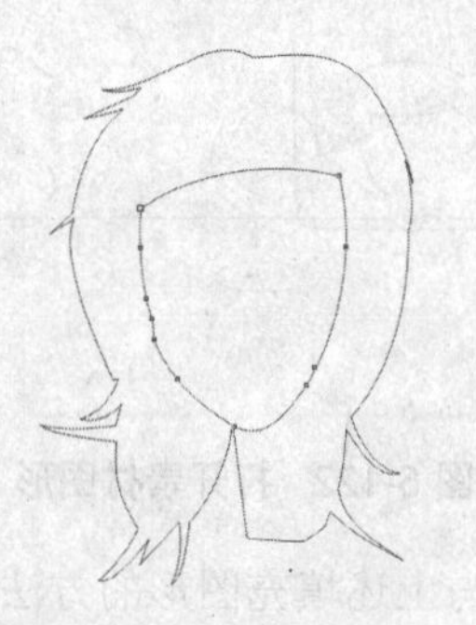

图 5-129 绘制脸部图形

Step 02 填充图形颜色。选择挑选工具，分别选择人物脸部和头发图形，填充上合适的颜色，效果如图5-130所示。接下来结合钢笔工具和形状工具绘制刘海图形，并填充上合适的颜色，使用修剪对象的方法，将头发中间多余的区域修剪掉，效果如图5-131所示。

图 5-130 填充颜色

图 5-131 绘制刘海

Step 03 下面绘制人物的五官图形。利用钢笔工具绘制出大致轮廓，填充人物眼睛图形，然后使用椭圆形工具绘制出多个椭圆，填充上白色，制作眼影效果，如图5-132所示。继续绘制人物的身体区域，填充颜色后，进一步完善图形，绘制话筒、饰物等，效果如图5-133所示。

图 5-132 绘制眼影效果

图 5-133 绘制装饰图形

Step 04 绘制背景图形。双击工具箱中的矩形工具□，即可得到和页面相同大小的矩形，如图5-134所示。然后为矩形填充颜色，其CMYK值分别为：（75，99，1，0），填充后的图形效果如图5-135所示。

图 5-134 绘制矩形图形

图 5-135 填充颜色

Step 05 下面绘制背景中的图形，为了使图形更清晰，需要创建一个新页面。利用椭圆形工具在图中绘制出多个椭圆图形，如图5-136所示。绘制出更多的椭圆图形，放置到页面合适位置，如图5-137所示。

图 5-136 绘制椭圆图形

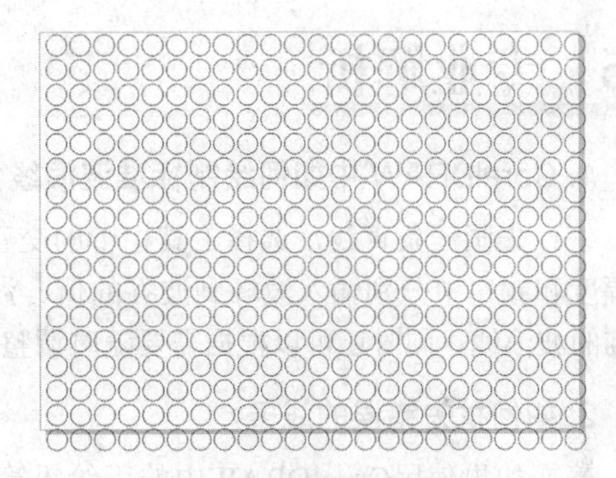

图 5-137 复制多个椭圆

Step 06 选取人物图形，将其拖动到背景图像中，调整图形位置后，焊接人物图形与背景图像，并填充颜色如图5-138所示。释放鼠标后可以查看人物的整体效果，如图5-139所示。

图 5-138 焊接并填充

图 5-139 背景图形效果

Step 07 添加阴影，选取人物图形并按Ctrl+G键群组，应用交互式阴影工具从人物中间的位置向周围拖动鼠标，然后将阴影颜色设置为白色，效果如图5-140所示，最后添加星星图形以及文字，完成的最终效果如图5-141所示。

图 5-140　添加阴影效果

图 5-141　最终效果

5.4　本章小结

本章介绍的CorelDRAW X4图形的绘制包括简单和复杂图形的绘制。读者了解了不同工具的特性，在绘制图形时就能根据需要选择最合适的工具。绘制曲线图形应使用手绘工具组提供的工具进行绘制，但这组工具的操作较为复杂，用户可以通过选择属性栏中的不同按钮来控制绘制的图形效果，因此对不同类型的按钮要有初步的认识。

5.5　专业解析

1. CorelDRAW 中如何绘制标准波浪线？

答：先画一条直线，选择工具栏中的交互式变形工具，在弹出的属性栏中选择“拉链变形”，在幅度和频率中分别输入波峰到波谷的值、波浪线个数，再单击后面的“平滑式变形”，即可生成标准的波浪线。同时还可以根据需要随时调整波峰值和波浪个数。

2. 如何拭去错误的线条？

答：如果使用CorelDRAW中的手绘铅笔工具，不小心把线条画歪或画错了，不必着急删除线条，只要立刻按下Shift键，然后反向擦去即可。

3. 如何更好地解决绘制路径不封闭的问题？

答：选择形状工具，单击一个节点不放，并移到另外一个节点上面，则自动焊接成封闭曲线，或者用形状工具同时选择首尾两个节点，单击属性栏中的“连接两个节点”按钮或选择“延长曲线使之闭合”按钮均可。

5.6　思考与练习

1. 填空题

（1）椭圆的属性包括__________、__________和__________。

（2）路径由__________和__________组成。

（3）用手绘工具绘制直线时需按住__________键。

2. 选择题

（1）在使用矩形工具绘制正方形时，需按住（　）键。

A. Ctrl　　B. Alt　　C. Shift　　D. Shift+Alt

（2）交互式连接工具绘制的曲线包括（　）和（　），并将两个对象连接在一起。

A. 垂直　　B. 水平　　C. 垂直线段　　D. 水平线段

（3）CorelDRAW中节点类型有（　）。

A. 尖角点　　B. 平滑点　　C. 对称点　　D. 尖端点

3. 判断题

（1）控制点是节点上用于调节曲线形状的特殊点。（　）

（2）通常在线段转急或突起时用到尖突节点，它具有两个相互独立运动的控制点。（　）

（3）形状图形和路径之间可以进行相互转换。（　）

4. 问答题

（1）如何设置表格数量？

（2）艺术笔工具有几种类型？

（3）如何设置多边形的锐度和边数？

5. 上机题

（1）绘制时尚简笔插画图形，效果如图5-142所示。

（2）应用钢笔工具绘制出传统图样，效果如图5-143所示。

图 5-142　绘制的时尚简笔插画

图 5-143　填充完成后的图形

（3）打开“exercise\第5章\原始文件\8.cdr”图形文件，如图5-144所示，应用智能填充工具为其填充合适的颜色，效果如图5-145所示。

图 5-144　打开素材图形

图 5-145　填充完成后的图形

对象的轮廓线编辑与颜色填充

本课所需时间： 4 个小时
课程范例文件： sample\ 第 6 章 \
课后练习文件： exercise\ 第 6 章 \
必须掌握：
- 对象的填充

深入理解：
- 轮廓对象宽度的设置
- 轮廓线的样式和箭头

一般了解：
- 滴管工具的应用
- 颜料桶工具的应用

课程总览：

本章从轮廓的宽度开始讲起，然后讲解如何调整样式，通过不同的设置得到不同的轮廓效果，对象填充方面则讲解了如何应用填充工具为绘制的图形填充上不同的内容，如填充纯色、渐变色及图样等，从中了解填充工具的具体作用。

6.1 对象的轮廓线

设置对象的轮廓线主要是指设置轮廓宽度、轮廓样式，以及轮廓线中箭头的应用和编辑。应用绘制图形的工具在页面合适的位置上绘制，按F12键弹出“轮廓笔”对话框，如图6-1所示，在该对话框中用户可以设置颜色、宽度等参数。

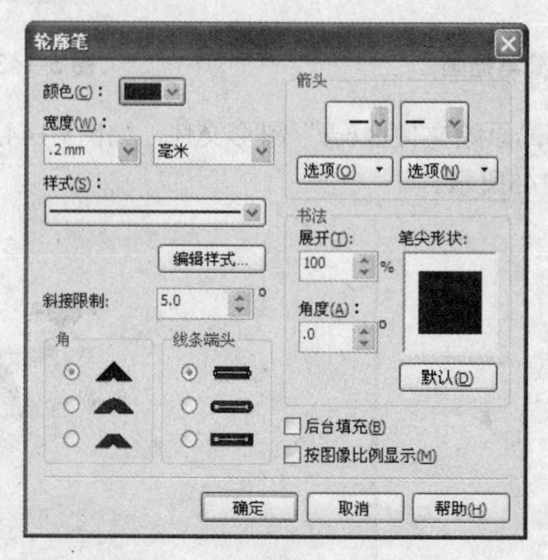

图 6-1 “轮廓笔”对话框

6.1.1 轮廓线的宽度设置

轮廓线的宽度可以突出表现图形的形状。用户通过在轮廓“宽度”下拉列表框中选择相应的数值来设置轮廓线宽度，数值越大宽度越宽，将轮廓宽度设置为0.5mm的效果如图6-2所示，将图形的轮廓宽度设置为2.0mm，设置后的图形效果如图6-3所示。

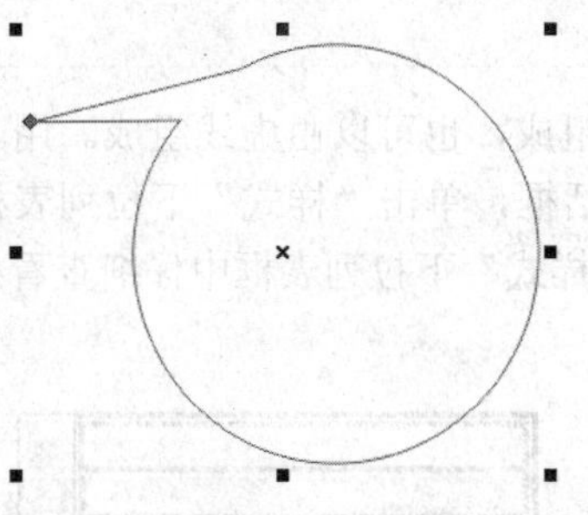

图 6-2　轮廓宽度设置为 0.5mm

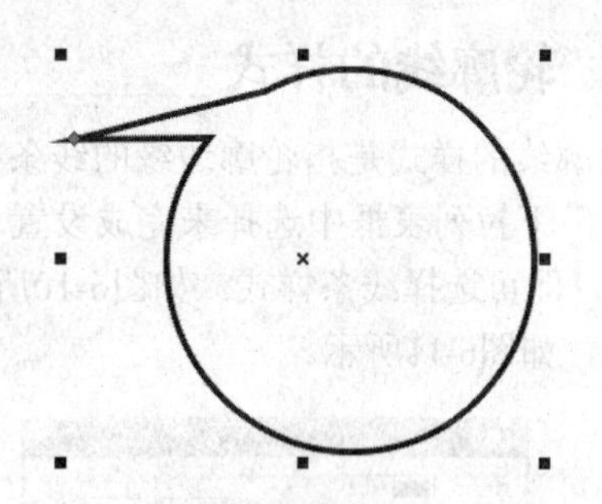

图 6-3　轮廓宽度设置为 2.0mm

Step 01　打开“sample\第6章\原始文件\1.cdr”图形文件，如图6-4所示，使用挑选工具选择中间区域的线条，如图6-5所示。

图 6-4　打开图形

图 6-5　选择图形

Step 02　按F12键打开“轮廓笔”对话框，如图6-6所示。在对话框中设置宽度为2.0mm，设置完成后单击“确定”按钮，从图中可以看出设置轮廓或宽度后的效果，如图6-7所示。

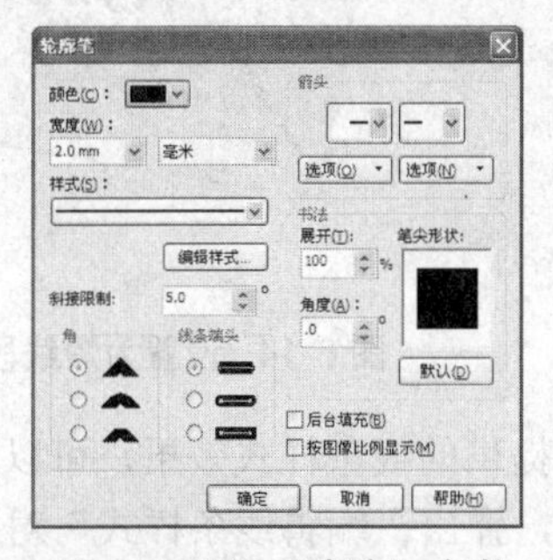

图 6-6 设置“宽度”参数

图 6-7　设置后的效果

Step 03　设置图形中的线条，使用挑选工具选取云朵图形，然后打开“轮廓笔”对话框，将宽度设置为2.0mm，设置后的线条效果如图6-8所示。同样选择人物图形后也设置其轮廓，设置完成后的效果如图6-9所示。

图 6-8　设置云朵图形的线条宽度

图 6-9　设置人物图形的线条宽度

6.1.2 轮廓线的样式

轮廓线的样式是指轮廓边缘的线条类型，它可以由实线组成，也可以由虚线组成。用户通过在“样式”下拉列表框中选择来完成设置。打开“轮廓笔”对话框，单击“样式”下拉列表框右侧的按钮，即可选择线条样式，如图6-10所示。用户还可以在“样式”下拉列表框中仔细查看样式的详细效果，如图6-11所示。

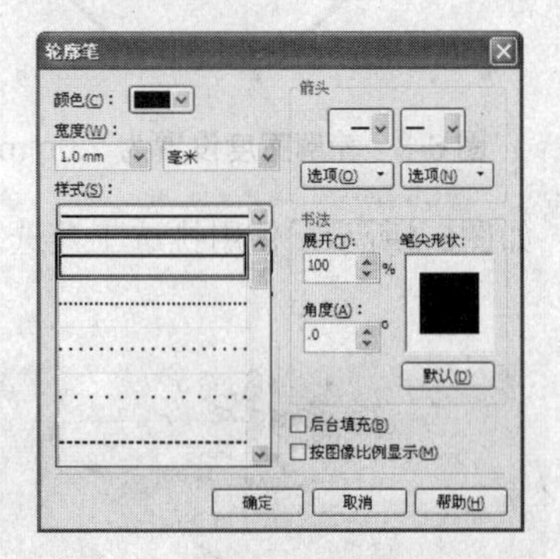

图 6-10 “样式”下拉列表框

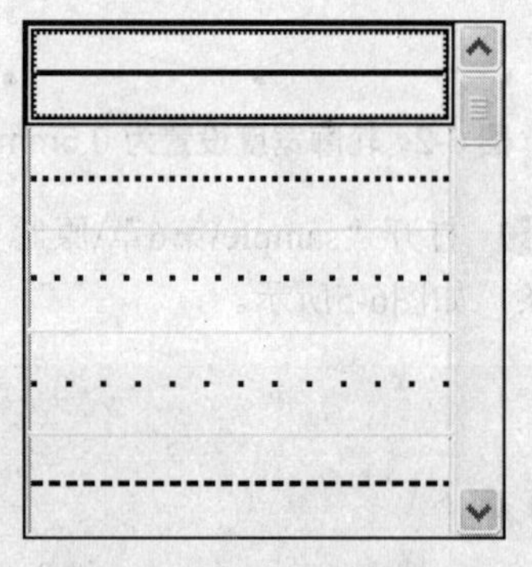

图 6-11 查看样式详细效果

打开sample\第6章\原始文件\2.cdr图形文件，如图6-12所示，该轮廓为实线样式，打开“轮廓笔”对话框，设置线条样式，将轮廓设置为虚线，如图6-13所示。继续设置线条，选择连接的短线段图形，效果如图6-14所示。

图 6-12 原始图形

图 6-13 设置为虚线效果

图 6-14 设置为短线段效果

“轮廓笔”对话框提供有多种线条样式，如果用户不满意提供的线条样式效果，可以打开“编辑线条样式”对话框对线条重新编辑。单击“编辑样式”按钮，弹出“编辑线条样式”对话框，从中可以看出线条的排列方式，如图6-15所示，拖动对话框中的分割符可以调整线条样式，编辑后的样式如图6-16所示。完成后单击“添加”按钮将编辑后的样式添加到“轮廓笔”对话框中，如果单击“替换”按钮则将前面所选择的样式替换为编辑后的样式。

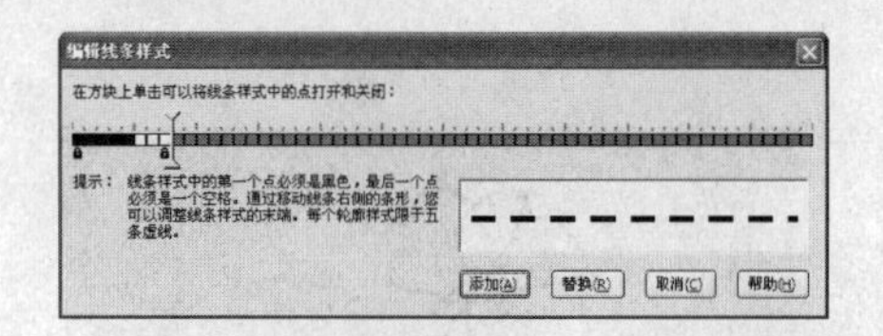

图 6-15 “编辑线条样式”对话框

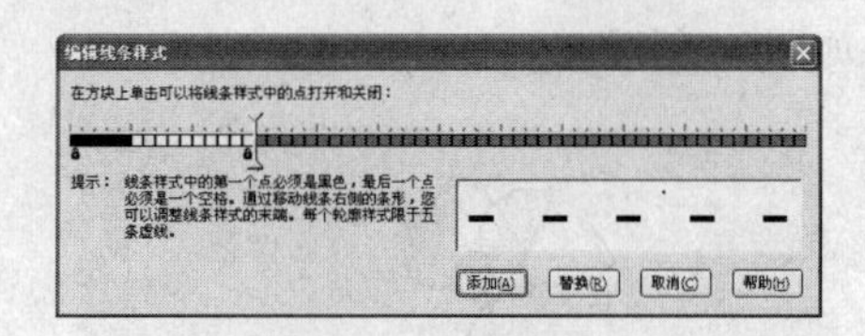

图 6-16 设置新样式

6.1.3 折角的变化

折角指轮廓连接处的角度类型。在CorelDRAW X4 “轮廓笔”对话框中，折角有三种类型，选择不同的单选按钮，则可以设置不同的折角类型。默认的直线边缘图形，嘴巴效果如图6-17所示。圆角的边缘图形如图6-18所示，方角的边缘图形如图6-19所示。

图 6-17　默认直角

图 6-18　设置圆角

图 6-19　设置方角

6.1.4　轮廓线中箭头的应用和编辑

用户可以对轮廓箭头图形的大小进行编辑。选择要编辑的图形，并为线条的起始或终止处添加上箭头。单击箭头选择列表框下的“选项”按钮，在弹出的菜单中选择“新建”命令，打开“编辑箭头尖”对话框编辑新样式，如图6-20所示。单击“终止箭头选择器”下拉按钮，选择要设置的箭头图形，如图6-21所示，在起始箭头选择器中也包含相同图形，只是方向相反。

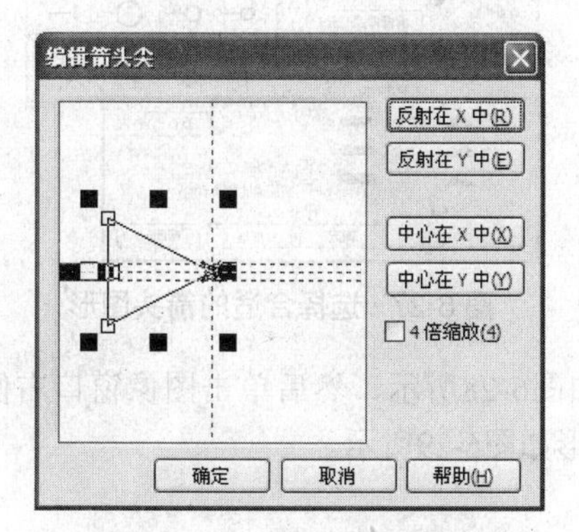

图 6-20　打开“编辑箭头尖”对话框

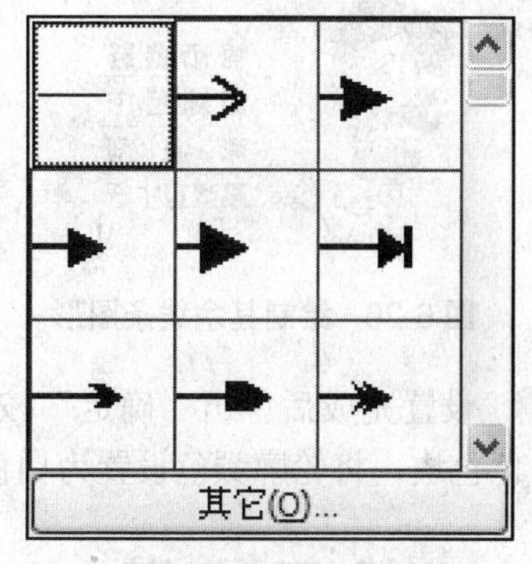

图 6-21　选择终止箭头

Step 01　打开“sample\第6章\原始文件\3.cdr”图形文件，在图中为手绘POP效果添加线条，如图6-22所示。应用手绘工具绘制出垂直线条，如图6-23所示。

图 6-22　打开图形

图 6-23　绘制线条

Step 02　打开“轮廓笔”对话框设置线条。在起始箭头选择器中选择一个合适的箭头图形，如图6-24所示，然后继续在对话框中设置线条颜色及宽度等参数，完成后单击“确定”按钮，设置后的线条图形如图6-25所示。

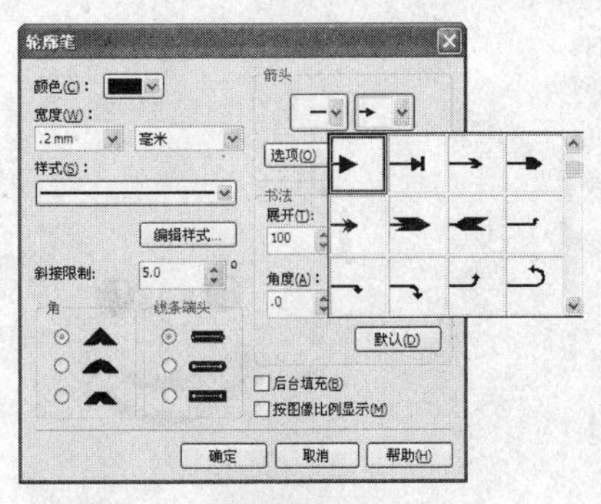

图 6-24 选择箭头图形

图 6-25 设置后的图形

Step 03 继续在图中绘制线条，利用手绘工具在标题的下方绘制出四条直线，如图6-26所示。然后打开“轮廓笔”对话框对直线进行设置。选择起始处的箭头图形，如图6-27所示，再设置线条宽度等参数。

图 6-26 绘制其余线条图形

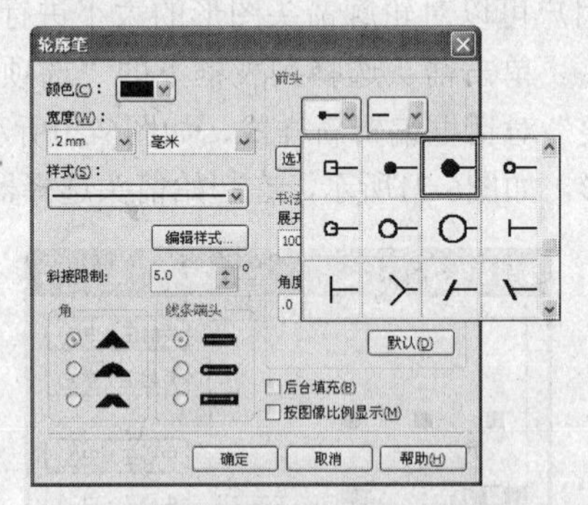

图 6-27 选择合适的箭头图形

Step 04 设置完成后单击“确定”按钮，设置的线条如图6-28所示，然后单击图像窗口右侧调色板中的白色色块，将轮廓颜色设置为白色，完成设置的图形如图6-29所示。

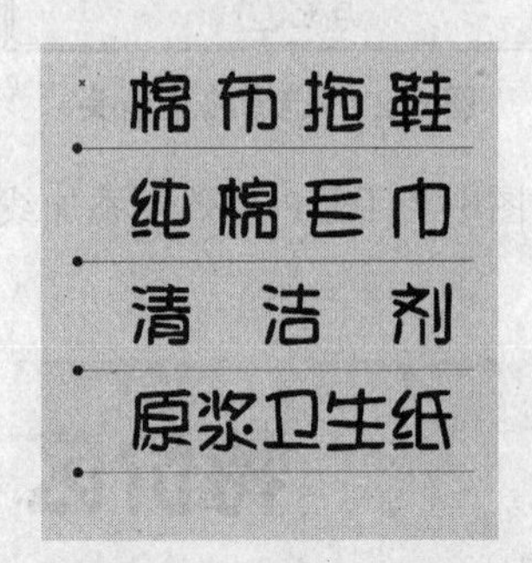

图 6-28 设置后的线条

图 6-29 最终完成效果

6.2 对象的填充

对象填充是在绘制的图形内部填充不同的颜色或图案，根据填充内容的不同将其分为5种类型，分别为颜色填充、渐变填充、图样填充、底纹填充和PostScript填充。

6.2.1 为对象填充实色

填充实色即填充纯色色块。按住工具箱中的“填充工具”按钮，然后在弹出的工具组中单击“颜色”按钮，即可打开“均匀填充”对话框，在对话框中选择要填充的纯色色块。用户还可以根据填充图形的样式，选择最合适的设置方法，其中有三种，应用模型设置颜色如图6-30所示，应用混合器设置颜色如图6-31所示，应用调色板设置颜色如图6-32所示。

图 6-30　模型颜色

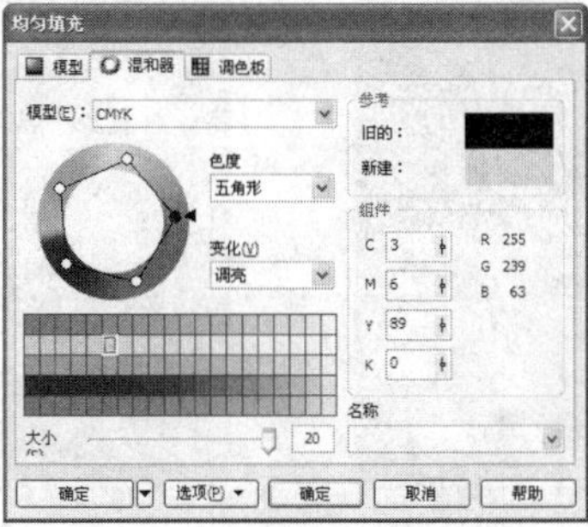

图 6-31　混合器颜色

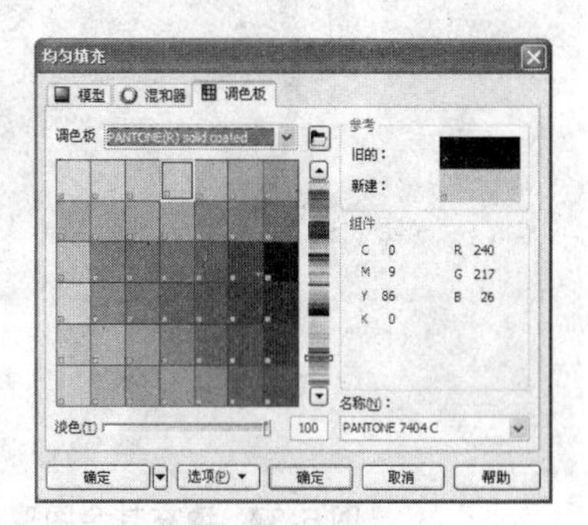

图 6-32　调色板颜色

Step 01　打开“sample\第6章\原始文件\4.cdr”图形文件，如图6-33所示。首先绘制一个和背景相同大小的矩形，并利用挑选工具将其选择，打开“均匀填充”对话框，将颜色的CMYK值设置为（0，40，20，0），如图6-34所示。

图 6-33　打开图形

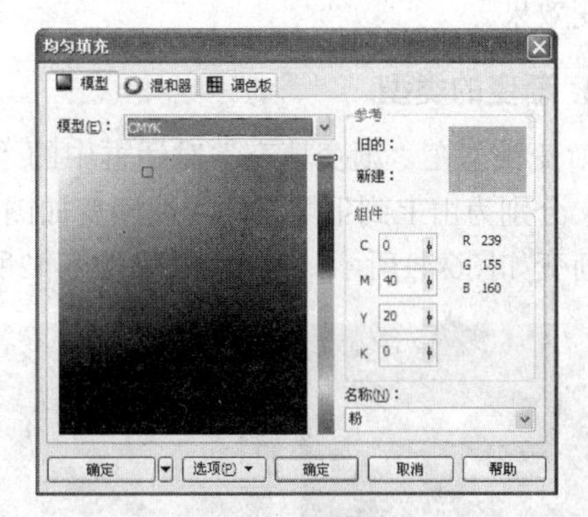

图 6-34　设置填充颜色

Step 02　在对话框设置完成后单击“确定”按钮，填充后的矩形图形如图6-35所示。继续对图形填充，利用挑选工具选择所要填充的区域，打开“均匀填充”对话框设置所需颜色，效果如图6-36所示。

图 6-35　填充后的背景

图 6-36　填充白色图形

Step 03　对图形中的其余部分进行填充。分别选择不同的图形填充，如图6-37所示。完成后去除轮廓线，效果如图6-38所示。

图 6-37 填充其余图形

图 6-38 完成后的图形

6.2.2 为对象填充渐变

渐变填充是将多个颜色以不同的方式对图形填充，而且中间颜色过渡得很自然。用户可以在“渐变填充”对话框中设置中间及边缘颜色、对角度、边界及中心位移等参数进行设置，得到不同的渐变效果。

1. 渐变的类型

渐变类型在“渐变填充”对话框中的“类型”下拉列表框中选择，该列表框共包含了四种渐变效果，分别为由上到下填充的线性渐变如图6-39所示，射线渐变如图6-40所示，从中间向四周填充，圆锥渐变如图6-41所示，方角渐变如图6-42所示。

图 6-39 线性渐变

图 6-40 射线渐变

图 6-41 圆锥渐变

图 6-42 方角渐变

2. 渐变角度的设置

渐变角度是指起点到终点填充效果的变换。填充效果将按照设置的角度进行旋转，角度为0是系统默认效果，如图6-43所示为线性渐变的默认效果。在“渐变填充”对话框中将角度设置为50，填充也将随之变换，如图6-44所示。设置角度为90度时的图形效果如图6-45所示。

图 6-43 角度为 0°　　图 6-44 角度为 50°　　图 6-45 角度为 90°

提 示　射线渐变不能设置渐变角度。

3. 边界的设置

边界控制的是颜色之间的过渡效果，数值越大颜色过渡效果越生硬，数值越小过渡的效果越柔和将填充图形的边界设置为0%的效果如图6-46所示，将边界设置为20%的效果如图6-47所示，将边界设置为49%的效果如图6-48所示。

图 6-46　边界为 0%　　图 6-47　边界为 20%　　图 6-48　边界为 49%

4. 颜色调和

颜色调和是指设置渐变的颜色。用户可以应用双色，也可以通过自定义设置，还可以在两种颜色之间添加过渡色。

Step 01 打开“sample\第6章\原始文件\8.cdr”图形文件，利用挑选工具选择要填充的图形，如图6-49所示，然后选择工具箱中的“渐变”按钮，打开“渐变填充”对话框，在对话框中可以看到当前所选择图形的填充颜色，如图6-50所示。

图 6-49　打开图形

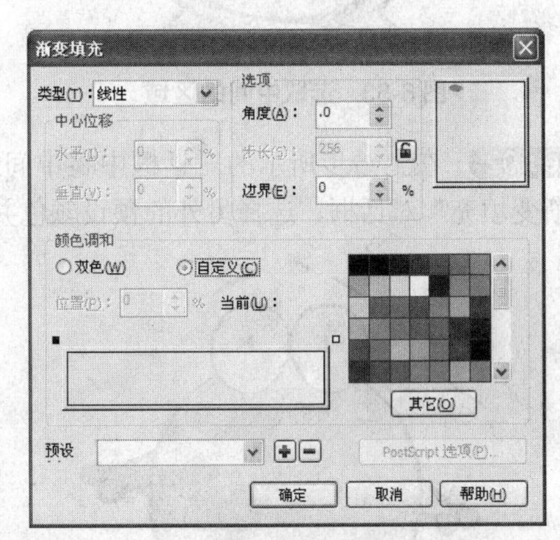

图 6-50　选择“渐变填充”对话框

Step 02 在“颜色调和”选项组中，将起始处的颜色设置为黄色，如图6-51所示，从图中可以看出颜色由黄变白，在对话框中设置完成后单击“确定”按钮，填充后的图形效果如图6-52所示。

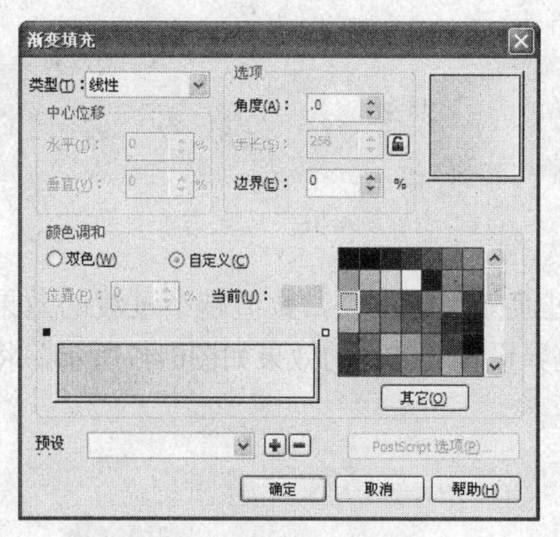

图 6-51　设置颜色调和

图 6-52　填充效果

5. 预设渐变的应用

除了通过设置自定义颜色进行渐变填充时，系统还提供了已经设置完成的渐变颜色，且种类繁多，通过直接选择相应的渐变色对图形进行填充，可以节省填充时间，并满足多种图形的颜色要求。

Step 01　打开“sample\第6章\原始文件\9.cdr”图形文件，利用挑选工具选择要填充的图形，如图6-53所示。打开“渐变填充”对话框，在“预设”下拉列表框中选择渐变的颜色种类，如图6-54所示。

图 6-53　选取中间的区域

图 6-54　设置预设值

Step 02　在上一步所示的对话框中将中间选取的区域填充上预设值，效果如图6-55所示。再打开“渐变填充”对话框，选择另外的预设颜色并填充，效果如图6-56所示。

图 6-55　填充后的效果

图 6-56　填充其他颜色

6.2.3 为对象填充图样

图样填充包含三种填充类型，分别为双色、全色及位图。双色图样填充是指应用两种颜色形成多种排列的图案效果，如图6-57所示。全色图样是指应用一些彩色图形按照顺序排列的效果，如图6-58所示。位图图样则是将所绘制的图形填充上位图的效果，如图6-59所示。用户可以对以上三种填充类型的填充内容进行属性设置。

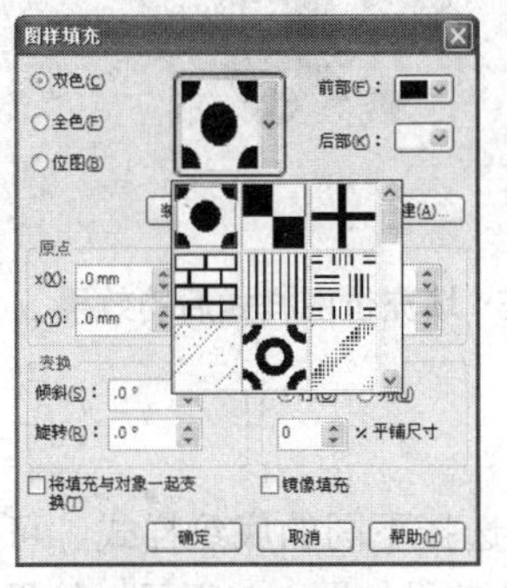

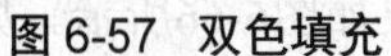
图 6-57 双色填充

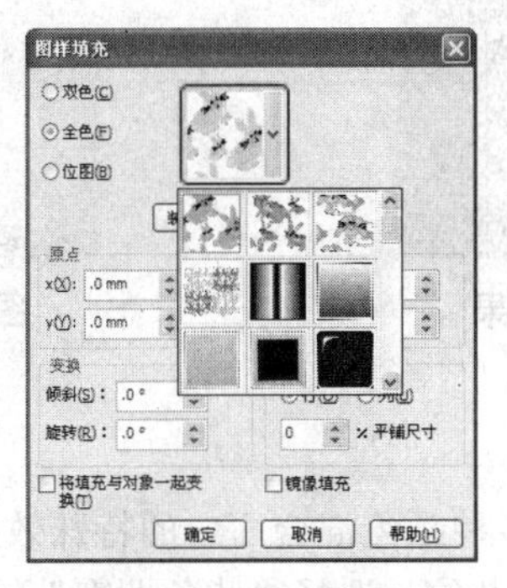

图 6-58 全色填充

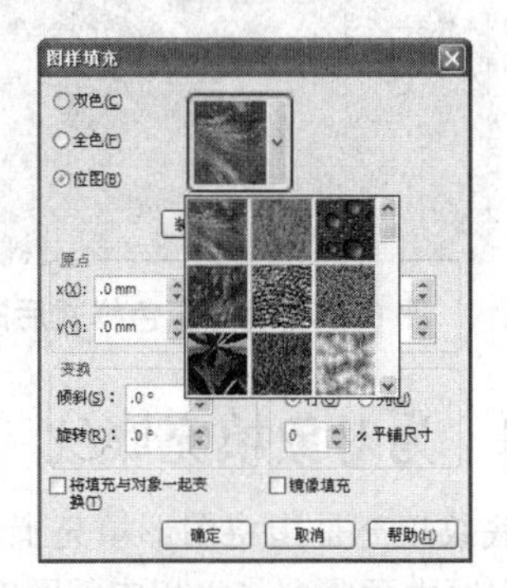

图 6-59 位图填充

Step 01 填充背景图形。打开“sample\第6章\原始文件\10.cdr”图形文件，如图6-60所示。应用挑选工具选择背景图形，然后打开“图样填充”对话框，单击“双色”单选按钮，并设置填充的颜色，如图6-61所示。

图 6-60 打开素材图形

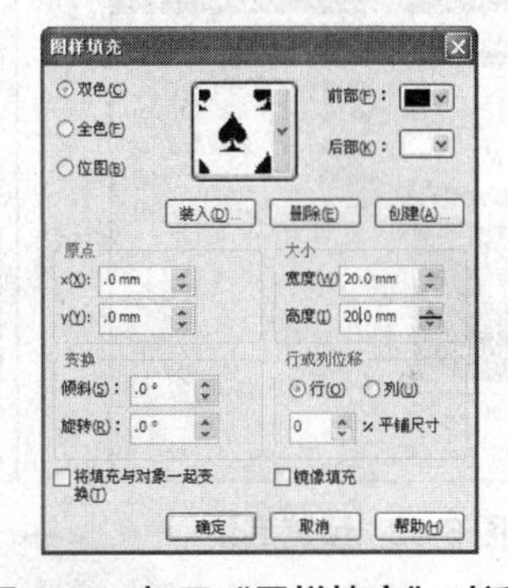

图 6-61 打开“图样填充”对话框

Step 02 在上一步所示的对话框中完成设置后单击“确定”按钮，填充双色图样的背景效果如图6-62所示。然后再打开“图样填充”对话框继续设置，单击“全色”单选按钮，选择合适的图案，如图6-63所示。

图 6-62 填充背景效果

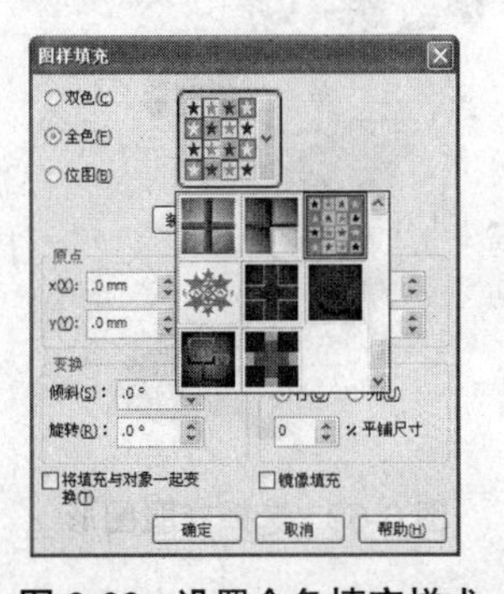

图 6-63 设置全色填充样式

Step 03 设置完成后单击“确定”按钮，填充后的效果如图6-64所示，然后在“图样填充”对话框单击“位图”单选按钮，设置合适的位图图像，填充后的背景效果如图6-65所示。

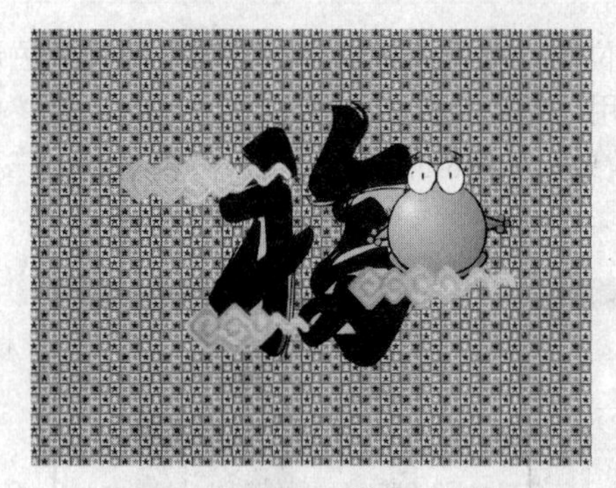

图 6-64 填充全色样式后的效果

图 6-65 填充位图样式后的效果

6.2.4 为对象填充底纹

底纹填充是指将图形填充上由多种颜色混合而成的特殊效果。选择不同的底纹样式，可以在下方的方框中预览到与之相应的图案及花纹。选择“紫色烟雾”的预览效果如图6-66所示。如果此时单击“底纹填充”对话框中的“预览”按钮还可以更改填充的花纹，如图6-67所示。在“底纹库”下拉列表框中还可以选择另外的样本，不同的样本中包含的填充底纹有很大差异，如图6-68所示，用户可以根据填充图形来选择最合适的底纹。

图 6-66 预览底纹

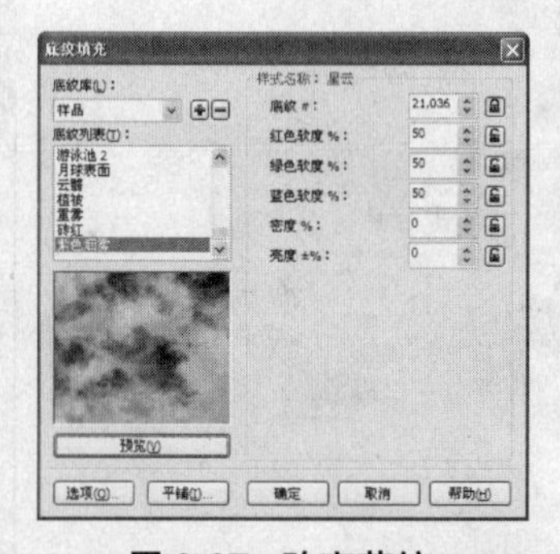

图 6-67 改变花纹

图 6-68 选择其他样本

Step 01 打开“sample\第6章\原始文件\11.cdr”图形文件，如图6-69所示，通过挑选工具选得衣服图形，并打开“底纹填充”对话框以选择合适的底纹图形，如图6-70所示。

图 6-69 选择衣服图形

图 6-70 选择底纹图形

Step 02 在上一步所示的对话框中设置完成后单击“确定”按钮，填充后的效果如图6-71所示。继续在“底纹填充”对话框对图形填充，用户可以选择另外的底纹效果，设置完成后单击“确定”

按钮，填充后的效果如图6-72所示。

图 6-71 填充后的图形

图 6-72 填充另外的底纹效果

6.2.5 为对象填充PostScript底纹

PostScript底纹是将各种线条按照一定顺序排列，进而形成各种样式的图案。该底纹图形中有彩色也有黑白，可以更改诸如大小，线宽，底纹前景和背景中出现的灰色量等参数。打开“PostScript底纹”对话框，选择其中一种图案，如图6-73所示，勾选对话框中的“预览填充”复选框，可以看到其预览效果，如图6-74所示。

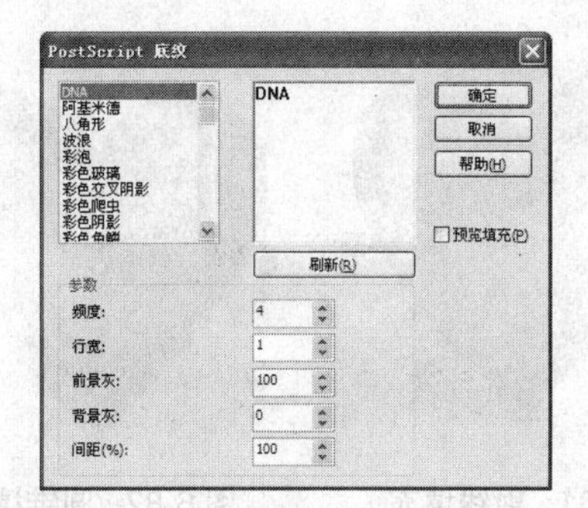

图 6-73 “PostScript 底纹”对话框

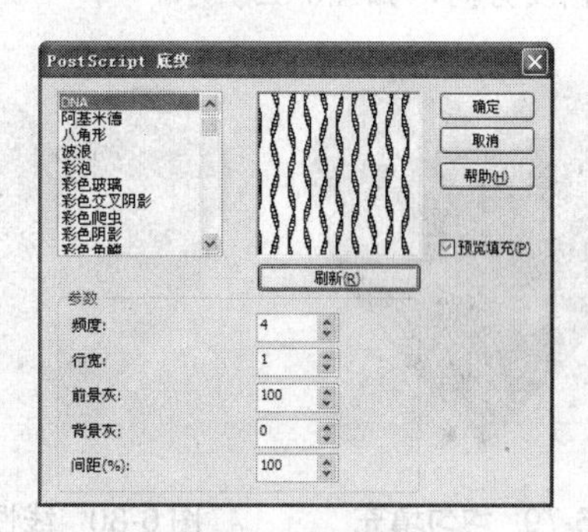

图 6-74 预览图案效果

Step 01 下面以填充背景为例查看应用PostScript底纹填充后的效果，打开“sample\第6章\原始文件\12.cdr”图形文件，如图6-75所示，并打开“PostScript底纹”对话框，选择填充图案，如图6-76所示。

图 6-75 打开图形

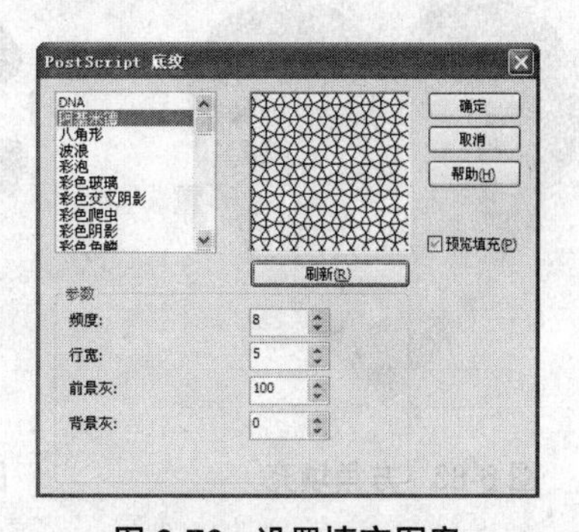

图 6-76 设置填充图案

Step 02 在对话框中设置参数，设置“频度”为2，如图6-77所示，设置完成后单击“确定”按钮，填充后的背景效果如图6-78所示。

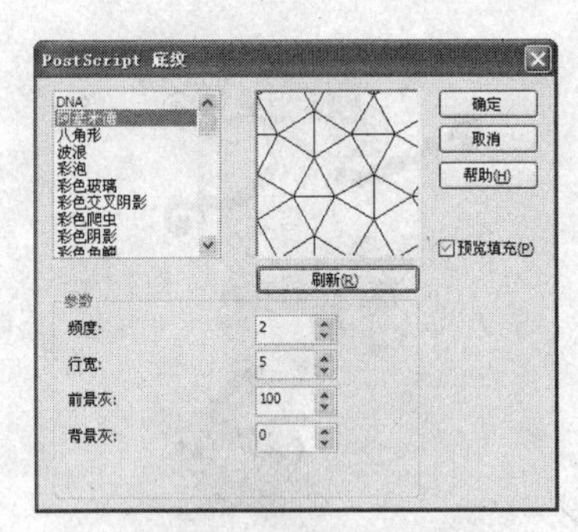

图 6-77　设置参数

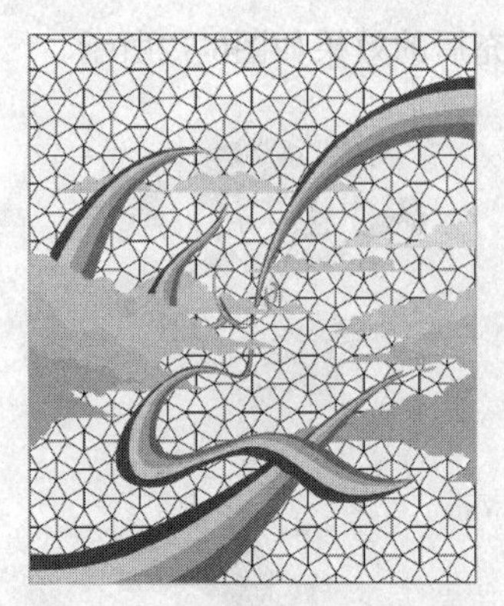

图 6-78　填充后的背景效果

6.2.6　交互式填充工具的应用

单击工具箱中的“交互式填充工具”按钮，然后在选择的图形中拖动鼠标即可为图形填充颜色。在该工具的属性栏中有多种填充类型可供设置，常见的填充类型一共有10种，其中均匀填充和填充实色的效果相同，如图6-79所示，线性填充以直线为基准填充过渡色，效果如图6-80所示，射线填充的效果从中心点向四周扩展，如图6-81所示，圆锥填充是将图形填充为圆锥形状的效果，明处和暗处在相反方向，如图6-82所示。

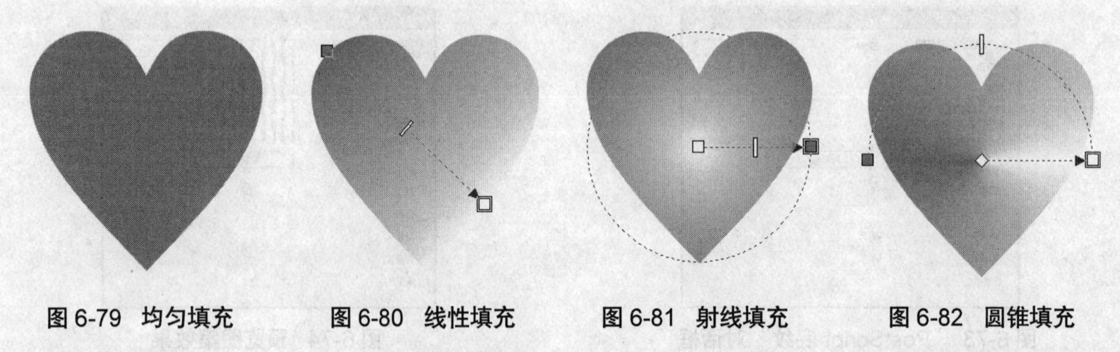

图 6-79　均匀填充　　图 6-80　线性填充　　图 6-81　射线填充　　图 6-82　圆锥填充

方角填充是在填充图形的中间形成十字图形，并由中间向四周扩散，如图6-83所示。双色图样是将图形填充上由两种颜色组成的图案效果，如图6-84所示。全色图样则是应用各种排列图案将图形填充，如图6-85所示。其中双色图样和全色图样填充效果与之前所讲的图样填充中的效果相同。

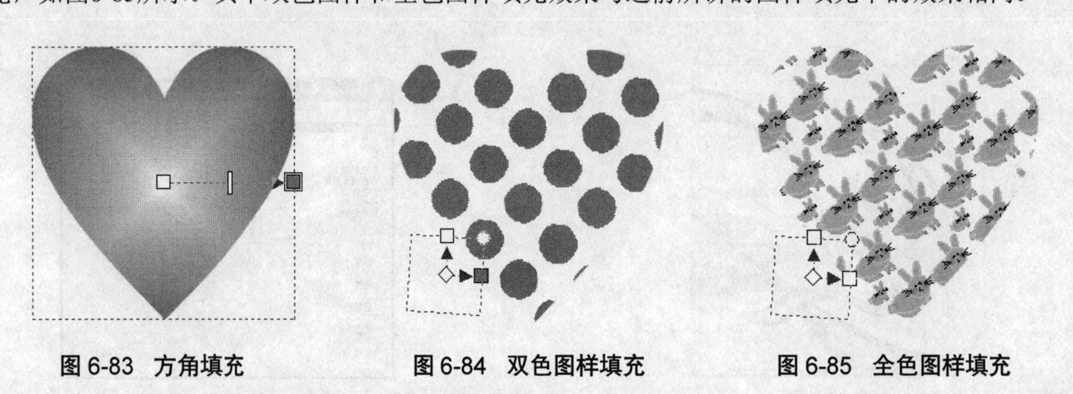

图 6-83　方角填充　　图 6-84　双色图样填充　　图 6-85　全色图样填充

位图图样是在图形的中间位置填充位图图像填充，如图6-86所示，用户可以对单个位图图像的大小及排列进行设置。底纹图样也是将各种颜色组合成各种样式的底纹，效果如图6-87所示。PostScript填充是应用各种排列组成不规则的元素对图形填充，如图6-88所示。以上三种填充效果和前面所讲过的图样填充的类型的效果相同。

图 6-86　位图图样填充　　图 6-87　底纹图样填充　　图 6-88　PostScript 填充

6.2.7　交互式网状填充工具的应用

交互式网状填充工具可以模拟较为自然的颜色过渡，通常用来填充复杂的图形。用户通过调整节点来调整图形的外形，并填充节点区域以及节点本身的颜色。选择所绘制的图形，如图6-89所示。然后选择工具箱“交互式网状填充工具”按钮，将调色板中的颜色色块向形成节点的区域上拖动，如图6-90所示。释放鼠标后即可看到周围区域都被填充上了颜色，如图6-91所示。

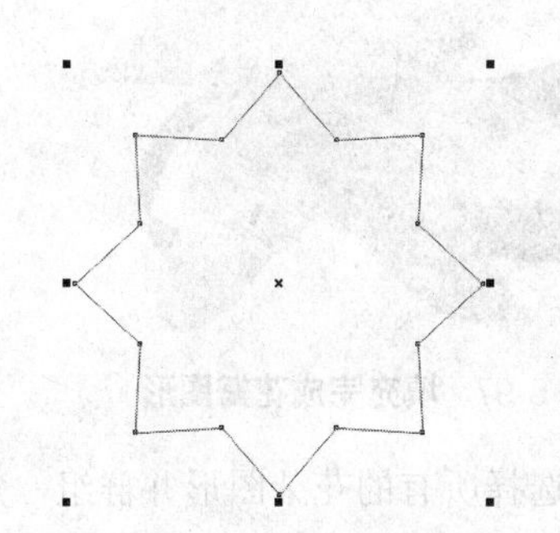

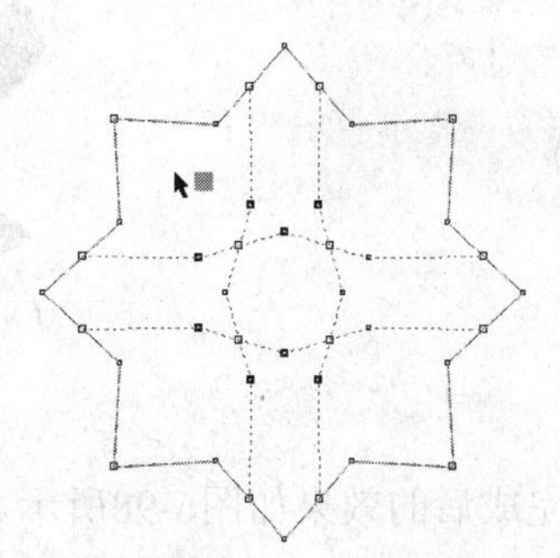

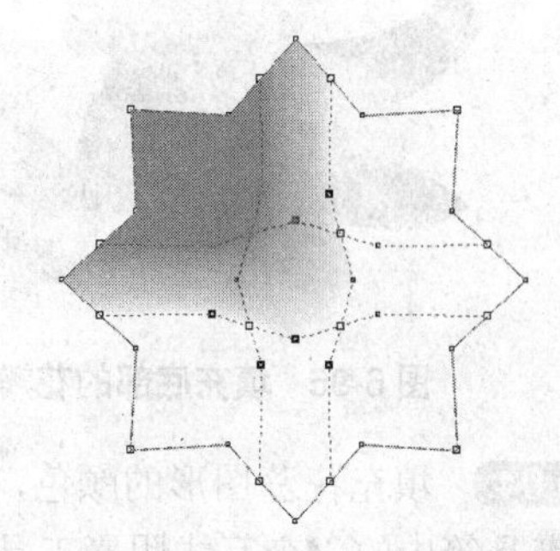

图 6-89　绘制图形　　图 6-90　拖动颜色块　　图 6-91　填充后的区域

Step 01　以填充花朵图形颜色为例说明交互式网状填充工具的使用方法。打开“sample\第6章\原始文件\13.cdr”图形文件，如图6-92所示。选择要填充的图形，选择交互式网状填充工具后，图形上形成多个网格，再将设置好的颜色块向网格区域内拖动，填充上颜色，如图6-93所示。

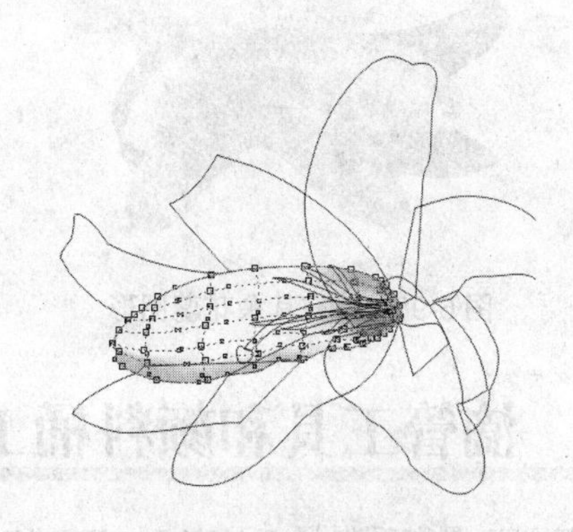

图 6-92　打开图形　　图 6-93　填充边缘

Step 02　继续在“颜色”泊坞窗将设置好的颜色拖动到网格中，直至将一个花瓣图形填充完成，效果如图6-94所示。然后选择上方的花瓣图形，以同样的方法填充上合适颜色，去除轮廓线后的效果如图6-95所示。

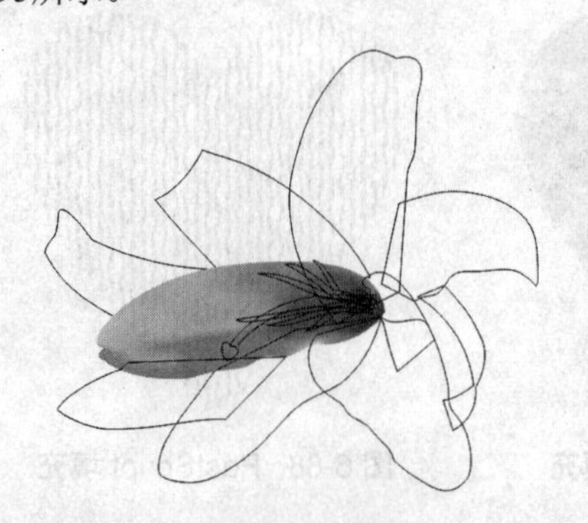

图 6-94 填充的花瓣图形

图 6-95 填充上方图形

Step 03 继续选择其他的花瓣图形，应用交互式网状填充工具进行填充，将不同的区域填充上相应的颜色，模拟出真实花朵的效果，如图6-96所示。绘制完成的花瓣效果如图6-97所示。

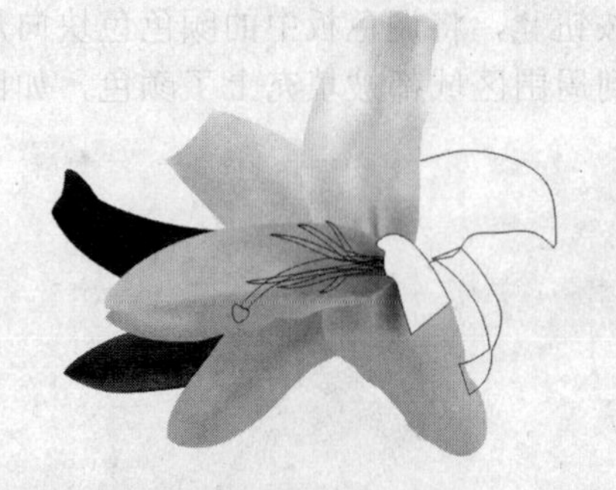

图 6-96 填充底部的花瓣

图 6-97 填充完成花瓣图形

Step 04 填充花蕊图形的颜色，完成后的效果如图6-98所示。选择所有的花朵图形并群组，然后单击工具箱中的“交互式阴影工具”按钮，在花朵图形上添加阴影图形，再通过拆分阴影的方法将阴影放置到合适位置上，最终效果如图6-99所示。

图 6-98 填充其余花蕊图形

图 6-99 绘制完成的图形

6.3 滴管工具和颜料桶工具

滴管工具和颜料桶工具在CorelDRAW X4 中应用不多，但是读者不能忽视其作用，滴管工具可以快速地从图形中吸取到所需要的颜色，并能通过保存等设置应用到以后所绘制的图形中，而颜料桶工具则可以将吸取后的颜色立刻应用在图形上。

6.3.1　滴管工具的应用

滴管工具的主要作用是吸取颜色，它是通过在图形或位图中单击获取颜色。单击工具箱中的“滴管工具”按钮，查看该工具的属性栏，如图6-100所示，从属性栏中可以看出滴管工具吸取的类型及示例尺寸等属性。

图 6-100　滴管工具属性栏

1. 对象属性

在属性栏的下拉列表中选择“对象属性”选项应用滴管工具单击所要查看的图形，就可以从中吸取源图形的属性，比如图形填充的颜色以及轮廓宽度等。

2. 示例颜色

如果选择“示例颜色”选项，则应用滴管工具单击对象后只能吸取图形的颜色，而不是图形的属性。

3. 示例尺寸

样本大小中的示例尺寸是指吸取图形的长宽比例，单击“样本大小”按钮展开工具栏，可以选择如下所示选项。

1×1像素示例：允许选择单击位置的像素颜色。

2×2像素示例：允许选择2×2像素示例区域中的平均颜色。单击的位置作为示例区域的中心。

5×5像素示例：允许选择5×5像素示例区域中的平均颜色。

6.3.2　颜料桶工具的应用

颜料桶工具将滴管工具吸取的颜色应用在图形上。吸取的颜色将在“颜色”泊坞窗口显示出来，要注意的是，应用滴管工具在矢量图形上单击，吸取颜色的颜色模式为CMYK，如图6-101所示。而吸取位图时的颜色模式为RGB，如图6-102所示。

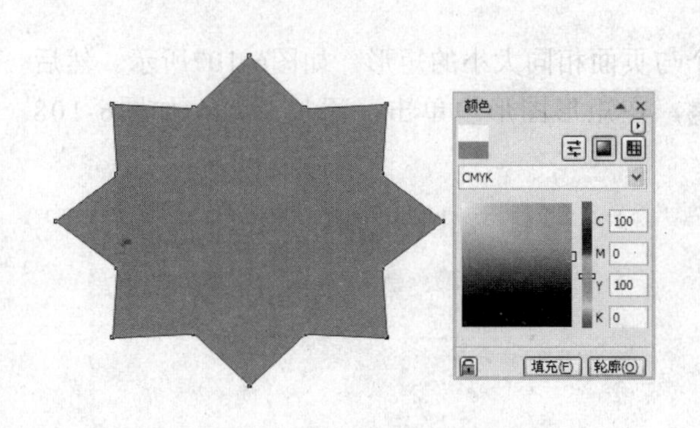

图 6-101　吸取矢量图形颜色

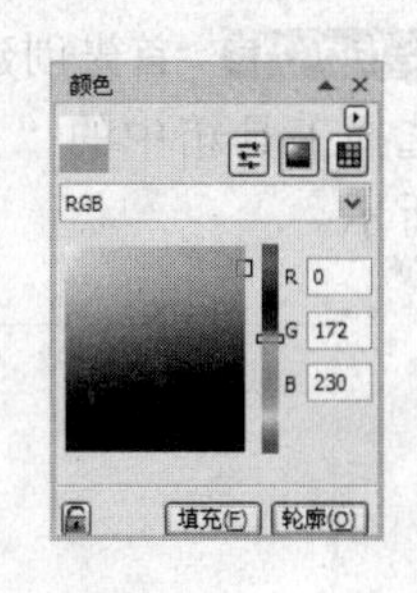

图 6-102　吸取位图颜色

Step 01　滴管工具结合颜料桶工具使用填充图形对象，步骤如下所示。打开“sample\第6章\原始文件\15.cdr”图形文件，如图6-103所示。然后将位图图形“16.jpg”导入到图形窗口中，应用滴管工具单击花瓣图形，在“颜色”泊坞窗口可以看到吸取的颜色，如图6-104所示。

图 6-103　打开图形

图 6-104　吸取颜色

Step 02　下面填充图形，按住Shift键单击中间的红色图形，即可将滴管工具转换为颜料桶工具并对图形填充，效果如图6-105所示，对于边缘的绿色图形也可以应用此方法填充，即使用滴管工具在花朵的背景图像上单击，再应用颜料桶工具将边缘填充为绿色，效果如图6-106所示。

图 6-105　填充中间图形

图 6-106　填充边缘颜色

6.4　综合实例——化妆品广告的绘制

化妆品广告的绘制中主要绘制的图形为护肤品图形。首先绘制背景图形，应用交互式网状填充工具将背景填充为有层次变化的颜色，然后绘制化妆品图形，通过对图形轮廓的基本调整，绘制出各个部分的外形，分别对图形进行填充并组成完整的化妆品图形，最后添加人物、文字和花朵等装饰图形元素，组成广告图形，具体操作步骤如下。

Step 01　首先创建一个横向的页面，并绘制一个与页面相同大小的矩形，如图6-107所示。然后选择工具箱中的“交互式网状填充工具”按钮，在矩形图形中单击，添加节点，如图6-108所示。

图 6-107　绘制矩形

图 6-108　添加节点

Step 02 下面添加颜色，选取中间的节点，打开“颜色”泊坞窗，单击“确定”按钮将节点填充上设置的颜色，重复应用此操作直至将背景都填充上颜色，效果如图6-109所示。然后绘制包装瓶的外形，使用钢笔工具结合形状工具绘制，效果如图6-110所示。

图 6-109　设置填充颜色

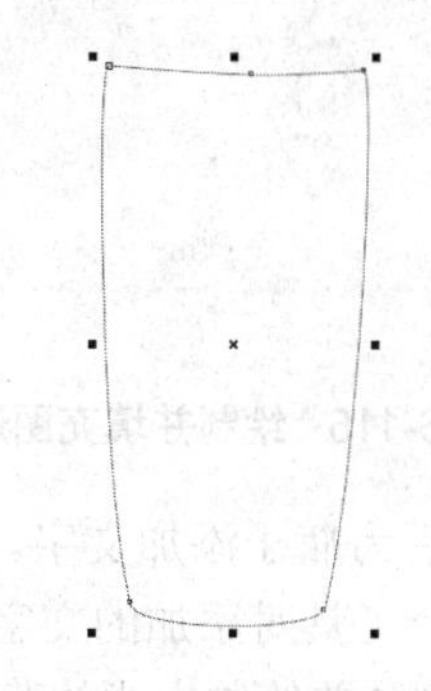

图 6-110　绘制外形

Step 03 下面填充图形。使用交互式填充工具在瓶子图形上填充渐变色，效果如图6-111所示，然后绘制瓶盖图形，结合钢笔工具和形状工具绘制外形如图6-112所示。

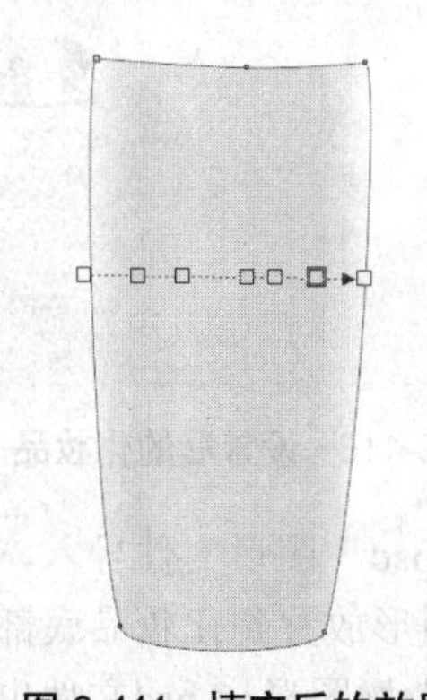

图 6-111　填充后的效果

图 6-112　绘制瓶盖图形

Step 04 利用挑选工具选择其中一个图形，应用交互式填充工具将其填充上合适的渐变色，效果如图6-113所示，再用同样的方法将瓶盖上其余的图形绘制出来，并填充上合适颜色，效果如图6-114所示。

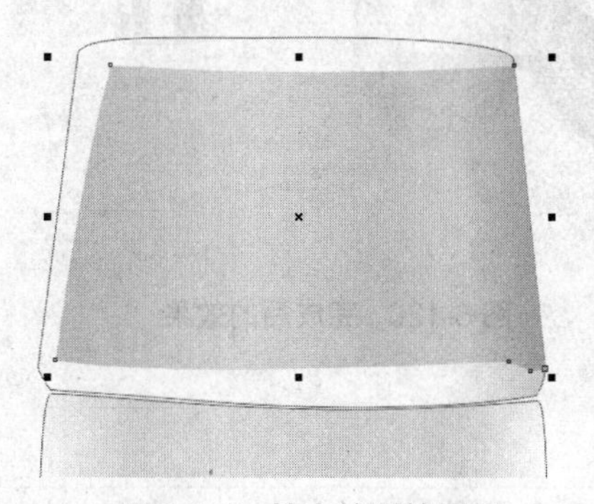

图 6-113　填充绘制的图形

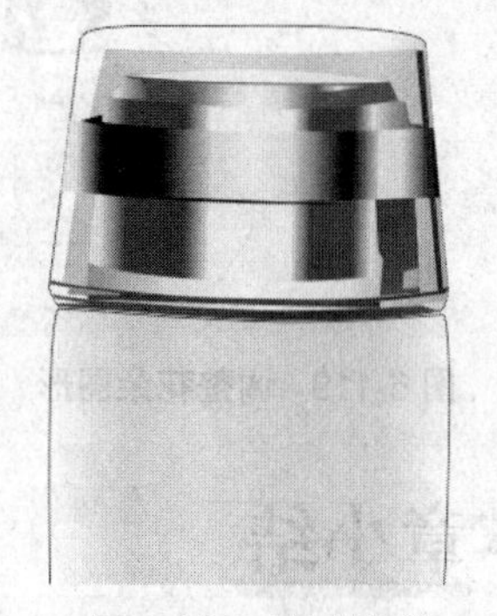

图 6-114　完成瓶盖

Step 05 然后绘制底部图形，绘制出瓶底的亮部区域和暗部区域。先分别绘制出大致轮廓，然后填充上颜色，效果如图6-115所示，再将绘制的瓶底图形选取为位图，应用高斯式模糊滤镜对其进行编辑，效果如图6-116所示。

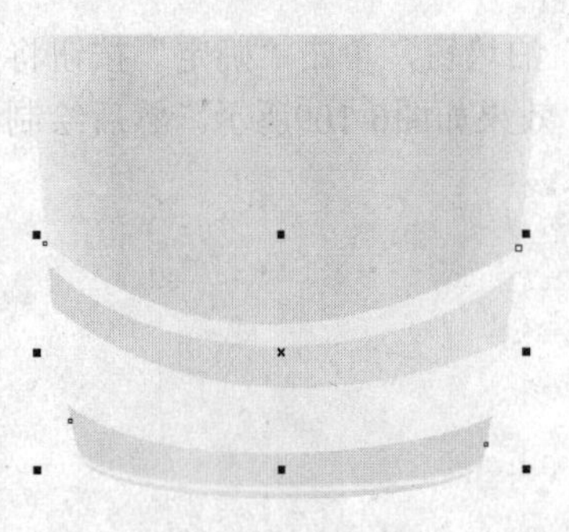

图 6-115　绘制并填充图形

图 6-116　编辑后的图形

Step 06　最后为瓶子添加文字。应用文本工具在图中输入文字，并将输入的文字填充为渐变色，使用交互式封套工具对添加的文字进行变形，使其更贴近化妆瓶，如图6-117所示，选择绘制完成的化妆瓶，放置到之前绘制完成的背景中，并调整到合适大小，如图6-118所示。

图 6-117　调整文字效果

图 6-118　设置后的化妆品

Step 07　在图中添加花朵图形，将“sample\第6章\原始文件\18.psd”图形文件导入，将图形放置到页面中合适的位置上，复制出新的花朵图形，设置透明度后将图形放置到化妆品底部，将超出页面外的花朵图形裁掉，效果如图6-119所示，再将原始文件夹中的人物图形17.psd文件也导入到图像窗口中，并变换到合适大小，完成后的效果如图6-120所示。

图 6-119　调整花朵图形

图 6-120　完成后的效果

6.5　本章小结

对象的轮廓线编辑包括轮廓的宽度、样式和颜色调整，读者可以通过“轮廓笔”对话框对其设置，也可以通过调色板和“颜色”泊坞窗来设置轮廓线的颜色。“轮廓笔”对话框中提供有多种轮廓线样式，用户可以根据需要重新选择轮廓线并编辑。图形的填充主要应用填充工具，根据绘制的图形，选择最合适的填充类型，重点要掌握的是交互式填充工具的应用和编辑。

6.6 专业解析

1. 如何快速拷贝色彩及属性?

答:给群组中的单个对象着色,最快的方法是将调色板上的颜色色块直接拖动到图形对象上。拷贝属性到群组中的单个对象的捷径是在拖动对象时按住鼠标右键,释放鼠标,会显示弹出的菜单,此时可选择需要拷贝的属性。

2. 不闭和曲线如何填充颜色?

答:按CTRL+J打开选项面板,勾选“填充不闭和曲线”复选框即可。

3. CorelDRAW 中如何提取位图色彩值?

答:先将位图转换为矢量图,打开“颜色”泊坞窗后选择“滴管工具”,在图形上单击需要提取颜色的位置,即可对位图提取颜色。

6.7 思考与练习

1. 填空题

(1)交互式工具分为__________种。

(2)设置轮廓线时可以设置角的形状有__________、__________和__________三种情况。

(3)当我们需要绘制基于曲线方向而改变粗细的曲线,可用“自然笔”工具的__________。

2. 选择题

(1)CorelDRAW的渐变种类包括:( )。

A. 线性　　B. 射线　　C. 圆锥　　D. 方角

(2)对选定的对象进行轮廓填充,下列哪种是正确的:( )。

A. 单击鼠标右键选中调色板中的颜色

B. 单击鼠标左键选中调色板中的颜色

C. 双击鼠标选中调色板中的颜色

(3)交互式填充工具的作用是:( )。

A. 填充渐变颜色　　B. 填充纹理　　C. 填充单色　　D. 填充各种颜色和图案

3. 判断题

(1)交互式阴影工具可以改变阴影的颜色。( )

(2)立体化交互式制作的立体对象不能旋转。( )

(3)用于轮廓线中的箭头可以通过用户自定义。( )

4. 问答题

(1)交互式填充工具填充的类型有哪些?

(2)设置轮廓线样式的步骤是什么?

(3)渐变角度的设置方法是什么?

5. 上机题

(1)应用绘制图形并填充上颜色的方法,绘制出如图6-121所示的壁纸图形效果。

图 6-121 制作壁纸效果

（2）应用交互式网状填充工具绘制出写实巧克力图形，如图6-122所示。

图 6-122 绘制巧克力图形

（3）绘制卡通图形并填充颜色，如图6-123和图6-124所示。

图 6-123 绘制图形

图 6-124 填充后的效果

绘图与填充的综合应用

07

本课所需时间： 3 个小时

课程范例文件： sample\ 第 7 章 \

课后练习文件： exercise\ 第 7 章 \

必须掌握：

- 基础图形的绘制和填充

深入理解：

- 复杂路径的绘制
- 图形填充的综合应用

一般了解：

- 规则图形的绘制
- 位图的具体应用

课程总览：

本章通过三个实例的详细制作过程，使读者加深对绘制和填充图形的应用方法。其中制作户外广告突出了交互式网状填充工具的作用，制作出立体的花朵图形；而钻戒宣传画册的设计应用了变换和旋转等操作方法，制作出花朵图形装饰画册；手提袋的制作则突出了钢笔工具和形状工具的作用。

7.1 户外广告制作

户外广告是平面设计应用中常见的一种，这类广告要求篇幅较大，图像效果精短，能突出表现主体图形，其中的文字相应比较大，以便在远处能看清文字，且需将文字与图形合理分布到广告页面中，形成相呼应的局面。

7.1.1 背景的制作

户外广告的背景主要是为主体图像铺垫，绘制背景时可以将颜色加深，以突出主体图形。首先绘制一个合适大小的矩形，应用交互式网状填充工具对图形填充，将不同的区域填充上不同颜色，具体操作步骤如下。

Step 01 启动CorelDRAW X4应用程序后，创建一个新的图形文件，使用矩形工具在页面中间位置上绘制，绘制的矩形如图7-1所示。然后单击工具箱中的“交互式网状填充工具”按钮，矩形中形成节点，如图7-2所示。

图 7-1 绘制矩形

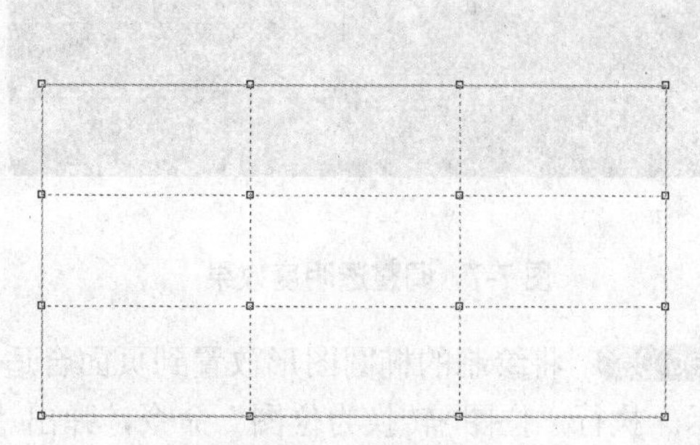

图 7-2 形成节点

Step 02 下面填充图形，使用交互式网状填充工具在矩形中间添加多个节点，以方便后面对图形编辑，如图7-3所示。打开“颜色”泊坞窗，设置所需的颜色后，将设置的颜色色块向边缘的节点上拖动，即可将图形填充上颜色，如图7-4所示。

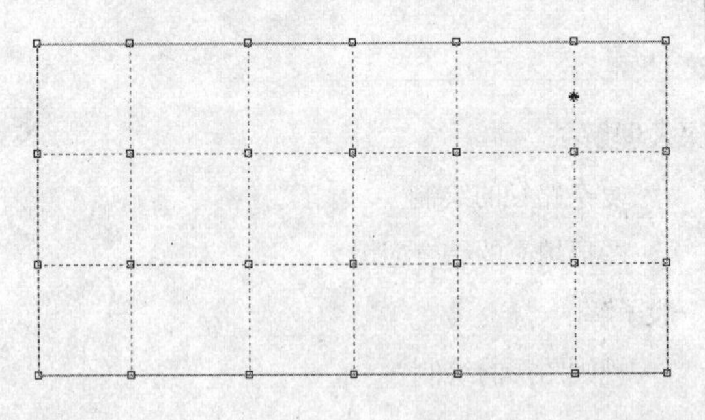

图 7-3 添加节点

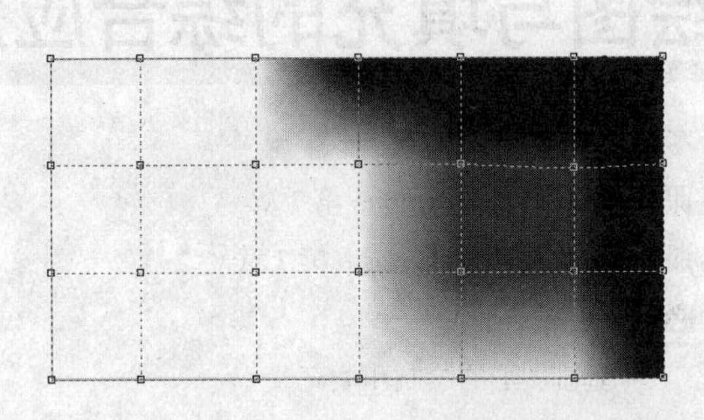

图 7-4 填充边缘图形

Step 03 将图形中间的区域分别填充上不同的颜色，填充后的图形效果如图7-5所示。下面添加花朵图形，利用钢笔工具结合形状工具绘制，并填充上颜色，将颜色的CMYK值设置为（16，96，54，0），填充后的图形效果如图7-6所示。

图 7-5 填充后的背景

图 7-6 绘制花朵图形

Step 04 调整花朵图形透明度。选择交互式透明度工具，在属性栏中将透明类型设置为“标准”，设置透明度为80，设置后的图形效果如图7-7所示。继续添加装饰图形，利用椭圆形工具在图中绘制出多个椭圆图形，如图7-8所示。

图 7-7 调整透明度效果

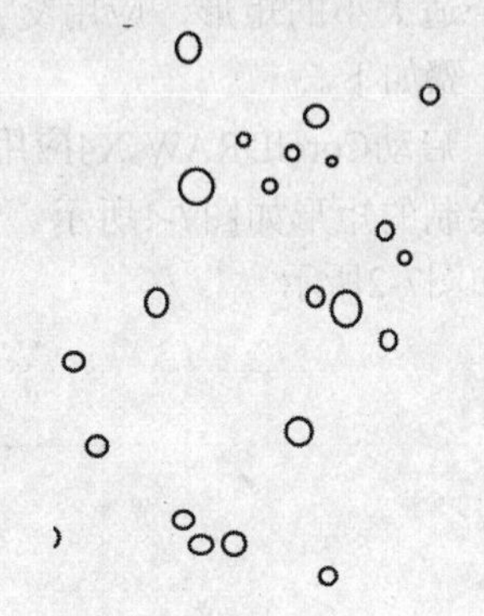

图 7-8 绘制椭圆图形

Step 05 将绘制的椭圆图形放置到页面合适的位置上，并填充为白色，按Ctrl+G键群组，如图7-9所示。执行“位图>转换为位图”命令，弹出“转换为位图”对话框，如图7-10所示进行参数设置，完成后单击“确定”按钮。

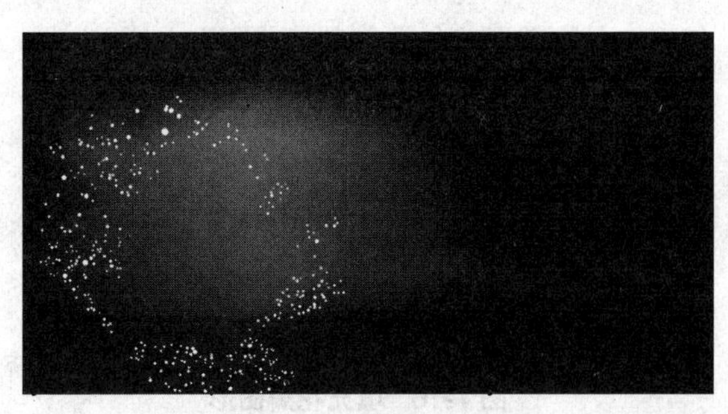

图 7-9　填充后的图形

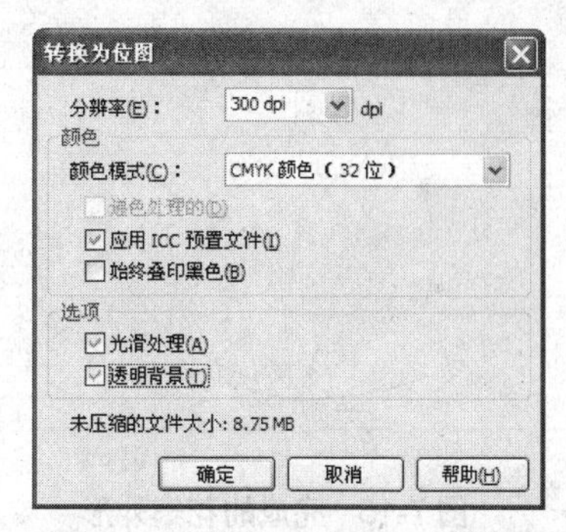

图 7-10“转换为位图”对话框

Step 06　应用滤镜编辑图像。执行“位图>模糊>高斯式模糊”命令，弹出如图7-11所示的“高斯式模糊”对话框，在对话框中将“半径”设置为3像素，设置完成后单击“确定”按钮，应用模糊后的效果如图7-12所示。

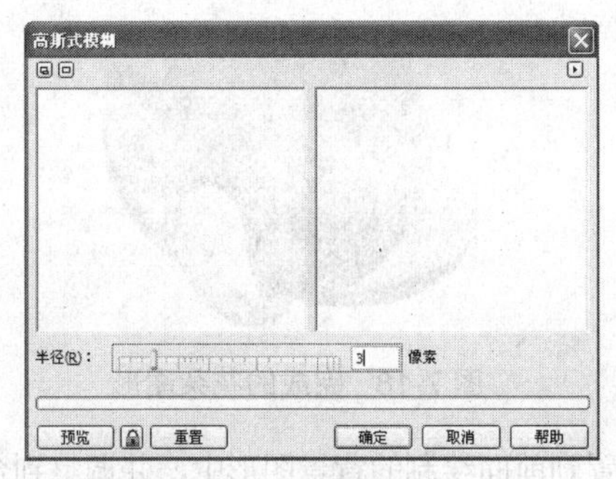

图 7-11“高斯式模糊”对话框

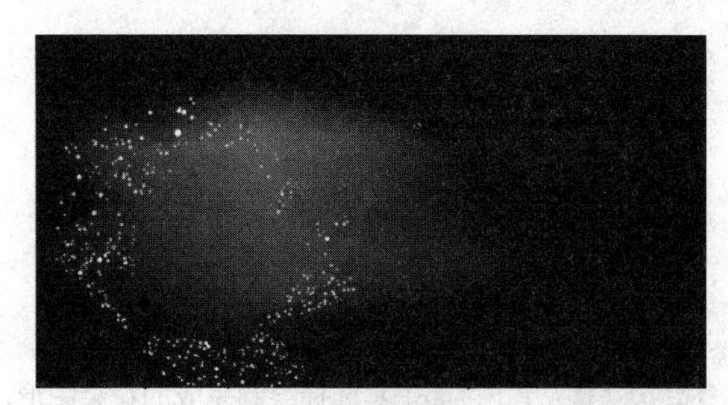

图 7-12　背景效果

7.1.2　主体对象的绘制

主体对象是指广告中能代表中心思想的对象，本广告中的主体对象为一个花朵图形，绘制该图形时应首先绘制出图形的轮廓，然后应用交互式网状填充工具分别对每个花瓣进行填充和编辑，从而制作出立体感较强的图形效果，为了突出该图形，还可以绘制不规则的图形做陪衬。

Step 01　下面绘制广告中的主体图形。应用钢笔工具结合形状工具绘制出如图7-13所示的花瓣图形，在该花瓣图形的旁边应用相同的方法，绘制出新的花瓣图形，如图7-14所示。

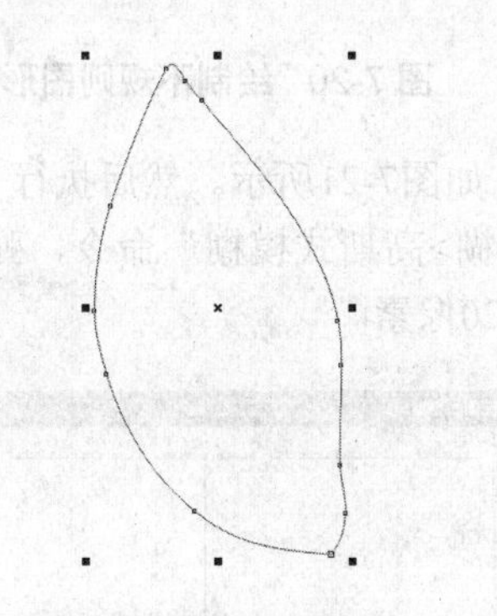

图 7-13　绘制花瓣图形

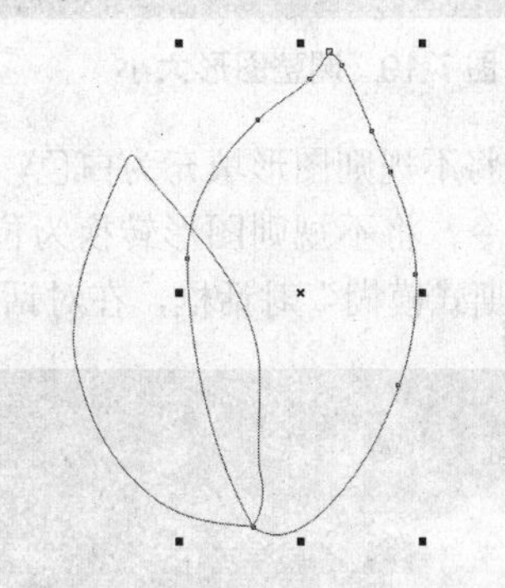

图 7-14　绘制另外的花瓣

Step 02　绘制出其余部位的花瓣图形，效果如图7-15所示，然后进行填充，选择交互式网状填充工具，为花瓣图形添加节点，并对图形进行填充，填充时要根据花朵的外形注意明暗关系，填充后的效果如图7-16所示。

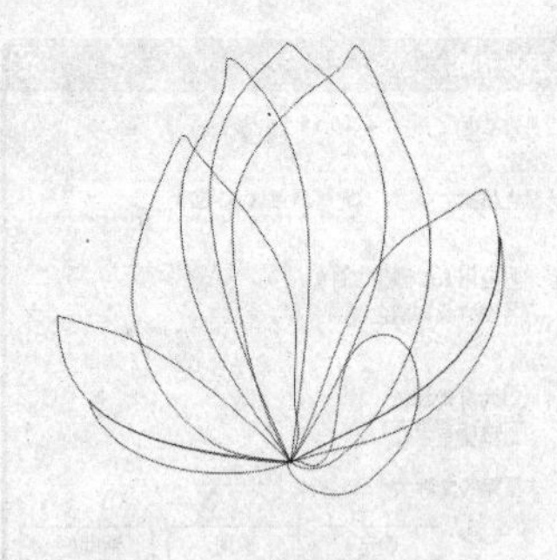

图 7-15　完成的花瓣外形

图 7-16　填充花瓣图形

Step 03　将旁边和后面的花瓣也应用相同的方法填充，效果如图7-17所示。对于其余位置上的花朵图形也使用交互式网状填充工具进行填充，完成后的效果如图7-18所示。

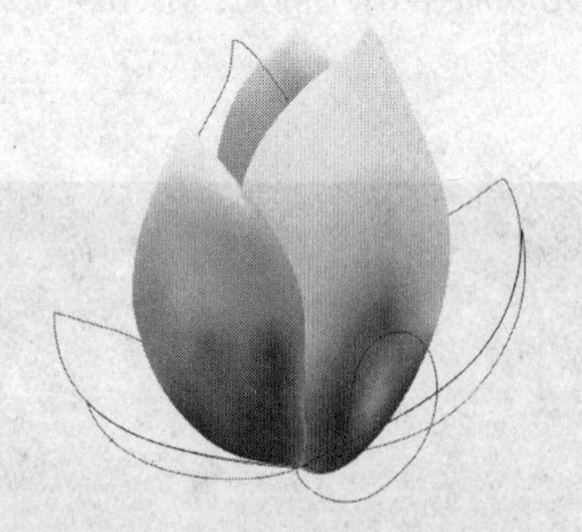

图 7-17　填充中间的花瓣图形

图 7-18　完成的花朵图形

Step 04　单击挑选工具选择绘制完成的花朵图形，将其放置到前面绘制的背景图形中，并调整到合适大小，如图7-19所示。然后为图像添加装饰效果，结合钢笔工具和形状相绘制出如图7-20所示的不规则图形。

图 7-19　调整图形大小

图 7-20　绘制不规则图形

Step 05　将不规则图形填充为白色，放置到花朵图形上方，如图7-21所示。然后执行“位图>转换为位图”命令，将不规则图形转换为位图，再执行“位图>模糊>高斯式模糊”命令，弹出如图7-22所示的“高斯式模糊”对话框，在对话框中将“半径”设置为20像素。

图 7-21　调整不规则图形的位置

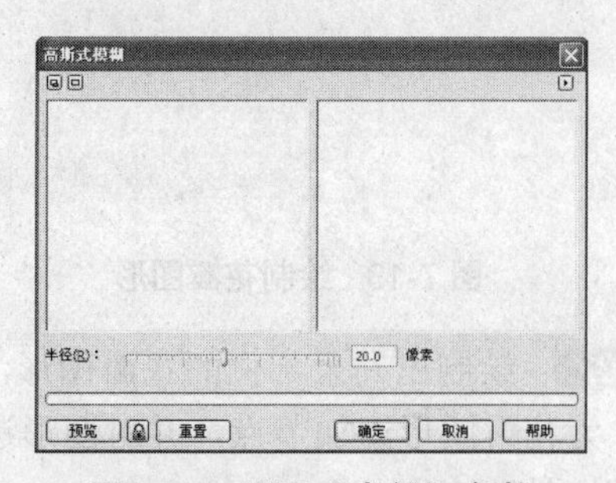

图 7-22　设置“半径”参数

Step 06　设置完成后单击“确定”按钮，应用模糊后的图形效果如图7-23所示。然后设置图形透明度，选择交互式透明度工具，将透明类型设置为“标准”，透明度设置为10，设置后的效果如图7-24所示。

图 7-23　设置模糊后的图形

图 7-24　设置透明后的效果

7.1.3　添加文字

文字是广告制作中不可缺少的一部分，简短突出的文字说明可以更好地表现出广告类型，让观者记住广告的内容，达到宣传目的。在输入文字后通过设置文字字体及颜色等参数将其放置到相应位置，具体操作步骤如下。

Step 01　单击工具箱中的“文本工具”按钮字，在图中输入文字，如图7-25所示。将输入文字的颜色设置为红色，然后设置文字的透明度，选择交互式透明度工具后单击文字，设置透明度类型为“标准”，设置透明度为50，设置后的文字效果如图7-26所示。

图 7-25　添加文字

图 7-26　文字效果

Step 02　继续添加文字，选择文本工具，在图中单击后输入广告语言，并在属性栏中将文字字体设置为“方正粗活意简体”，大小设置为50pt，如图7-27所示。再输入新的说明文字，将文字填充为白色，效果如图7-28所示。

图 7-27　输入广告语

图 7-28　添加其余文字

Step 03 然后在图像中输入电话号码。应用文本工具在图中输入电话号码，放置到说明文字下方，分别设置为不同字体，如图7-29所示。将地址文字也添加到图形中，设置所输文字的字体及大小，完成后的效果如图7-30所示。

图 7-29 调整文字位置

图 7-30 完成后的图形

7.2 钻戒宣传画册设计

宣传画册要表现的是文字、图形及主体图像三者之间的结合，宣传画册的制作分为三个部分，分别为背景的制作、细节图形的制作以及综合效果的制作，用户如果按照该实例操作顺序逐步完成制作，可以提高工作效率。

7.2.1 背景的制作

本节讲解了整体背景和画册背景的制作，应用矩形工具创建背景形状，并填充射线渐变，在填充画册背景时应用交互式填充工具，具体的操作步骤如下。

Step 01 创建一个横向图形文件，双击矩形工具绘制和页面相同大小的矩形，然后使用交互式填充工具在背景上填充射线渐变，效果如图7-31所示，然后应用矩形工具绘制出两个矩形，如图7-32所示。

图 7-31 填充背景图形

图 7-32 绘制矩形

Step 02 应用交互式填充工具对左边的图形填充，填充后的效果如图7-33所示，再对右边的矩形进行填充，完成后的效果如图7-34所示。

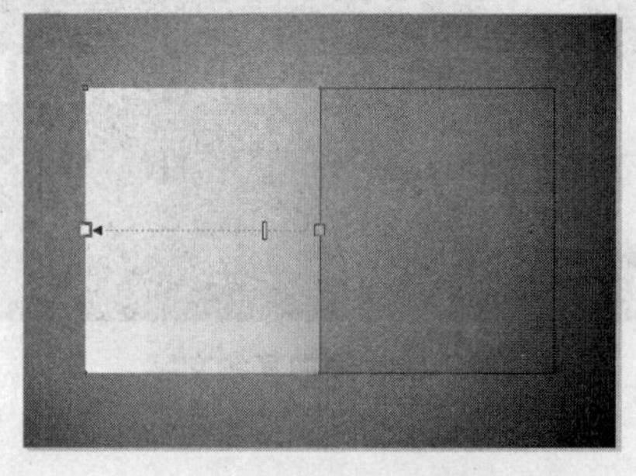

图 7-33 填充左边矩形

图 7-34 填充后的矩形

7.2.2　添加花纹图形

花纹图形是为主体图形服务的。应用合适的装饰图形可以与要突出的对象相呼应，更能表现出图形的特点，比如在钻戒画册中就可以添加花纹，并将其填充上色。如果花纹图形放置到画册中时会超出边缘，可以应用修剪图形的方法，以画册边缘为基准将多余的花朵图形裁剪，具体操作步骤如下所示。

Step 01　首先利用钢笔工具绘制出花纹图形的大致轮廓，如图7-35所示。然后应用形状工具添加节点，编辑节点将其调整为平滑的曲线，效果如图7-36所示。

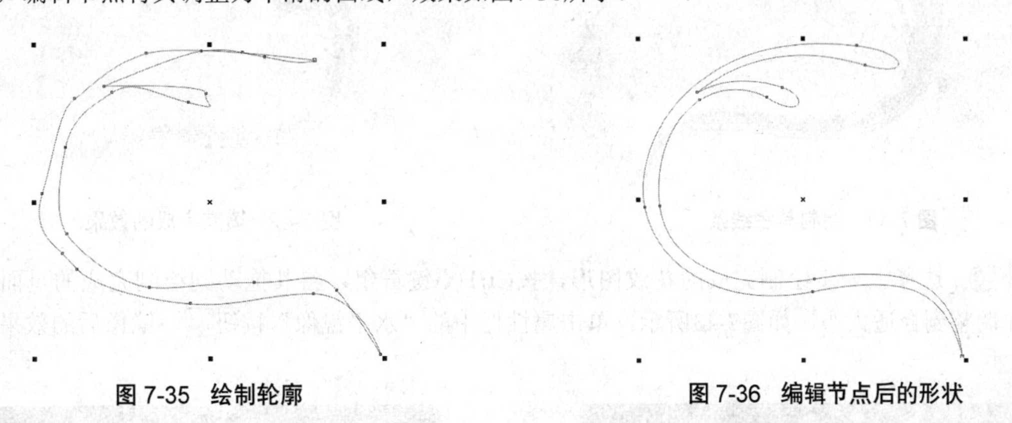

图 7-35　绘制轮廓　　　图 7-36　编辑节点后的形状

Step 02　继续绘制花纹图形。结合钢笔工具和形状工具绘制出弯曲的图形，如图7-37所示。应用同样的方法绘制出顶部弯曲的图形，效果如图7-38所示。

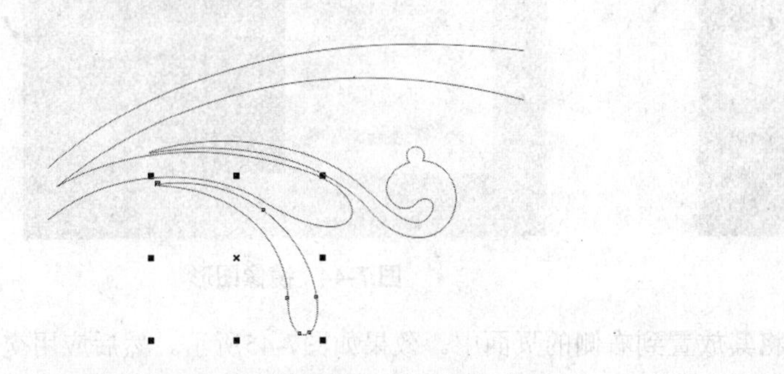

图 7-37　绘制图形细节

图 7-38　绘制完成的图形

Step 03　下面填充图形。打开“颜色”泊坞窗，将颜色的CMYK值设置为（0，80，25，0），填充后的图形如图7-39所示。然后绘制花纹边缘细长的线条图形，如图7-40所示。

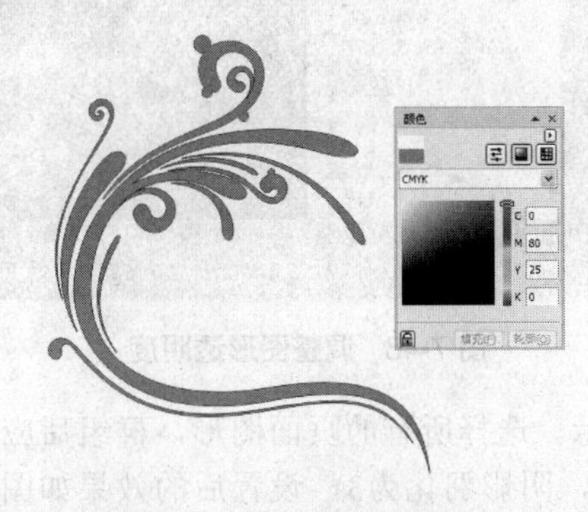

图 7-39　填充后的效果

图 7-40　绘制线条图形

Step 04 将其余位置的线条图形都绘制出来，效果如图7-41所示。将所有图形都填充为上一步设置的颜色，然后去除轮廓线，效果如图7-42所示。

图 7-41 绘制其余线条

图 7-42 填充完成的效果

Step 05 选择上一步绘制完成的花纹图形，按Ctrl+G键群组，将其拖动到绘制完成的页面图形中，并调整到合适大小，如图7-43所示。单击属性栏中的"水平镜像"按钮，镜像后的效果如图7-44所示。

图 7-43 调整图形位置

图 7-44 镜像图形

Step 06 移动和旋转镜像的图形，将其放置到右侧的页面中。效果如图7-45所示。然后应用交互式透明度工具对图形编辑，在花纹图形中拖动光标，形成透明效果如图7-46所示。

图 7-45 移动镜像图形

图 7-46 调整图形透明度

Step 07 同法编辑右边的花纹图形，效果如图7-47所示。选择所有的页面图形，群组后应用交互式阴影工具在图中添加阴影，设置阴影不透明度为40，阴影羽化为3，设置后的效果如图7-48所示。

图 7-47　设置透明度

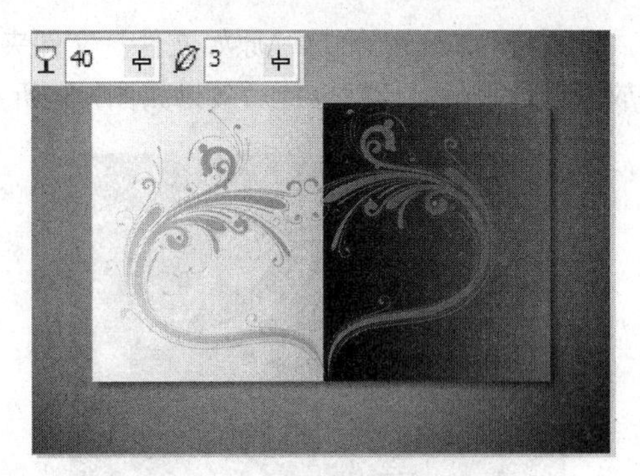

图 7-48　添加阴影效果

7.2.3　综合效果的制作

综合效果是将素材图像导入后放置到画册中，并配上合适的广告文字，对产品图形进行简单介绍。不同的页面应用不同的排列方法，左边的页面为了放置多个产品图形，可以绘制多个椭圆作为底色，花朵图形也应用修剪的方法调整到合适位置，并应用交互式透明度工具对其进行编辑。

Step 01　将sample\第7章\原始文件\1.psd”图形文件导入，如图7-49所示。然后选择导入的图形，并单击属性栏中的“垂直镜像”按钮，将戒指图像翻转，如图7-50所示。

图 7-49　导入戒指图像

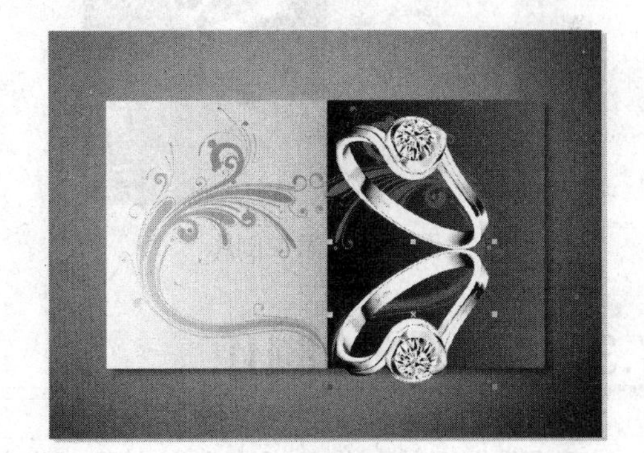

图 7-50　镜像图像

Step 02　应用交互式透明度工具编辑戒指倒影。在戒指图形上拖动光标，将底部变为透明效果，如图7-51所示。再应用文本工具在图中输入文字，将文字的大小设置为12pt，字体设置为“黑体”，添加文字后效果如图7-52所示。

图 7-51　设置透明效果

图 7-52　添加文字

Step 03　利用椭圆形工具在图中绘制出三个椭圆，将绘制的椭圆填充为灰色，效果如图7-53所示，分别将“sample\第7章 \原始文件”文件夹下的2.psd、3.psd、4.psd 图像文件导入窗口中，并将其缩放到合适大小，调整位置后效果如图7-54所示。

图 7-53 绘制圆形

图 7-54 调整导入图形的位置

Step 04 用前述的方法为图像中其余的戒指图像都添加倒影效果，效果如图7-55所示。最后在戒指的右侧添加上说明文字和心形图形，完成后的图形效果如图7-56所示。

图 7-55 添加倒影

图 7-56 完成后的图形

7.3 手提袋的制作

手提袋图形的制作包括三个大步骤，首先绘制手提袋的外形，应用钢笔工具绘制出手提袋的各部位，然后绘制装饰图形，绘制出手提袋上的图案，并将图案变换到合适大小后放置到手提袋图形中，最后分别填充上颜色，组成综合效果。

7.3.1 手提袋外形的绘制

绘制手提袋的外形主要通过钢笔工具绘制出手提袋图形的各个部分，组成完整的轮廓图形，其中还有主要细节图形如小孔以及绳索图形的绘制，具体操作步骤如下。

Step 01 首先选择工具箱中的钢笔工具，在图中绘制出倾斜的图形，如图7-57所示。继续应用该工具在另外位置上绘制出手提袋的厚度，效果如图7-58所示。

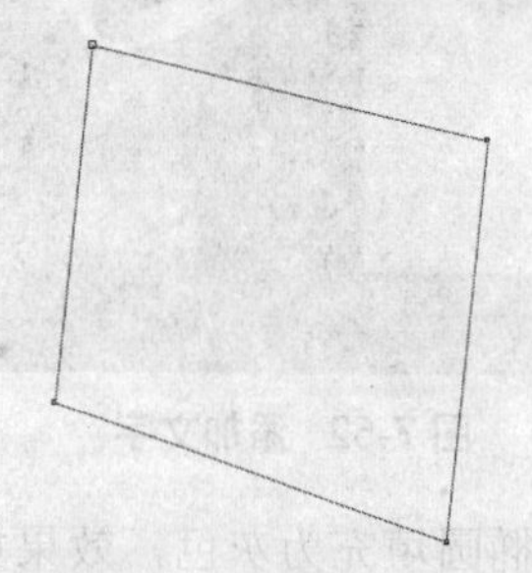

图 7-57 绘制倾斜的图形

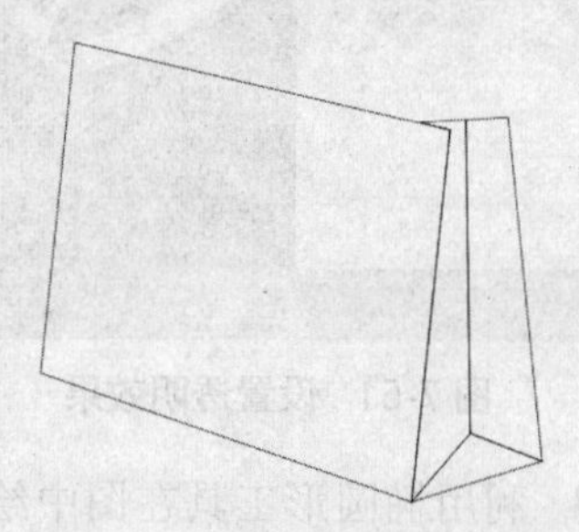

图 7-58 绘制手提袋厚度

Step 02　绘制其余部位的图形。同样应用钢笔工具在手提袋的顶部位置上绘制出暗部区域，如图7-59所示。再绘制出绳索的大致轮廓，如图7-60所示。

图 7-59　绘制顶部图形

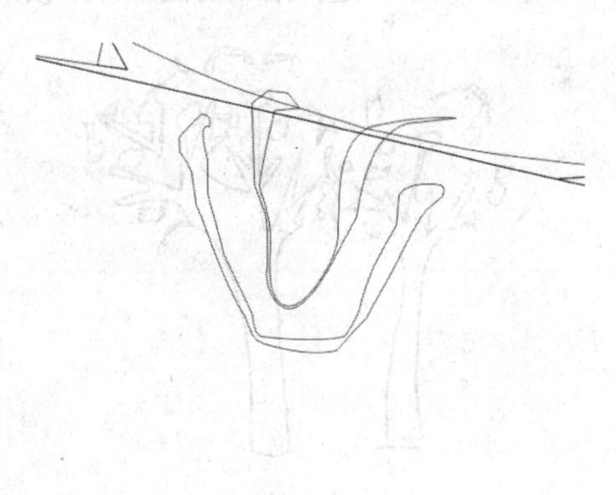
图 7-60　绘制绳索图形

Step 03　细化绳索图形。分别绘制出绳索图形上的暗部等图形，如图7-61所示。在绳索的周围添加小孔，完成的手提袋外形，如图7-62所示。

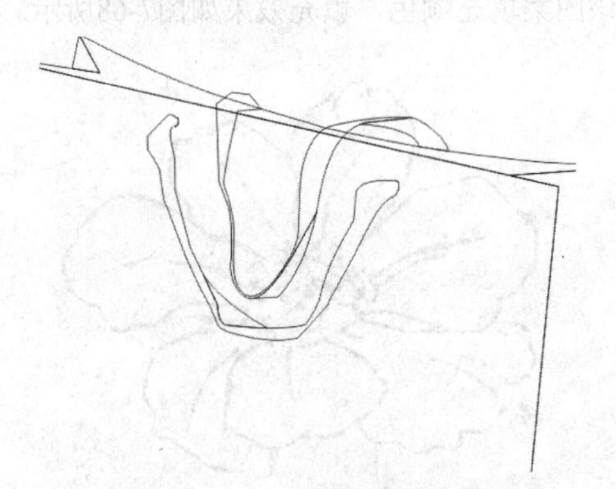
图 7-61　绘制绳索暗部区域

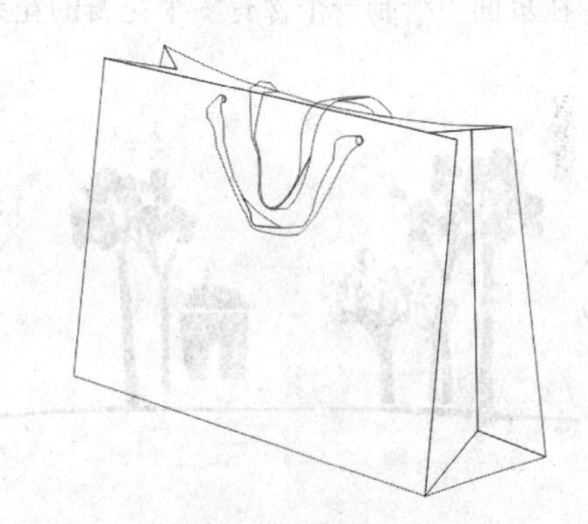
图 7-62　完成的外形

7.3.2　装饰图形的绘制

手提袋上图形的绘制从单个元素开始。钢笔工具结合形状工具绘制出人物的外形，并将其填充为黑色，绘制出其余的图形后，焊接所绘制的图形，然后通过斜切的方法将图形放置到手提袋外形中。

Step 01　应用钢笔工具在图中绘制出人物的大致轮廓。中间的镂空图形可以通过修剪绘制图形的方法操作，如图7-63所示。将所绘制的图形填充为黑色，如图7-64所示。

图 7-63　绘制人物外形

图 7-64　填充后的图形

Step 02 绘制手提袋上的图案。开始绘制树枝，应用钢笔工具随意的在图中绘制出树枝的大致轮廓，如图7-65所示。选择绘制的图形并焊接，将焊接后的图形填充上黑色，效果如图7-66所示。

图 7-65 绘制树枝外形

图 7-66 焊接并填充

Step 03 在页面中应用钢笔工具绘制多个树枝形状，为树枝形状填充颜色，页面效果如图7-67所示。在页面中绘制一个含有多个花瓣的花朵图案，再为该图案填充颜色，填充效果如图7-68所示。

图 7-67 绘制小树枝

图 7-68 绘制花朵图形

Step 04 选择前面绘制完成的树枝图形和人物图形，按Ctrl+G键群组，并移动到手提袋图形上，如图7-69所示。执行“窗口>泊坞窗>变换>倾斜”菜单命令，弹出变换泊坞窗，将光标移动至左侧边框的中心位置，当光标变换为⥮时，垂直向上移动边框，设置图案倾斜效果如图7-70所示。

图 7-69 移动人物、树枝图形

图 7-70 倾斜图形

Step 05 将图案旋转到合适角度后，选择图案将其放置到手提袋底部，如图7-71所示。然后选择手提袋轮廓，使用交互式填充工具在图中填充上渐变色，效果如图7-72所示。

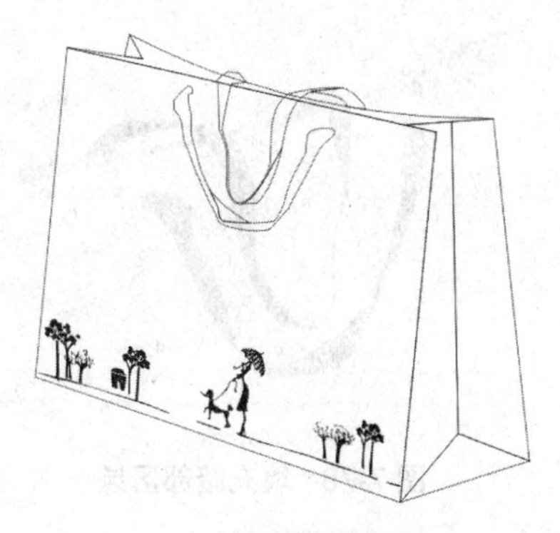

图 7-71　编辑后的图案

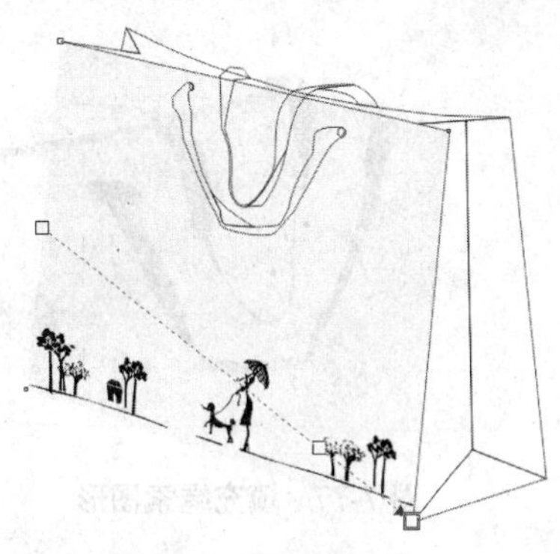

图 7-72　填充渐变色

Step 06　选择手提袋的暗部区域，并使用交互式填充工具将其填充上颜色，效果如图7-73所示。将前面绘制完成的花朵图形也拖动到手提袋上并进行调整，如图7-74所示。

图 7-73　填充暗部区域

图 7-74　调整花纹图形

Step 07　使用钢笔工具再绘制出另外的花朵图形，效果如图7-75所示，并填充上灰色，将绘制的花朵图形复制旋转后布满整个手提袋图形，效果如图7-76所示。

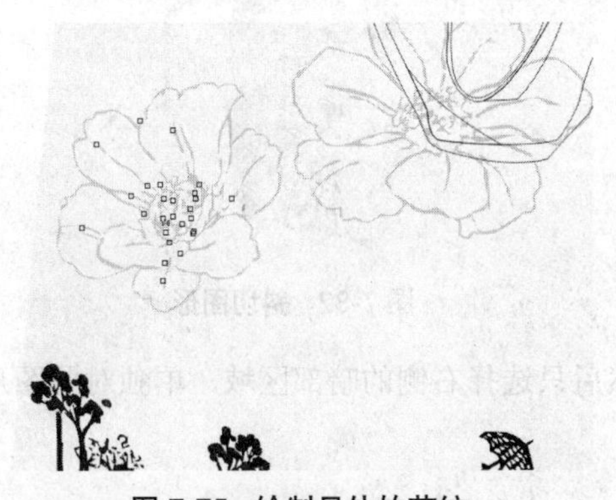

图 7-75　绘制另外的花纹

图 7-76　编辑完成的图形

7.3.3　细节的调整

细节图形包括为手提袋制作倒影图形和填充背景颜色。将绘制完成的手提袋图形复制后，应用斜切的方法对其编辑，通过设置透明效果完成倒影图形，为背景填充上合适的颜色后查看制作的综合效果，具体操作步骤如下。

Step 01　绘制手提袋上的绳索。选择绳索轮廓，填充为红色，如图7-77所示。填充绳索上的暗部区域，填充完成的效果如图7-78所示。

图 7-77 填充绳索图形

图 7-78 填充暗部区域

Step 02 下面绘制细节图形。利用椭圆形工具绘制小孔图形，并填充上颜色，如图7-79所示。选择绘制的手提袋图形，并单击属性栏中的“垂直镜像”按钮，将图形镜像复制，如图7-80所示。

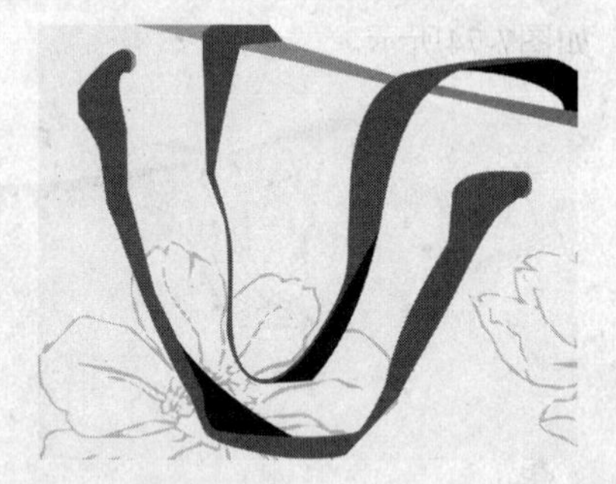

图 7-79 绘制小孔图形

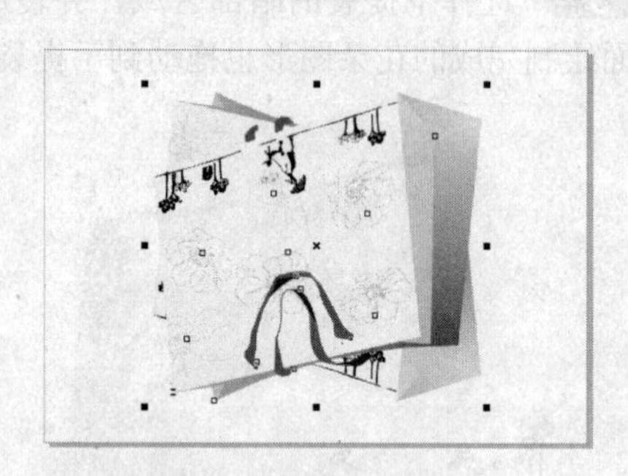

图 7-80 复制图形

Step 03 移动翻转的图形，调整至合适位置，如图7-81所示。对图形进行斜切操作，调整后的图形如图7-82所示。

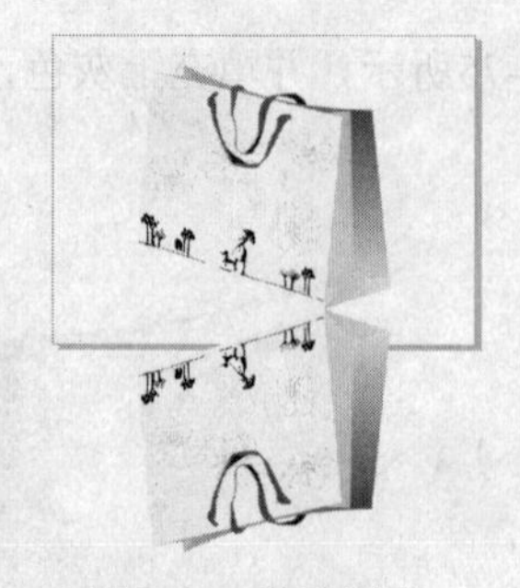

图 7-81 移动图形

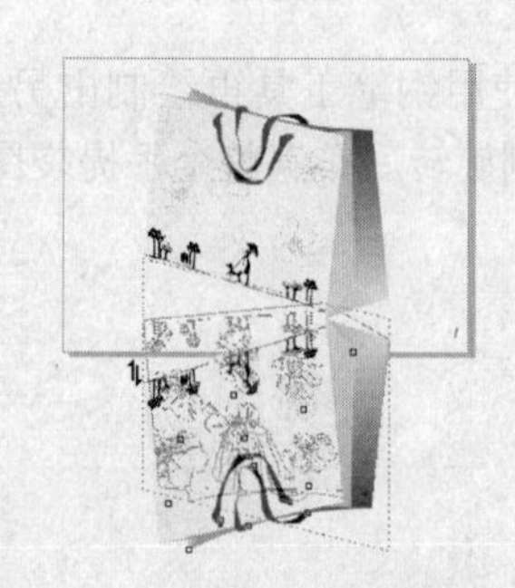

图 7-82 斜切图形

Step 04 将左边的图形向上倾斜，如图7-83所示。然后只选择右侧的暗部区域，单独对此图形应用斜切操作，如图7-84所示。

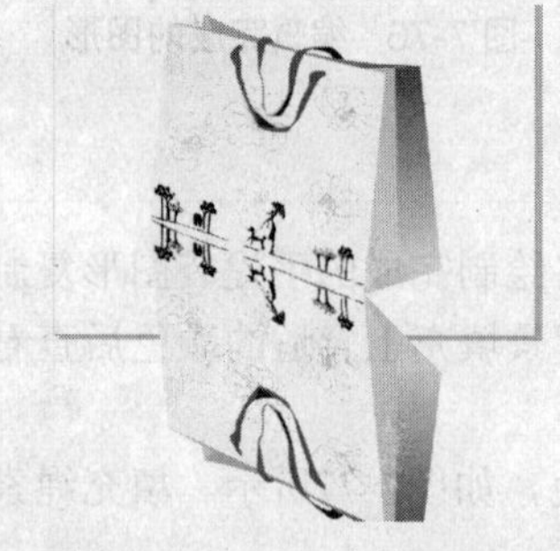

图 7-83 调整一边的图形

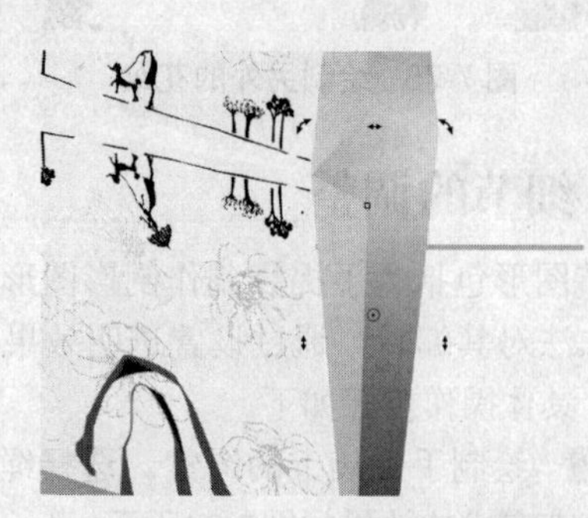

图 7-84 调整暗部区域的图形

Step 05 删除手提袋上的绳索图形，对底部的手提袋倒影图形进行变换操作，将倒影图像的底部与手提袋图形的底部融合，变换图形效果如图7-85所示。选择倒影的手提袋图形，按Ctrl+G键群组，应用交互式透明度工具编辑图形，设置手提袋的倒影效果，如图7-86所示。

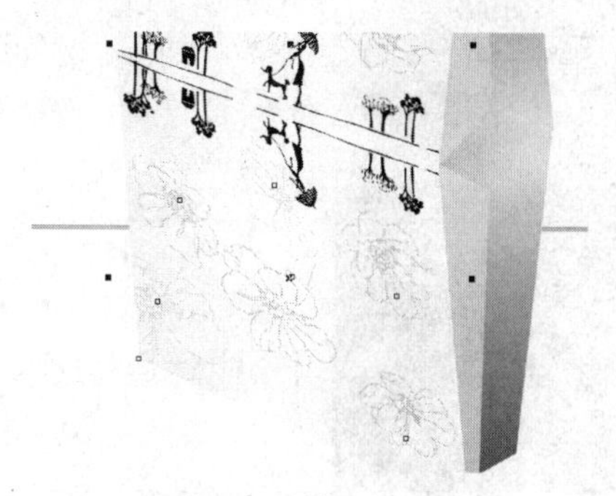

图 7-85　编辑图形

图 7-86　调整图形透明度

Step 06 单击工具箱中的“裁剪工具”按钮，在倒影图形上将超出页面边缘的部分裁剪掉，如图7-87所示。然后在页面中绘制一个矩形并填充上颜色，制作出背景效果，如图7-88所示。

图 7-87　裁剪多余图形

图 7-88　添加背景效果

Step 07 下面为手提袋添加文字，选择文本工具后在图中单击并输入文字，如图7-89所示。设置输入文字的字体和大小，应用斜切操作将其调整到与图案水平的位置，完成后的效果如图7-90所示。

图 7-89　输入文字

图 7-90　完成后的效果

7.4　综合实例——网站界面设计

网站界面包含的内容相对比较完整，需要应用多种绘制图形及填充方法。背景应用矩形工具绘制，中间图案应用钢笔工具和椭圆形工具绘制，包括房子图像和云朵图形，将完成的图形编排和调整，具体操作步骤如下。

Step 01 首先创建一个横向页面，并选择矩形工具在页面中绘制出两个大小不一的矩形，效果如图7-91所示。然后使用交互式填充工具在图形中将左侧图形填充上渐变色，效果如图7-92所示。

图 7-91 绘制矩形图形

图 7-92 填充渐变色

Step 02 下面填充另外的图形。应用交互式填充工具选择右侧的矩形图形，并在中间添加多个过渡色，效果如图7-93所示。然后使用椭圆形工具在图中绘制出多个椭圆，并焊接成云朵图案，填充图形颜色的CMYK值为（68，7，12，0），再使用交互式透明度工具对其编辑，设置透明度为40，效果如图7-94所示。

图 7-93 填充过渡色

图 7-94 调整后的颜色

Step 03 按照绘制云朵的方法，应用椭圆形工具连续绘制出多个云朵图形，然后填充颜色，调整透明度，效果如图7-95所示。对页面中的区域分类，应用矩形工具绘制出要划分的区域，再应用交互式填充工具填充图形，效果如图7-96所示。

图 7-95 绘制其余云朵图形

图 7-96 划分并填充区域

Step 04 使用钢笔工具和形状工具绘制房子外形，将房子各部分的结构都绘制出来，效果如图7-97所示。选择房子图形，分别填充上渐变色和纯色，放置到绘制的页面背景中，并在房子周围添加上树枝等装饰图形，效果如图7-98所示。

图 7-97 绘制房子外形

图 7-98 填充房子并添加装饰图形

Step 05 继续使用钢笔工具和形状工具，绘制出其他房子的大致轮廓，以及周围装饰图形，效果如图7-99所示。分别选取房子的不同结构，填充上渐变色或者纯色，将填充好的图形放置到页面中，编辑到合适大小，效果如图7-100所示。

图 7-99 绘制其他房子

图 7-100 填充后的效果

Step 06 绘制连接房子之间的道路图形，结合钢笔工具和形状工具绘制出道路的轮廓，并填充为白色，设置透明度为70，效果如图7-101所示。在页面中添加与网页相关的元素，将绘制的图形分别填充上渐变色，效果如图7-102所示。

图 7-101 绘制道路图形

图 7-102 完成左侧的页面

Step 07 制作登陆框。应用矩形工具在图中绘制出输入的文本框，并填充上颜色，然后使用椭圆形工具绘制出网页中的按钮效果，在右侧页面中添加上划分区域的图形，效果如图7-103所示。将划分区域的图形通过交互式填充工具分别填充上颜色，再应用钢笔工具在图中为划分下区域绘制线条，填充上合适的颜色，并添加上装饰图形，效果如图7-104所示。

图 7-103　绘制登陆及其他区域图形

图 7-104　添加颜色及细节图形

Step 08　下面绘制花朵图形。首先应用基本形状工具在图中绘制出心形图形，并为心形图形添加亮部区域。然后绘制树叶图形，通过钢笔工具绘制出树叶和花茎的图形，效果如图7-105所示。将绘制完成的花朵图形复制，并调整其大小，然后放置到其他位置上，效果如图7-106所示。

图 7-105　绘制花朵图形

图 7-106　复制花朵图形

Step 09　选择所有的花朵图形，将其放置到右侧页面的矩形中，并调整大小和位置，效果如图7-107所示。最后添加文字说明，在不同位置上输入文字，并设置其大小和字体，完成后的网页效果如图7-108所示。

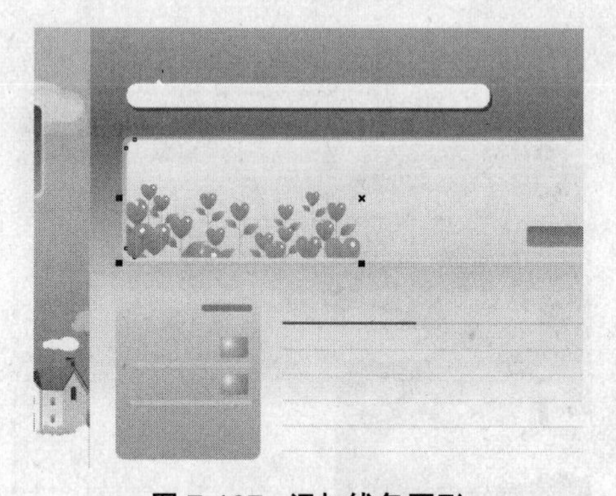

图 7-107　添加线条图形

图 7-108　完成后的效果

7.5　本章小结

在绘图与填充的综合应用中，不仅可以绘制常见的复杂图形，也可以将提供的素材图形与绘制图形相结合，组成综合图像效果。图形绘制可以利用到多种常见工具，如钢笔工具、贝塞尔工具等，而图形填充则要可以将图形填充为纯色或者渐变色，如果要模拟真实图形，则要应用交互式网状填充工具进行编辑。在制作综合图像时，可以根据具体需要选择最合适的绘图及填充方法，将所学知识灵活应用。

7.6　专业解析

1. 智能绘图工具有哪些灵活应用？

答：智能绘图工具能自动识别许多形状，包括圆、矩形、箭头、菱形、梯形等，还能自动平滑和修饰曲线，快速规整和完美图像，自动识别涂鸦线条，并在判断后能组织成最接近的几何形状。

2. 在 CorelDRAW 中，如果位图修剪后出现边线、烂图等怎么办？

答：选择位图菜单下的“转换成位图”命令，将有问题的图重新转换成一个新的DPI分辨率（一般选350DPI）的透明背景的图，此操作会重新对像素取样。

3. 如何更有效地使用贝塞尔工具？

答：在CorelDRAW中使用贝塞尔工具，有时不能像在Illustrator中那样绘制M型曲线，其实CorelDRAW也可以灵活绘制曲线路径，以下几点技巧可以帮助用户更灵活的设置曲线。

- 双击节点，使节点变成尖角
- 按C键改变下一线段的切线方向
- 按S键改变上下两线段的切线方向
- 按住Alt键选择并移动节点
- 按Ctrl键，可以根据预设空间的限制角度值放置切点方向
- 按Esc键可以连续画不封闭且不连接的曲线

7.7　思考与练习

1. 填空题

（1）__________不属于曲线结点的模式。

（2）按__________键可以选择位置重叠堆栈中位于下面不可见的对象。

（3）交互式变形工具包含__________种变形方式。

2. 选择题

（1）交互式阴影的羽化边缘效果中不包括（　）

A. 渐变填充透明度　　B. PS填充透明度

C. 均匀填充透明度　　D. 样和纹理透明度

（2）在CorelDRAW中做“转换为位图”会造成（　）

A. 分辨率损失　　B. 图像大小损失

C. 色彩损失　　D. 什么都不损失

（3）下列哪组交互式工具不可以同时作用于一对象上（　）

A. 交互式填充与交互式透明　　B. 交互式透明与交互式阴影

C. 交互式立体化与交互式透明　　D. 交互式封套与交互式变形

3. 判断题

（1）“色调曲线”命令可以精确调整图像的颜色，它与“高反差”命令相似，都是用来调整图像的色调范围的。（ ）

（2）重新取样位图，是指改变位图的分辨率和实际彩色。（ ）

（3）透镜效果对位图无效。（ ）

4. 问答题

（1）字符格式化的应用？

（2）字体识别功能的如何应用？

（3）调和曲线命令的作用是什么？

5. 上机题

（1）绘制礼品包装盒效果。首先绘制出各个面的大致形状并填充上颜色，如图7-109所示，然后为包装盒绘制上装饰图形，如图7-110所示。

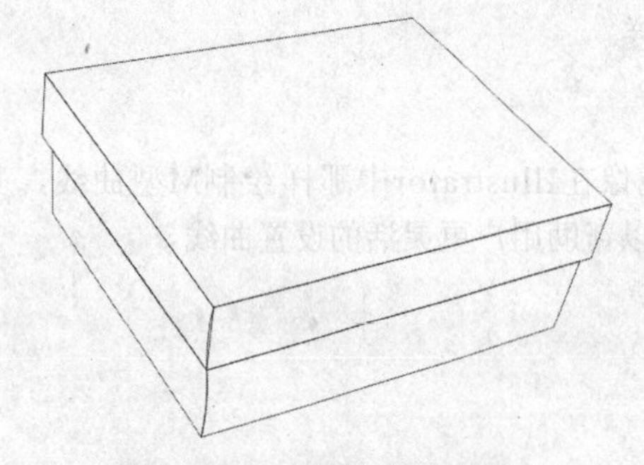

图 7-109 绘制包装盒外形

图 7-110 制作完成的效果

（2）绘制内页插画图形，效果如图7-111所示。

（3）按照绘制网站界面的方法，绘制出如图7-112所示的网站界面图形。

图 7-111 制作书籍内页插画

图 7-112 制作网站界面

CorelDRAW X4 的颜色系统

本课所需时间： 3 个小时

课程范例文件： sample\ 第 8 章 \

课后练习文件： exercise\ 第 8 章 \

必须掌握：

- 颜色模式

深入理解：

- 颜色的基础
- 色彩基本属性

一般了解：

- 颜色预置文件
- 校正颜色

课程总览：

本章讲解了CorelDRAW X4中颜色的基础知识，包括位图的颜色模式、常用模式的转换等等。在CorelDRAW X4中应用颜色时，用户可以通过校正颜色得到最合适输出和显示的颜色。

8.1 颜色的基础知识

在我国标准GB5698-85中，颜色定义为光作用于人眼引起的除形象以外的视觉特性。根据这一定义，颜色是一种物理刺激，作用于人眼的视觉特性，而人的视觉特性是受大脑支配的，所以说颜色也是一种心理反映。色彩感觉不仅与物体本来的颜色特性有关，还受时间、空间、外表状态以及该物体周围环境的影响，同时还受各人经历、记忆力、看法和视觉灵敏度等各种因素的影响。

8.1.1 颜色的基础

色彩是多种颜色按照一定的法则混合产生的，混合方法有原色混合和应用色光混合。

色彩的三原色，是指有三种颜色，其中的任意一色都不能由另外两种原色混合产生，而其他色均可由这三种颜色按照一定比例混合出来，色彩学上将这三个独立的色称为三原色，分别为红、黄、蓝，如图8-1~8-3所示。

图 8-1 红

图 8-2 黄

图 8-3 蓝

色彩混合又分为加法混合和减法混合，色彩还可以在进入视觉后才发生混合，称为中性混合。

加法混合是指色光的混合，将两种以上的色光混合在一起，亮度会提高，混合色的光的总亮度等于相混各色光亮度之和。人眼是根据所见光的波长来识别颜色的，可见光谱中的大部分颜色都可以由三种基本色光按不同的比例混合而成。色光混合中，三原色分别为红（Red）、绿（Green）、蓝（Blue），如图8-4所示。这三种光不能用其它色光相混产生。如果只通过两种色光混合就能产生白色光，那么这两种光就互为补色，如图8-5所示为三原色混合后的颜色。

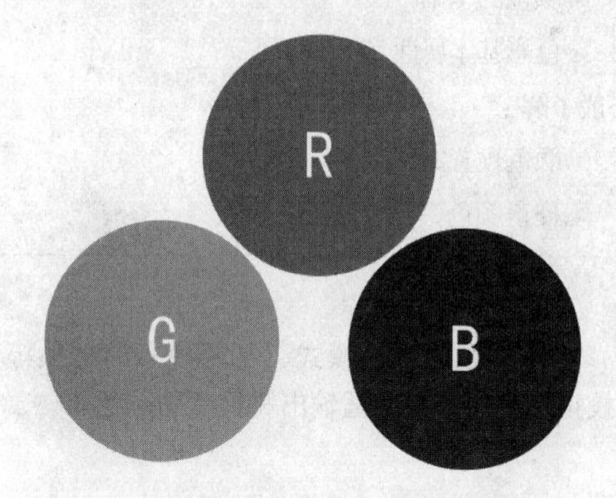

图 8-4　光的三原色

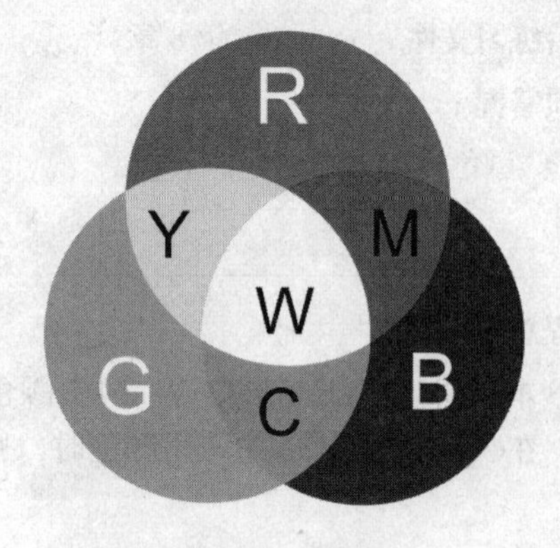

图 8-5　混合后的颜色

减法混合主要是指颜料的混合。如白色光线透过有色滤光片后，一部分光线被反射，一部分光线被吸收，所以减少掉一部分辐射功率，最后透过的光是两次减光的结果，这样的色彩混合称为减法混合。一般说来，透明性强的染料，混合后具有明显的减光作用。

减法混合中的三原色是加法混合中三原色的补色，在该原理中三原色颜料分别是青（Cyan）、品红（Magenta）和黄（Yellow）。如果两种颜色混合能产生灰色或黑色，这两种色就是互补色，三原色相互混合后的图形效果如图8-6所示。在减法混合中，混合的色越多，明度越低，纯度也会下降。两种颜色相混产生的颜色为中间色，如红色和蓝色相混产生中间色紫色，如图8-7所示。

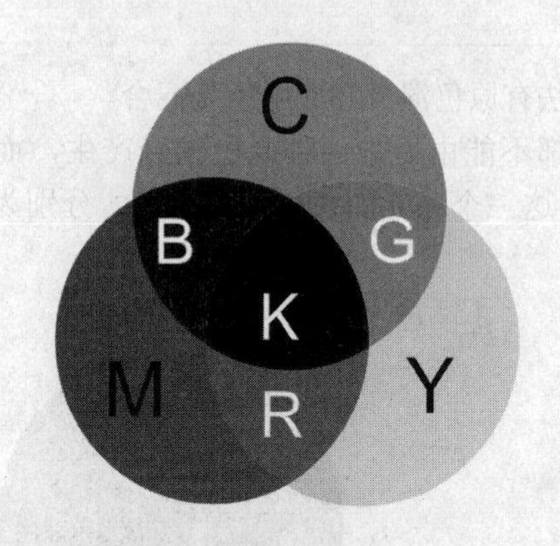

图 8-6　减法混合三原色

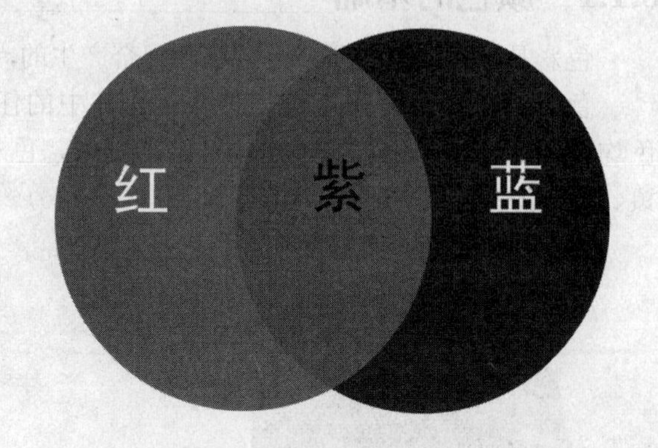

图 8-7　将两种颜色混合

中性混合是基于人的视觉生理特征产生的视觉色彩混合，因为色光或发光材料本身不变化，混色效果的亮度既不增加也不减低，所以称为中性混合。

视觉混合方式有两种。

颜色旋转混合：把两种或多种色并置于一个圆盘上，通过动力使其快速旋转，将看到新的色彩。颜色旋转混合的效果在色相方面与加法混合的规律相似，但在明度上却是相混各色的平均值。

空间混合：将不同的颜色并置在一起，当它们在视网膜上的投影小到一定程度时，这些不同的颜色刺激就会同时作用到视网膜上非常邻近的部位的感光细胞，以致眼睛很难将它们独立地分辨出来，这样就会在视觉中产生色彩的混合，这种混合称空间混合。

8.1.2 色彩的基本属性

认识色彩、把握色彩，首先要了解色彩的基本属性。任何一种色彩都同时具有三种基本属性，即色彩的三要素：明度、色相和饱和度。

1. 明度

明度是指色彩的明暗程度。在无彩色中，明度最高的颜色为白色，明度最低的颜色为黑色。而黑白之间不同程度的灰，都具有明暗强度的表现，如图8-8所示的黑白灰三色，若按一定的间隔划分，就构成明暗尺度。混合颜色中添加的灰色越多，图形的明度越低，明度的变化如图8-9所示。

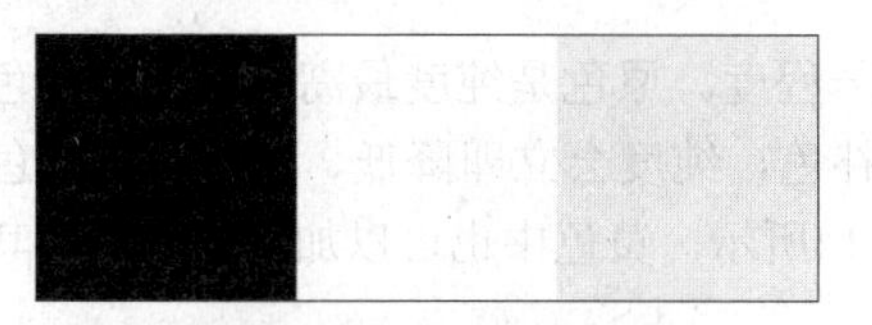

图 8-8 黑白灰三色

图 8-9 明度的变化

有彩色自身具有明度值，也可靠增加或减少灰、白调来调节明暗。在有彩色中，任何一种纯度色都有自己的明度特征。例如，黄色为明度最高的色，处于光谱的中心位置，紫色是明度最低的色，处于光谱的边缘，如图8-10所示。一个彩色物体表面的光反射率越大，对视觉刺激的程度越大，看上去就越亮，这一颜色的明度就越高。

色彩的明度变化有许多种情况，一是不同色相之间的明度变化。如：白比黄亮、黄比橙亮、橙比红亮、红比紫亮、紫比黑亮，从如图8-11所示的光谱图形中可以看出，在中间位置颜色的明度较高，如蓝色、黄色；二是在某种颜色中加白色，亮度就会逐渐提高，加黑色亮度就会变暗，但同时它们的纯度（颜色的饱和度）就会降低；三是相同的颜色，因光线照射的强弱也会产生不同的明暗变化。

图 8-10 光谱图形

图 8-11 色彩之间的明度对比

2. 色相

色相综合了明度和饱和度的概念，通常表示颜色的明暗、强弱以及浓淡等现象，自然界中色彩的种类很多，基本色相为红、橙、黄、绿、蓝、紫，如图8-12所示。在各色中间加插一两个中间色，按光谱顺序为红、橙红、黄橙、黄、黄绿、绿、绿蓝、蓝绿、蓝、蓝紫，紫，红紫，可制出十二基本色相，如图8-13所示，这十二色相的彩调变化，在光谱色感上是均匀的。如果进一步再找出其中间色，便可以得到二十四个色相。

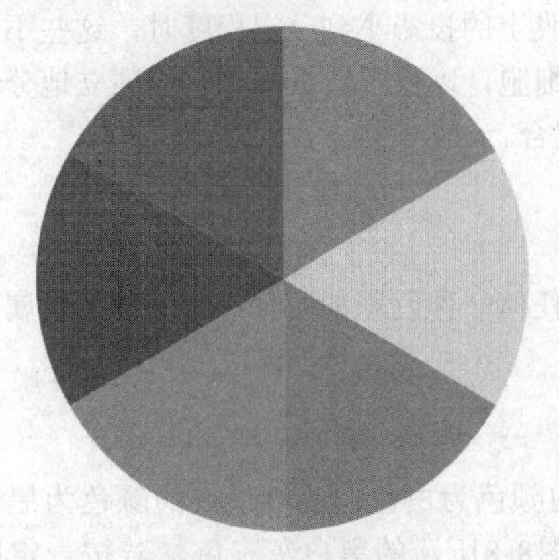

图 8-12　基本色相

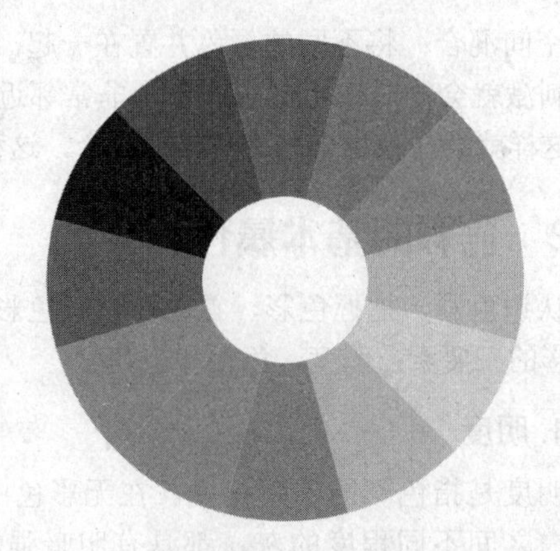

图 8-13　十二色环

3. 饱和度

饱和度是指色彩的鲜艳程度，它取决于颜色的波长单一程度。原色是纯度最高的色彩，颜色混合的次数越多，纯度越低，反之，纯度越高。原色中混入补色，纯度会立即降低、变灰，以红色为例，在其中加入绿色，红色色彩的饱和度越来越低，如图8-14所示，黄色中也可以加入绿色后，其颜色饱和度也会随之降低，如图8-15所示。

图 8-14　红颜色饱和度的变化

图 8-15　黄颜色饱和度的变化

8.2　颜色的模式和模型

颜色模式是针对位图图像的概念，矢量图形不能直接进行模式转换，要将其转换为位图后才能进行模式之间的转换，CorelDRAW X4中常见的模式有黑白模式、灰度模式、双色模式、RGB模式、Lab模式、CMYK模式，如图8-16所示，当前灰色显示的模式即为所选择图像的颜色模式。

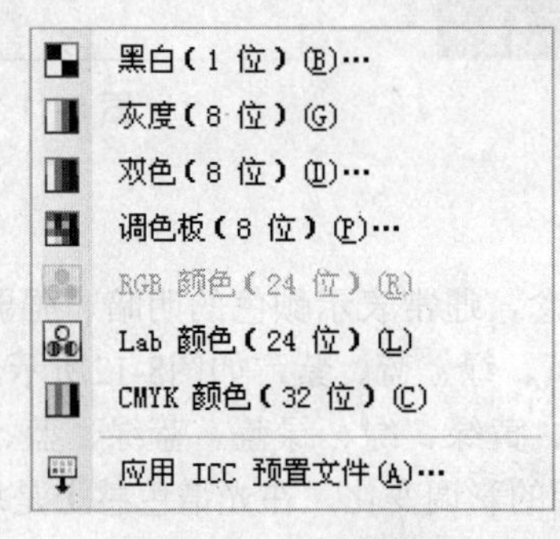

图 8-16　常见的模式

8.2.1 CMYK颜色模式

当阳光照射到物体上时，这个物体将吸收一部分光线，并将剩下的光线反射，反射的光线就是人眼看见的物体颜色，这是一种减色色彩模式，同时也是与RGB模式的根本不同之处。在纸上印刷时应用的也是这种减色模式。按照这种减色模式，衍变出了适合印刷的CMYK色彩模式，它是最佳的打印模式。CMYK代表印刷上用的四种颜色，C代表青色，M代表品红，Y代表黄色，K代表黑色。在实际应用中，青色、品红和黄色很难叠加形成真正的黑色，最多不过是褐色，因此才引入了K即黑色，黑色的作用是强化暗调，加深暗部色彩，系统默认的图像模式为RGB模式，可以将导入窗口中的图形模式转换，导入的图形如图8-17所示，将该图像转换为CMYK模式后的效果如图8-18所示。

图 8-17 原图像

图 8-18 转换为 CMYK 模式后的图像

在CorelDRAW X4中对绘制的图形填充CMYK颜色，需要打开“均匀填充”对话框，在模型下拉列表框中选择CMYK即可，如图8-19所示。

图 8-19 均匀填充对话框

8.2.2 RGB颜色模式

RGB颜色模式通过对红（R）、绿（G）、蓝（B）三个颜色通道的变化以及它们相互之间的叠加得到各式各样的颜色。RGB即是代表红、绿、蓝三个通道，这个标准几乎包括了人类视力所能感知的所有颜色，是目前运用最广的颜色系统之一。RGB色彩模式使用RGB模型为图像中每一个像素的RGB分量分配一个0~255范围内的强度值。RGB颜色模式是CorelDRAW X4中位图的默认模式，将原始文件夹中的素材导入到图像窗口中，如图8-20所示，打开“对象属性”泊坞窗可以看到所导入图像的颜色模式，图中显示为24位色RGB，如图8-21所示。

图 8-20 打开素材图形

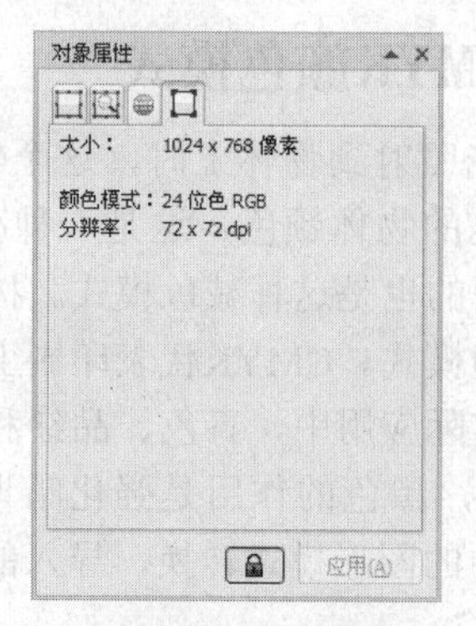

图 8-21 查看属性

8.2.3 黑白模式

黑白模式图像只显示黑色和白色，并以圆点和线条等组成效果。将彩色图形导入到图像窗口中，通过执行“位图>位图>黑白（1位）”命令，打开如图8-22所示的“转换为1位”对话框。在对话框中选择要调整的黑白模式效果，“转换方法”用于设置转换的样式，包括半色调、线条图、顺序等选项，“选项”区用于设置相关控制的参数，选择不同的选项会出现不同的控制参数，根据实际的图像进行设置即可。

图 8-22 “转换为 1 位”对话框

将要编辑的图像导入到图像窗口中，如图8-23所示，在“转换为1位”对话框中将“转换方法”设置为线条图，编辑后的图像效果如图8-24所示，如果在对话框中将“转换方法”设置为半色调，调整后的图像效果如图8-25所示。

图 8-23 原图像

图 8-24 线条图形

图 8-25 半色调图形

8.2.4 灰度颜色模式

在计算机领域中，灰度图像的每个像素只有一个采样颜色。灰度图像与黑白图像不同，在计算机图像领域中，黑白图像只有黑色与白色两种颜色，而灰度图像在黑色与白色之间还有许多级的颜色深度。但是，在数字图像领域之外，“黑白图像”也表示“灰度图像”，例如灰度的照片通常叫做“黑白照片”。灰度颜色模式使用亮度（L）来定义颜色，范围为0~255，每种灰色都有相对应的RGB值，L值不同，RGB值也会相应改变，如图8-26所示选择了较深的灰色，如图8-27所示选择了较浅的灰色。用于显示的灰度图像通常用每个采样像素8位的非线性尺度来保存，这样可以有256级灰度。

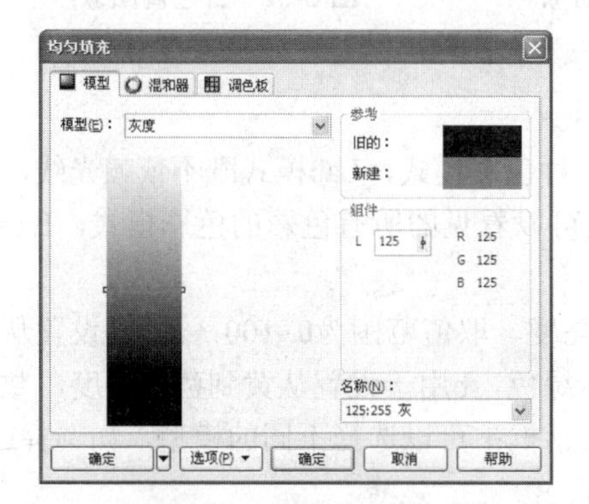

图 8-26 选择较深的灰色

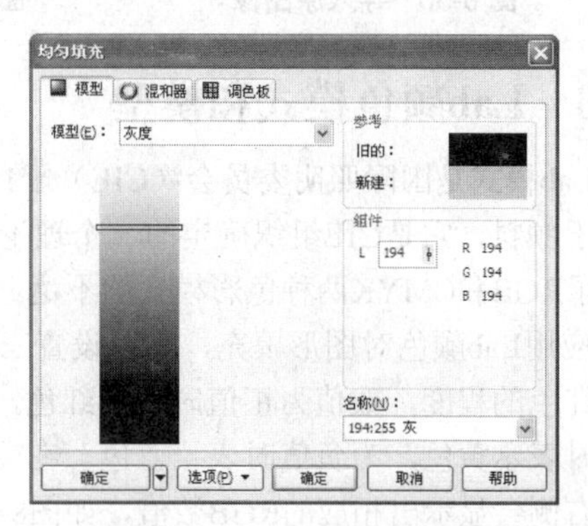

图 8-27 选择较浅的灰色

8.2.5 双色调模式

双色调模式将图像设置为多种颜色混合而成的新色调图像，除了双色调，也可以设置为三色调以及四色调，只需要在“双色调”对话框中选择相应的类型即可，执行“位图>模式>双色”命令，即可打开“双色调”对话框，如图8-28所示，在对话框中可以预览图像，并通过右侧的曲线设置来调整两种颜色之间的比例。如果对默认的颜色效果不满意，可以通过“选择颜色”对话框重新选择要合成的颜色，如图8-29所示。

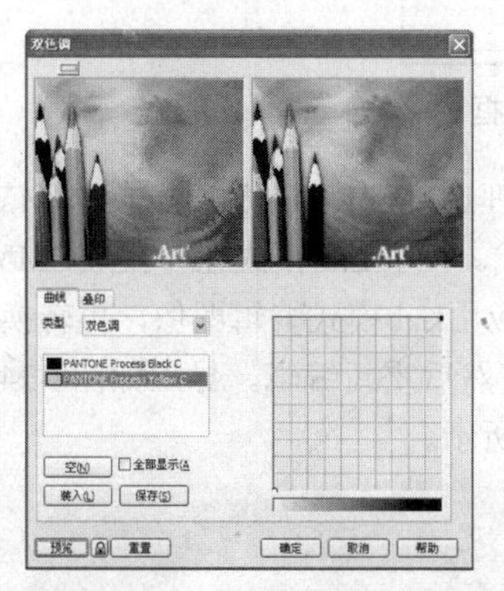

图 8-28 “双色调”对话框

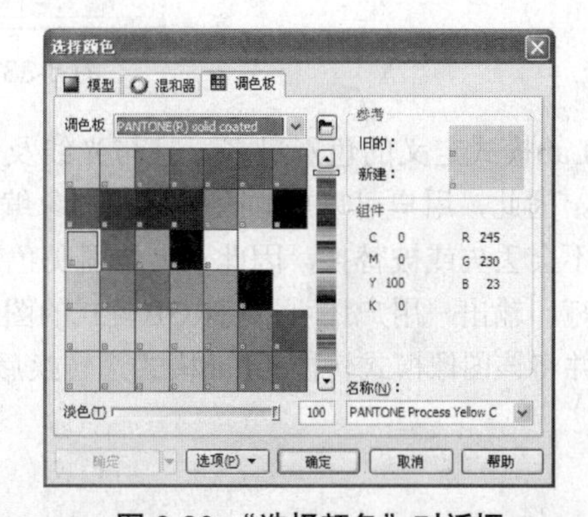

图 8-29 “选择颜色”对话框

在“双色调”对话框中可以对所选择的色调及相关颜色进行设置，在“类型”下拉列表框中可以选择要设置图像的多种色调。将“sample\第8章\原始文件\10.JPG”的图形导入，如图8-30所示，然后打开“双色调”对话框，在对话框中将“类型”设置为“双色调”，将混合的两种颜色分别设置为黑色和橘红色，设置后的双色调图像效果如图8-31所示。如果在“双色调”对话框中将“类型”设置为“三色调”，则可以选择三种颜色混合，产生的明暗效果更明显，如图8-32所示为应用黑、蓝和黄三种颜色混合后的效果。

图 8-30　导入原图像

图 8-31　双色调图像

图 8-32　三色调图像

8.2.6　Lab颜色模式和模型

Lab模式是国际照明委员会（CIE）于1976年公布的一种色彩模式，Lab模式既不依赖光线，也不依赖于颜料，它是CIE组织确定的一个理论上包括了人眼可以看见的所有色彩的色彩模式，Lab模式弥补了RGB和CMYK两种色彩模式的不足。

应用Lab颜色对图形填充，需要设置三个数值，L为亮度，取值范围为0~100，a用于设置从绿色变为红色的程度，数值为正值时表示红色，为负值时表示绿色，b用于设置从黄到蓝的程度，数值为正值时表示黄色，为负值时表示蓝色。在“均匀填充”对话框中可以选择不同的模型，如选择Lab颜色时右侧会显示出相应的RGB数值，如图8-33所示。

图 8-33　“均匀填充”对话框

Lab模式定义的色彩最多，且与光线及设备无关，其处理速度与RGB模式同样比CMYK模式快很多。因此，用户可以放心大胆地在图象编辑中使用Lab模式。而且Lab模式在转换成CMYK模式时色彩不会丢失或被替换，因此，最佳避免色彩损失的方法是应用Lab模式编辑图像，再转换为CMYK模式打印输出。用户还可以将RGB模式的图像转换为Lab模式然后重新编辑。导入如图8-34所示的图像，并将该图像模式转换为Lab模式，转换后的效果如图8-35所示。

图 8-34　RGB 模式图像

图 8-35　Lab 模式图像

8.3 管理用于屏幕显示、输入和输出的颜色

颜色预置文件可以设置显示与打印的颜色，在CorelDRAW X4中绘制的颜色和打印输出的颜色会产生一定的差异，但是通过设置可以校正颜色，使颜色准确地被打印出来。

8.3.1 颜色预置文件用途

颜色预置文件可以获取各种设备最精确的颜色，为图像输出或显示提供更有效地管理颜色系统。

1. 颜色预置的设备

在“颜色管理”对话框中根据颜色的不同用途，设置不同的颜色预置文件，标准的颜色预置文件可以为以下设备预置颜色。

- 内部RGB颜色
- 监视器
- 复合打印机
- 扫描仪/数码相机
- 分色打印机

2. 获取预置文件的方法

获取预置文件通常有两种方法，选择要设置预置文件的设备，单击相关名称右侧的三角形按钮，在弹出的下拉列表中选择“下载预置文件”命令，打开“颜色管理”对话框，如图8-36所示。在该对话框中选择要从互联网上下载的预置文件的名称，只需勾选相应名称前的复选框即可，设置完成后单击“下载”按钮，即开始下载。除此之外还可以在前面打开的下拉列表中选择“从磁盘获取预置文件”命令，打开如图8-37所示的“浏览文件夹”对话框，选择预置文件所在的路径即可。

图 8-36 “颜色管理”对话框

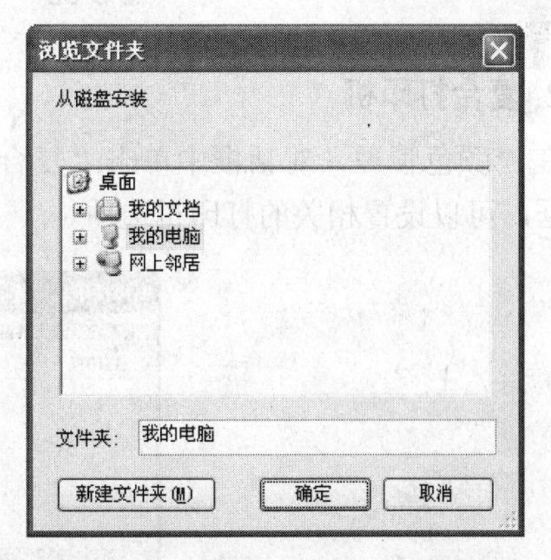

图 8-37 “浏览文件夹”对话框

8.3.2 颜色管理对话框

“颜色管理”对话框可以设置各种设备之间的颜色，有效地管理颜色。执行“工具>颜色管理”命令即可打开如图8-38所示的“颜色管理”对话框，在该对话框中用户可以对各种设备之间的颜色显示进行转换和校正。

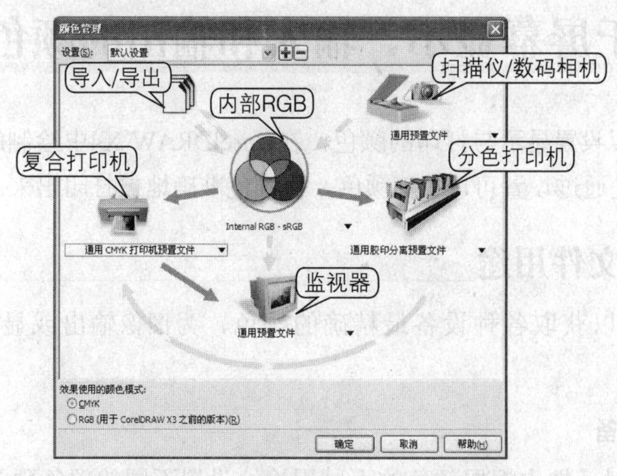

图 8-38 “颜色管理”对话框

1. 嵌入颜色预置文件

在打开的“颜色管理”对话框中，单击“导入/导出”图标，即可弹出如图8-39所示的“高级导入/导出设置”对话框，在该对话框中可以设置嵌入的ICC预置文件，也可以忽略嵌入的ICC预置文件。

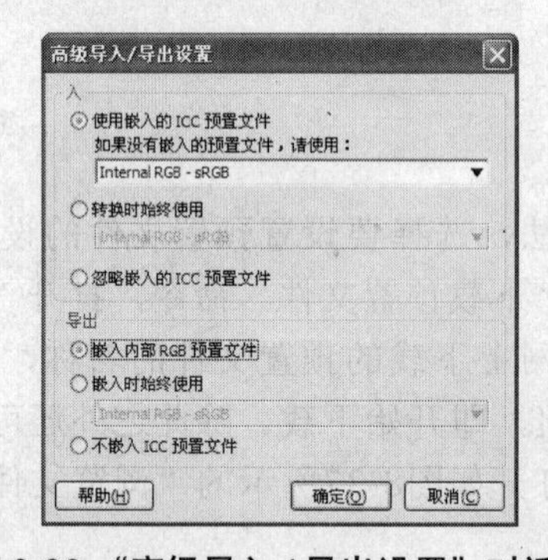

图 8-39 “高级导入 / 导出设置”对话框

2. 复合打印机

在“颜色管理”对话框中单击“复合打印机”图标，打开如图8-40所示的“高级打印机设置”对话框，可以设置相关的打印机选项。

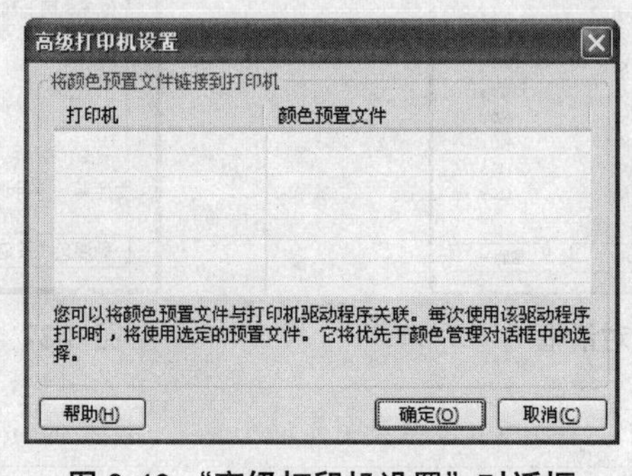

图 8-40 “高级打印机设置”对话框

3. 内部 RGB

内部RGB用于转换图像的中央颜色空间，通过单击图标弹出如图8-41所示的“高级设置”对话框，在对话框中可以使用嵌入的ICC配置文件，对颜色匹配类型设置，其中的选项有“饱和度”、

“感性”、“绝对比色”、“相对比色”等，默认选项为“自动”，矢量图形使用“饱和度”，而位图使用“感性”。

图 8-41 “高级设置”对话框

4. 监视器

监视器用于设置显示色彩与打印机的颜色，单击“监视器”图标，打开“高级显示设置”对话框，如图8-42所示。在对话框中勾选“突出显示打印机色谱外的显示颜色”复选框，还可以勾选“显示CMYK百分比”复选框，但这两个选项只能选择其中一种。打开警告色选择器并选择一种颜色，可以更改色谱警报的警告颜色。

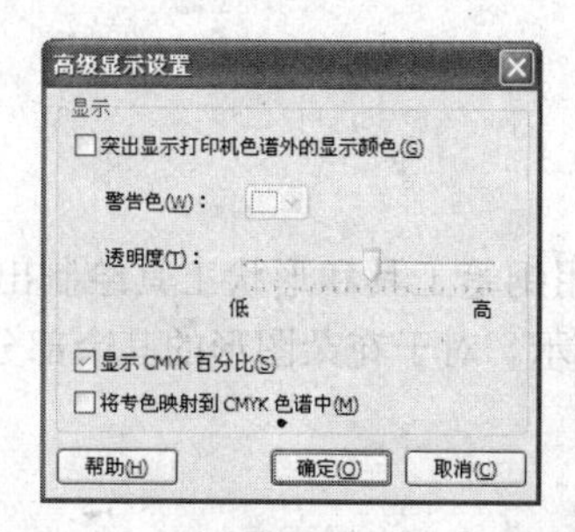

图 8-42 “高级显示设置”对话框

8.3.3 校正颜色

校正颜色通常针对屏幕显示的颜色，一般根据内部RGB和监视器颜色的预置文件来设置颜色。校正输出的颜色时，使用内部RGB颜色预置文件、监视器颜色预置文件和打印机颜色预置文件模拟输出，其中模拟打印机颜色会导致屏幕颜色变暗。

校正显示的颜色时，可以根据具体需要执行不同的操作，如表8-1所示。

表 8-1 校正颜色的具体操作

校正屏幕显示颜色，可以单击从“内部 RGB 图标”指向“监视器”图标的“监视器补偿”箭头，如图 8-43 所示。	Internal RGB - sRGB 图 8-43 单击中间箭头
在屏幕上模拟复合打印机的输出颜色，可以单击从“复合打印机”图标指向“监视器”图标的箭头，如图 8-44 所示。	图 8-44 单击右倾斜箭头
在屏幕上模拟分色打印机的输出，可以单击从“分色打印机”图标指向“监视器”图标的箭头，如图 8-45 所示。	图 8-45 单击灰色箭头
模拟复合打印机输出的颜色可以单击从“内部 RGB”图标指向“复合打印机”图标的箭头，如图 8-46 所示。	图 8-46 单击左倾斜箭头

8.4 综合实例——冰淇淋包装设计

食品包装采用暖色调色彩，可以增强消费者的购买欲。冰淇淋包装通过弯曲图形与文字结合起到宣传产品的作用，绘制中，一般是先绘制出包装的外形，然后逐步为包装上添加花纹、图案及文字，制作成完整的包装图形效果，具体操作步骤如下。

Step 01 在CorelDRAW X4中新建一个图形文件，使用钢笔工具、形状工具和椭圆形工具绘制出包装的外形，如图8-47所示。划分包装边缘的细节图形区域，并绘制出来，效果如图8-48所示。

图 8-47 绘制包装外形

图 8-48 绘制细节图形

Step 02 下面绘制花朵图形。应用钢笔工具和形状工具绘制出花瓣形状，然后复制并旋转到合适位置，填充后的图形效果如图8-49所示。对于花朵图形的其余部分也采用同样的方法绘制，并填充上不同的颜色，效果如图8-50所示。

图 8-49 绘制花瓣图形

图 8-50 绘制完成的花朵图形

Step 03 应用矩形工具在图中绘制一个矩形，使用交互式填充工具将矩形填充为射线渐变，然后选取上一步绘制完成的花朵图形，将其复制后调整至合适大小，并放置到合适位置，对于不同部分的花朵可以将中心与边缘的颜色互换，效果如图8-51所示。再为图形中间添加上装饰图形，并分别填充颜色，效果如图8-52所示。

图 8-51 复制调整花朵

图 8-52 绘制细节图形

Step 04 选择矩形工具，沿上一步绘制的矩形边缘绘制出新矩形，应用修剪图形的方法，将多余的花瓣图形修剪掉，并删除绘制的新矩形，效果如图8-53所示。然后利用挑选工具选择绘制的花朵和填充的矩形，按Ctrl+G进行群组，再执行“效果>图框精确剪裁>放置在容器中”命令，将花纹图形放置到包装图形中，如图8-54所示。

图 8-53 修剪多余图形

图 8-54 调整花纹图形

Step 05 下面为包装添加装饰，结合钢笔工具和形状工具绘制出如图8-55所示的外形，将其作为商标的底色图案，然后继续在上面绘制图形，绘制后的效果如图8-56所示。

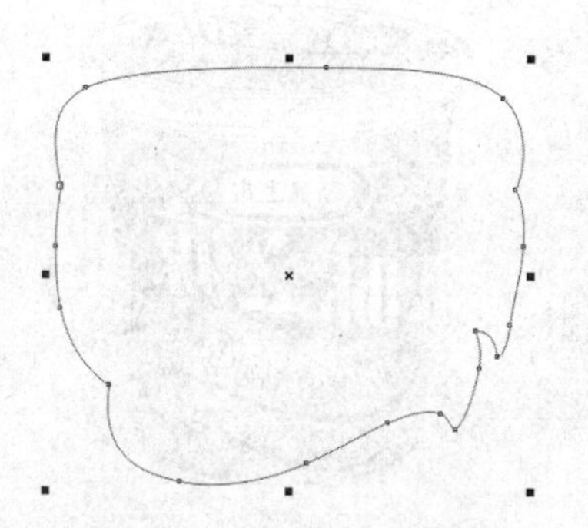

图 8-55 绘制商标底色图案

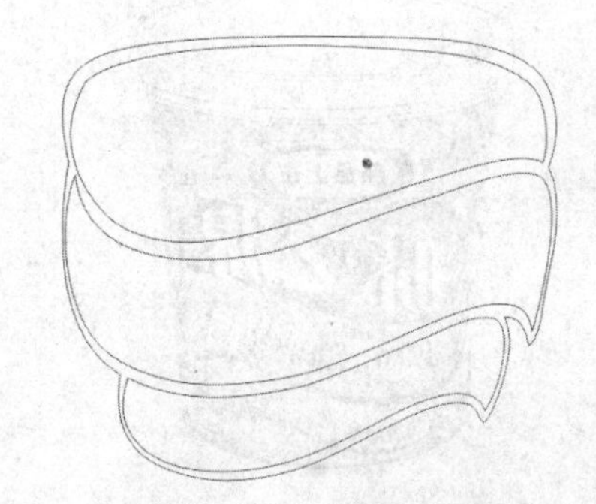

图 8-56 绘制细节区域

Step 06 将绘制的图形分别填充上不同的颜色，拖动到包装图形上，并缩放到合适大小，调整后的图形如图8-57所示。然后应用钢笔工具在商标中间区域沿着图形边缘绘制一条弯曲的线条，使用文本工具沿绘制的曲线输入文字，并调整到合适大小，删除绘制的弯曲图形，选择输入的文字，执行“排列>打散”命令，将文字打散，应用形状工具分别选择打散的文字并适当调整位置和角度，效果如图8-58所示。

图 8-57 绘制底部颜色

图 8-58 添加弯曲的文字

Step 07 将上一步编辑的文字复制，并将其填充为较深的颜色，放置到白色文字下方，效果如图8-59所示，制作成阴影效果。继续为商标添加文字，应用上一步讲的沿绘制路径输入文字的方法，在图形中输入冰淇淋的名称，并调整到合适大小，再添加底部深色文字效果，如图8-60所示。

图 8-59 添加文字阴影效果

图 8-60 添加名称

Step 08 下面添加标签图形。结合钢笔工具和形状工具绘制出标签底部图形，并应用文本工具输入文字，其余部分的文字按照前面所示的方法添加，效果如图8-61所示。绘制包装顶部图形与正面图形的操作方法相同，将绘制的商标等图形按照一定比例缩放后放置到顶部，效果如图8-62所示。

图 8-61 添加标签图形

图 8-62 绘制顶部图案

Step 09 下面编辑包装底部的盖子图形。分别选取各图形，使用交互式填充工具将其填充上颜色，效果如图8-63所示。接下来绘制较矮的包装图形，同样应用钢笔工具、形状工具以及椭圆形工具绘制，完成的包装外形如图8-64所示。

图 8-63 填充边缘区域

图 8-64 绘制另外图形轮廓

Step 10 下面编辑包装外形中的效果。首先绘制正面图形，同前面所讲方法相同，先绘制底色，然后添加商标等图形，效果如图8-65所示。对于顶部图形的绘制也和前面所讲述的方法相同，边缘图形也要绘制上合适的颜色，效果如图8-66所示。

图 8-65　添加图案

图 8-66　绘制顶部区域

Step 11　下面绘制背景图形。双击工具箱中的“矩形工具”按钮□，新建一个和页面相同大小的矩形，应用交互式填充工具对图形填充，效果如图8-67所示。选择前面绘制的包装中的花纹图形并复制，然后提取容器中的图形，将其底部的矩形删除，只留下花纹图形，再放置到页面中合适位置，如图8-68所示。

图 8-67　填充背景色

图 8-68　添加花纹

Step 12　在花纹图形的边缘绘制矩形，并以矩形为基准，应用修剪图形的方法将多余的花纹图形修剪掉，效果如图8-69所示。选择所有编辑后的花纹图形，单击右侧调色板中的白色色板，将花纹填充为白色，填充后的图形效果如图8-70所示。

图 8-69　修剪多余图形

图 8-70　填充花纹图形

Step 13　调整图形透明度，应用交互式透明度工具编辑花纹图形，在属性栏中将透明模式设置为“标准”，将透明度设置为50，设置后的效果如图8-71所示。下面为图形添加阴影，选择椭圆形工具在图中绘制出阴影区域，并填充上深色，执行“位图>转换为位图”命令，将绘制的图形转换为位图，便于后面进行编辑，如图8-72所示。

图 8-71 设置图形透明度

图 8-72 绘制椭圆图形

Step 14 应用滤镜编辑图形，选择上一步转换后的位图，执行“位图>模糊>高斯式模糊”命令，弹出“高斯式模糊”对话框，如图8-73所示。在该对话框中将“半径”设置为50像素，设置完成后单击“确定”按钮，即可将阴影图形变柔和，效果如图8-74所示。

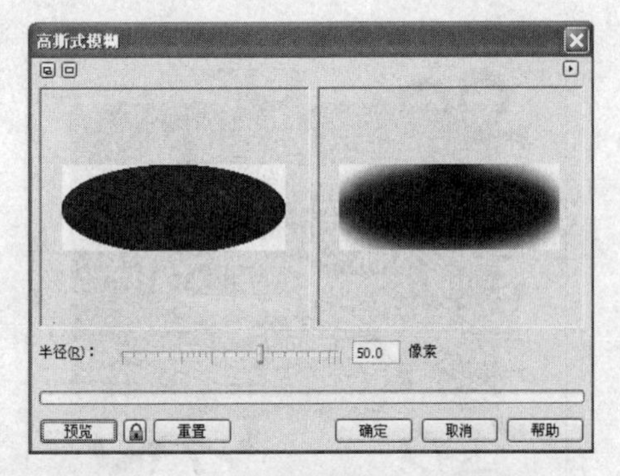

图 8-73 “高斯式模糊”对话框

图 8-74 模糊后的效果

Step 15 添加另外的阴影，继续应用椭圆形工具在图中为另外的包装图形添加阴影，同上所述，应用模糊滤镜对图形编辑，完成后的效果如图8-75所示，然后使用交互式透明度工具将阴影颜色减淡，完成后的图形效果如图8-76所示。

图 8-75 绘制其他阴影

图 8-76 完成后的图形

8.5 本章小结

本章分别讲述了颜色的分类，颜色的相关属性等基础知识，使读者了解颜色模式及其应用，通过对实例图形中各种颜色的填充，以及位图图像模式之间的转换，可以得到不同的图像效果。掌握

CorelDRAW X4的颜色系统有助于在制作图形的过程中减少偏差，并且还可以应用预置文件对显示和输出的颜色进行校正。

8.6 专业解析

1. 如何把 CorelDRAW 中 RGB 色彩模式的图像一次转成 CMYK 模式？

答：全选图形，一次性转换成CMYK模式的点阵图，输出四色独立的PS文件。CorelDRAW X3及以上版本包含一次性转CMYK插件宏，利用替换与取代来实现RGB色彩到CMYK色彩的转变，但填充与轮廓色不能一次性转换，需要转两次，如果有RGB位图，还要再转一次。

2. 如何使用 CorelDRAW 的“取代色彩”功能？

答：CorelDRAW里的取代色彩相当于Photoshop里的替换色彩，前提是需要导入位图或把矢量图转抱成位图（点阵图），再对位图的色彩范围进行替换。

3. CorelDRAW 的色板突然变亮成萤光色，怎么办？

答：由于系统不稳定或打印的文件过于复杂，CorelDRAW的颜色管理有可能出现问题，一般由原来的CMYK系统变为RGB系统，所以颜色看上去很刺眼。在菜单栏“工具”下找到“颜色校准”选项，单击它对色板恢复。

8.7 思考与练习

1. 填空题

（1）色彩的三属性分别为__________、__________和__________。

（2）CMYK模式中的C、M、Y、K分别表示__________、__________、__________、__________。

（3）在CorelDRAW中，置入__________色彩模式的图片是不可输出的。

2. 选择题

（1）在CMYK颜色模式中K所代表的颜色是（ ）。

A. 品红　B. 蓝色　C. 青色　D. 黑色

（2）互动式渐变工具创建两个对象之间的过渡，包括（ ）。

A. 颜色　B. 形状　C. 轮廓　D. 位置

（3）（ ）即是代表红、绿、蓝三个通道的颜色。

A. RGB　B. CMYK　C. Lab　D. HSB

3. 判断题

（1）无彩色就没有彩调。（ ）

（2）饱和度是指色彩的鲜艳程度，它取决于颜色的波长单一程度。（ ）

（3）色彩管理器是管理色彩显示方式的。（ ）

4. 问答题

（1）请简述双色调模式的概念，以及如何进行设置？

（2）减法混合的原理是什么？

（3）灰度颜色模式的概念是什么？

5. 上机题

（1）学习颜色的基础知识后，绘制出月饼包装的封面图形，并了解同个颜色色系的应用。首先绘制出底部的颜色，如图8-77所示，然后为图形中添加花朵图形，效果如图8-78所示。

图 8-77 绘制底部颜色

图 8-78 完成后的图形

（2）将RGB模式的图像转换为CMYK模式图形，打开的原图像如图8-79所示，转换为CMYK模式后的图像如图8-80所示。

图 8-79 RGB 模式图像

图 8-80 转换后的图像

（3）将照片通过双色调模式，制作出双色调效果，原图像如图8-81所示，制作完成后的图像效果如图8-82所示。

图 8-81 原照片效果

图 8-82 双色调图像

CorelDRAW X4 的高级效果应用

09

本课所需时间： 4 个小时

课程范例文件： sample\ 第 9 章 \

课后练习文件： exercise\ 第 9 章 \

必须掌握：

- 掌握高级效果的实际应用

深入理解：

- 交互式调和工具的操作
- 图框精确剪裁的使用方法
- 交互式立体化工具的应用

一般了解：

- 交互式轮廓图工具的应用

课程总览：

CorelDRAW X4 的效果主要通过交互式工具组来实现。用户通过应用交互式工具制作出调和效果、立体化效果等，文中涉及了很多与这些工具相关的实例，并通过实例绘制过程使读者了解每个工具的使用方法。

9.1 交互式调和工具的应用

交互式调和工具使两个分离的对象之间产生形状和颜色的平滑过渡。在调和过程中，对象的外形、排列次序、填充方式、结点位置和数目都会直接影响调和结果。交互式调和工具应用的对象为两个或两个以上。

9.1.1 卡通人物图形的绘制

绘制卡通图形，先绘制图形轮廓，然后复制所绘制的图形，并填充上颜色，应用交互式调和工具在两图形之间形成调和效果，在属性栏中将调和数值重新设置，并应用形状工具调整图形大小，具体操作步骤如下。

Step 01 首先绘制人物脸部图形。利用椭圆形工具在图中绘制如图9-1所示的图形，并用同法绘制人物头部的图形，如头发的形状，效果如图9-2所示。

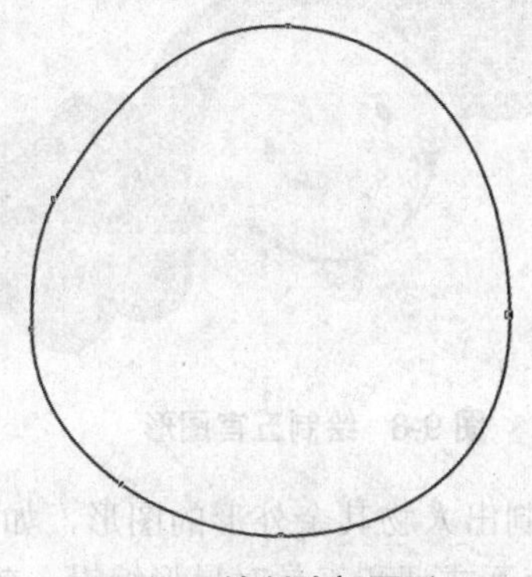

图 9-1 绘制脸部图形

图 9-2 绘制头发形状

Step 02 分别选择绘制的图形，复制后缩放到合适大小，如图9-3所示。再分别将填充的图形填充上颜色，如图9-4所示。

图 9-3 复制图形

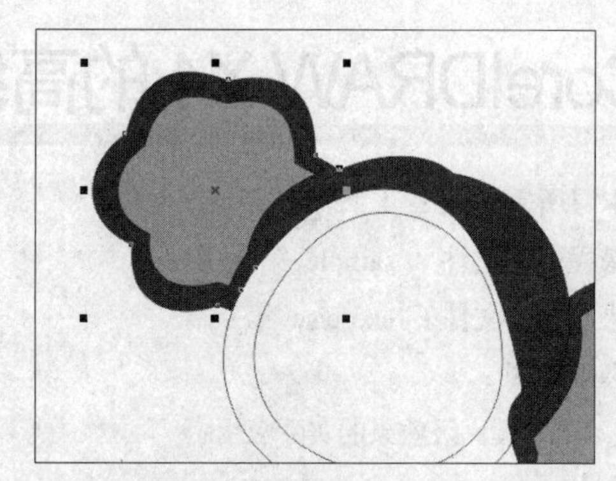

图 9-4 分别填充上颜色

Step 03 然后选择中间的图形，应用交互式调和工具，在图形中拖动光标，制作成调和后的图形，效果如图9-5所示。在属性栏中将偏移量设置为50，并打开“对象和颜色加速”选项，向左侧拖动滑块，如图9-6所示。

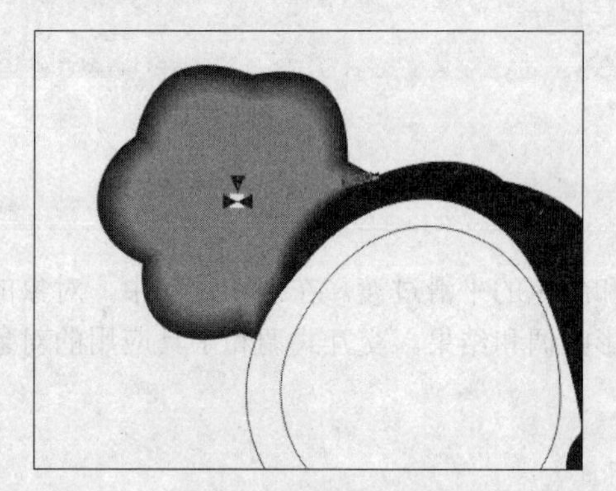

图 9-5 调和后的图像

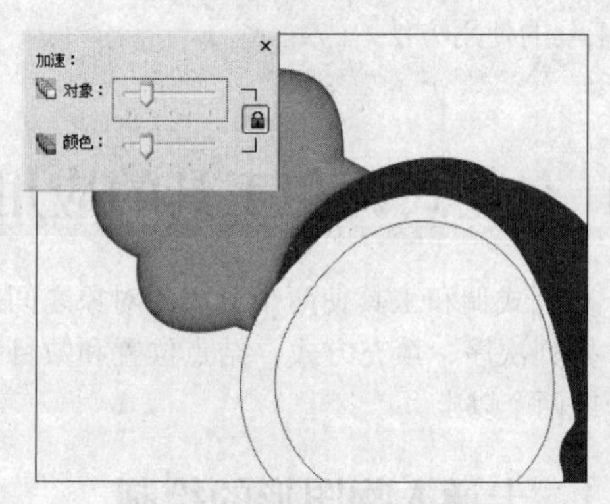

图 9-6 设置对象和颜色加速

Step 04 下面制作脸部图形，同样将脸部图形分别填充上颜色，应用交互式调和工具编辑，效果如图9-7所示。然后绘制五官，在脸部绘制五官的外形后填充上颜色，效果如图9-8所示。

图 9-7 制作脸部图形

图 9-8 绘制五官图形

Step 05 继续绘制人物图形，结合钢笔工具和形状工具绘制出人物其余外形的图形，如图9-9所示。然后编辑星形图形，先复制出一个星形的外形，再使用交互式调和工具对星形编辑，效果如图9-10所示。

图 9-9 绘制其余外形

图 9-10 填充星形

Step 06 下面编辑人物图形。将各部分填充上颜色后，复制一个新的图形，再应用交互式调和工具对图形编辑，效果如图9-11所示。然后绘制背景图形，应用矩形工具在图中绘制出背景矩形，并为人物添加上阴影，如图9-12所示。

图 9-11 绘制身体图形

图 9-12 绘制背景图形

Step 07 选择前面绘制完成的星形图形，复制出多个图形后放置到页面中其余位置上，并调整到合适大小，效果如图9-13所示。然后绘制背景中的圆形图形，绘制出两个圆形，并应用交互式调和工具编辑制作成调和图形，再复制调整图形，完成后的效果如图9-14所示。

图 9-13 复制星形图形

图 9-14 绘制完成的图形

9.1.2 商场促销吊牌效果

吊牌效果制作的主要特点是制作出的图形要表现出一目了然的特效，从图形上可以直观地看出表现的意思。此处制作的是一个商场活动的促销吊牌效果，吊牌的外形为椭圆，中间应用较大的文字来表现主题。制作中应用了交互式调和工具制作吊牌背景，从图中看出，图形之间的调和效果更能为内容作铺垫。文字的制作也应用了交互式调和工具，将文字制作成有厚度的立体感效果，具体操作步骤如下所示。

Step 01 首先单击工具箱中的“椭圆形工具”按钮，应用该工具在图中绘制出椭圆图形，如图

9-15所示，并填充CMYK值为（64，4，100，0）的颜色，再在中间位置绘制出另外一个椭圆图形，如图9-16所示。

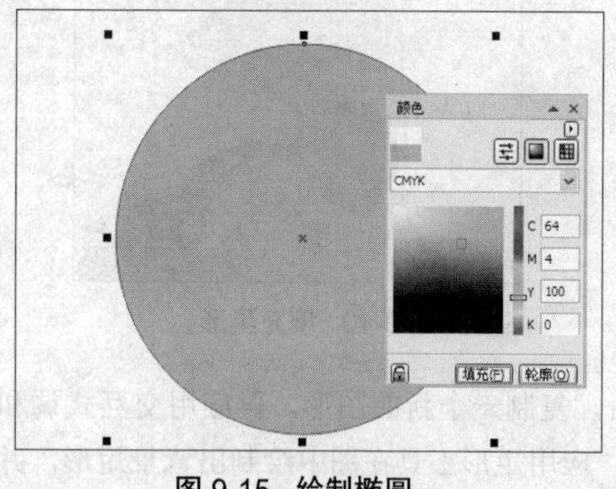

图 9-15　绘制椭圆

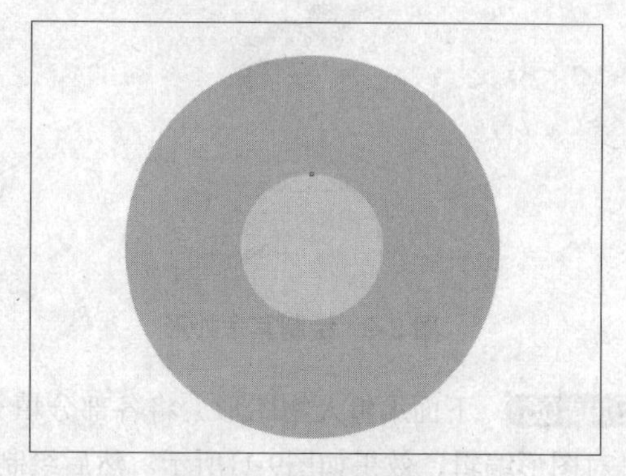
图 9-16　绘制新椭圆

Step 02　选择交互式调和工具，从中间的椭圆图形向底部的椭圆图形拖动光标，调整后的图形效果如图9-17所示。下面开始绘制吊牌上的图案，结合钢笔工具和形状工具绘制手指外形，如图9-18所示。

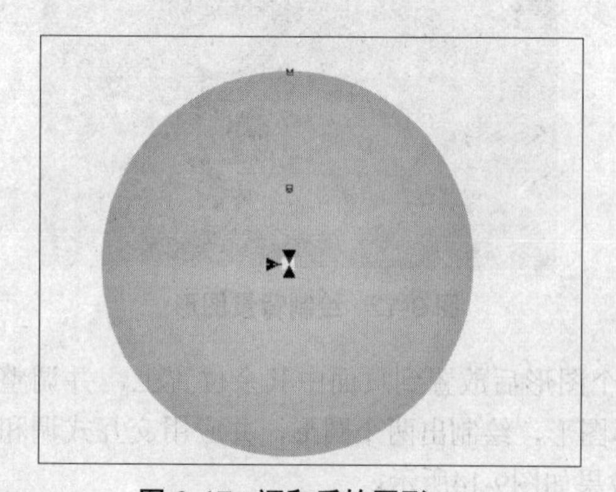
图 9-17　调和后的图形

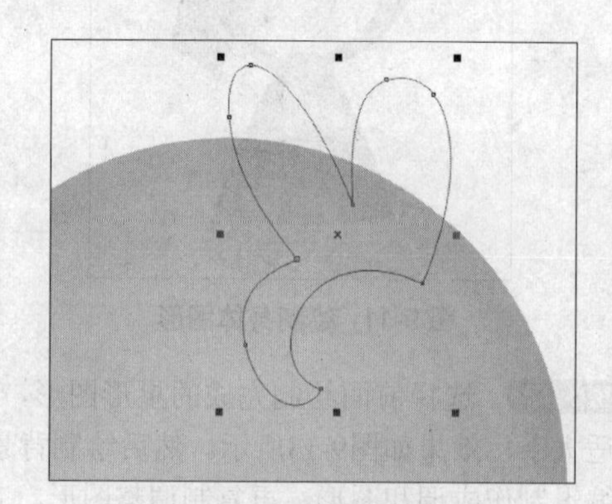
图 9-18　绘制手指外形

Step 03　将绘制的图形填充为红色，再使用交互式立体化工具在图中拖动制作出立体效果，设置立体颜色为黑色，效果如图9-19所示，然后绘制出其余的手指图形，并填充上颜色，效果如图9-20所示。

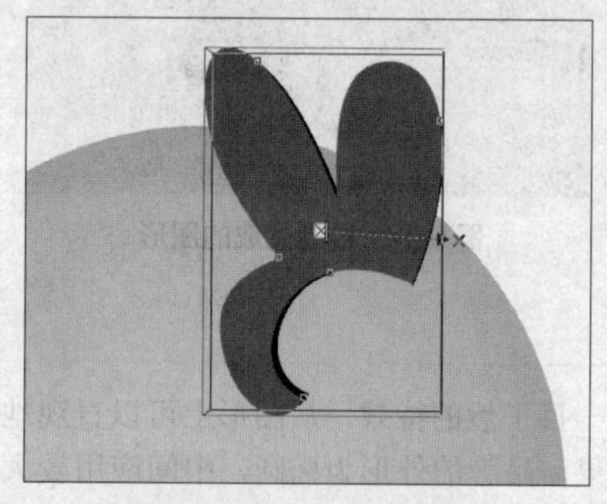
图 9-19　制作立体化效果

图 9-20　绘制其余图形

Step 04　分别选择其余的手指图形，应用交互式立体化工具编辑，调整后的效果如图9-21所示，然后使用钢笔工具在图形底部绘制上图形轮廓，并填充为白色，效果如图9-22所示。

图 9-21 添加另外立体效果

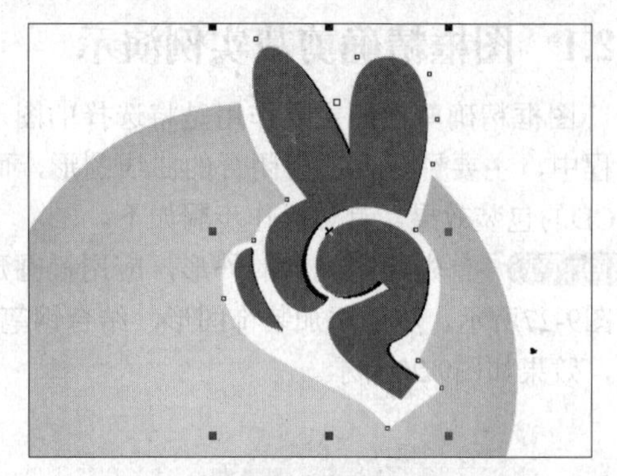

图 9-22 绘制底部图形并填充颜色

Step 05 然后利用文本工具在图中添加文字，并填充上红色，复制输入的文字，填充上深红色，如图9-23所示。再使用交互式立体化工具编辑文字，制作出立体效果，如图9-24所示。

图 9-23 输入文字并复制

图 9-24 制作立体文字效果

Step 06 在图中添加另外的文字，同上步所述方法相同，将输入的文字制作成调和后的效果，如图9-25所示。下面添加底部的颜色，应用钢笔工具绘制出所有图形的外轮廓，并填充上白色，效果如图9-26所示。

图 9-25 制作另外的文字

图 9-26 完成后的图形

9.2 高级效果单个实例的演练

不同的交互式工具适合制作不同类型的图形效果，用户可以根据相关特效将其应用到最合适的实例中，下面分别列举各效果的单个实例具体学习各高级工具的使用方法。

9.2.1 图框精确剪裁实例演示

图框精确剪裁的主要作用是将选择的图形通过图框精确剪裁的方法放置到目标容器中，在制作过程中，主要目标容器为闭合的曲线图形，而放置到容器中的图形可以为编辑图形，本实例制作的是CD的包装效果，具体操作步骤如下。

Step 01 首先绘制光盘的外形，应用椭圆形工具绘制出光盘各部分的轮廓，并分别填充上颜色，如图9-27所示。然后添加装饰图形，结合钢笔工具和形状工具绘制旋转图形，并分别填充渐变色和黑色，效果如图9-28所示。

图 9-27 绘制椭圆图形

图 9-28 绘制旋转图形

Step 02 同时选择上一步绘制的装饰图形，单击属性栏中的“群组”按钮，并执行“效果>图框精确剪裁”命令，弹出黑色箭头，此时单击前面绘制的盘面椭圆图形，如图9-29所示，执行该操作后可以将图形放置到椭圆图形中，如图9-30所示。

图 9-29 单击椭圆

图 9-30 放置到容器中

Step 03 下面绘制盒子图形。应用钢笔工具绘制盒子的外形后，使用交互式填充工具分别将各部分填充上渐变色，效果如图9-31所示。然后应用将图形放置到容器中的方法，将圆形图形放置到盒子中，如图9-32所示。

图 9-31 绘制盒子图形

图 9-32 放置到盒子中

Step 04 下面添加上文字。应用文本工具在图中输入所需的文字后，放置到盒子以及光盘盘面上，如图9-33所示。最后添加阴影图形，选择并复制绘制完成的盒子图形后再翻转，应用交互式透明度工具对图形编辑，完成后的效果如图9-34所示。

图 9-33 添加文字

图 9-34 添加倒影图形

9.2.2 交互式轮廓图工具的实例演示

交互式轮廓图工具可以使选定对象的轮廓分别向外、向中心或向内增加一系列的同心线圈，产生一种放射层次效果，该工具不仅可以为绘制的图形增加多个轮廓，也可以为文字图形添加轮廓，该实例应用交互式轮廓图工具制作出彩虹图像，具体操作步骤如下。

Step 01 首先绘制图形的轮廓。应用椭圆形工具在图中拖动，绘制一个椭圆图形，如图9-35所示。然后复制绘制的椭圆图形，调整大小后制作成同心圆，效果如图9-36所示。

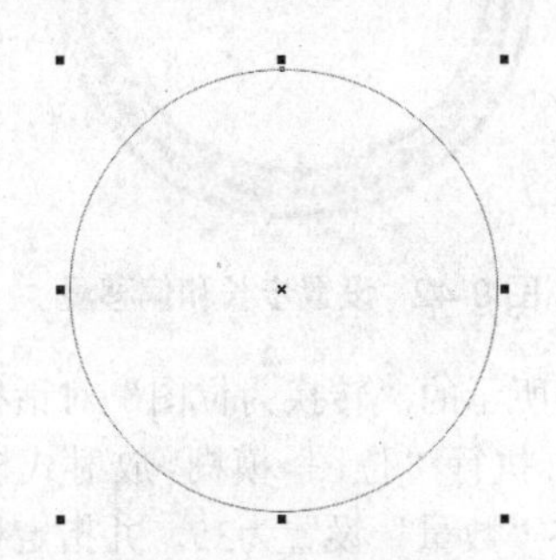

图 9-35 绘制椭圆图形

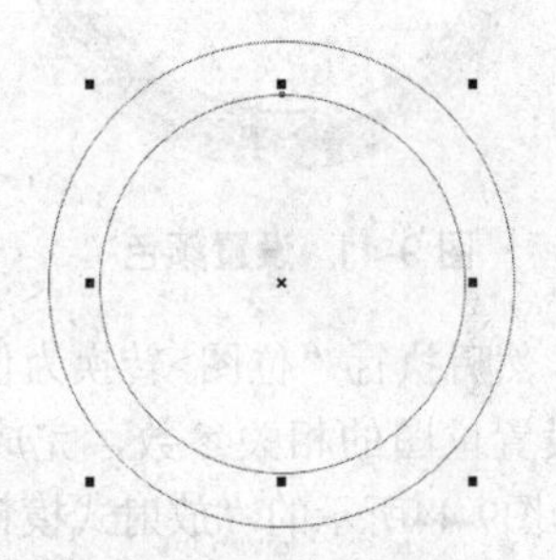

图 9-36 制作同心圆

Step 02 选择所有绘制的图形，并单击属性栏中的“修剪”按钮，将其制作为圆环，并删除中间的圆形，如图9-37所示。下面制作轮廓效果，单击属性栏中的“交互式轮廓图”按钮，使用该工具在圆环图形中拖动鼠标，如图9-38所示。

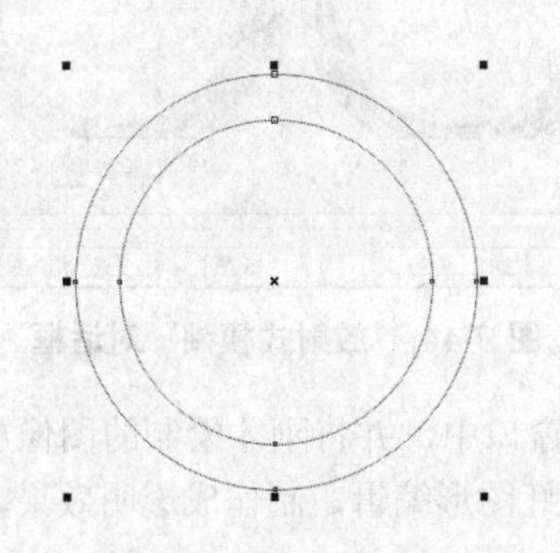

图 9-37 修剪为圆环

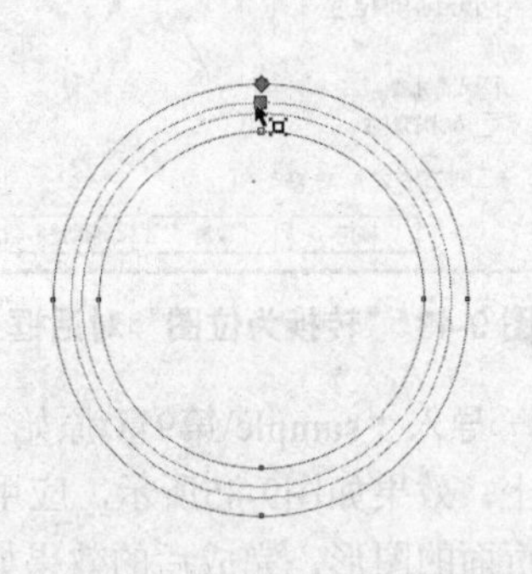

图 9-38 使用交互式轮廓工具

Step 03 释放鼠标后，即可在图形中查看到设置轮廓图后的效果，如图9-39所示，并在右侧调色板的按钮☒上单击鼠标右键，将图形的轮廓线去除，再填充为所需的颜色，如图9-40所示。

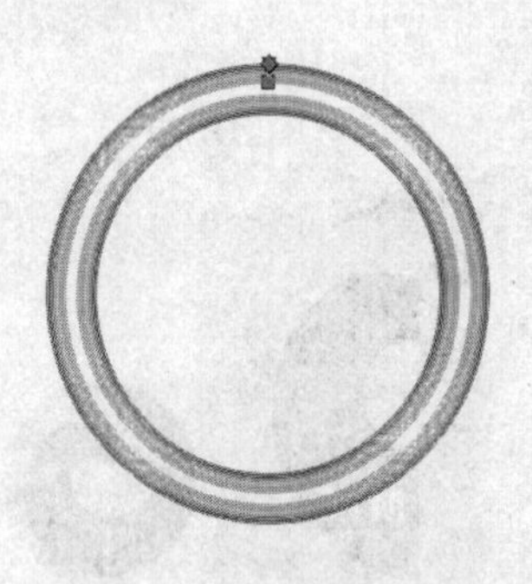
图 9-39 填充底部颜色

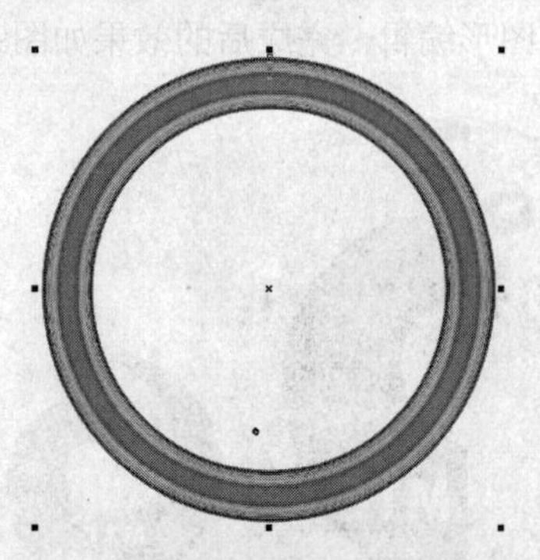
图 9-40 去除轮廓线后的效果

Step 04 然后设置“交互式轮廓图”工具属性栏中的参数。将轮廓设置为红色，填充的颜色设置为桃红色，效果如图9-41所示，继续设置参数，将“轮廓图步长”设置为11，将“轮廓图偏移”设置为0.674mm，设置后的效果如图9-42所示。

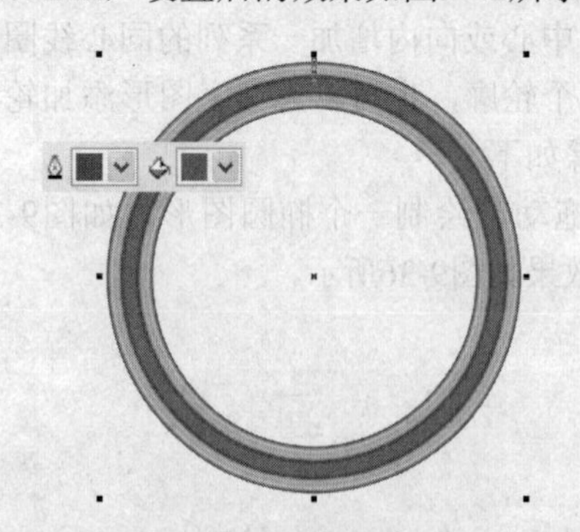
图 9-41 设置颜色

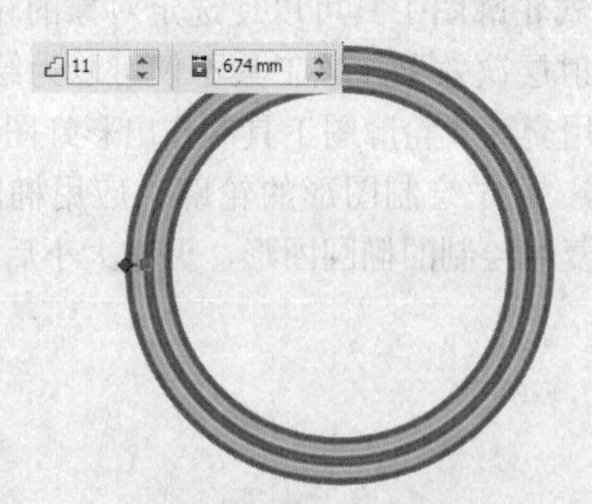

图 9-42 设置步长和偏移量

Step 05 然后执行“位图>转换为位图”命令，弹出如图9-43所示的“转换为位图”对话框，参照图上所示设置位图的相关参数，完成后单击“确定”按钮，再执行“位图>模糊>放射式模糊”命令，打开如图9-44所示的“放射式模糊”对话框，在对话框中将“数量”设置为35，并指定模糊的中心点，设置完成后单击“确定”按钮。

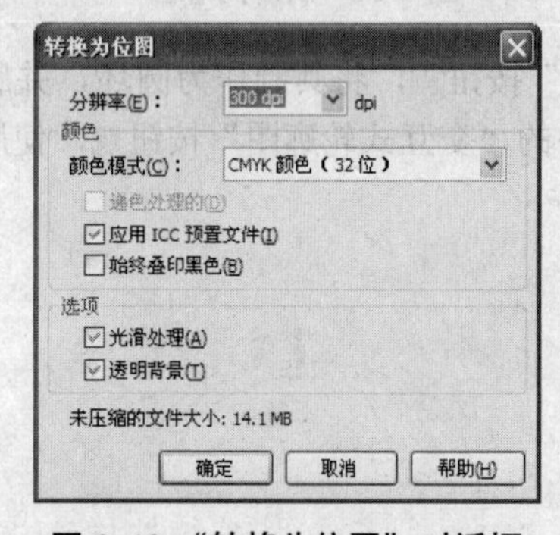

图 9-43 “转换为位图”对话框

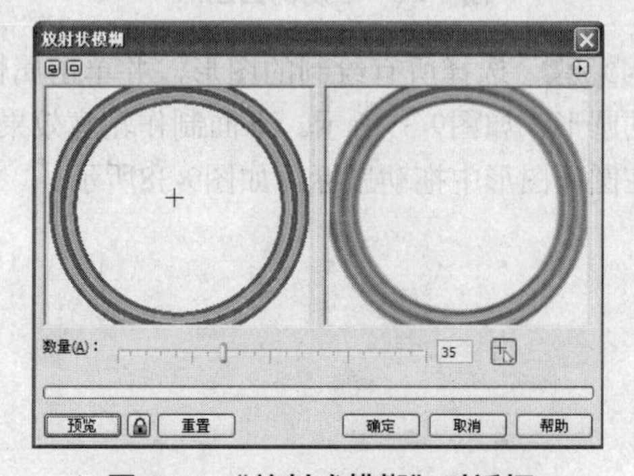

图 9-44 “放射式模糊”对话框

Step 06 导入“sample\第9章\原始文件\1.jpg”图形文件到窗口中，并将刚才绘制的图像放置到导入的图像上，效果如图9-45所示，应用交互式透明度工具对彩虹图形编辑，制作成透明效果，并调整边缘超出页面的图形，完成后的效果如图9-46所示。

图 9-45 导入图像

图 9-46 完成后的图形

9.2.3 交互式立体化工具的实例演示

交互式立体化工具可以为绘制的图形添加厚度，制作出具有立体效果的图形。用户可以通过在交互式立体化工具的属性栏中重新设置颜色、立体厚度等参数，该工具不仅适用于绘制的图形，同样适用于文字，将文字先调整到合适的位置并且编辑文字的形状，然后应用交互式立体化工具对其编辑，制作出不同方向的立体效果，具体操作步骤如下。

Step 01 创建一个大小合适的页面，并用钢笔工具在图中绘制出不规则的图形，将这些图形应用交互式填充工具填充上颜色，效果如图9-47所示，然后在页面中输入文字，如图9-48所示。

图 9-47 填充图形颜色

图 9-48 输入文字

Step 02 下面制作立体文字。选择输入的文字，将其转换为曲线，应用形状工具编辑文字的形状，如将文字进行倾斜等操作，效果如图9-49所示。然后填充颜色，单击工具箱中的“交互式立体化工具”按钮，使用该工具在文字上制作成立体效果文字，并设置颜色，效果如图9-50所示。

图 9-49 编辑文字

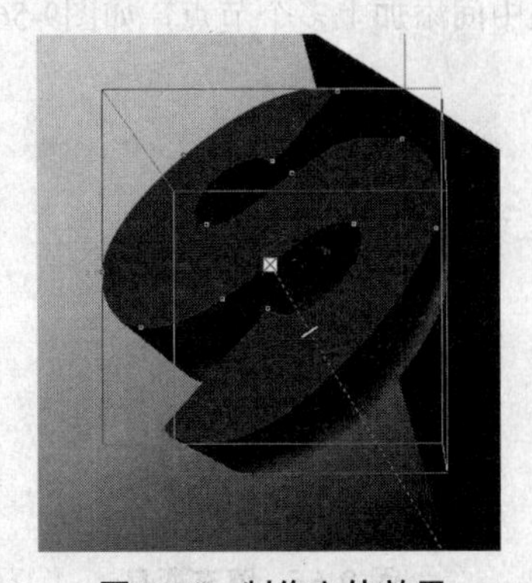

图 9-50 制作立体效果

Step 03 下面制作文字细节，结合钢笔工具和形状工具绘制出文字的亮部区域，并填充上颜色，效果如图9-51所示。然后使用相同的方法将其余文字也制作成立体效果，并添加细节部分文字，完成的图形效果如图9-52所示。

图 9-51 制作文字亮部

图 9-52 完成的图形

9.3 综合实例——香水瓶的绘制

绘制香水瓶的实例中则应用了交互式工具组中另外几个工具，如使用交互式填充工具填充底部颜色，然后应用交互式网状填充工具对图形细节部分进行填充，在绘制亮部区域时则应用了交互式透明度工具，制作出香水瓶的厚度。具体操作步骤如下。

Step 01 首先结合钢笔工具和形状工具，绘制出香水瓶身的轮廓，如图9-53所示，然后再绘制出颈部以及瓶盖的轮廓，如图9-54所示。

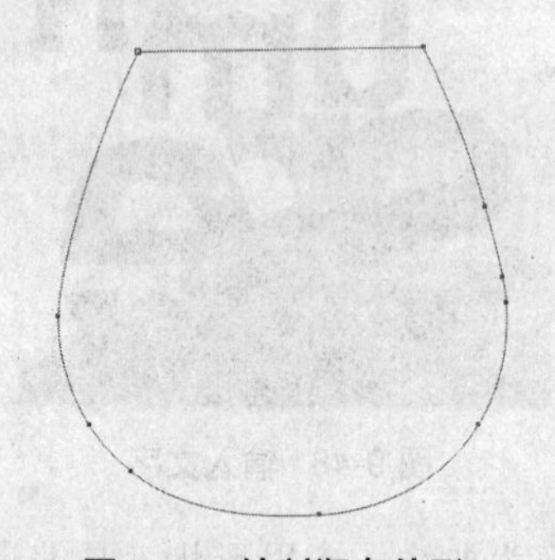
图 9-53 绘制瓶身外形

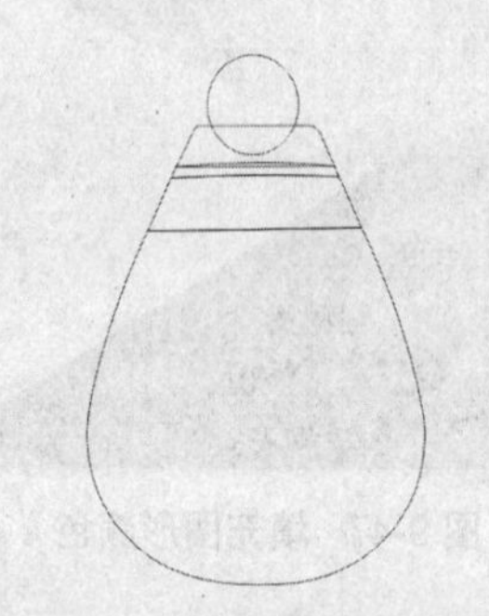
图 9-54 绘制其余轮廓

Step 02 下面填充绘制的图形。应用交互式填充工具沿瓶身拖动光标，在中间添加上过渡色，填充的效果如图9-55所示。然后为瓶底添加一个新图形，作为模拟反光的瓶底区域，应用交互式网状填充工具在中间添加上多个节点，如图9-56所示。

图 9-55 填充瓶身

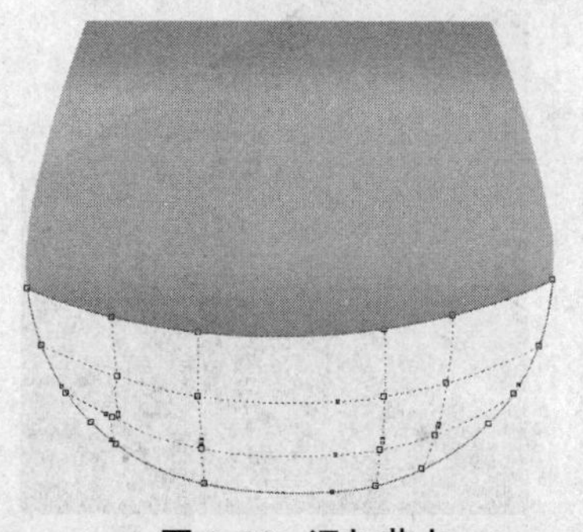
图 9-56 添加节点

Step 03　下面对绘制的图形进行详细填充，在“颜色”泊坞窗中设置好所需的颜色后，将其拖动到网状节点上将其填充，完成后的效果如图9-57所示，将绘制的图形放置到瓶身的底部，然后应用交互式透明度工具编辑瓶身，将底部区域变为透明效果，如图9-58所示。

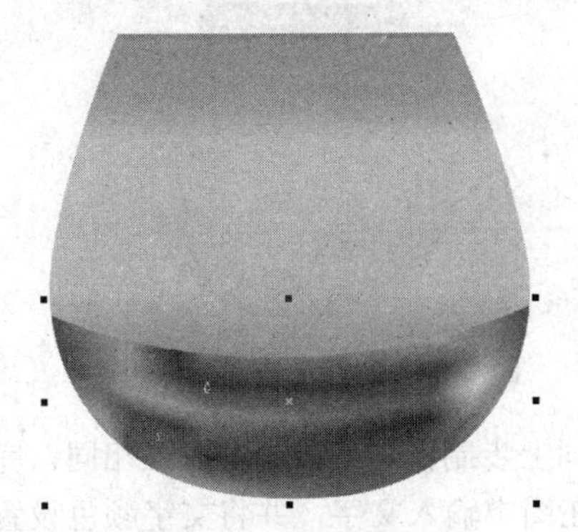

图 9-57　填充后的效果

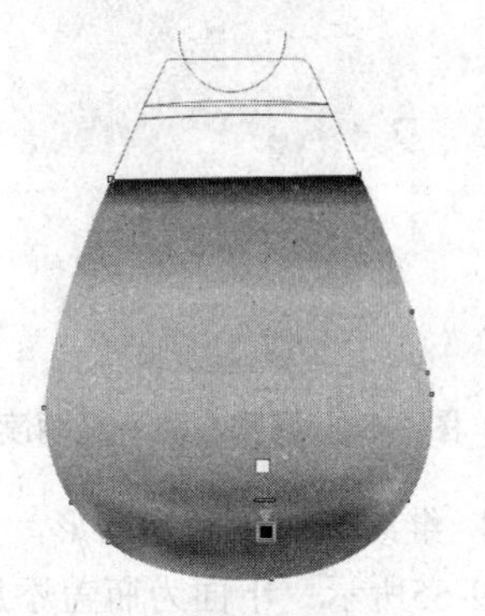

图 9-58　调整透明度

Step 04　继续调整图形。应用钢笔工具绘制出瓶盖区域的细节图形，并应用交互式填充工具将绘制的图形分别填充上渐变色，效果如图9-59所示。采用相同的方法编辑顶部的图形，效果如图9-60所示。

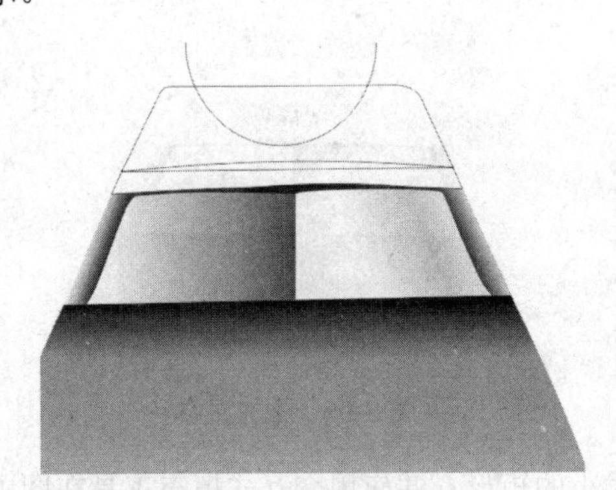

图 9-59　填充颈部的图形

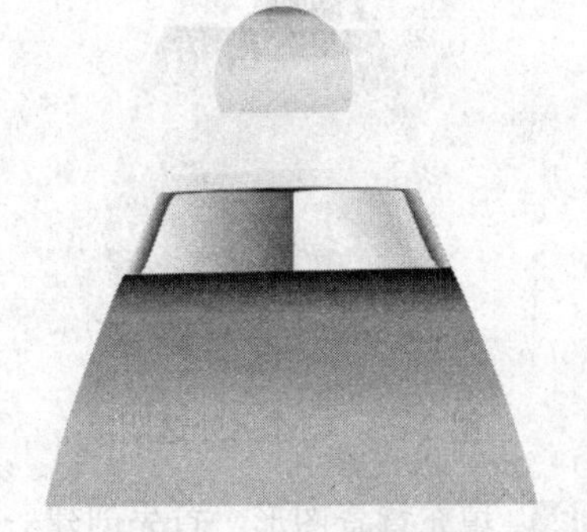

图 9-60　填充顶部图形

Step 05　在瓶盖的下方，对细节部分图形进行编辑。应用前面绘制底部花纹图形的方法，使用交互式网状填充工具将绘制的水纹图形填充上颜色，效果如图9-61所示，然后结合钢笔工具和形状工具绘制出中间的亮部区域图形，如图9-62所示。

图 9-61　初步完成的形状

图 9-62　绘制亮部区域

Step 06　设置图形透明效果，应用交互式透明工具将图形右边变为透明，效果如图9-63所示，复制所绘制的图形，并应用交互式透明度工具将左边的图形变为透明效果，如图9-64所示。

图 9-63 调整左边不透明度

图 9-64 调整右边的不透明度

Step 07 继续编辑中间的图形，并添加新的透明效果。同上步制作透明效果的方法相同，完成的图形如图9-65所示。下面为瓶盖添加文字，应用文本工具在图中输入文字，并将文字颜色设置为灰色，复制文字后将复制的文字的新颜色设置为白色，并放置到灰色文字底部，编辑后的文字效果如图9-66所示。

图 9-65 制作另外透明度

图 9-66 添加文字

Step 08 填充背景图形，首先创建一个和页面相同大小的矩形，并应用交互式填充工具在图中绘制一个基本的颜色，如图9-67所示。然后应用交互式网状填充工具对背景细节填充，完成后的背景如图9-68所示。

图 9-67 填充背景颜色

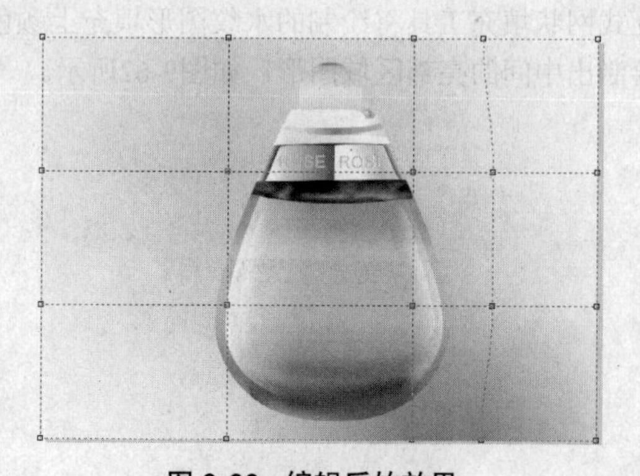

图 9-68 编辑后的效果

Step 09 选择整个绘制完成的香水瓶图形，按Ctrl+G键群组，使用交互式阴影工具在图中为图形添加阴影，并将阴影颜色设置为白色，将阴影羽化设置为50，阴影不透明度设置为90，效果如图9-69所示。然后在香水瓶顶部绘制两个椭圆图形，将图形填充为白色，并应用模糊滤镜对图形编辑，效果如图9-70所示。

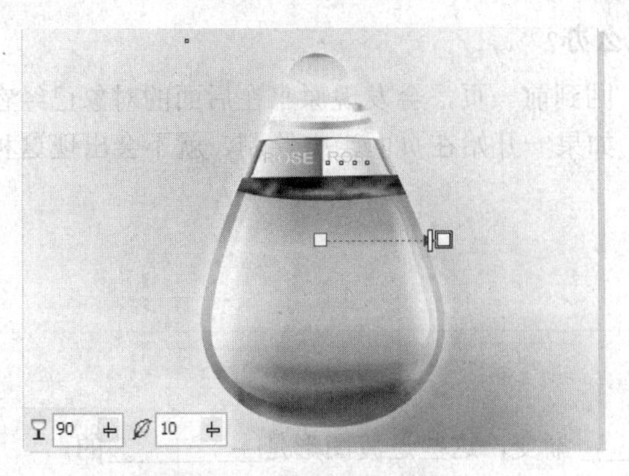

图 9-69 添加阴影效果

图 9-70 添加高光效果

Step 10 继续填充细节图形，应用星形工具在图中绘制出多角星形，转换为曲线后应用形状工具对其长度编辑，并填充为白色，如图9-71所示。同样的将绘制的图形也转换为位图，应用高斯模糊滤镜对其编辑，完成后的最终效果如图9-72所示。

图 9-71 绘制星形图形

图 9-72 完成后的效果

9.4 本章小结

CorelDRAW X4中矢量图形的高级效果制作主要是通过交互式工具组中的工具来完成。交互式阴影工具可以为图形添加阴影，交互式透明度工具可以设置图形的透明效果，交互式立体化工具可以制作图形的成立体效果，而交互式网状填充工具可以填充较为复杂的图形。

9.5 专业解析

1. 交互式调合工具的应用方法？

答：交互式调和工具可以使两个分离的绘图对象之间逐步产生形状、颜色的平滑变化。在调和过程中，对象的外形、排列次序、填充方式、结点位置和数目都会直接影响调和结果。交互式调和工具的对象应该是两个或两个以上。

2. 交互式立体化工具的具体作用是什么？

答：交互式立体化工具可以为所绘制的图形添加上厚度，制作出有立体效果的图形，可以通过在交互式立体化工具的属性栏中对颜色、立体厚度等重新进行设置，该工具不仅适用于所绘制的图形，对于文字也同样有效。

3. CorelDraw 图形对象最前化最后化失败，怎么办？

答：解决方法比较简单，只要单击“下一页”，回到前一页，会发现原来在后面的对象已经在前面了。另外，页面周围的对象容易出现这种问题，如果一开始在页面当中绘制，就不会出现这种状况。

9.6 思考与练习

1. 填空题

（1）交互式轮廓工具产生的效果主要是__________渐变，这些过渡图形是__________的。

（2）__________能够将矢量图或是位图以固定的形状进行限制显示。

（3）__________实际上是给对象蒙上一层图案的薄纱或是压上一块有图案的平板透镜。

2. 选择题

（1）关于调和功能以下说法正确的有（ ）。

A. 群组可与单一对象调和

B. 位图填充对象可以调和

C. 艺术笔对象可以调和

D. 位图可以调和

（2）关于交互式立体化工具说法正确的是（ ）。

A. 能使多个对象共用一个相同的灭点

B. 在挑选器中共有六种风格选项

C. 可直接作用于美术文本

D. 交互式立体化可分为位图立体模式和矢量立体模式

（3）在交互式封套的映射选项中，有四种不同的映射形状，除了默认的自由变形外，下列哪三个也是（ ）。

A. 水平　　B. 原始　　C. 扩张　　D. 垂直

3. 判断题

（1）“美术字”不是文字对象的一种，而是段落文字。（ ）

（2）透视效果可以创建透视对象，从而更具距离感和亮度感。（ ）

（3）对已经具有阴影的对象移动复制时，单击原对象部分后移动复制，则阴影效果也被复制。（ ）

4. 问答题

（1）简述交互式轮廓图工具的作用？

（2）如何编辑应用于图框精确剪裁图像中的内容？

（3）如何将图形放置到容器中？

5. 上机题

（1）选择打开的如图9-73所示的图形，为中间图形添加阴影，效果如图9-74所示。

图 9-73 打开原图形

图 9-74 设置阴影后的效果

（2）制作立体效果文字，如图9-75所示。

图 9-75 制作立体效果文字

（3）利用钢笔工具在图中绘制出多个相框图形，如图9-76所示，然后应用图框精确剪裁法在相框中添加上照片，效果如图9-77所示。

图 9-76 制作相框图形

图 9-77 完成后的效果

CorelDRAW X4 对文本的处理 10

本课所需时间： 4个小时

课程范例文件： sample\ 第10章\

课后练习文件： exercise\ 第10章\

必须掌握：

- 文本的添加

深入理解：

- 文本样式的设置
- 段落文本的设置

一般了解：

- 链接文本
- 文字与路径的关系

课程总览：

文本的处理主要分为两个部分，美术字的处理和段落文本的处理，用户可以通过属性栏中的相关命令对字体进行设置，也可以通过文本菜单中的命令对文字进行编辑。

10.1 文本的添加和格式的编排

添加文本是指在图形中输入不同类型的文本，并通过属性栏中相关的设置对文本进行设置和编排。

10.1.1 文本的添加

添加文本分为两个部分，一是美术字的添加，二是段落文字的添加，这两种文字都可以通过属性栏来设置字号、字体以及对齐方式等。

1. 美术字的添加

添加美术字可以直接应用文本工具实现，选择文本工具后在图中单击鼠标，然后输入文字即可。

单击工具箱中的“文本工具”按钮，在标准栏的下方出现该工具的属性栏，如图10-1所示，在属性栏中通过设置可以得到不同的文字效果，如文字字体、文字大小、是否为粗体以及对齐方式等。

图 10-1 文本工具属性栏

属性栏可以设置三种字体形式，在图中输入文字后，单击属性栏中的按钮，即可将文字设置为粗体，如图10-2所示。单击按钮，则可以将文字设置为斜体，如图10-3所示。单击按钮则可以在文字底部添加下划线，如图10-4所示。

Micky　*Micky*　<u>Micky</u>

图 10-2　粗体文字 　　图 10-3　斜体文字 　　图 10-4　下划线文字

单击属性栏中的按钮，打开“字体列表”下拉列表框，在弹出的列表中为输入的文字设置合适的字体，可以先设置字体后输入文字，也可以选择完成输入的文字然后设置字体，将输入的文字设置为宋体的效果如图10-5所示，设置为黑体的文字效果如图10-6所示，设置为汉鼎简中圆的效果如图10-7所示。

麦根　麦根　麦根

图 10-5　宋体文字 　　图 10-6　黑体文字 　　图 10-7　汉鼎简中圆

输入的文字有横向排列和纵向排列，用户可以通过单击属性栏中的相关按钮来完成。选择文本工具后单击属性栏中的“将文本更改为水平方向”按钮，然后在图中输入文字，则文字呈水平方向排列，如图10-8所示。如果单击属性栏中的“将文本方向更改为垂直方向”按钮，那么输入的文字将会成纵向排列，如图10-9所示。

Wrong Number　　Wrong Number

图 10-8　横排文字 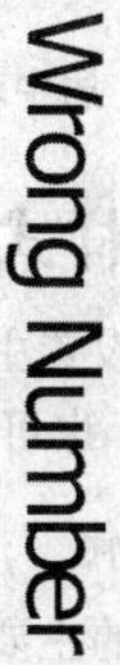　　图 10-9　纵排文字

2. 段落文本的添加

添加段落文本则要应用文本工具先创建文本框，在文本框中输入文字，并通过属性栏中的对齐方式对其编辑。一般操作方法为选择文本工具，然后在图中拖动鼠标，如图10-10所示，释放鼠标后即可在图中形成文本框，如图10-11所示，最后输入所需的文字即可，添加的段落文字效果如图10-12所示。

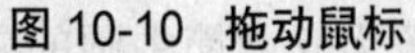

图 10-10 拖动鼠标

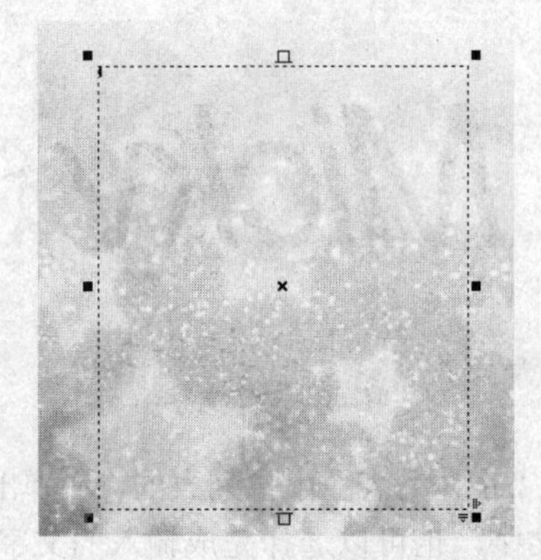

图 10-11 形成文本框

图 10-12 输入文字

对于输入的段落文字可以使用对齐方式更改。选择输入的段落文字，单击文本工具属性栏中的“水平对齐”按钮，在弹出的选项中选择最合适的对齐方式即可。单击“居中对齐”按钮，文字排列效果如图10-13所示。单击“右对齐”按钮，文字向右边对齐，如图10-14所示。单击“强制调整”按钮，文字则左右两边都对齐，中间的文字按照顺序排列，如图10-15所示。

图 10-13 居中对齐

图 10-14 右对齐

图 10-15 强制调整

10.1.2 文本样式设置

文本样式的设置主要包括文本字体设置、大小设置以及颜色设置等，用户可以分别用几种不同的类型设置文本，也可以单独对所选择的部分文字进行设置，还可以通过编辑文本重新输入文字。

1. 字符格式化

字符格式化的主要作用是调节美术字的大小、字体以及间距等，在文本工具属性栏中单击“字符格式化”按钮，即可打开如图10-16所示的“字符格式化”泊坞窗，也可以通过执行“文本>字符格式化”命令打开“字符格式化”泊坞窗，该泊坞窗中显示有文字的字体、大小以及字符位移等数值参数。如果页面中没有输入的文字，而直接在“字符格式化”泊坞窗中对文字的字体等设置，将会打开如图10-17所示的“文本属性”对话框，在该对话框中设置段落文字，或者艺术效果所应用的样式。

图 10-16 “字符格式化”对话框

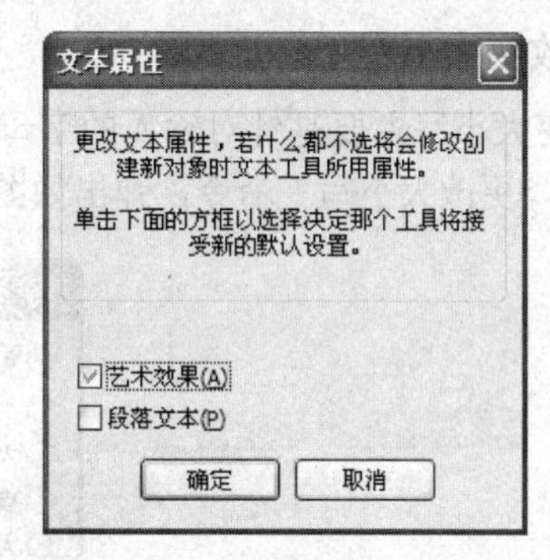

图 10-17 “文本属性”对话框

2. 设置所选择部分的文本样式

设置部分文字的文本样式是指可以只对输入文字中所选择的部分文字进行更改文本大小及字体等。选择输入的文字，此时背景反色显示，如图10-18所示，在文本工具属性栏中设置文字的大小以及字体等，然后应用文本工具在该部分上拖动，设置后的最终效果如图10-19所示。

图 10-18 选择编辑的文字

图 10-19 设置后的文字效果

3. 编辑文本

编辑文本是指通过打开“编辑文本”对话框输入文字，并对文字的字体和大小等设置。首先选择文本工具，在图中空白区域单击鼠标，然后再在文本工具属性栏中单击“编辑文本”按钮，即可打开如图10-20所示的“编辑文本”对话框，在该对话框中输入所需的文字，选择所有文字，并设置所需文字的大小、字体以及对齐方式，设置后的效果如图10-21所示。

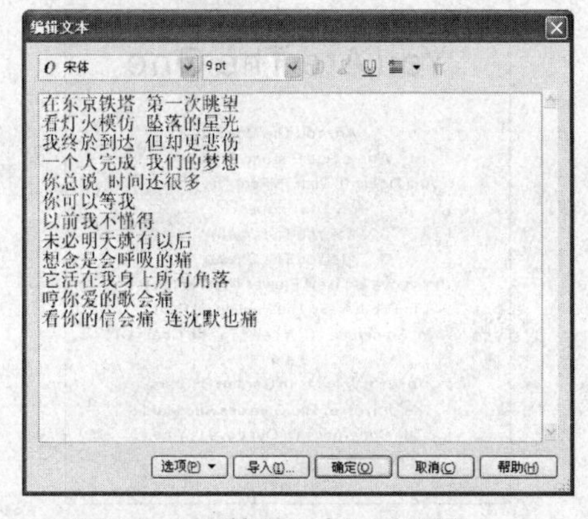

图 10-20 “编辑文本”对话框

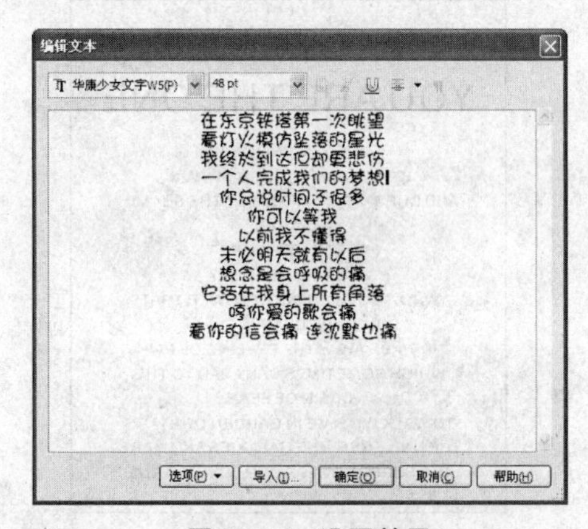

图 10-21 设置效果

4. 改变大小写

改变大小写主要是针对输入的字母，用户可以通过设置得到不同类型的字母显示方式，通过执行“文本>更改大小写”命令，弹出如图10-22所示的“改变大小写”对话框。

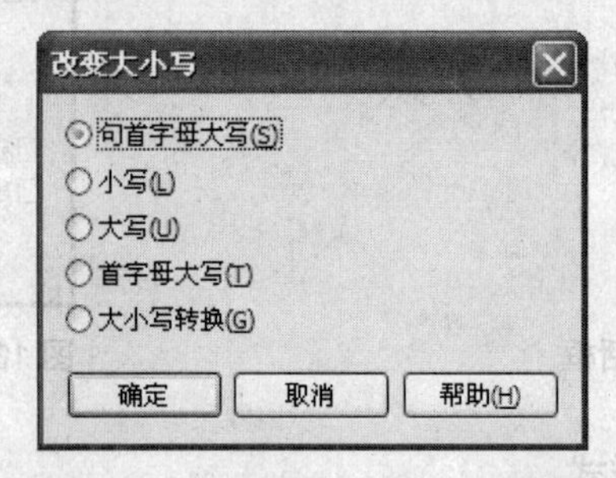

图 10-22 “改变大小写”对话框

在“改变大小写”对话框中可以看到常用的大小设置有五种，分别为“句首字母大写”、“小写”、“大写”、“首字母大写”和“大小写转换”，其中“句首字母大写”为默认的显示方式，也就是每句话开头的字母为大小，其余为小写，如图10-23所示，一般将标题和段落文字都设置为句首字母大写。而小写字母是将所有的字母都变为小写，如图10-24所示。

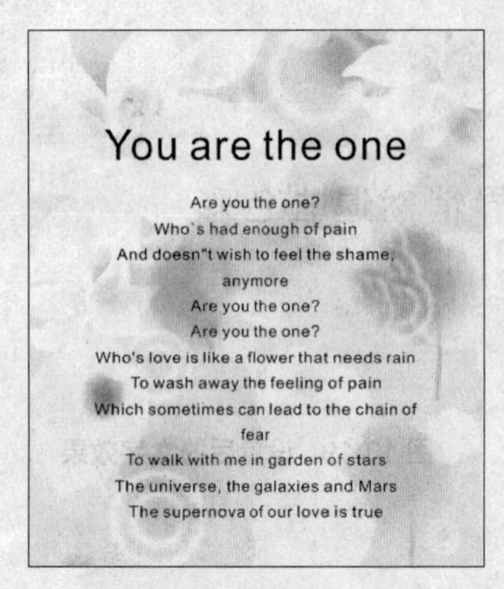

图 10-23 句首字母大写

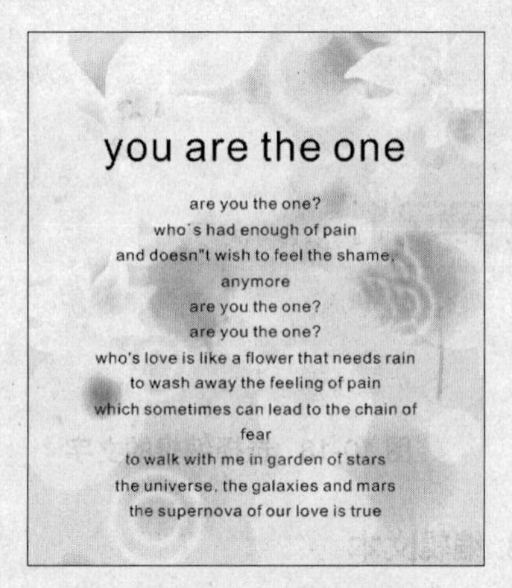

图 10-24 小写字母

大写字母是将所有的字母都转换为大写，如图10-25所示。首字母大写是将每个英文单词的第一个字母大写，而其他字母则变为小写，如图10-26所示。

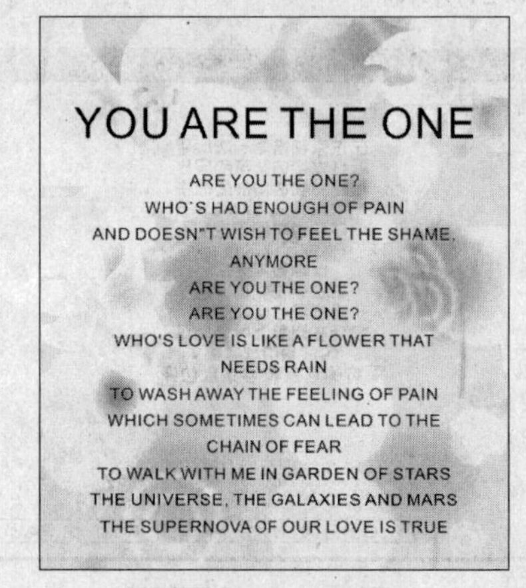

图 10-25 大写字母

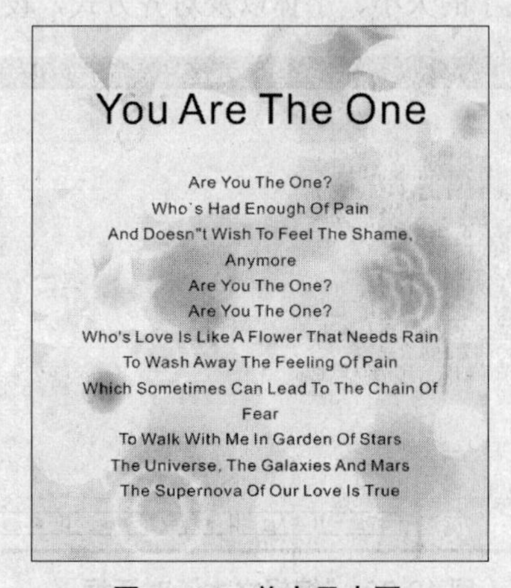

图 10-26 首字母大写

10.1.3　字体识别功能的应用

CorelDRAW X4中的新增功能，即在对段落文字的字体以及大小等设置时，可以预览效果。在图像中输入段落文字，打开文本工具属性栏中的“字体列表”下拉列表，将光标放置到相应的字体名称上，即可预览相应效果，如图10-27所示。设置文字大小的方法和设置字体的方法相同，将光标放置到相应的字号上，预览文字效果，如图10-28所示。

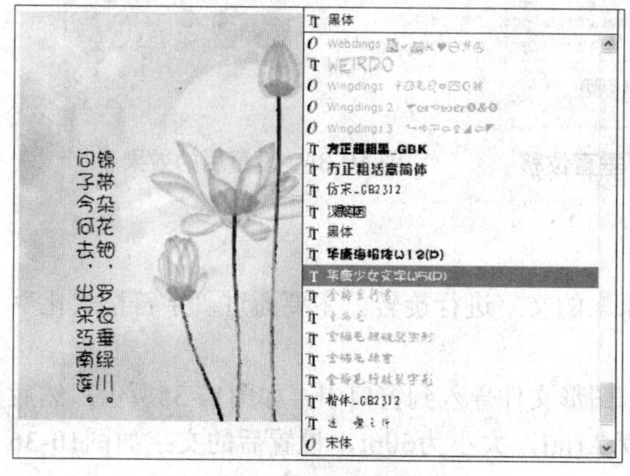

图 10-27　设置文字字体

图 10-28　设置文字大小

10.1.4　文本的位移与旋转

在CorelDRAW X4中可以垂直或水平移动美术字和段落文本，也可只针对选择的部分文字。旋转文字可以将文本偏移一定的角度，同理可以矫正有一定旋转角度的文字到原始位置上。

1. 设置文本位移

文本位移包括水平位置的位移和垂直位置的位移。应用文本工具在图形中输入段落文字，并选中所有文字，如图10-29所示。执行“文本>字符格式化”命令，打开如图10-30所示的“字符格式化”泊坞窗，输入水平位移为600%，设置后的文本位置向右移动，如图10-31所示。

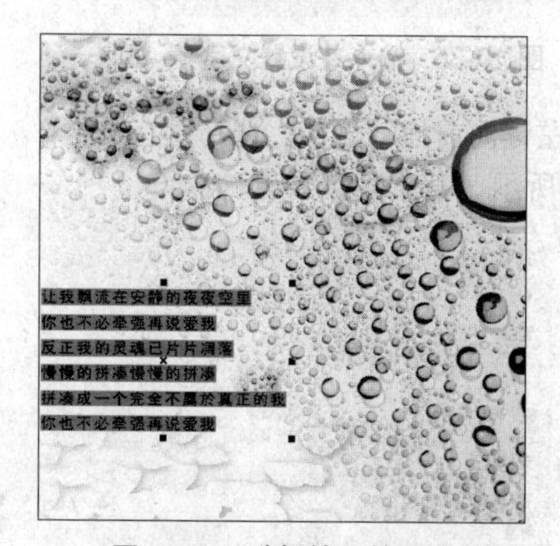

图 10-29　选择输入的文字

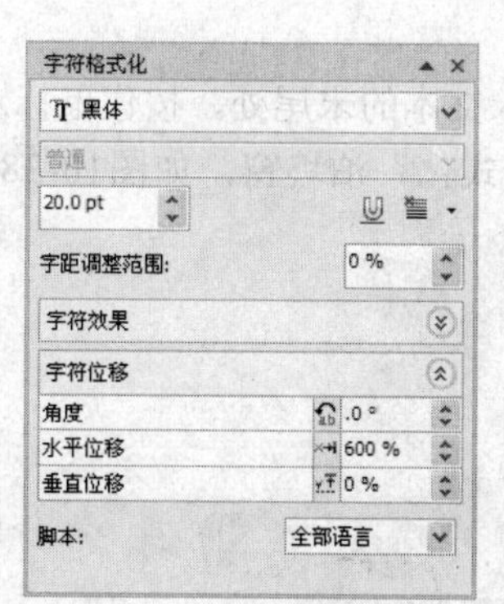

图 10-30　设置水平位移

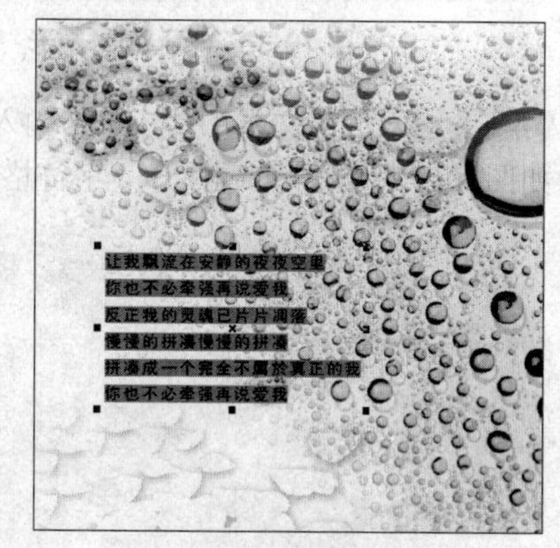

图 10-31　设置后的文字

垂直位移是将文本在垂直方向上移动。选择文字，如图10-32所示，在打开的“字符格式化”泊坞窗中将垂直位移设置为400%，如图10-33所示，设置完成后即可将文本向上移动，如图10-34所示。

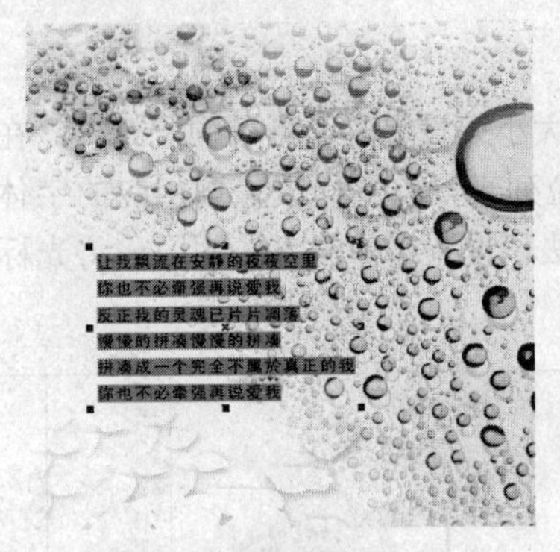

图 10-32　选择文字

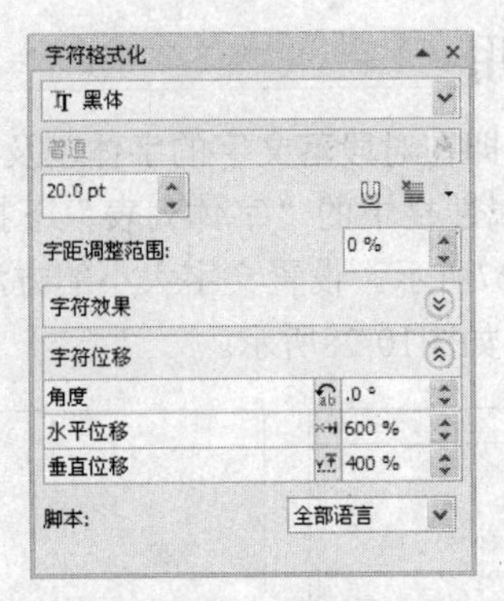

图 10-33　设置垂直位移

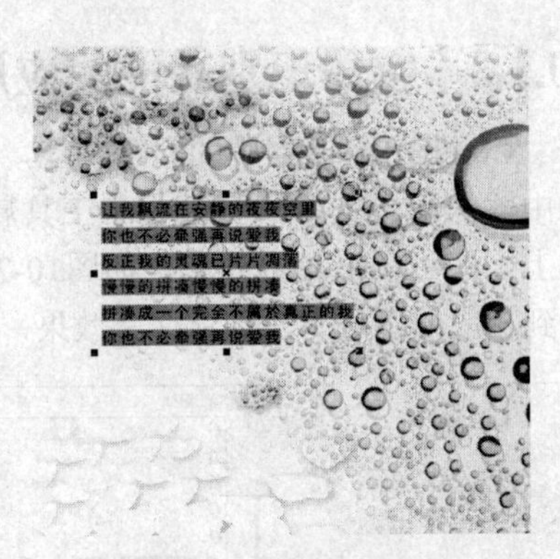

图 10-34　设置后的效果

2. 设置旋转文本

旋转文本是将选择的文本按照设置的角度偏离原来的文字进行旋转。主要通过“字符格式化”泊坞窗来完成，具体操作步骤如下。

Step 01　首先将“sample\第10章\原始文件\11.jpg”图形文件导入到窗口中，如图10-35所示。然后应用文本工具在图中输入文字，并将文字字体设置为Arial，大小为60pt，设置后的文字如图10-36所示。

图 10-35　导入素材图形

图 10-36　输入并设置文字

Step 02　应用文本工具，单击输入文本的末尾处，按住鼠标左键向前拖动光标，选择所有文本，如图10-37所示，然后打开“字符格式化”泊坞窗，如图10-38所示，其中角度设置为0。

图 10-37　选择输入的文字

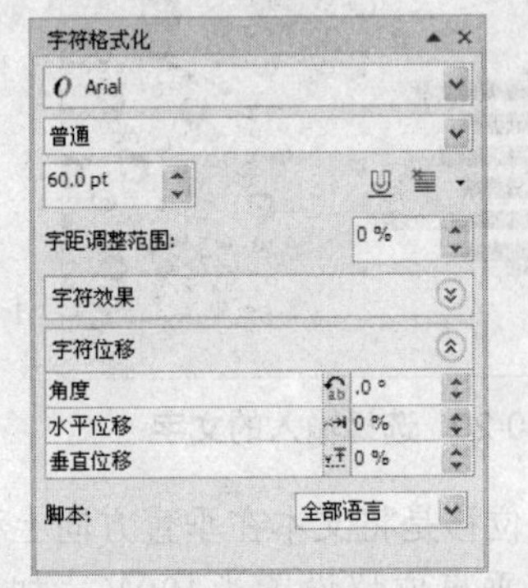

图 10-38　打开“字符格式化”泊坞窗

Step 03　然后在“字符格式化”泊坞窗中设置相关参数，将角度设置为20，如图10-39所示，设置后的文字将会倾斜一定角度，效果如图10-40所示。

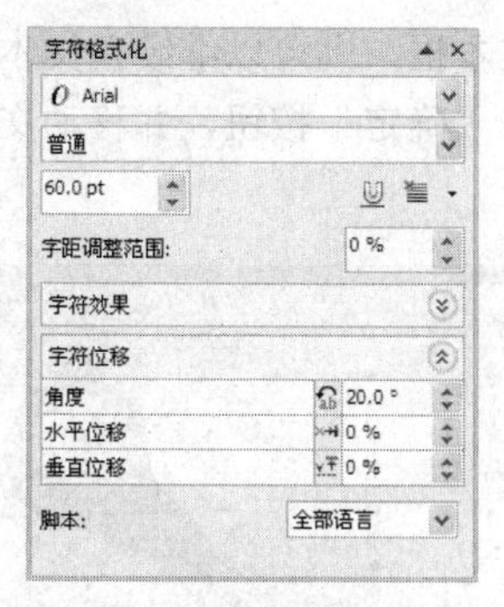

图 10-39 设置旋转角度

图 10-40 设置后的文字

10.1.5 段落文本的编排

段落文本的编排主要包括设置文本栏、首字下沉、项目符号、段落的间距以及段落缩进，且都只针对段落文本，通过这些设置可以对段落文本的间距、首字等重新排列。

1. 文本栏的设置

在创建的文本框中可以将文本栏几等分，并将文字按照等分的距离进行排列，系统默认的文本栏为0，用户可以通过设置相关数值来更改，具体操作步骤如下。

Step 01 首先导入“sample\第10章\原始文件\12.jpg”素材图像，创建文本框输入文字，如图10-41所示。执行“文本>栏”命令，弹出如图10-42所示的“栏设置”对话框，在该对话框中将“栏数”设置为2。

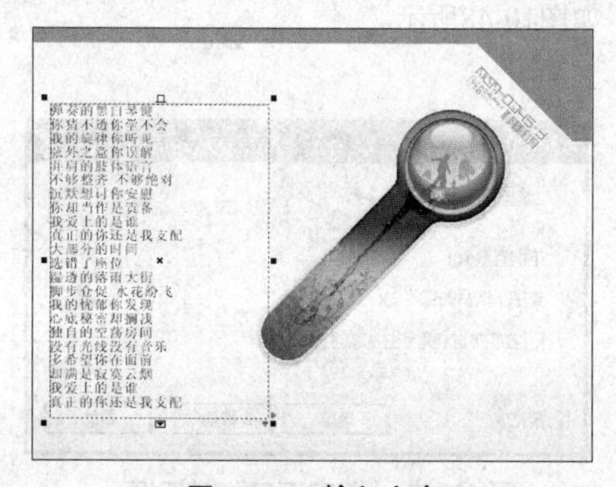

图 10-41 输入文字

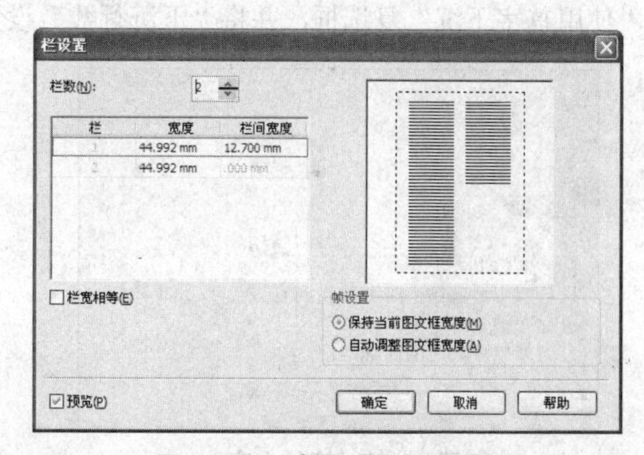

图 10-42 “栏设置”对话框

Step 02 设置完成后单击“确定”按钮，设置双栏后的效果如图10-43所示，用户可以对设置的双栏距离进行调整，将文本框向右拖动，文本框则变大，如图10-44所示。

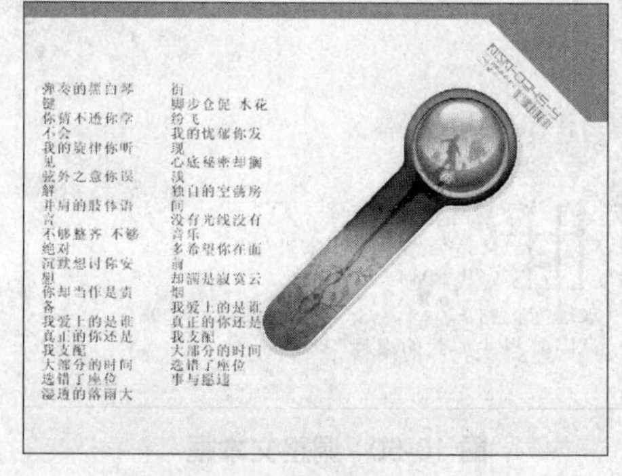

图 10-43 设置双栏后的文字

图 10-44 拖动改变文本框大小

Step 03 编辑后的文本效果如图10-45所示。如果设置三栏的文本框，则可以继续在文本框中输入文字，并在“栏设置”对话框中将“栏数”设置为3，完成后单击“确定”按钮，并移动文本框至合适的位置，效果如图10-46所示。

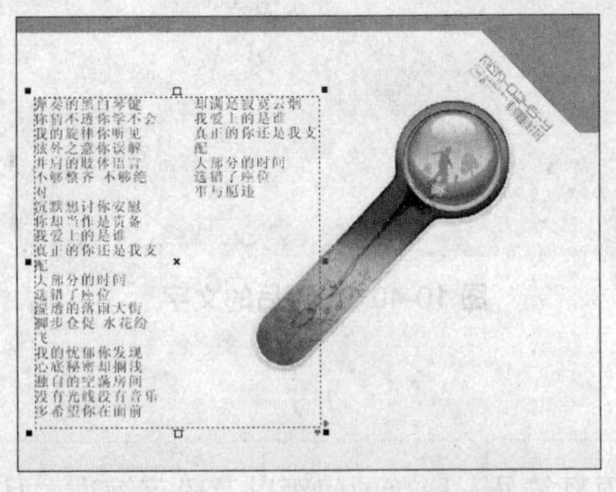

图 10-45 设置后的文字效果

图 10-46 设置三栏文字

2. 首字下沉

首字下沉主要应用于段落文本，通过设置首字下沉将首字镶嵌到段落文字前面，通过“首字下沉”对话框，可以指定下沉的格式，以及更改首字下沉时与正文的距离，或者指定出现在首字旁边的文本行数。

Step 01 首先导入sample\第10章\原始文件\14.cdr文件，在图形中应用文本工具输入一段段落文字，如图10-47所示。然后执行“文本>首字下沉”命令，打开“首字下沉”对话框，在对话框中勾选“使用首字下沉”复选框，并将“下沉行数”设置为2，如图10-48所示。

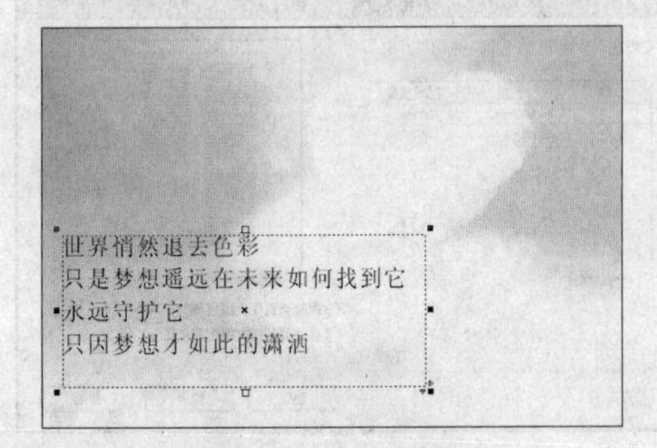

图 10-47 输入文字

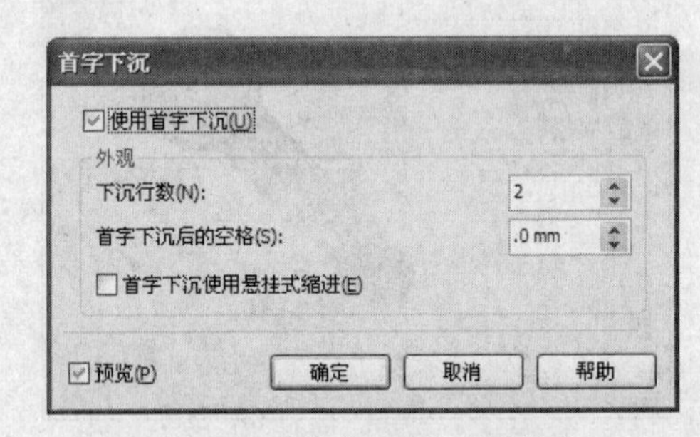

图 10-48 “首字下沉”对话框

Step 02 设置完成后单击“确定”按钮，在段落文本中可以看到设置首字下沉后的效果，如图10-49所示。调整文本框大小将所有文字都显示出来，效果如图10-50所示。

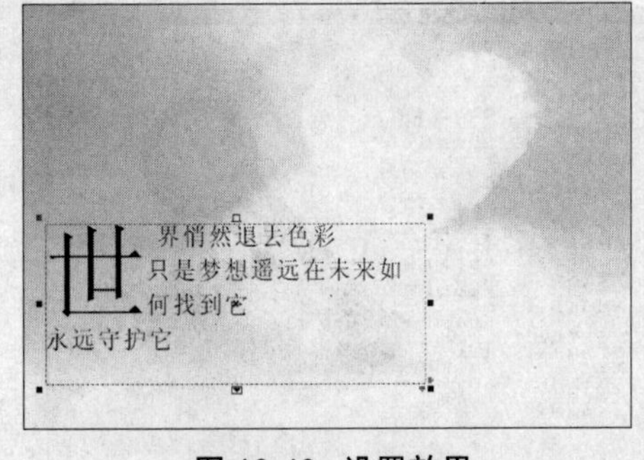

图 10-49 设置效果

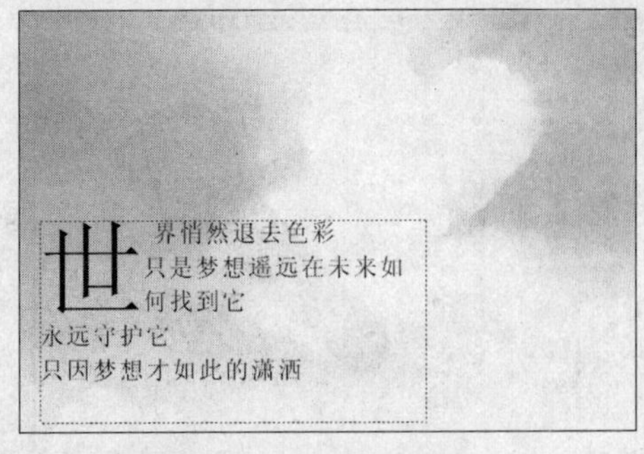

图 10-50 调整文本框

Step 03 继续设置首字，再打开“首字下沉”对话框，勾选“首字下沉使用悬挂式缩进”复选框，并将“下沉行数”设置为3，如图10-51所示。设置完成后单击“确定”按钮，即可看到悬挂后的首字效果，将文本框中的文字显示完整，如图10-52所示。

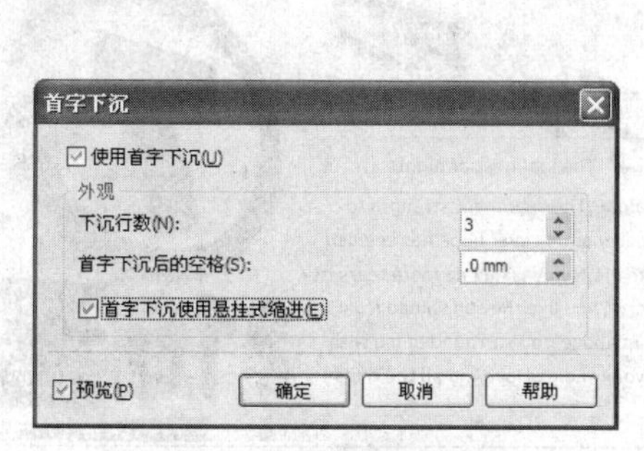

图 10-51 设置悬挂式缩进

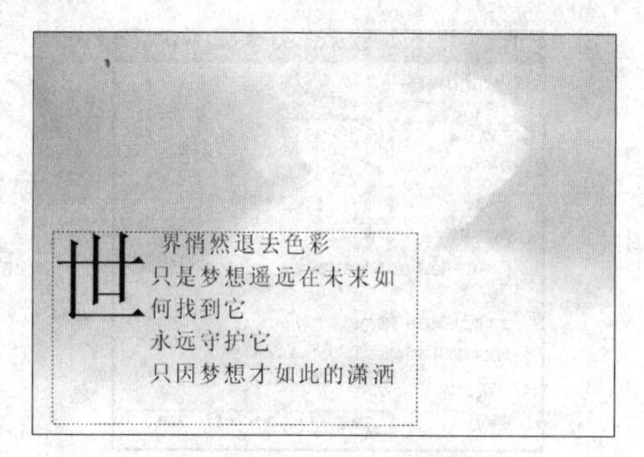

图 10-52 设置效果

3. 项目符号的设置

项目符号通常用于表示突出的文本，用户可以通过添加项目符号来编排信息，主要通过“项目符号”对话框设置，执行“文本>项目符号”命令，即可打开如图10-53所示的“项目符号”对话框，在对话框中有多种符号可供选择，单击“符号”右侧的按钮，打开项目符号下拉列表框，如图10-54所示。

提 示 只有段落文本可以添加项目符号。

图 10-53 “项目符号”对话框

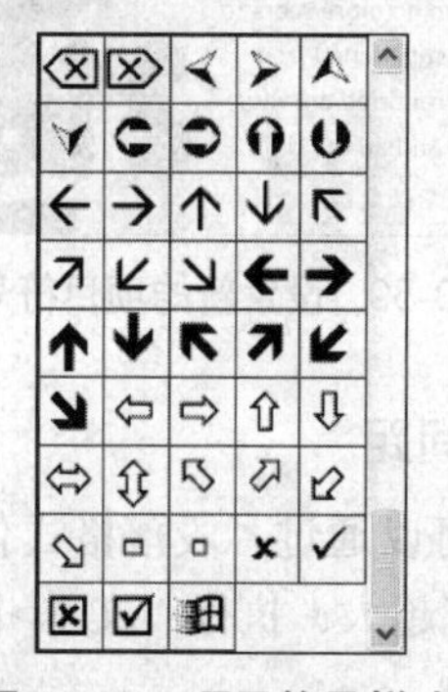

图 10-54 项目符号样式

Step 01 首先导入“sample\第10章\原始文件\15.jpg”文件，在图像中输入段落文字，如图10-55所示，单击句首处，如图10-56所示。

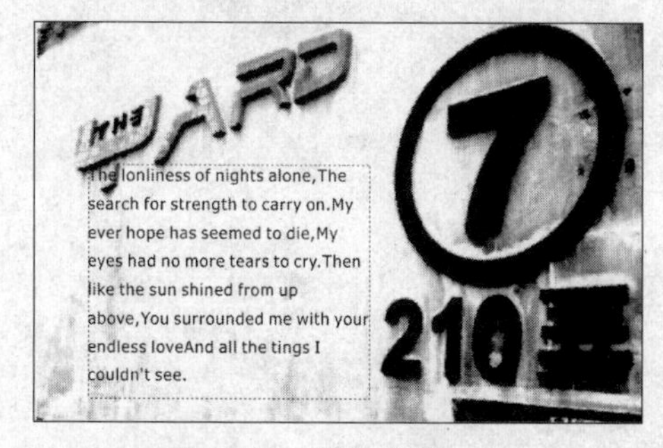

图 10-55 输入文字

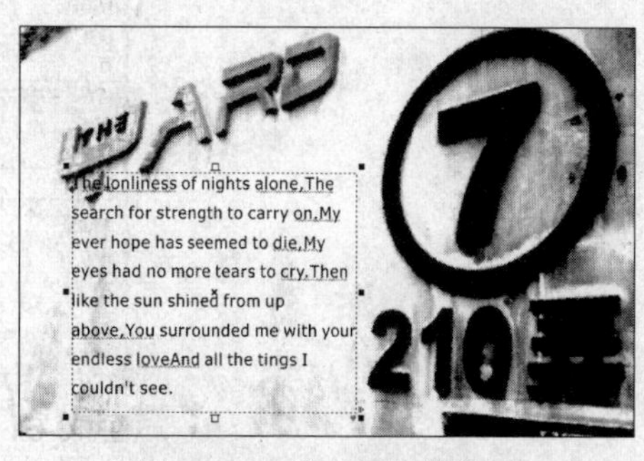

图 10-56 单击起始处位置

Step 02 打开“项目符号”对话框，如图10-57所示。在对话框中勾选“使用项目符号”复选框后，并设置相关参数，选择合适的项目符号，设置完成后单击“确定”按钮，即可看到到句首处添加的项目符号，如图10-58所示。

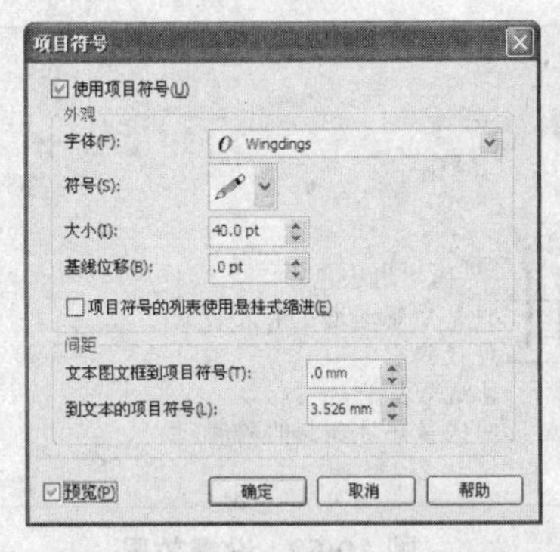

图 10-57 “项目符号”对话框

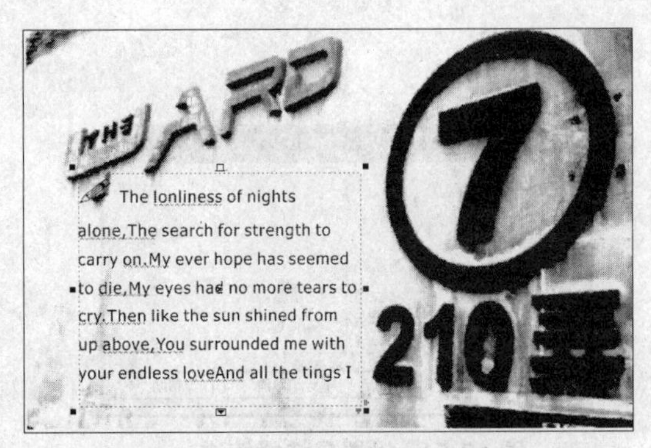

图 10-58 添加项目符号效果

Step 03 用户可以对添加的项目符号更改，打开“项目符号”对话框，重新选择另外样式的符号，效果如图10-59所示。还可以设置项目符号的大小，在选择新的项目符号后，重新设置其大小数值，并移动段落文本位置，调整后的效果如图10-60所示。

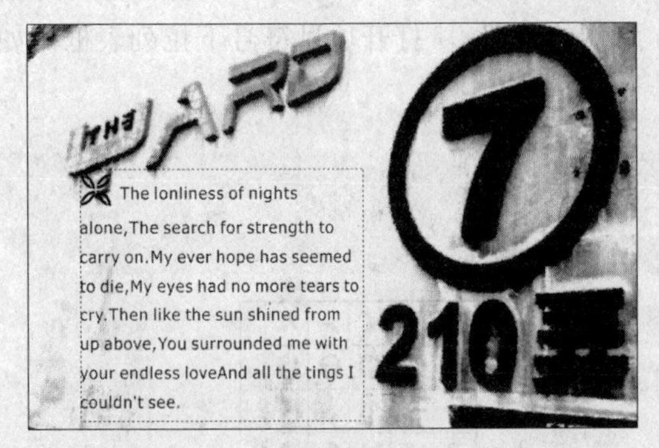

图 10-59 设置新的项目符号

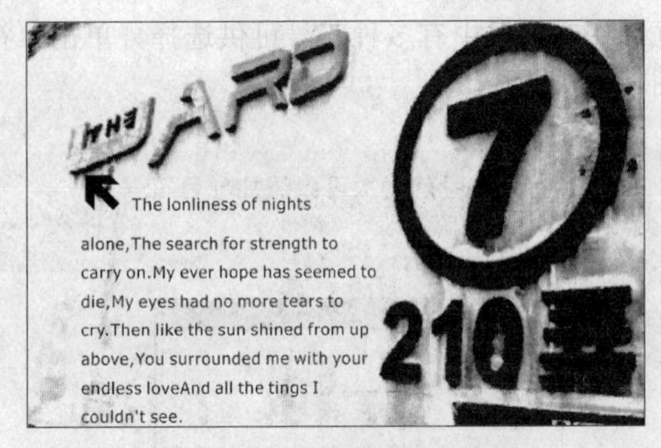

图 10-60 设置项目符号大小

4. 段落的间距

段落间距可以通过“段落格式化”泊坞窗来设置，间距是指段落文字中的行距，数值越大文字之间的距离也就越大。执行“文本>段落格式化”命令，即可打开如图10-61所示的“段落格式化”泊坞窗。

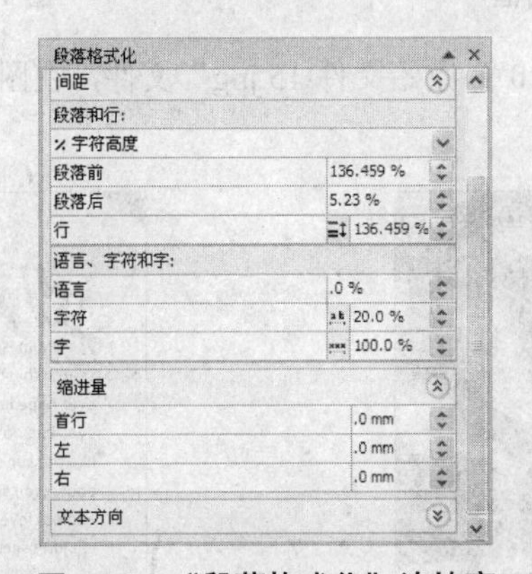

图 10-61 “段落格式化”泊坞窗

应用文本工具在图中输入段落文本，并选取该段落文本，在“段落格式化”泊坞窗中设置行距为60%，设置后的文字如图10-62所示，若设置行距为100%，则文字的距离越远，如图10-63所示，数值变大，行距越远，将行距设置为150%如图10-64所示。

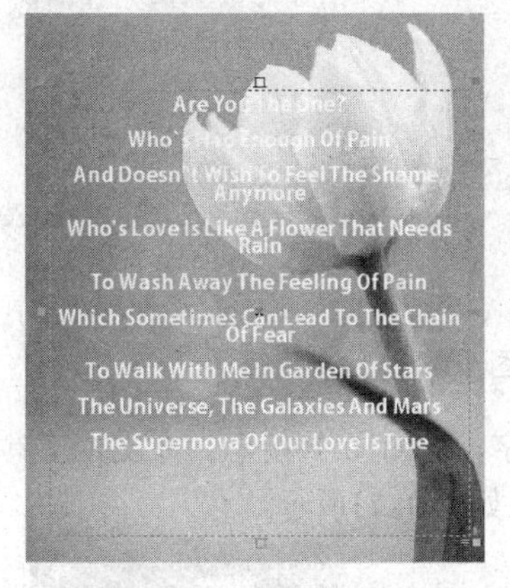

图 10-62 行距为 60%

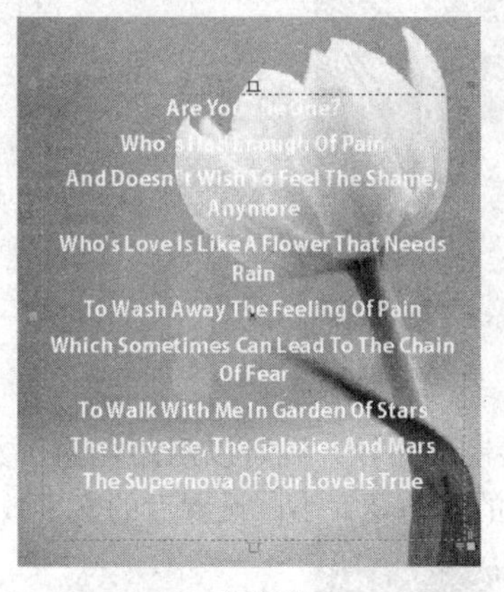

图 10-63 行距为 100%

图 10-64 行距为 150%

5. 设置段落缩进

段落缩进可以改变文本框的距离，即可以将整个段落缩进，也可以只设置部分缩进。选择输入的段落文本，打开“段落格式化”泊坞窗，其中默认缩进数值为0，效果如图10-65所示，如果将首行缩进设置为20mm，文字效果如图10-66所示，段落文本首行整体向右侧缩进，如果将左右缩进都设置为20mm，则文本离文本框的距离越大，如图10-67所示。

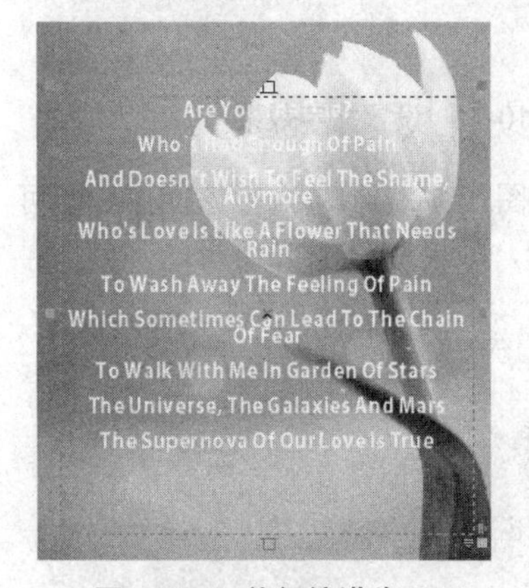

图 10-65 首行缩进为 0

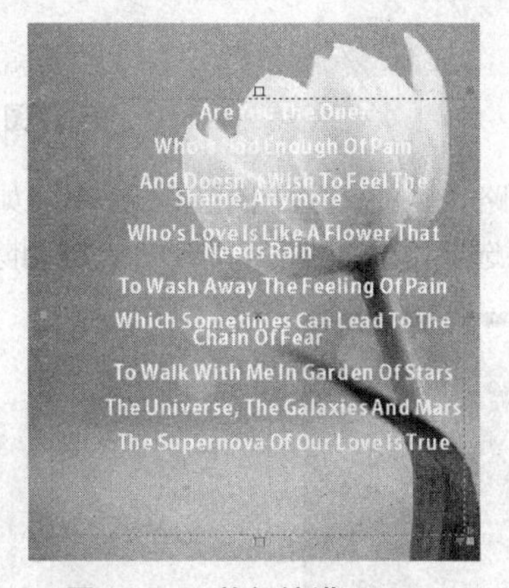

图 10-66 首行缩进 20mm

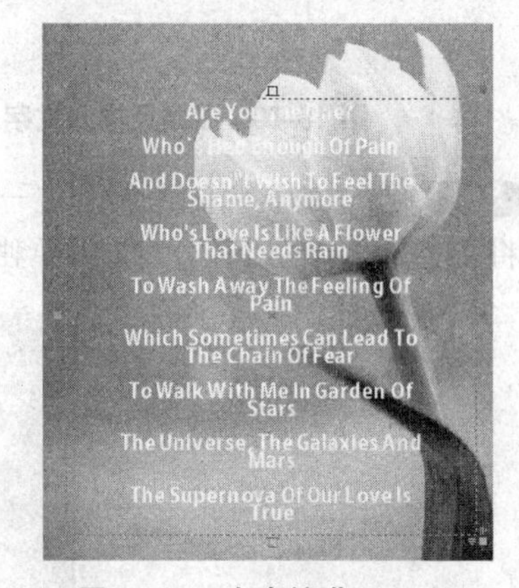

图 10-67 左右缩进 20mm

10.1.6 文本的路径效果与框架效果

在CorelDRAW X4中，文字可以沿绘制的路径排列，也可以将闭合曲线图形作为文本框，应用文本工具在文本框中输入文字。

1. 文本沿路径排列

文本沿绘制的路径进行排列，用户可以调整路径上文字的大小，字体以及颜色等，同时也可以设置路径与文字之间的距离，通常应用此方法来制作一定扭曲弧度的文字效果。

Step 01 首先将“sample\第10章\原始文件\18.jpg”图形文件导入窗口中，如图10-68所示。然后结合钢笔工具和形状工具绘制出如图10-69所示的路径。

图 10-68　导入素材图形

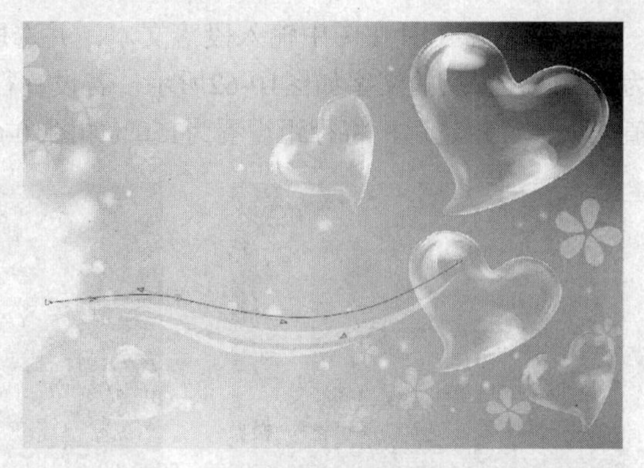

图 10-69　绘制路径

Step 02　选择文本工具，单击绘制的路径，则可以沿路径输入文字，如图10-70所示。在文本工具属性栏中将输入的文字设置为所需的字体及大小，设置后的文字效果如图10-71所示。

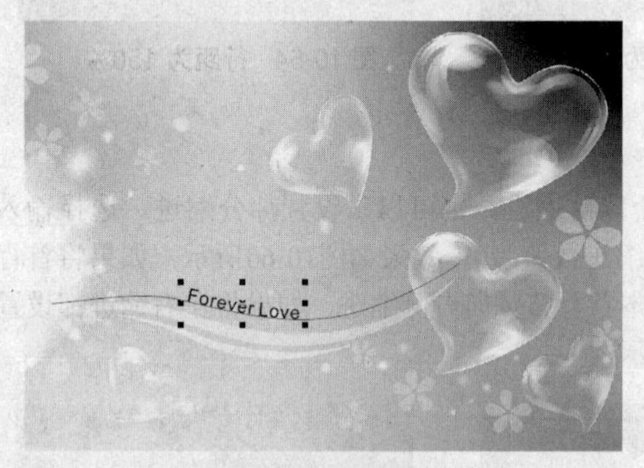

图 10-70　沿路径输入文字

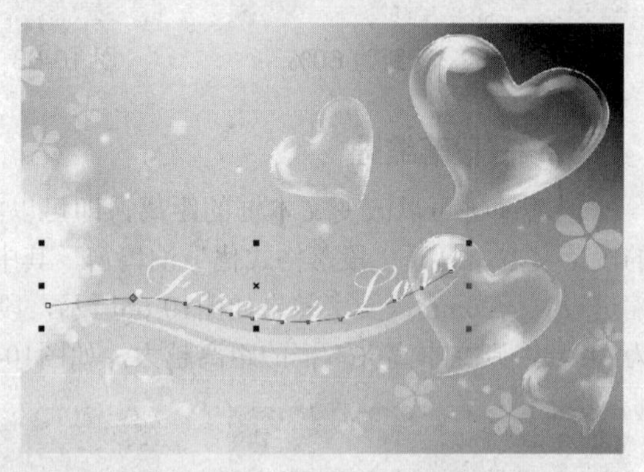

图 10-71　设置文字效果

Step 03　执行“排列>折分在一路径上的文字于图层1”命令，如图10-72所示。执行该操作后即可将文字与绘制的路径分离，并单独选取，选择路径，按Delete键删除，效果如图10-73所示。

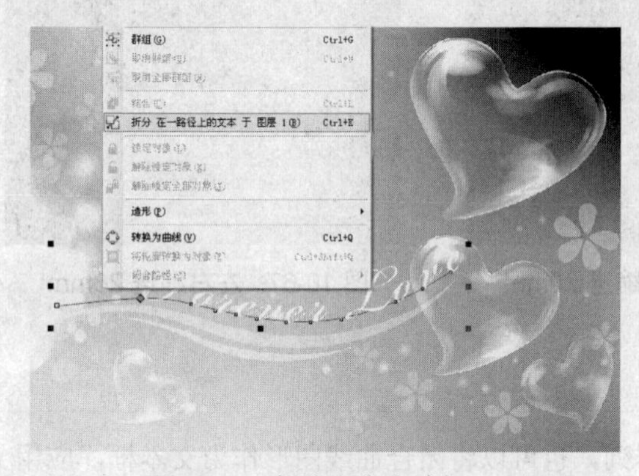

图 10-72　折分文字和路径

图 10-73　编辑后的效果

2. 文本沿图形排列

文本沿图形排列是指文本沿图形环绕，或将图形镶嵌到文本中间，主要通过菜单命令来完成，具体操作步骤如下。

Step 01　创建一个横向页面图形文件，然后双击矩形工具，绘制一个和页面相同大小的矩形，如图10-74所示，应用交互式填充工具将该矩形填充为由蓝色到白色的线性渐变，并去除轮廓线，效果如图10-75所示。

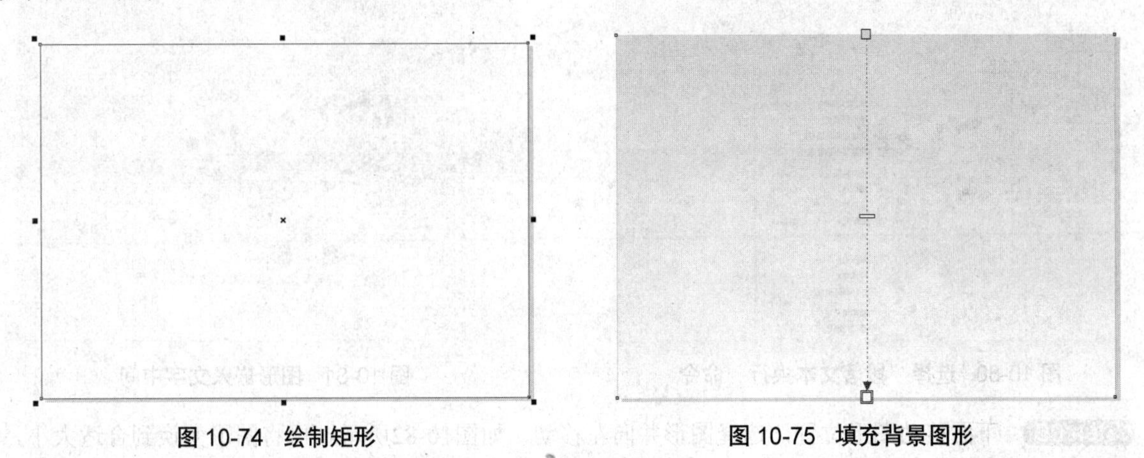

图 10-74　绘制矩形　　　　图 10-75　填充背景图形

Step 02　然后应用文本工具，在矩形中间创建出一个文本框，如图10-76所示，并在文本框中输入文字，如图10-77所示。

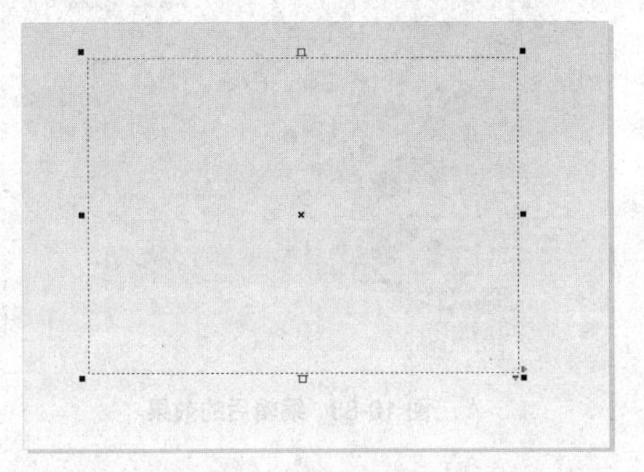

图 10-76　创建文本框

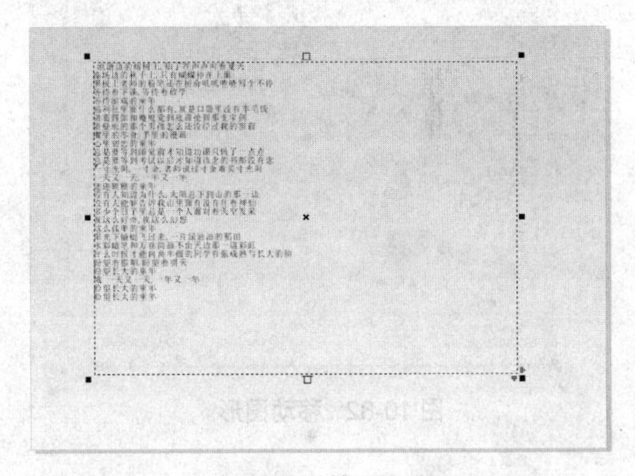

图 10-77　输入文字

Step 03　将输入文字的大小设置为17pt，字体设置为宋体，设置后的文字如图10-78所示。然后将本章原始文件夹中的19.cdr文件打开，并拖动到文字窗口中，如图10-79所示。

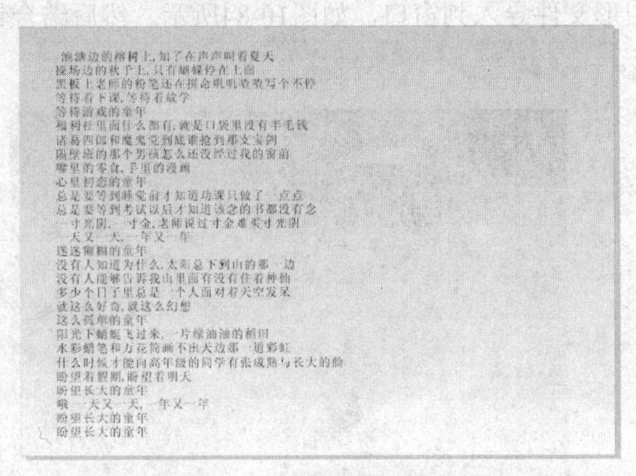

图 10-78　设置后的文字

图 10-79　打开图形

Step 04　选择该图形，单击鼠标右键，弹出快捷菜单，在菜单中选择“段落文本换行”命令，如图10-80所示，即可将图形嵌入文字中间位置，如图10-81所示。

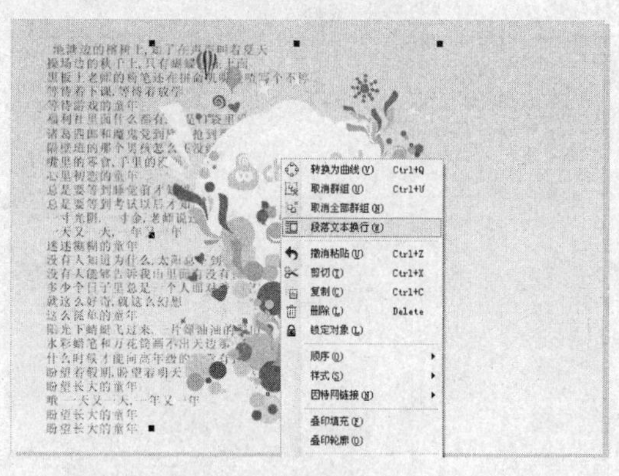

图 10-80　选择“段落文本换行”命令

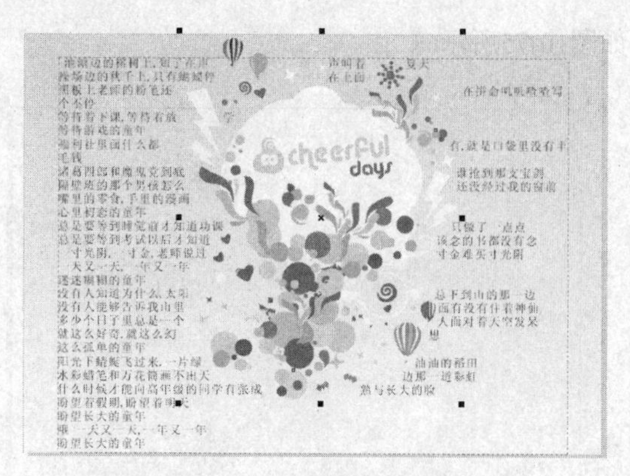

图 10-81　图形嵌入文字中间

Step 05　下面移动图形位置，选择图形并向左移动，如图10-82所示。再将图形变换到合适大小，然后将文本的对齐方式设置为“居中对齐”，设置后的文字效果如图10-83所示。

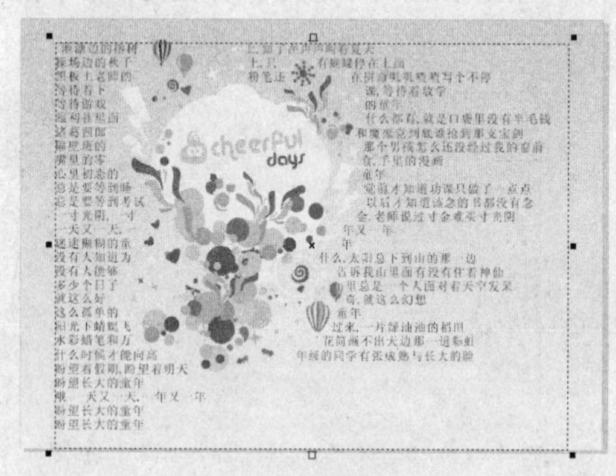

图 10-82　移动图形

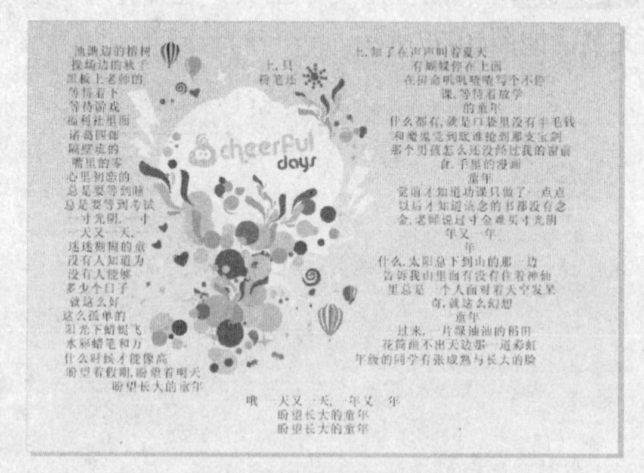

图 10-83　编辑后的效果

3. 文本在图形框中的排列

文本可以沿单个路径排列，也可以将绘制的几何图形作为文本框，应用文本工具在其中输入文字，所输入的文字和段落文字有相同的特点，都可以对段落的间距等设置。

Step 01　将“sample\第10章\原始文件\20.jpg”图形文件导入到窗口，如图10-84所示，然后结合钢笔工具和形状工具绘制出如图10-85所示的心形图形。

图 10-84　导入素材图形

图 10-85　绘制路径

Step 02　选择文本工具，单击绘制的心形图形，将该图形转换为文本框，如图10-86所示，然后在形成的文本框中输入所需的文字，如图10-87所示。

图 10-86　转换成文本框

图 10-87　输入文字

Step 03　将输入段落文字的大小设置为17.5pt，字体设置为Arial，文字颜色设置为白色，设置后的文字效果如图10-88所示，然后执行“排列>折分路径内的段落文本”命令，再选择心形路径，并按Delete键删除，效果如图10-89所示。

图 10-88　设置文字大小和字体

图 10-89　编辑完成后的文字

10.1.7　链接文本

链接文本是指将多个文本框链接，并使其中的文字内容相连，通常用于在一个文本框中无法显示完整的文本，而要添加另外的文本框，并将新的文本框与之前的文本框相互链接。

Step 01　在之前导入的素材图形中应用文本工具创建文本框，并输入文字，如图10-90所示。文本框底部出现的三角形按钮说明文字并未显示完全，要添加一个新的文本框并进行连接。应用文本工具在右侧创建一个空白文本框，如图10-91所示。

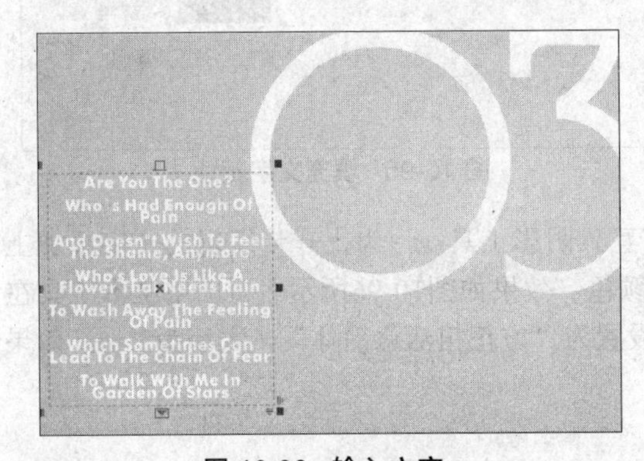

图 10-90　输入文字

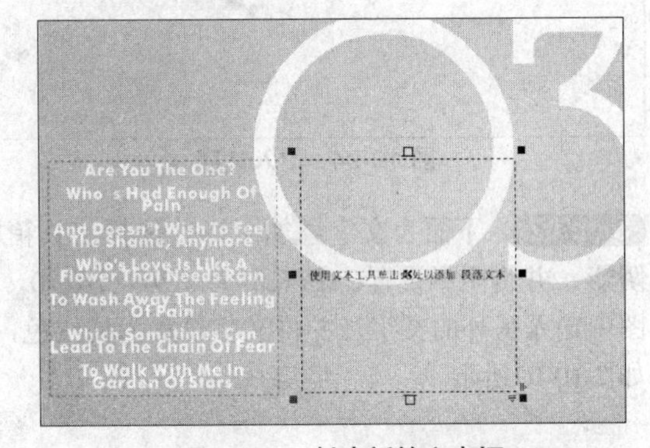

图 10-91　创建新的文本框

Step 02　然后单击左侧文本框中底部的三角形按钮，光标将会变为黑色箭头，该箭头此时单击右侧文本框，如图10-92所示，右侧文本框将显示未显示完成的文字，如图10-93所示。

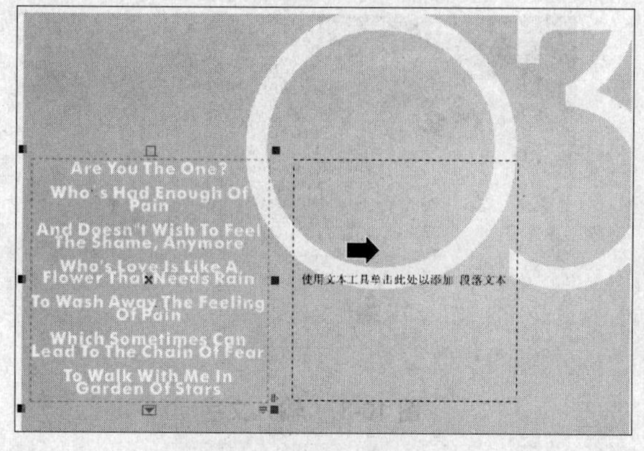

图 10-92　单击右侧文本框

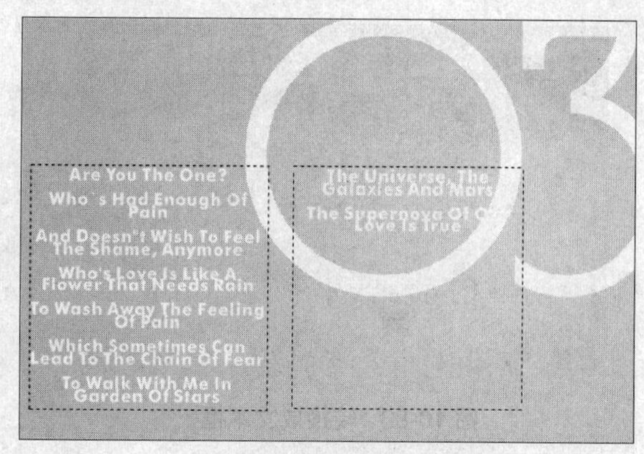

图 10-93　连接后的文本框

10.2　CorelDRAW X4特效字的制作

CorelDRAW X4中的特效字主要是通过提供的相关工具对文字编辑，阴影文字的制作主要通过交互式阴影工具实现，为输入的文字添加上羽化后的阴影效果，变形文字则通过将文字分割为不同的区域并分别填充颜色来体现，立体字效果则是通过交互式立体化工具实现。

10.2.1　阴影文字效果

阴影文字效果的制作方法主要是应用交互式阴影工具在输入的文字上拖动形成文字阴影，然后对阴影颜色等进行设置，具体操作步骤如下。

Step 01　将“sample\第10章\原始文件\21.jpg”图形文件导入窗口中，如图10-94所示。使用文本工具在图中输入文字，将文字填充颜色的CMYK值为（43，51，71，20），如图10-95所示。

图 10-94　输入文字

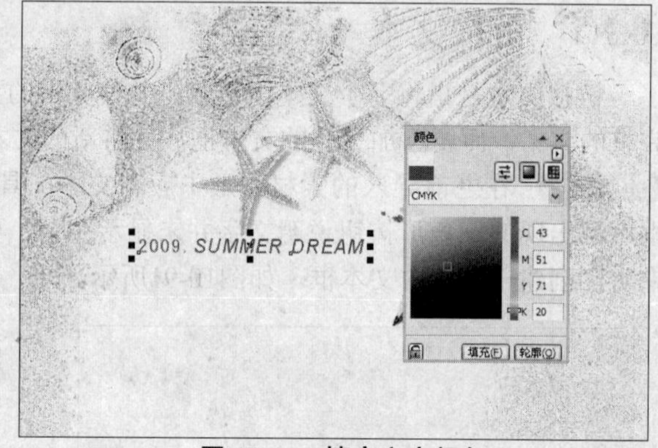

图 10-95　填充文字颜色

Step 02　下面为文字添加阴影，选择工具箱中的交互式阴影工具，为上一步编辑的文字添加上阴影，并将阴影设置CMYK值为（74，76，0，0）的颜色，效果如图10-96所示。再应用文本工具在图中输入另外的文字，并将文字设置为橘红色，字体设置为“方正粗活意简体”，大小为50pt，效果如图10-97所示。

图 10-96 添加阴影

图 10-97 输入另外的文字

Step 03 继续为文字添加阴影，应用交互式阴影工具在文字上形成阴影效果，如图10-98所示，并设置合适的阴影颜色，最后在属性栏中将“阴影羽化”参数设置为8，设置完成后的效果如图10-99所示。

图 10-98 继续添加阴影

图 10-99 设置后的图形

10.2.2 变形文字效果

变形文字是指分别对各部分文字进行编辑，通过绘制不规则图形，应用智能填充工具对文字的不同区域填充，形成多个颜色的文字效果，然后将原来底部的文字删除，具体操作步骤如下。

Step 01 创建一个新图形文件，应用文本工具在图中输入字母A~Z，如图10-100所示，然后将字母设置到合适大小并放置到页面中，执行“排列>拆分美术字”命令，如图10-101所示。

ABCDE
FGHIJK
LMNOPQ
RSTUVW
XYZ

图 10-100 输入文字

图 10-101 变换到合适大小

Step 02 继续拆分文字，执行“排列>拆分美术字”命令，将其变为单个字母，如图10-102所示，然后按Ctrl+Q键将选择的字母转换为曲线，如图10-103所示。

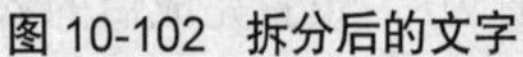
图 10-102 拆分后的文字

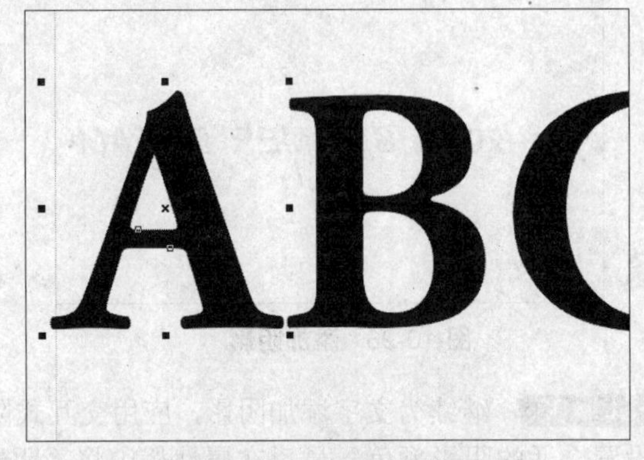
图 10-103 转换为曲线

Step 03 执行“排列>拆分美术字”命令，将字母转换为各图形的组合，如图10-104所示，再选择拆分后的字母图形，单击属性栏中的“修剪”按钮，最后删除多余图形，修剪后的文字效果如图10-105所示。

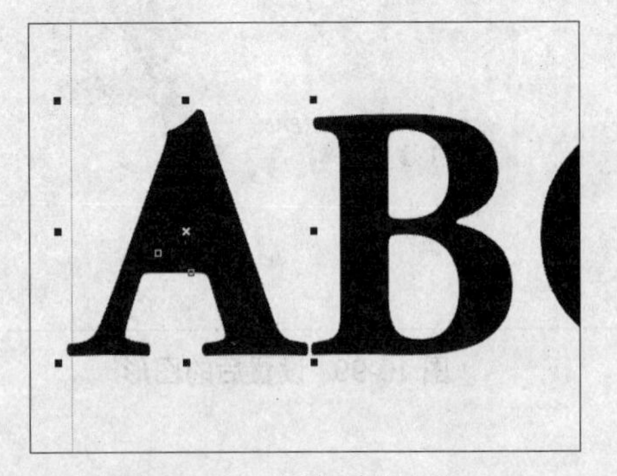
图 10-104 拆分后的文字

图 10-105 修剪后的文字

Step 04 分区域填充文字。应用钢笔工具在字母A上绘制出如图10-106所示的不规则图形，然后单击工具箱中的“智能填充工具”按钮，在属性栏中将颜色设置为深黄色，单击左边的文字区域，即可填充上设置的颜色，效果如图10-107所示。

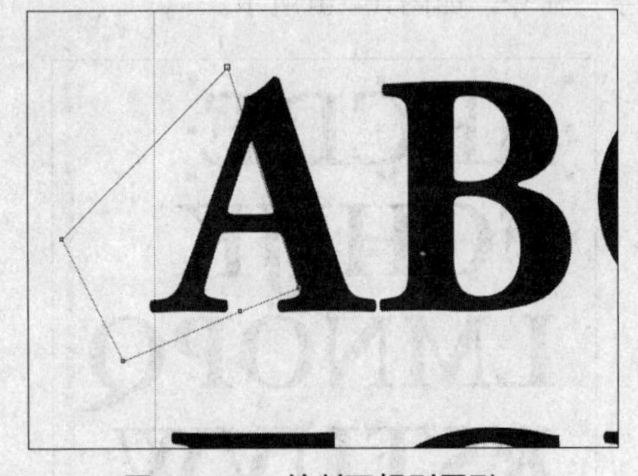
图 10-106 绘制不规则图形

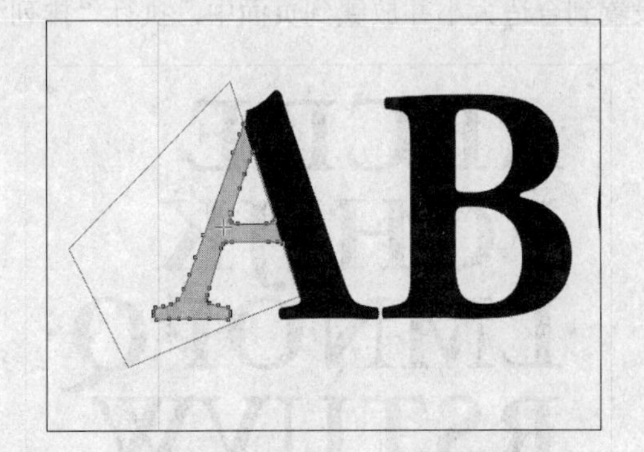
图 10-107 填充分割的图形

Step 05 同样在智能填充工具属性栏中设置填充颜色为红色，然后单击右边区域，则填充上红色，将底部的字母删除，效果如图10-108，对字母B也进行同样方法的编辑，在不同的区域上填充颜色，效果如图10-109所示。

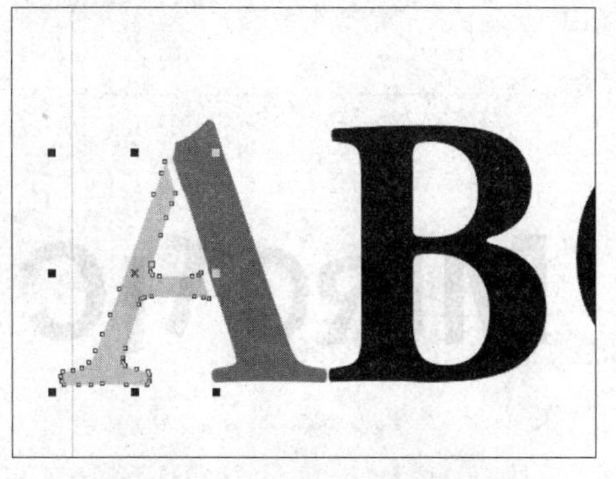

图 10-108 完成的字母 A 效果

图 10-109 填充字母 B

Step 06 将第一排的其余文字也按照前面讲的制作彩色文字的方法编辑，完成的效果如图10-110所示，而剩下的文字都按照先转换为曲线，再绘制图形，然后应用智能填充工具填充的步骤操作，完成的图形如图10-111所示。

ABCDE
FGHIJK
LMNOPQ
RSTUVW

图 10-110 调整其余文字

图 10-111 完成后的文字效果

Step 07 将“sample\第10章\原始文件\22.jpg”图形文件导入窗口中，如图10-112所示，选择前面编辑完成的文字并拖动到导入的图形中，再调整到合适的位置即可，完成的效果如图10-113所示。

图 10-112 导入素材图形

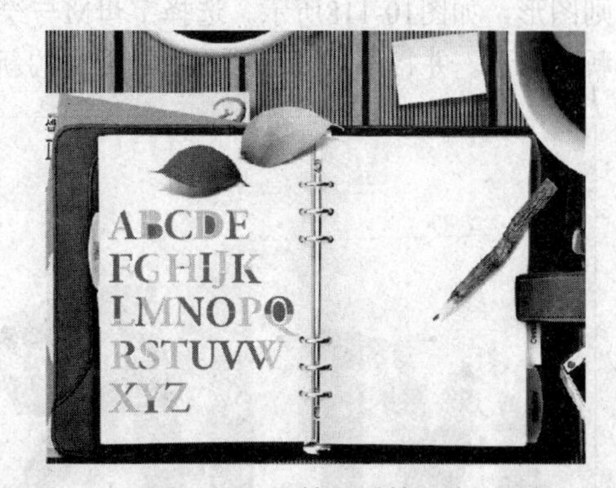

图 10-113 编辑后的文字

10.2.3 立体字效果

制作立体字效果主要应用了交互式立体化工具，其一般步骤为先应用交互式填充工具分别填充文字，然后制作出透明效果，最后添加立体效果，并设置合适角度，具体操作步骤如下。

Step 01 首先创建一个横向页面的图形文件，应用文本工具在图中输入英文字母，如图10-114所示。然后执行“排列>拆分美术字”命令，再分别选择不同的字母将其变换到不同位置和角度，如图

10-115所示。

图 10-114 输入文字

图 10-115 编辑文字位置

Step 02 填充文字，设置起始处的颜色，应用交互式填充工具为选择的文字填充渐变色，效果如图10-116所示，应用同样的方法将其余的文字分别填充上渐变色，效果如图10-117所示。

图 10-116 填充文字

图 10-117 完成填充效果

Step 03 分别选择各个字母，按Ctrl+Q键将文字转换为曲线，然后应用钢笔工具在图中绘制出不规则图形，如图10-118所示。选择字母M与绘制的不规则图形，单击属性栏中的“相交”按钮，得到新的图形，并将不规则图形删除，得到的新图形如图10-119所示。

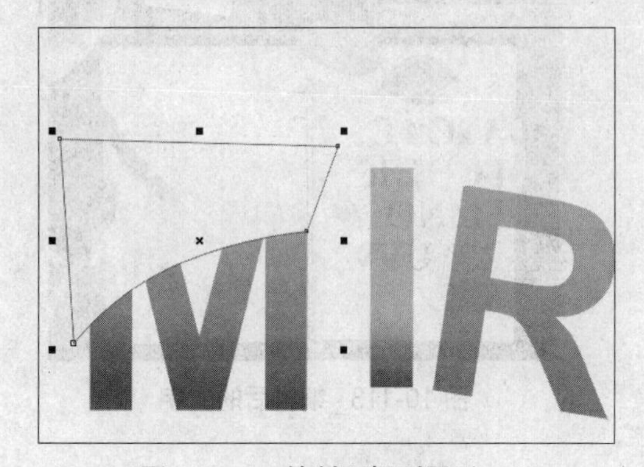

图 10-118 绘制不规则图形

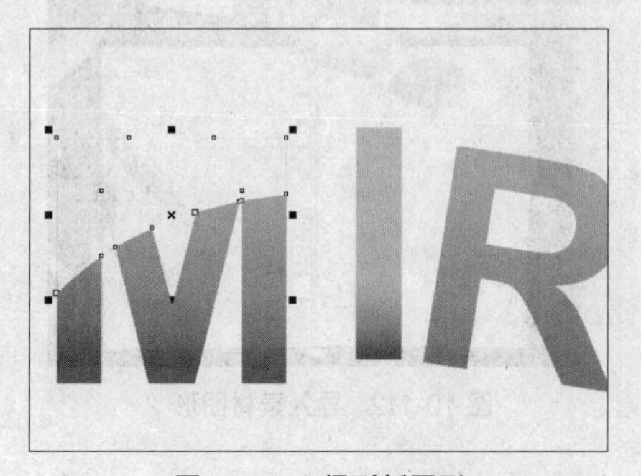

图 10-119 得到新图形

Step 04 设置图形透明度，选择上一步中相交后的图形，单击工具箱中的“交互式透明度工具”按钮，在该工具的属性栏中将透明类型设置为“标准”，将透明度设置为80，设置后的效果如图10-120所示，按照绘制字母M透明效果的方法，在其余字母上也绘制出不同的透明效果图形，如图10-121所示。

图 10-120　设置透明度

图 10-121　编辑其余图形

Step 05　选择字母M，选择工具箱中的交互式立体化工具，在文字中拖动光标，形成立体效果，如图10-122所示，按照所示方法将其余文字也添加上立体效果，如图10-123所示。

图 10-122　制作立体效果

图 10-123　编辑其余文字

Step 06　利用矩形工具绘制一个和页面相同大小的矩形，再应用交互式填充工具为其添加渐变色，效果如图10-124所示，然后应用钢笔工具在上面绘制出不规则的图形图案，如图10-125所示。

图 10-124　填充背景

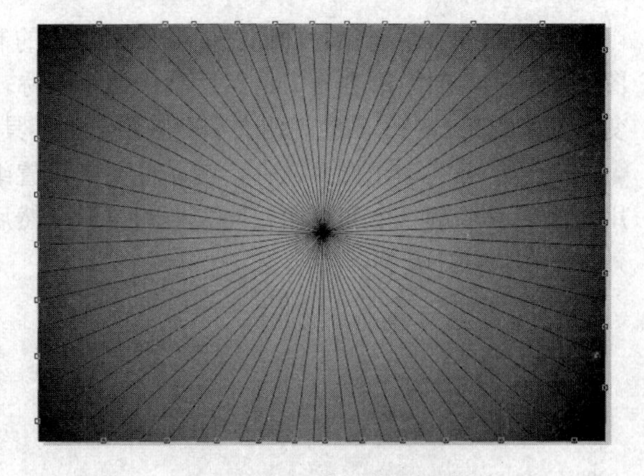

图 10-125　绘制背景图案

Step 07　选择上一步绘制的不规则图形并焊接，填充为白色，选择交互式透明度工具后单击该图形，在属性栏中设置“透明类型”为“标准”，透明度为70，设置后的效果如图10-126所示，再将前面制作好的文字放置到绘制背景的页面中，效果如图10-127所示。

图 10-126 设置透明度

图 10-127 移动文字

Step 08 为图形添加云朵，将“sample\第10章\原始文件\23.psd”图形文件导入到窗口中，如图10-128所示。然后应用交互式透明度工具编辑云朵，将透明度设置为20，完成后的图形效果如图10-129所示。

图 10-128 导入云朵图形

图 10-129 调整后的效果

10.3 综合实例——童话书封面的制作

封面制作主要包括封面图案的制作、封底的制作以及书脊的制作。首先添加封面图案，将素材图形放置到封面图形容器中，然后制作书籍名称，应用拆分文字的方法对各文字分别编辑，制作出变形文字效果，对于其他说明文字则应用文本工具直接输入，具体操作步骤如下。

Step 01 新建一个图形文件，在属性栏中设置纸张大小为432mm×291mm，如图10-130所示。应用矩形工具绘制一个和页面相同大小的矩形，然后选择绘制的矩形，按住Shift键缩放矩形，得到的效果如图10-131所示。

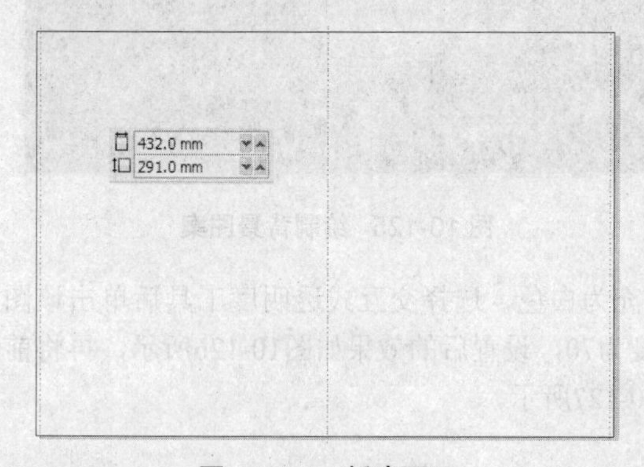

图 10-130 新建页面

图 10-131 创建矩形

Step 02　在属性栏中设置矩形的圆角为20，设置后的矩形效果如图10-132所示，再将“sample\第10章\原始文件\24.jpg”图形文件导入到窗口中，如图10-133所示。

图 10-132　设置圆角矩形

图 10-133　导入图形

Step 03　将图像放置到圆角矩形中，执行“效果>图框精确剪裁>放置在容器中”命令，编辑后的图像效果如图10-134所示，然后编辑容器中的图形位置，调整到合适大小，效果如图10-135所示。

图 10-134　调整图形到容器中

图 10-135　调整图形大小

Step 04　选择矩形图形，使用鼠标右键单击右侧调色板中的按钮×，去除图形轮廓线，效果如图10-136所示。再应用矩形工具在图中绘制一个矩形，并应用交互式填充工具填充矩形，效果如图10-137所示。

图 10-136　去除轮廓线

图 10-137　绘制中间矩形并填充

Step 05　下面为封面添加书籍名称，应用文本工具在图中输入所需的文字，然后再单击文本工具属性栏中的“将文本更改为垂直方向”按钮，输入的文字如图10-138所示，执行“排列>拆分美术字”命令，文字效果如图10-139所示。

图 10-138　输入文字

图 10-139　拆分文字

Step 06　然后编辑文字，将中间区域通过修剪操作制作出留白区域，应用椭圆形工具在文字上绘制椭圆并添加到文字中，效果如图10-140所示。下面为文字添加底色，应用椭圆形工具在图中绘制出多个椭圆，并焊接为一个图形，再填充上颜色，填充的图形效果如图10-141所示。

图 10-140　绘制椭圆

图 10-141　填充底部颜色

Step 07　下面在图中添加水平方向的文字，选择文本工具后单击属性栏中的“将文本更改为水平方向”按钮，然后在图中输入文字，将说明文字设置到合适大小，并添加作者名称，如图10-142所示，制作书脊文字可以利用刚制作完成的名称，将其复制后放置到中间位置，并输入名称的拼音，如图10-143所示。

图 10-142　添加说明文字

图 10-143　编辑书脊文字

Step 08　选择上步输入的拼音，设置大小写。执行“文本>更改大小写”命令，弹出如图10-144所示的“改变大小写”对话框，单击“首字母大写”单选按钮，设置完成后单击“确定”按钮，即可将拼音首字母设置为大写，添加文字后的封面效果如图10-145所示。

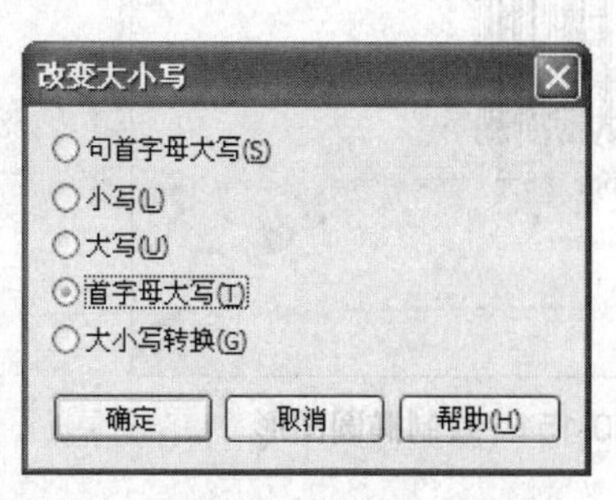

图 10-144 “改变大小写”对话框

图 10-145　书脊效果

Step 09 下面为封面添加条形码，执行“编辑>插入条形码”命令，弹出如图10-146所示的“条码向导”对话框，在对话框中选择添加条形码的含义，输入相关数字，设置完成后单击“下一步”按钮，然后继续设置条形码，接下来设置条码的高度及比例等参数，如图10-147所示。

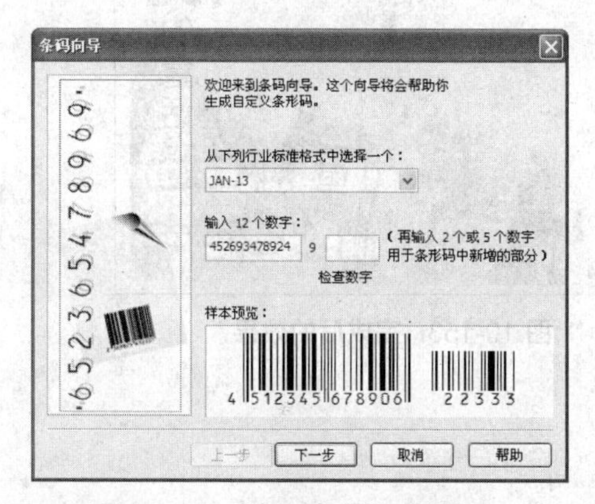

图 10-146 “条码向导”对话框

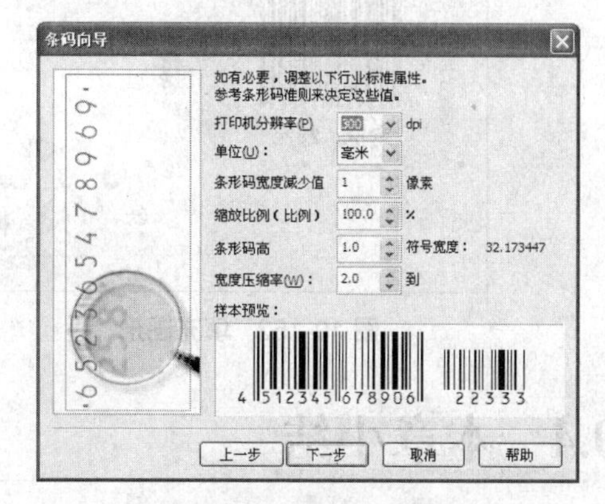

图 10-147　设置条形码样式

Step 10 设置完成后单击“确定”按钮，打开如图10-148所示的对话框，在对话框中设置输入文字的大小等参数，完成后单击“完成”按钮，即可在封面图形中查看所添加的条形码，如图10-149所示。

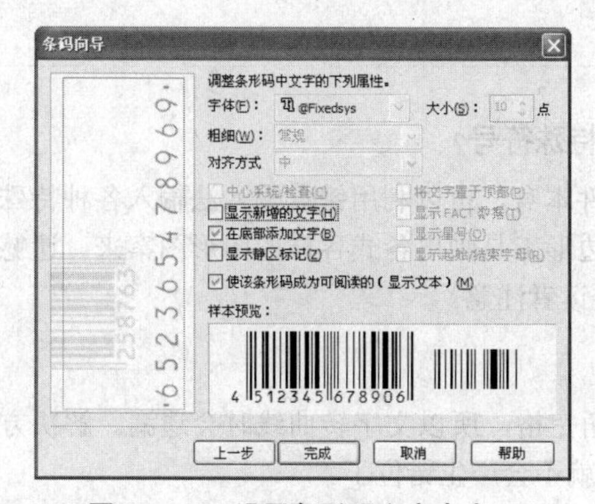

图 10-148　设置条形码文字大小

图 10-149　导入的条形码

Step 11 应用文本工具在条形码的上方将其余文字补充完整，如图10-150所示。选择椭圆形工具在图中绘制多个椭圆图形，并将其焊接形成一个图形，如图10-151所示。

图 10-150 设置完成的条形码

图 10-151 绘制椭圆图形

Step 12 应用交互式填充工具对焊接的图形填充渐变色，再输入书籍的定价，如图10-152所示，最后在图中添加其他说明文字，完成后的效果如图10-153所示。

图 10-152 填充圆形

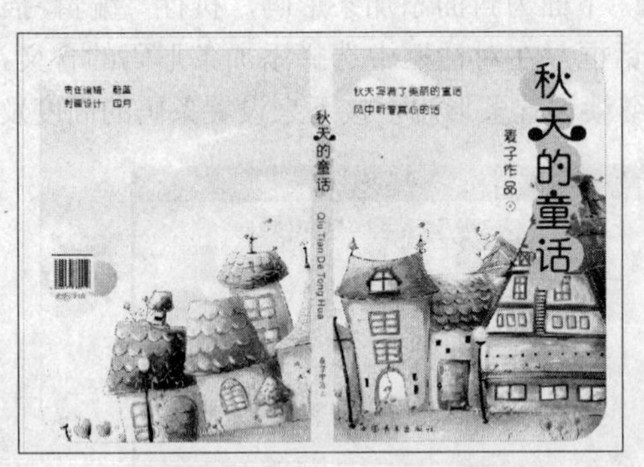

图 10-153 完成后的效果

10.4 本章小结

处理文本的基本设置可以通过属性栏对文字的字体、大小以及对齐方式进行编辑，然后应用文本菜单中的相关命令进一步设置文本细节部分，包括位移与旋转、段落文字的编排、文本与路径关系的设置以及链接文本，掌握了这些基本的设置方法后，就能为后面制作文字特效奠定基础。

10.5 专业解析

1. 如何在 CorelDRAW 中插入类似 WORD 中的特殊符号？

答：特殊符号的输入并不依赖于CorelDRAW的软件本身，可以利用键盘输入法输入各种特殊符号。CorelDRAW的便利还在于你可以用简单的线条多边形工具画出各式各样的图形图案来。遗憾的是CorelDRAW对于全角中文输入的支持比较欠缺，需要读者注意。

2. CorelDRAW 文字转曲线时候为什么会错位？

答：因为美工文字段落的第一行前面的空格是全角空格，所以文字转曲线时会遗漏。解决方法是把每段的第一行全角空格改为半角空格，转换曲线时就不会产生错位了。

3. CorelDRAW 中的文字描边不能加轮廓线怎么办？

答：中文版的CorelDRAW都不支持直接将文字加粗的功能，解决这个问题只有通过调节轮廓线的粗细来实现。按快捷键F12，调整好需要的轮廓线粗细，再为轮廓线上色。

10.6 思考与练习

1. 填空题

（1）文本的大小写分为__________、__________、__________、__________、和__________5种类型。

（2）要编排大量的文字，应使用__________。

（3）给“段落文本”创建封套效果，可以通过拖动“段落文本框”的__________创建自定义的封套。

2. 选择题

（1）下列属于文本句首字符设置的是（　）。

A. 悬挂式缩进

B. 首字下沉

C. 项目符号设置

D. 旋转设置

（2）CorelDRAW中，要修改美术文本行距，方法有（　）。

A. 在文本/格式化文本中修改

B. 拉动美术文本右下方的文本操纵杆

C. 鼠标右键点击“字”工具

D. 美术文本无法调整

（3）在文本中嵌入图形对象的顺序是（　）。

A. 利用“挑选工具”选择图形对象

B. 执行“编辑>复制”命令，然后利用“文本工具”选择文本

C. 将“插入点”放在要嵌入的图形位置

D. 执行“编辑>粘贴”命令

3. 判断题

（1）必须把文本和路径打散，删除路径才能不影响文本。（　）

（2）CorelDRAW群组对象不能创建为符号的对象。（　）

（3）文本编辑中，首字下沉可以做到悬挂缩进效果。（　）

4. 问答题

（1）如何设置文本栏？

（2）垂直位移如何设置？

（3）设置选择部分文本样式的步骤是什么？

5. 上机题

（1）为页面添加文字，如图10-154所示。

图 10-154　制作文字效果

（2）制作出如图10-155所示的文字标志效果。

图 10-155 标志图形

（3）导入如图10-156所示的图形，输入文字并填充上合适颜色，如图10-157所示。

图 10-156 导入素材图形

图 10-157 编辑后的文字

在 CorelDRAW X4 中使用位图

11

本课所需时间： 3 个小时

课程范例文件： sample\ 第 11 章 \

课后练习文件： exercise\ 第 11 章 \

必须掌握：

- 位图滤镜的应用

深入理解：

- 裁剪、编辑位图
- 位图颜色和色调调整

一般了解：

- 描摹位图
- 透镜

课程总览：

在CorelDRAW X4中不仅可以编辑矢量图形也可以编辑位图，通过导入位图以及将矢量图形转换为位图，用户可以应用提供的相关命令对位图重新编辑和变换，制作出特殊的图像效果。

11.1 位图的添加与编辑

位图主要通过导入位图或将矢量图形转换为位图来添加，用户可以应用提供的工具对新位图重新编辑和调整，转换位图时要注意设置图形的背景。

11.1.1 矢量图形向位图的转换

矢量图形转换为位图主要通过“转换为位图”对话框完成，选择要编辑的图形，然后通过设置将其转换为位图，并应用滤镜等编辑位图的工具或命令对其进行编辑，具体操作步骤如下。

Step 01 首先打开“sample\第11章\原始文件\1.cdr”图形文件，如图11-1所示，选择要编辑的人物图形，如图11-2所示。

图 11-1 打开素材图形

图 11-2 选择要编辑的图形

Step 02 执行“位图>转换为位图”命令，弹出如图11-3所示的“转换为位图”对话框，在对话框中将“分辨率”设置为300dpi，参照图上所示进行其余设置，完成后单击“确定”按钮，设置完成后的位图如图11-4所示，中间的节点消失，只留下周围的控制点。

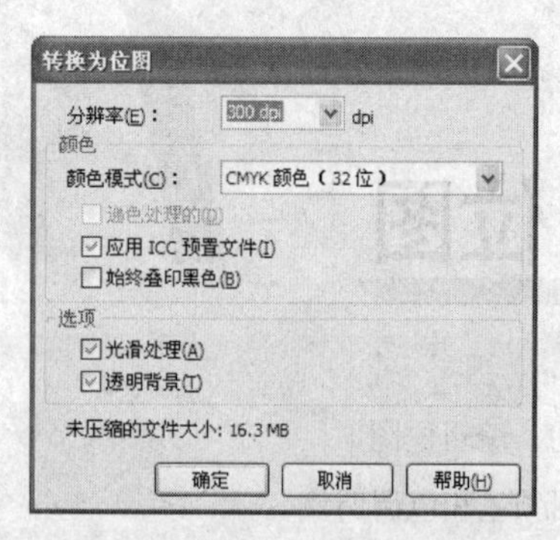

图 11-3 “转换为位图”对话框

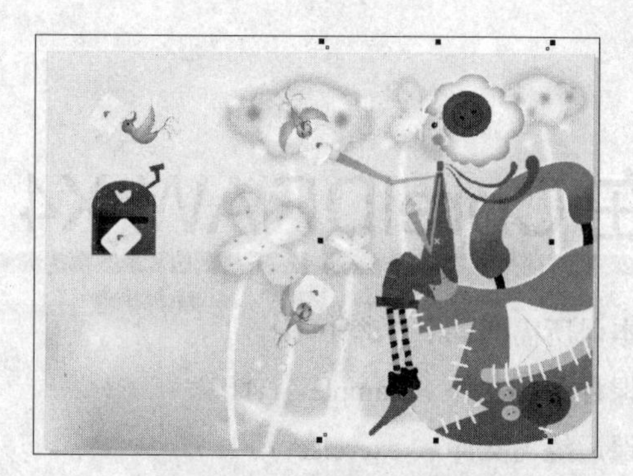

图 11-4 转换后的图形

提 示

“转换为位图”对话框中的分辨率和颜色模式决定了转换后文件的大小。

Step 03 如果在对话框中取消勾选“透明背景”复选框，如图11-5所示，设置完成后单击“确定”按钮，人物图形转换为位图，但背景为白色，如图11-6所示。

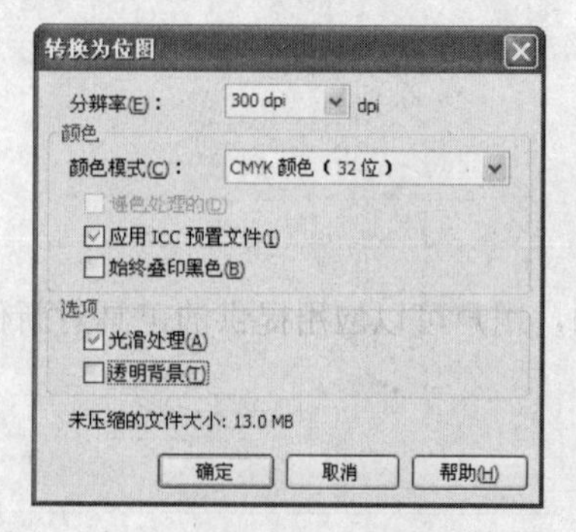

图 11-5 取消勾选复选框

图 11-6 转换为白底位图

11.1.2 裁剪位图

裁剪位图主要应用裁剪工具，将要编辑的图像导入窗口中，应用裁剪工具在图像中创建裁剪框并调整至合适大小，最后裁剪即可。

Step 01 首先导入“sample\第11章\原始文件\2.jpg”图形文件，如图11-7所示，然后单击工具箱中的“裁剪工具”按钮，并在导入的图形中创建裁剪框，如图11-8所示。

图 11-7 导入素材图形

图 11-8 拖动鼠标形成裁剪框

Step 02 编辑裁剪框的大小，调整裁剪框位置，如图11-9所示。调整到合适大小后双击裁剪图像的中间位置，效果如图11-10所示。

图 11-9　调整裁剪选取框

图 11-10　裁剪后的图像

11.1.3　编辑位图

位图的编辑主要通过Corel PHOTO-PAINT X4组件完成，执行“位图>编辑位图”命令，打开如图11-11所示的“Corel PHOTO-PAINT X4”对话框，对话框中提供了许多与位图编辑相关的命令、工具等，用户可以将位图图像制作成滤镜特效，也可以对其裁剪和调整色调等。

图 11-11　“Corel PHOTO-PAINT X4”对话框

在“Corel PHOTO-PAINT X4”对话框中可以重新编辑导入的位图，用户可以通过执行相应的滤镜命令对图像进行调整，也可以在图中预览应用滤镜后的图像效果，如图11-12所示为应用素描滤镜对图像编辑后的效果，在相应的对话框中还可以设置相关参数，如图11-13所示为应用马赛克滤镜对图像编辑后的效果。

图 11-12　素描效果

图 11-13　马赛克效果

除了应用滤镜编辑图像外，也可以应用调整色彩的相关命令编辑图像。比如应用柱状平衡编辑图形后可以将部分区域变白，部分区域变暗，效果及“柱状平衡”对话框如图11-14所示，应用伽玛值对图像编辑后图像将整体变亮，效果及“伽玛值”对话框如图11-15所示。

图 11-14 柱状平衡效果

图 11-15 伽玛值效果

在“Corel PHOTO-PAINT X4”对话框中可以通过菜单命令编辑图像，也可以通过单击左侧工具箱中的相关工具进行编辑，如图11-16所示为选择裁剪工具对位图裁剪的效果，也可以应用创建选区的工具在图中创建选区后移动图形，如图11-17所示。

图 11-16 裁剪后的图像

图 11-17 移动选择区域

11.2 透镜和位图颜色遮罩

透镜要和矢量图形结合起来应用，在要编辑图形的上方绘制出编辑区域的大致轮廓，再通过“透镜”泊坞窗编辑。而位图颜色遮罩是通过设置，将位图中的部位色彩隐藏，即在原图像中不会显示出被遮罩的这部分颜色。

11.2.1 透镜

透镜的主要作用是突出表现位图的部分区域，用户可以将这部分区域的颜色加深或反相等。执行“窗口>泊坞窗>透镜”命令，即可打开“透镜”泊坞窗口，如图11-18所示。在该泊坞窗中将显示系统提供的12种透镜选项命令，如图11-19所示，选择不同的选项会对图像结构产生不同的影响。

图 11-18 “透镜”泊坞窗

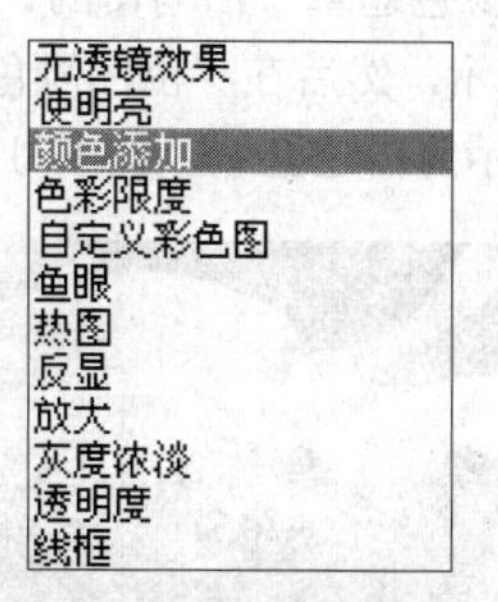

图 11-19 透镜命令选项

提示

透镜不能用于已经添加阴影、立体效果和调和效果的对象。

首先将要编辑的位图图像导入到窗口中，通过椭圆形工具在位图上方绘制一个椭圆形，然后打开“透镜”泊坞窗，将透镜类型设置为“颜色添加”，并设置比率，设置后单击“应用”按钮，可以查看应用透镜后的效果，如图11-20所示。同样可以在“透镜”泊坞窗设置另外的透镜类型，比如设置类型为“热图”，应用透镜后的效果如图11-21所示。

图 11-20 颜色添加效果

图 11-21 热图效果

11.2.2 位图颜色遮罩

颜色遮罩是在图像中显示对象或者隐藏对象，用户可以将位图颜色遮罩保存到文件中，供后面重复使用。执行“窗口>泊坞窗>位图颜色遮罩”命令，即可打开如图11-22所示的“位图颜色遮罩”泊坞窗，在其中显示要移除的相关颜色，用户可以通过吸管工具吸取要遮罩的颜色，也可以打开“选择颜色”对话框重新设置要遮罩的颜色。

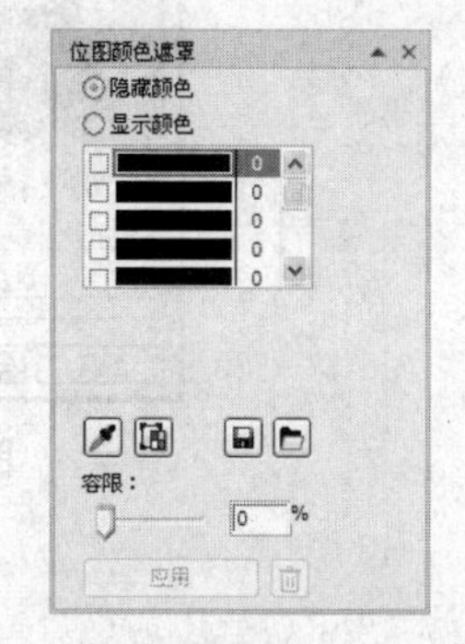

图 11-22 “位图颜色遮罩”泊坞窗

“位图颜色遮罩”泊坞窗的具体应用如下。将“sample\第11章\原始文件\5.jpg”图形文件导入，如图11-23所示，然后在“位图颜色遮罩”泊坞窗中选择吸管工具，单击图中的深色区域，则该 区域被遮住且显示为白色区域，如图11-24所示。

图 11-23 导入图形

图 11-24 遮罩后的图形

11.2.3 位图颜色和色调效果的应用和变换

位图可以通过“效果”菜单提供的相关命令调整，主要调整的内容为图像的亮度、光度和暗度等。通过对颜色色调的调节使暗部区域的图像显示出来，并校正曝光不足的图像，全面调节位图图像。

1. 调和曲线

CorelDRAW X4版本的调和曲线有了较大的改进，出现了显示所设置图像明暗关系的直方图。选择要编辑的位图，执行“效果>调整>调和曲线”命令，弹出如图11-25所示的“调和曲线”对话框。在该对话框中可以设置曲线走向，标准为越向上则颜色越亮。在该对话框中单击“预览”按钮，可以在其中查看调整曲线后的效果。

2. 局部平衡

局部平衡主要用来加强图像边缘对比度，显示浅色以及深色区域中的细节部分。选择要编辑的位图后执行“效果>调整>局部平衡”命令，打开“局部平衡”对话框。在该对话框中有两个参数，分别为宽度和高度，这两个参数可以同时设置，也可以分别设置。

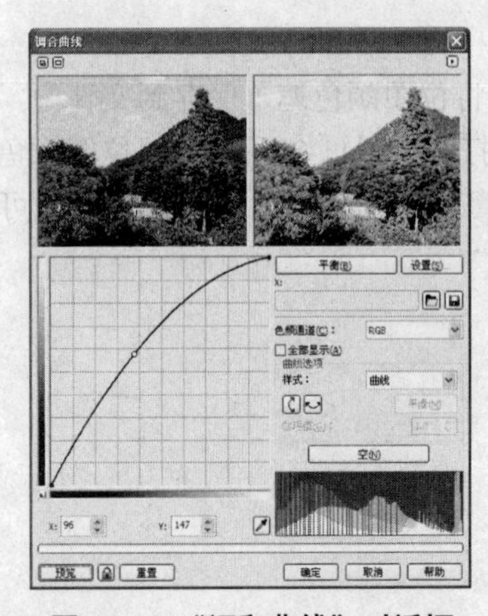

图 11-25 “调和曲线”对话框

图 11-26 “局部平衡”对话框

3. 色度 / 饱和度 / 亮度

色度/饱和度/亮度主要用来设置颜色的色相、饱和度和亮度，打开如图11-27所示的“色度/饱和度/亮度”对话框，在其中可以对整体对象的颜色色度等编辑，也可以单独对单个颜色编辑，单击相应颜色渐变的单选按钮后即可重新编辑。

4. 颜色平衡

颜色平衡通常用于纠正图像色彩，通过对各颜色之间的编辑，以得到正常色彩的图像。执行“效果>调整>颜色平衡”命令，即可打开“颜色平衡”对话框，如图11-28所示。在对话框中可以编辑不同颜色的平衡数值。

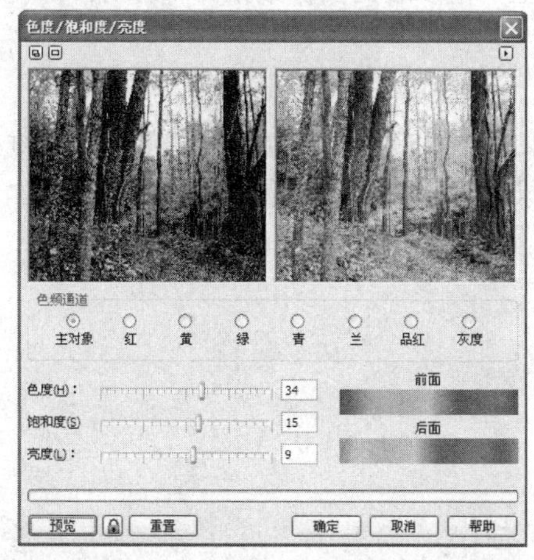

图 11-27 “色度 / 饱和度 / 亮度”对话框

图 11-28 “颜色平衡”对话框

5. 伽玛值

伽玛值用于设置图像的明亮程度，可以强化细节部分，但不影响图像的明暗关系。选择要编辑的位图，执行“效果>调整>伽玛值”命令，即可打开如图11-29所示的“伽玛值”对话框。在对话框中只有一个相关参数，可以通过调整滑块控制图像效果。

6. 通道混合器

通道混合器可以调整图像输出的颜色，可以更改图像的色相等，而不会影响图像的明暗关系。调整图像以选择的颜色为主色，而其他颜色都偏向所选择的主色。选择编辑的位图图像，执行“效果>调整>通道混合器”命令，打开如图11-30所示的“通道混合器”对话框。在对话框中可以对输出的颜色以及通道等进行设置。

图 11-29 “伽玛值”对话框

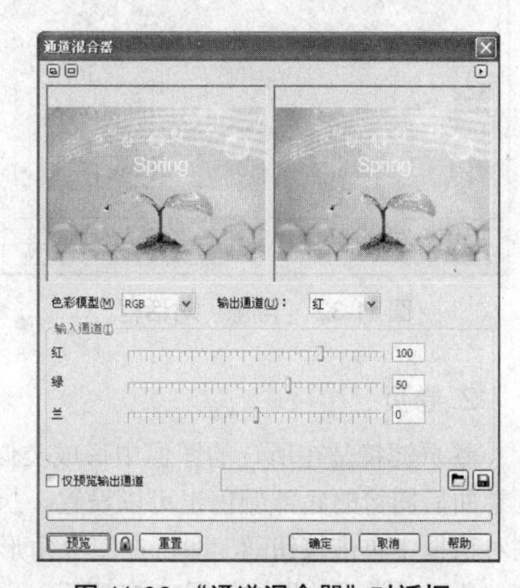

图 11-30 “通道混合器”对话框

11.3 位图滤镜的应用

CorelDRAW X4中提供的位图滤镜根据制作效果分为10类，每种滤镜又可以细分出多种滤镜效果，常用的滤镜组有三维效果、艺术笔触、模糊、相机、颜色转换、轮廓图、创造性、扭曲、杂点和鲜明化，此外还支持外挂滤镜。在这些效果滤镜中，一部分可以用来校正图像，修复图像，另一部分滤镜则可以破坏图像中原有画面正常的位置或颜色，从而模仿自然界的各种状况或产生一种抽象的色彩效果。每种滤镜都有各自的特性，灵活运用可产生丰富多彩的图像效果。

11.3.1 三维滤镜

三维滤镜的主要作用是模拟三维空间中的图像，制作出立体感强的图像效果，常见的三维效果包括三维旋转、柱面、浮雕、卷页、透视、挤远/挤近及球面7种，相关的菜单如图11-31所示。

图 11-31 三位效果滤镜种类

1. 浮雕效果

浮雕效果是指通过设置形成一定深度的图像，模拟出立体图像效果。执行“位图>三维效果>浮雕”命令，弹出“浮雕”对话框，如图11-32所示。在对话框中设置所需的深度、方向等，完成后单击“确定”按钮，可以将所选的位图图像制作成浮雕效果，如图11-33所示。

图 11-32 “浮雕”对话框

图 11-33 浮雕效果

2. 卷页

卷页滤镜是在所选的图像中形成类似页面向内卷曲的效果，用户可以设置不同方向的卷曲，而且卷曲后图像的底部颜色也可以设置。执行“位图>三维效果>卷页”命令，打开“卷页”对话框。在对话框中单击按钮，即可在左上角形成卷页效果，如图11-34所示。如果单击按钮，则可以在右上角形成卷页效果，如图11-35所示。

图 11-34 左上角卷页

图 11-35 右上角卷页

继续在对话框中设置，单击按钮可以在左下角形成卷页，如图11-36所示。单击按钮则可以在右下角形成卷页，如图11-37所示。

图 11-36 左下角卷页

图 11-37 右下角卷页

3. 挤远 / 挤近

挤远和挤近分别是指通过对图像中间区域的编辑，使其向外扩张或者向内收缩，主要在“挤远\挤近”对话框中设置，参数值为负值为挤远效果，正值时为挤近效果，将要编辑的图像导入窗口中，如图11-38所示。打开“挤远/挤近”对话框，对图像进行编辑，挤近后的效果如图11-39所示。

图 11-38 导入原图像

图 11-39 应用挤近滤镜后的图像

4. 球面

球面效果是模拟在球体中形成的特殊效果，用户可以将图像向中心位置凹进也可以向外凸出，主要通过设置“球面”对话框中的数值来实现。将要编辑的图像导入窗口中，应用挑选工具将其选取，如图11-40所示。然后执行“位图>三维效果>球面”命令，在弹出的“球面”对话框中设置参数，将图像向外凸出，效果如图11-41所示。

图 11-40 导入原图像

图 11-41 应用球面滤镜后的图像

11.3.2 艺术笔触滤镜

艺术笔触滤镜的主要作用是为位图添加美术技法效果，该滤镜组包含了多种艺术笔触效果，用户可以根据不同的需求来选择最合适的滤镜。常见的笔触滤镜如图11-42所示，包括炭笔画、单色蜡笔画、蜡笔画、立体派、印象派、调色刀、彩色蜡笔画、钢笔画、点彩派、木版画、素描、水彩画、水印画、波纹纸画等。

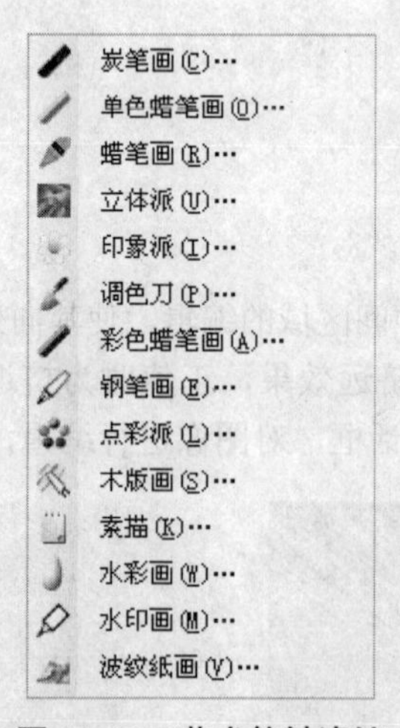

图 11-42 艺术笔触滤镜

1. 炭笔画

炭笔画是指将位图制作成炭笔绘制的图像效果，这类图像的效果为黑白色。执行“位图>艺术笔触>炭笔画”命令，即可弹出“炭笔画”对话框，如图11-43所示。在对话框有两个相关参数：“大小”控制笔触的大小，数值越大图像越粗糙；“边缘”用于设置图像中对象边缘的厚度。

2. 印象派

印象派效果是应用笔触相接的画法来突出图像色彩，而不注重图像轮廓的一种效果。执行“位图>艺术笔触>印象派”命令，即可打开“印象派”对话框，如图11-44所示。在该对话框中有两个选项区，分别为“样式”和“技术”。“样式”设置的是画笔类型，分为“笔触”和“色块”。“技术”选项区则用于设置笔触大小和亮度等参数。

图 11-43 “炭笔画”对话框

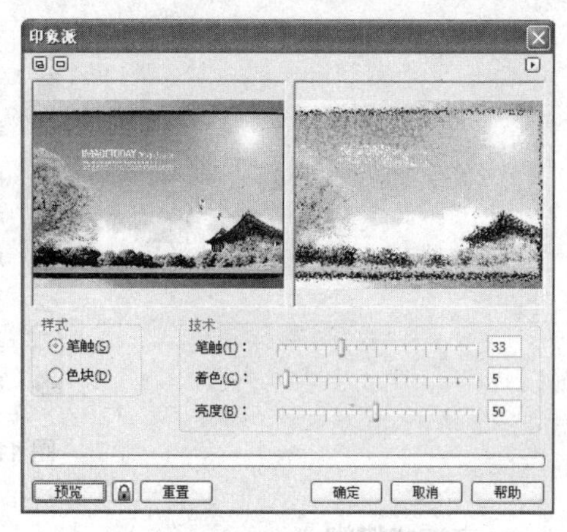

图 11-44 “印象派”对话框

3. 素描

素描滤镜效果是模拟应用铅笔绘制的素描，这类滤镜可以制作黑白和彩色两种图像效果。执行“位图>艺术笔触>素描”命令，即可打开“素描”对话框，如图11-45所示。在“素描”对话框中可以选择铅笔类型，有“碳色”和“颜色”两种选项；“样式”用于控制绘制图像效果的精细程度；“笔芯”用于设置图像的明暗效果；“轮廓”用于设置绘制图像轮廓的宽度。

4. 水彩画

水彩画滤镜使图像产生类似于水彩画笔绘制的画面效果。“水彩画”对话框如图11-46所示。在该对话框中有5个相关参数：“画刷大小”用于设置笔刷的大小；“出血”用于设置笔刷绘制的速度；“粒状”控制的是纸张底纹的粗糙程度；“亮度”设置画面的明暗；“水量”用于设置笔刷中水分的多少。

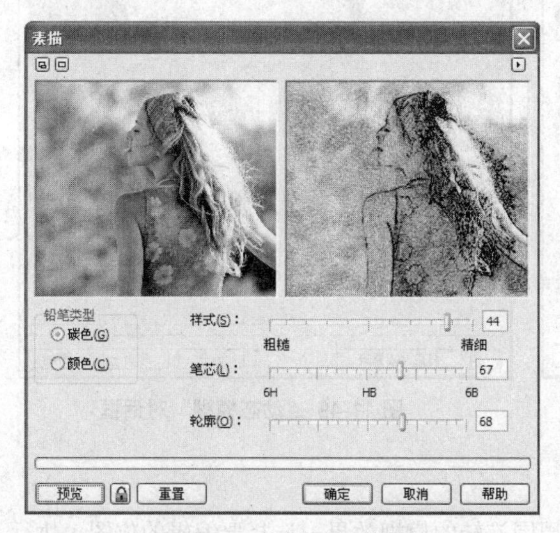

图 11-45 “素描”对话框

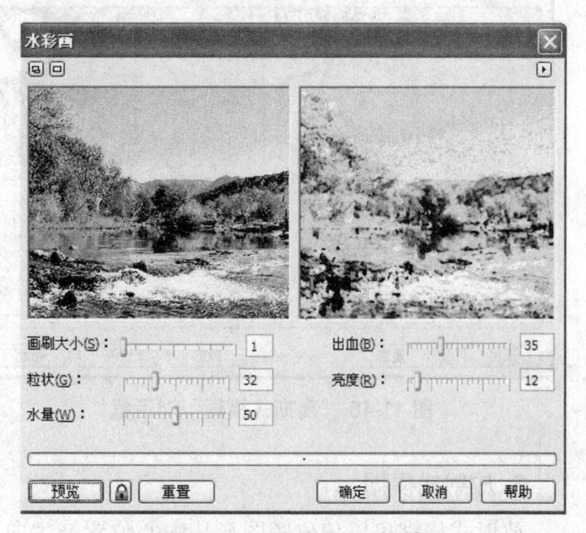

图 11-46 “水彩画”对话框

11.3.3 模糊滤镜

模糊滤镜组主要是使图形像素柔化、边缘平滑，并且产生动感，该组滤镜中包含有9种滤镜效果，分别为定向平滑、高斯式模糊、锯齿状模糊、低通滤波器、动态模糊、放射式模糊、平滑、柔和、缩放等，其菜单命令如图11-47所示。

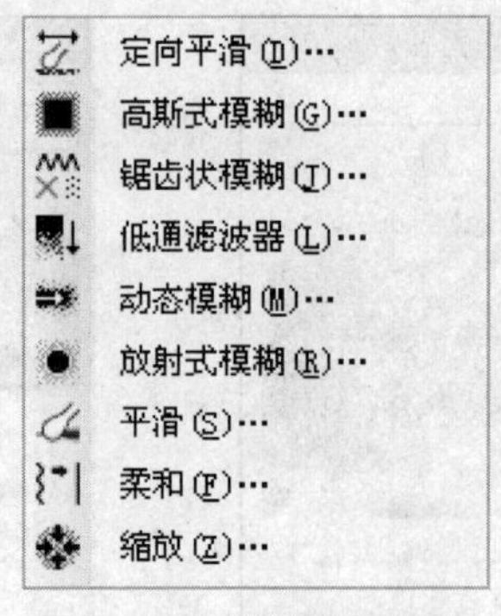

图 11-47　模糊滤镜菜单

1. 高斯式模糊

高斯式模糊是较常用的一种模糊滤镜，常用于制作柔和的图像效果，这类滤镜可以在图像表面产生一种朦胧效果。选择位图图像后执行“位图>模糊>高斯式模糊”菜单命令，弹出如图11-48所示的“高斯式模糊”对话框，在对话框中只有“半径”参数，用于控制模糊的程度，数值越大图像越模糊。

2. 动态模糊

动态模糊常用于制作有动感的图像效果，可以在画面中形成不同方向的运动轨迹。选择编辑的位图，执行“位图>模糊>动态模糊”命令，打开如图11-49所示的“动态模糊”对话框。在对话框中主要选项如下：“间隔”用于设置运动模糊的距离；数值越大运动感也就越强；“方向”用于设置运动模糊的角度。

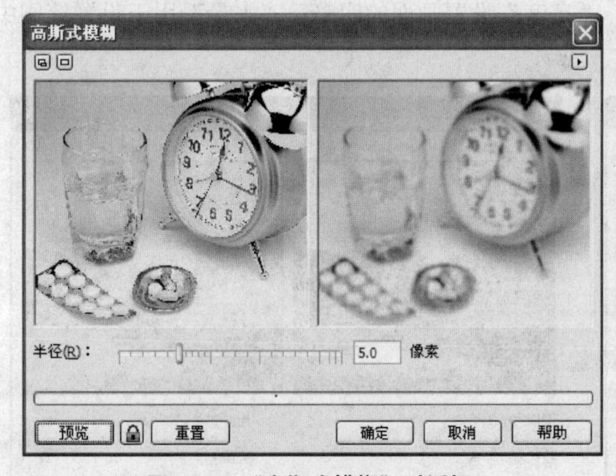

图 11-48 “高斯式模糊”对话框

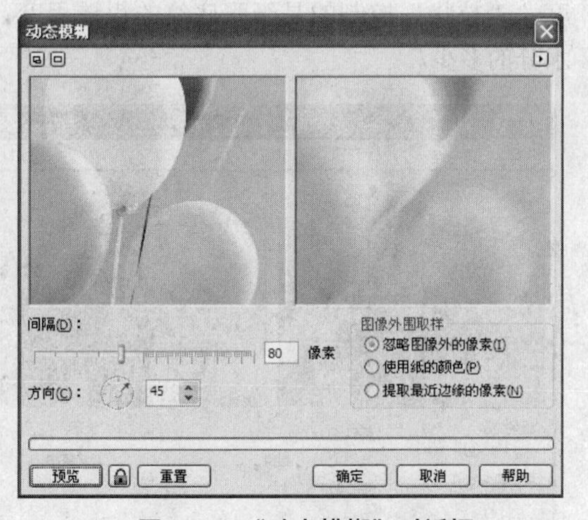

图 11-49 “动态模糊”对话框

3. 放射式模糊

放射式模糊可以使位图图形从中心位置产生向周围旋转的模糊效果。选择要编辑的位图，执行“位图>模糊>放射状模糊”命令，打开如图11-50所示的“放射状模糊”对话框。在对话框中只有一个“数量”参数，用于控制模糊的程度。用户可以指定旋转的中心点，单击按钮后，然后在图像中单击指定中心位置即可。

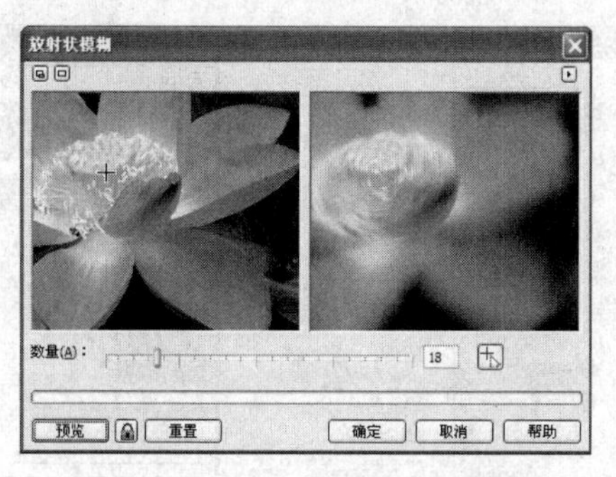

图 11-50 “放射状模糊”对话框

11.3.4 相机滤镜

相机滤镜只包含有一种滤镜效果，即“扩散”，它主要是将选择的部分区域变为模糊效果。执行“位图>相机>扩散”命令，即可打开如图11-51所示的“扩散”对话框。在对话框中仅有一个参数为“层次”，用于设置模糊的程序。

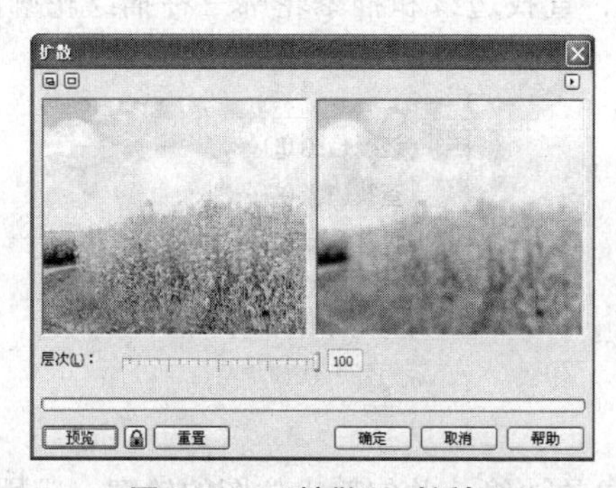

图 11-51 “扩散”对话框

11.3.5 颜色转换滤镜

颜色转换滤镜的主要作用是通过创建颜色效果来改变位图原有的颜色。此组滤镜中包含四种效果，分别为位平面、半色调、梦幻色调和曝光，其菜单命令如图11-52所示。

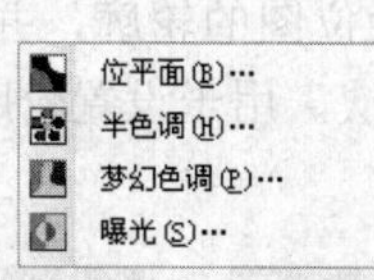

图 11-52 颜色转换滤镜菜单

1. 半色调

半色调效果主要是在图像的表面形成一种特殊的网格效果，可以设置网格大小、颜色等参数。选择编辑的位图，执行“位图>颜色转换>半色调”命令，即可打开“半色调”对话框，如图11-53所示。

2. 梦幻色调

梦幻色调是将图像制作成层次分明的图像效果，比原图像效果更明亮。选择要编辑的图像，执行“位图>颜色转换>梦幻色调”命令，打开如图11-54所示的“梦幻色调”对话框。该对话框中只有一个参数为“层次”，用于设置图像之间明暗显示的关系。

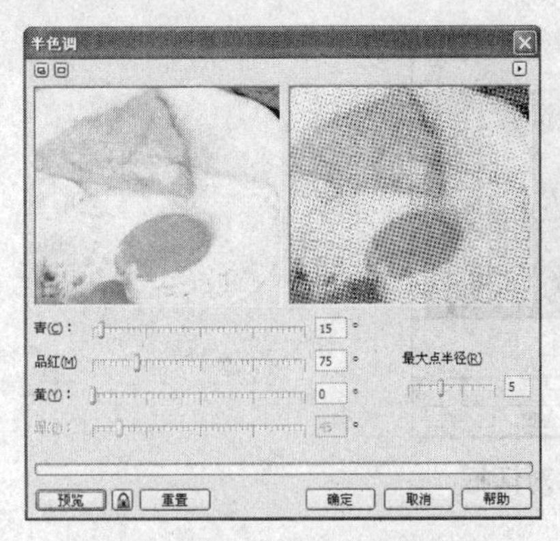

图 11-53 “半色调”对话框

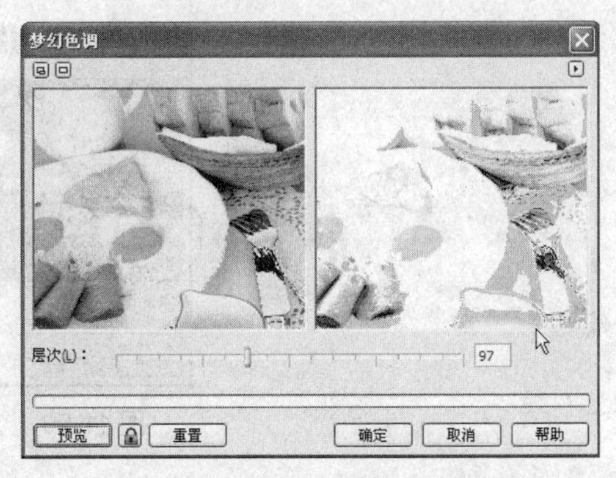

图 11-54 “梦幻色调”对话框

11.3.6 轮廓图滤镜

轮廓图效果根据位图中对象之间的对比度而重新选择对象的轮廓，并得到特殊的线条效果。该滤镜组包含了边缘检测、查找边缘和描摹轮廓三种描绘轮廓的方法，相关的菜单命令如图11-55所示。

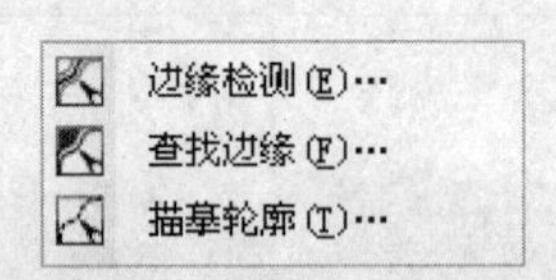

图 11-55 轮廓图滤镜菜单

1. 边缘检测

边缘检测可以查找位图对象的边缘，并勾勒出位图的轮廓。应用该滤镜编辑图像后，图像的中间区域显示为白色、黑色或者其他设置的纯色，轮廓则显示为彩色线条效果。选择要编辑的位图，执行“位图>轮廓图>边缘检测”命令，弹出如图11-56所示的“边缘检测”对话框。在对话框中可以设置背景色以及轮廓范围。

2. 描摹轮廓

描摹轮廓滤镜是简单地应用线条描绘位图的轮廓，并只显示出单一的彩色线条。在“描摹轮廓”对话框中有两个选项可供设置：“层次”用于设置轮廓边缘显示的范围；“边缘类型”用于设置轮廓向下或向上显示，如图11-57所示。

图 11-56 “边缘检测”对话框

图 11-57 “描摹轮廓”对话框

11.3.7　创造性滤镜

创造性滤镜可以制作出许多专业的画面效果，其菜单命令如图11-58所示，其包含有多种滤镜效果，分别为工艺、晶体化、织物、框架、玻璃砖、儿童游戏、马赛克、粒子、散开、茶色玻璃、彩色玻璃、虚光、漩涡、天气等14种滤镜效果。

图 11-58　创造性滤镜菜单

1. 工艺

工艺滤镜的主要作用是在图像中形成由一个个工艺元素拼接起来的画面效果。选择要编辑的图像，执行“位图>创造性>工艺”菜单命令，打开如图11-59所示的“工艺”对话框。在对话框中主要选项如下：“大小”用于设置单个元素的尺寸；在“样式”下拉列表框中可以选择工艺元素类型；“亮度”设置图像中的光照亮度；“旋转”用于设置光照角度。

2. 马赛克

马赛克滤镜是将图像编辑成由多个方块组成的图形。在“马赛克”对话框中，“大小”用于控制单个马赛克图像的大小，数值越大马赛克越明显；背景色控制的是马赛克空隙之间的颜色；勾选“虚光”复选框后，可以设置周围虚化后的图像，如图11-60所示。

图 11-59　“工艺”对话框

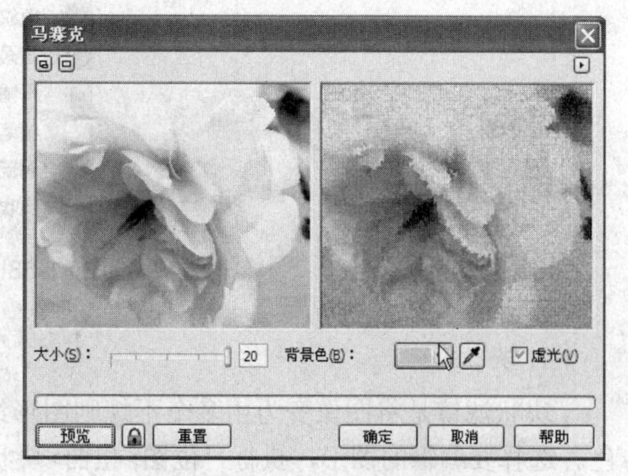

图 11-60　“马赛克”对话框

3. 彩色玻璃

彩色玻璃滤镜是将图像编辑成由多个不规则的图形组成的效果。选择要编辑的图像，执行“位图>创造性>彩色玻璃”命令，打开如图11-61所示的“彩色玻璃”对话框。对话框中“大小”用于控制方块的大小；“光源强度”用于设置图像的亮度；“焊接宽度”用于设置方块之间缝隙的宽度。

4. 天气

天气滤镜主要用于模拟各种天气效果。选择要编辑的风景图像，执行“位图>创造性>天气”菜单命令，打开如图11-62所示的“天气”对话框。在对话框中可以设置三种天气效果，分别为雪、雨和雾。其中“浓度”用于控制选择天气效果的程度，如设置雪天气时，该数值越大表示雪的数量越多；“大小”则用于控制天气效果的明显程度。

图 11-61 “彩色玻璃”对话框

图 11-62 “天气”对话框

11.3.8 扭曲滤镜

扭曲滤镜是将位图制作成扭曲变形效果。此组滤镜包含了块状、置换、偏移、像素、龟纹、漩涡、平铺、湿笔画、涡流和风吹效果，其菜单命令如图11-63所示。用户可以根据具体需要的表现效果来选择不同的滤镜，在后面将着重介绍常见的扭曲滤镜效果。

图 11-63 扭曲滤镜菜单

1. 块状

块状滤镜是将图像变为由多个不规则图形组成的点状效果，且中间的缝隙区域可以任意设置颜色。选择要编辑的图形，执行“位图>扭曲>块状”命令，打开如图11-64所示的“块状”对话框。在该对话框中设置块状的宽度、高度以及背景色。

2. 偏移

偏移是将完整的图形按照设置将各个区域的位置移动，形成不完整的多个图形效果。选择所要编辑的位图执行“位图>扭曲>偏移”命令，打开如图11-65所示的“偏移”对话框。在对话框中可以设置水平以及垂直方向的位移距离。

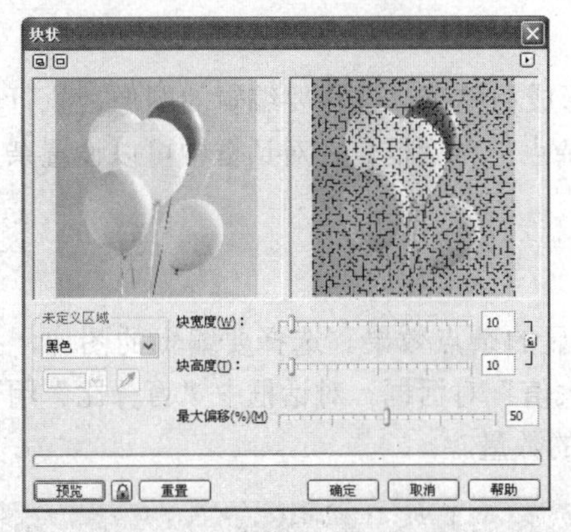

图 11-64　“块状”对话框

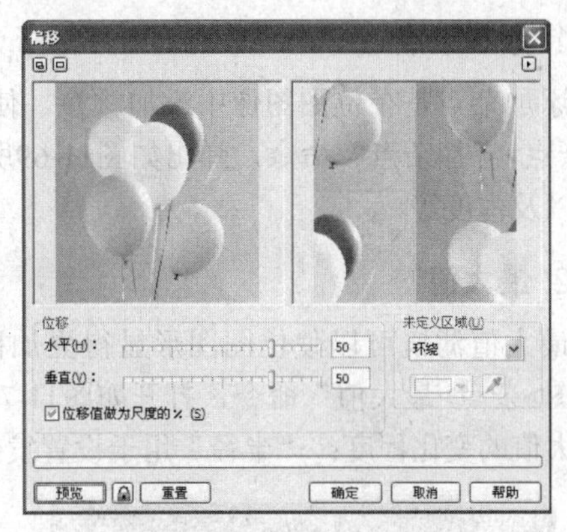

图 11-65　“偏移”对话框

3. 平铺

平铺滤镜是将所选择的位图图像作为单元格，重新在画面中排列出多个图像。选择要编辑的位图图像，执行“位图>扭曲>平铺”命令，打开如图11-66所示的“平铺”对话框。在对话框中可以设置平铺的数量以及重叠的距离和位置等。

4. 湿笔画

湿笔画效果可以使图像产生类似于油漆未干，且画面整体向下流动的浸染效果。选定位图图像，执行“位图>扭曲>湿笔画”命令，弹出如图11-67所示的“湿笔画”对话框。在该对话框中可以对润湿程度以及相关的比例重新定义和设置。

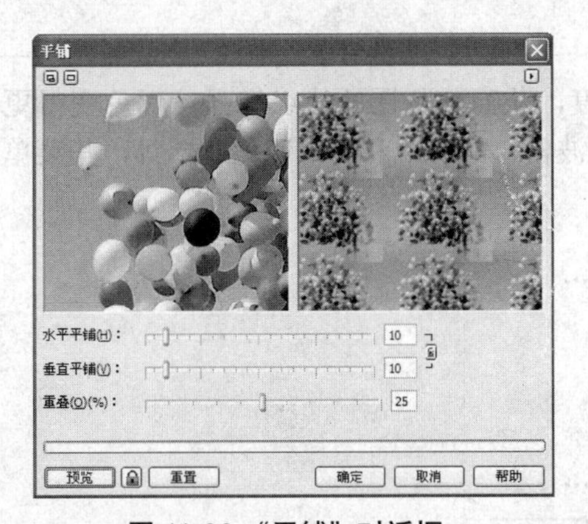

图 11-66　“平铺”对话框

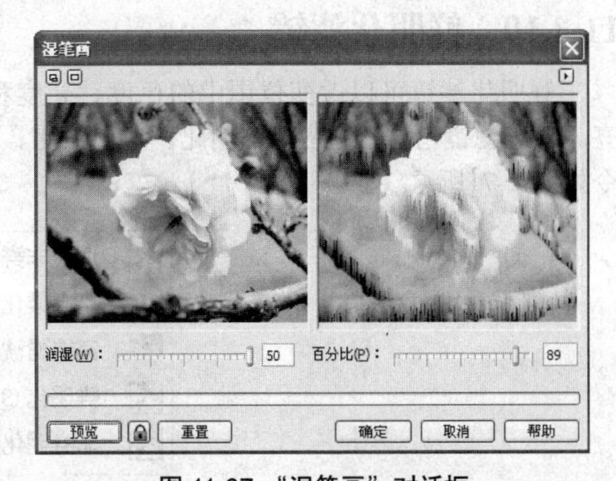

图 11-67　“湿笔画”对话框

11.3.9　杂点滤镜

杂点滤镜可以在位图中添加或消除所产生的颗粒效果。该组滤镜主要包括效果有添加杂点、最大值、中值、最小、去除龟纹和去除杂点等六种，其菜单命令如图11-68所示。

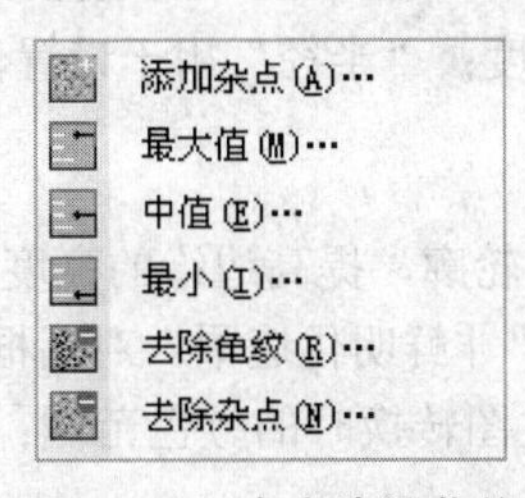

图 11-68　杂点滤镜菜单

1. 添加杂点

添加杂点是在位图图像中添加颗粒，使平整的画面形成粗糙感。选择要编辑的图像，执行“位图>杂点>添加杂点”命令，弹出如图11-69所示的“添加杂点”对话框。在对话框中可以设置杂点的类型以及密度等。

2. 最大值

最大值滤镜可以使位图图形显得更加模糊，产生明显的杂点效果。选择要编辑的图像，执行“位图>杂点>最大值”命令，打开如图11-70所示的“最大值”对话框。对话框中“百分比”用于设置最大值的变化程度；“半径”用于设置发生变换时像素的数量。

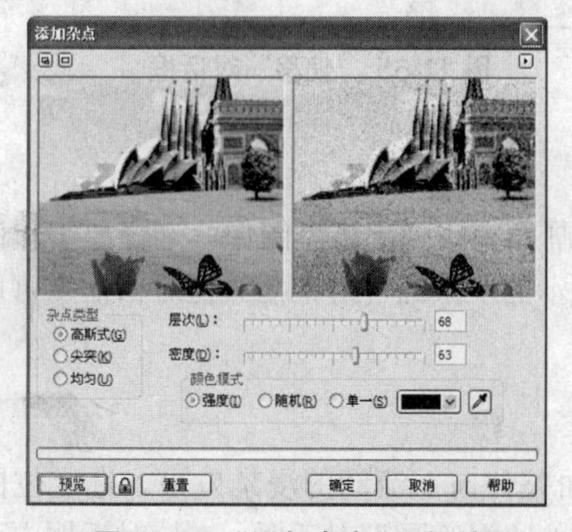

图 11-69 “添加杂点”对话框

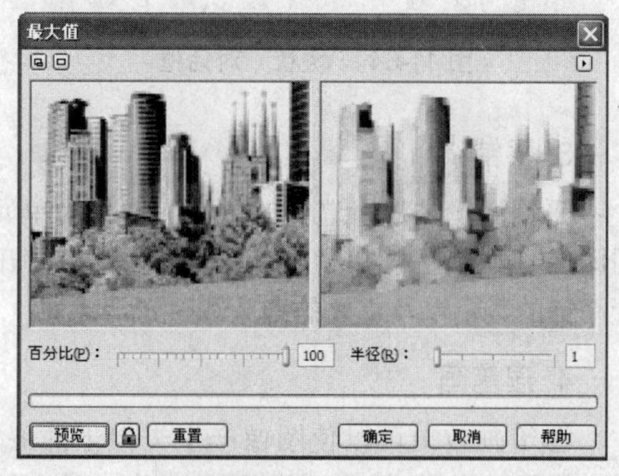

图 11-70 “最大值”对话框

11.3.10 鲜明化滤镜

鲜明化滤镜可以改变位图中的色度、亮度和对比度，从而使位图的边缘增强，颜色变得更明亮。该组滤镜包含了适应非鲜明化、定向柔化、高通滤波器、鲜明化和非鲜明化遮罩等，其菜单命令如图11-71所示。

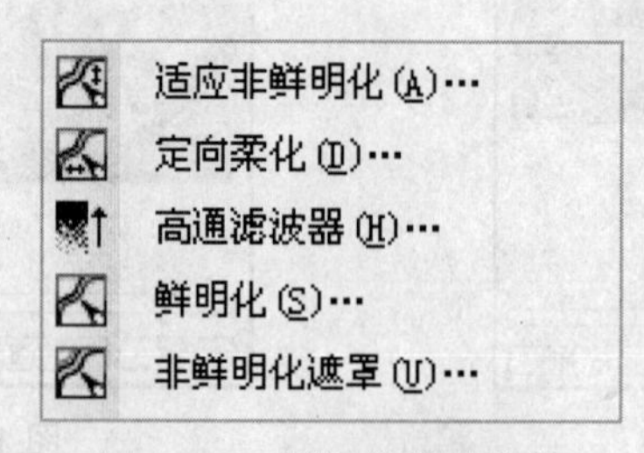

图 11-71 鲜明化滤镜菜单

1. 高通滤波器

高通滤波器的主要作用是突出图像边缘，加强图像轮廓。选择要编辑的位图图像，执行“位图>鲜明化>高通滤波器”命令，打开如图11-72所示的“高通滤波器”对话框。对话框中有如下两个参数：“百分比”用于设置制作效果的程度；“半径”用于设置位图中参与转换的颜色范围。

2. 非鲜明化遮罩

非鲜明化遮罩可以增强位图边缘的轮廓，提高边缘的亮度。选择要编辑的图像，执行“位图>鲜明化>非鲜明化遮罩”命令，即可打开“非鲜明化遮罩”对话框，如图11-73所示。在对话框中可以设置相关参数：其中“半径”用于设置位图转换时的颜色范围；“阈值”用于设置非鲜明化遮罩效果的临界数值。

图 11-72 “高通滤波器”对话框

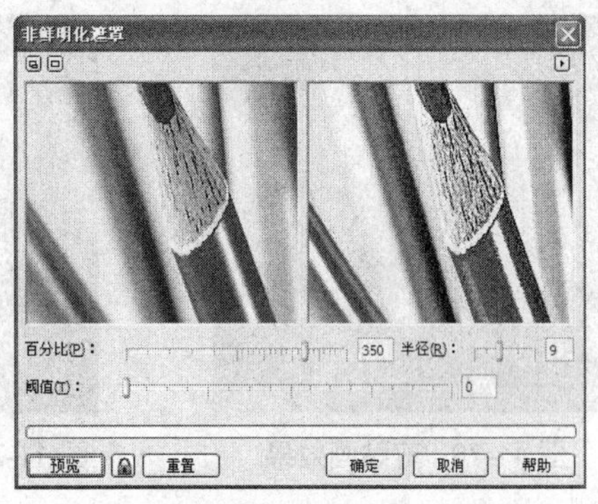

图 11-73 “非鲜明化遮罩”对话框

11.4 描摹位图

描摹位图主要是将位图转换为矢量图形，并包含多种不同类型的效果。通过执行“位图>临摹位图>线条图”命令，打开如图11-74所示的PowerTRACE对话框。在对话框中可以查看图像的局部，还可以在右侧的选项区中设置跟踪控件的细节部分，主要包括图形的边缘以及颜色等属性。

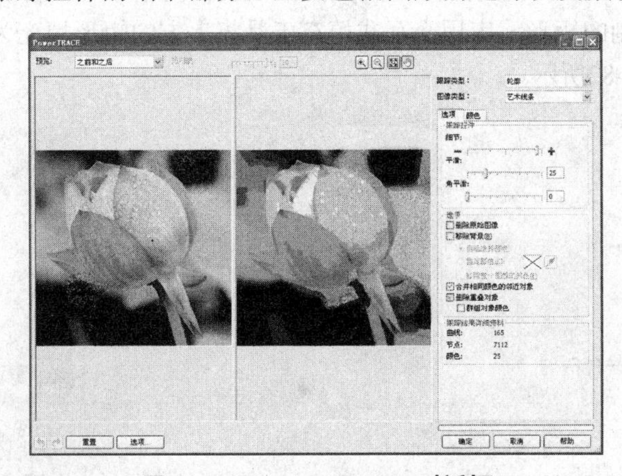

图 11-74 PowerTRACE 对话框

CorelDRAW X4中主要包括艺术线条、徽标等各种转换后的矢量效果，根据需要选择最合适的效果。艺术线条较为概括地显示出图形的轮廓而忽略细节，如图11-75所示。徽标则较艺术线条更细节地表现出图形的部分细节，如图11-76所示。详细徽标是在徽标的基础上加强了细节图形的显示，如图11-77所示。剪贴画大致显示出图像各区域之间颜色的差异，并以大块的颜色突出图像，如图11-78所示。低质量图像较为粗糙地显示了图像各个区域，如图11-79所示。高质量图像是所有效果中最完整显示细节的效果，转换后的效果和原图像相差最小，如图11-80所示。

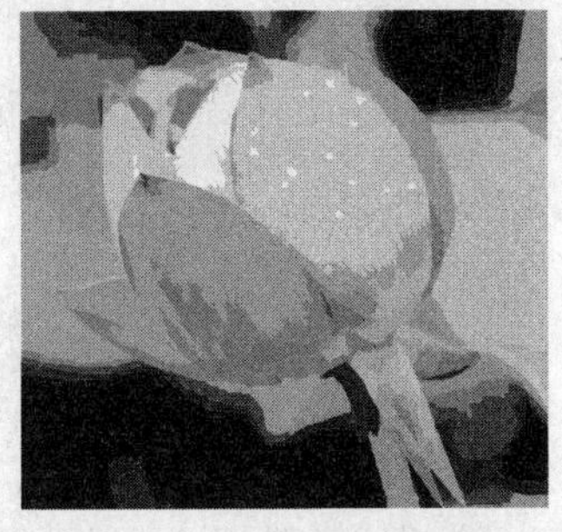

图 11-75 艺术线条效果

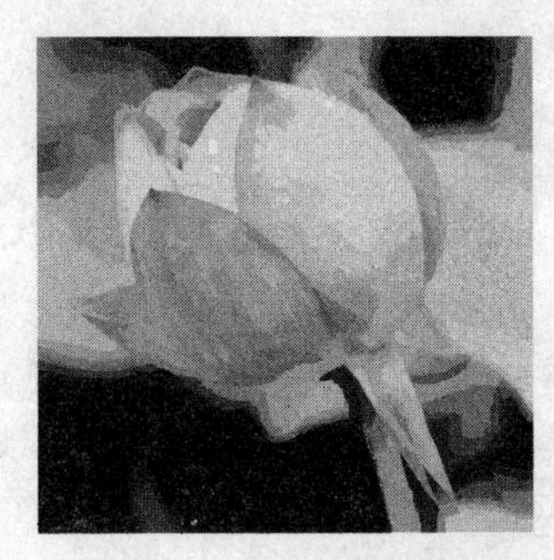

图 11-76 徽标效果

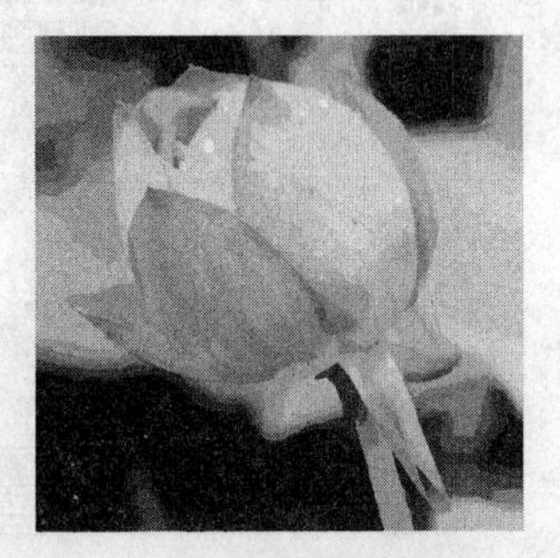

图 11-77 详细徽标效果

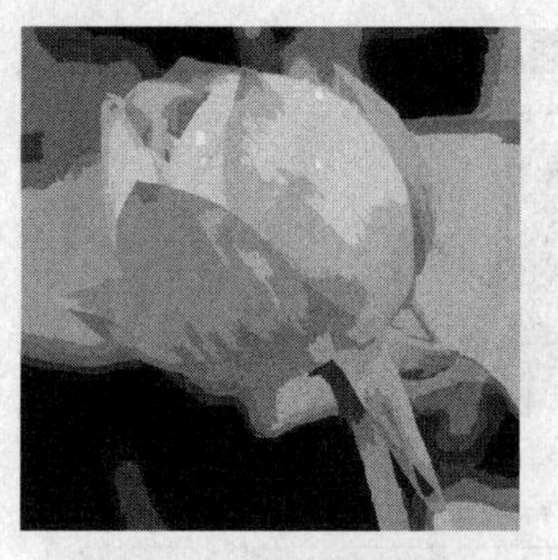

图 11-78　剪贴画效果

图 11-79　低质量图像效果

图 11-80　高质量图像效果

11.5　综合实例——手机宣传单的制作

手机宣传单主要通过对位图编辑而成。首先通过调整和裁剪位图制作出背景效果，并将手机位图导入到窗口中形成主体图形，再应用绘制矢量图形的方法为宣传单添加装饰效果，使图像效果更逼真，具体操作步骤如下。

Step 01　创建一个纵向页面，使用矩形工具在图中绘制出两个矩形，并将矩形设置为圆角，如图11-81所示。分别选取绘制的矩形，应用交互式填充工具将上方的矩形填充为渐变色，将下方的矩形填充为纯色，效果如图11-82所示。

图 11-81　绘制矩形

图 11-82　填充矩形

Step 02　应用矩形工具在空白区域绘制形状较小的矩形，打开“变换”泊坞窗，将“水平”参数设置为5.0mm，然后单击“应用到再制”按钮，即可在右侧出现多个矩形图形，如图11-83所示。将横排的矩形图形都选择，在“变换”泊坞窗中设置“垂直”参数后再单击“应用到再制”按钮，制作出纵向排列的矩形，如图11-84所示。

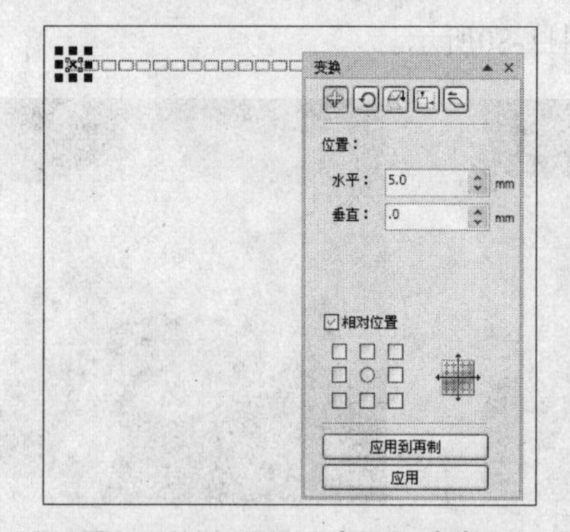

图 11-83　设置“水平”参数

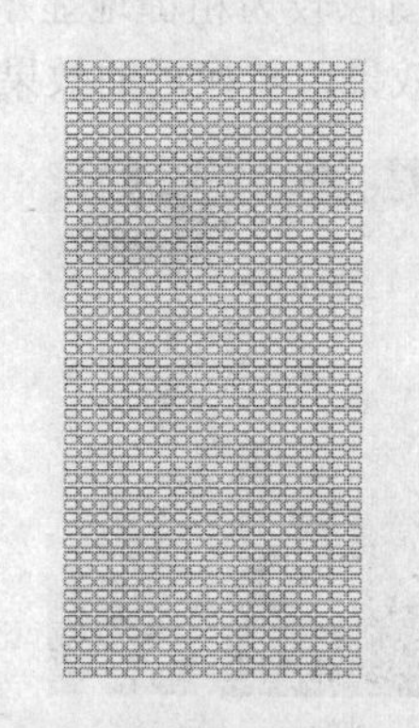

图 11-84　制作纵向矩形效果

Step 03 将上一步绘制的矩形图形全部选择，并焊接为一个图形，然后应用交互式填充工具将图形填充为彩色渐变式效果，如图11-85所示。然后在页面中结合钢笔工具和形状工具绘制一个人物外形，效果如图11-86所示。

图 11-85 填充效果

图 11-86 绘制人物外形

Step 04 将人物图形放置到绘制的矩形图形的上面，并编辑矩形图形。使用形状工具选择人物图形外的矩形图形，按Delete键将其删除，如图11-87所示。其余部分的图形也应用相同的方法编辑，直至制作出人物形状，效果如图11-88所示。

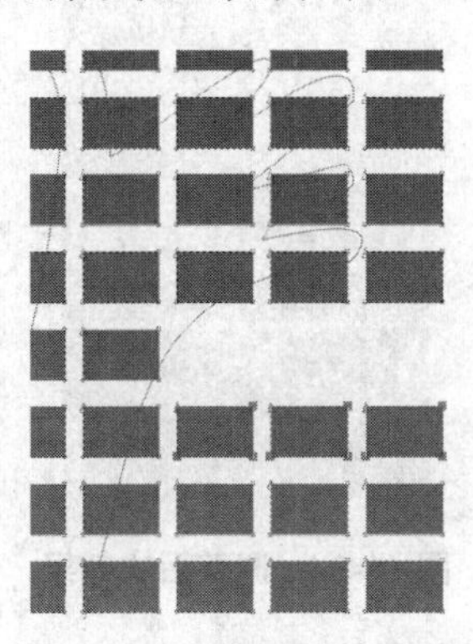

图 11-87 删除多余图形

图 11-88 制作好的人物图形

Step 05 将之前填充好的图形拖动到页面中，并调整至合适大小，然后进行复制，应用交互式透明度工具对图形编辑，制作成透明效果，如图11-89所示。再将“sample\第11章\原始文件\32.jpg”图形文件导入窗口中，如图11-90所示。

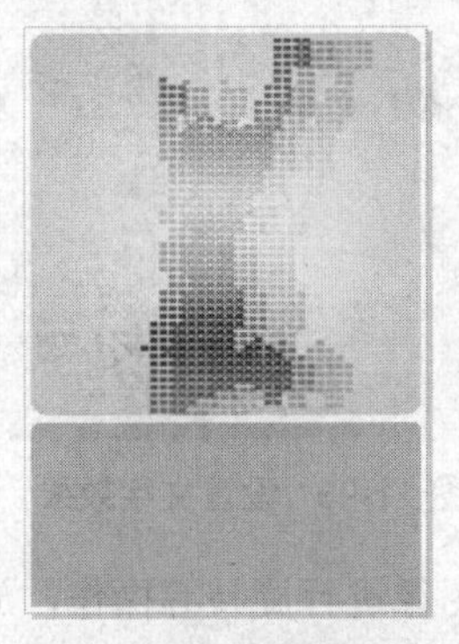

图 11-89 调整图形

图 11-90 导入手机图像

Step 06 应用钢笔工具绘制出手机的轮廓，并结合形状工具将其调整为平滑的曲线，通过图框精确剪裁的方法，将手机图形放置到绘制的手机外形中，并隐藏图像中的白色区域，如图11-91所示。再将手机图形变换到合适大小，放置到页面合适位置中，效果如图11-92所示。

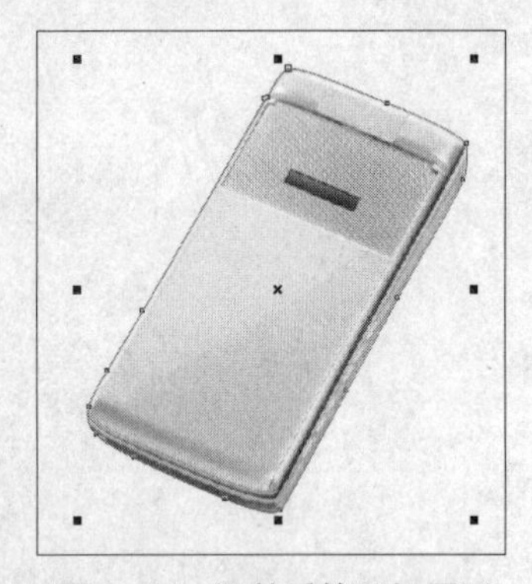
图 11-91 调整后的手机图形

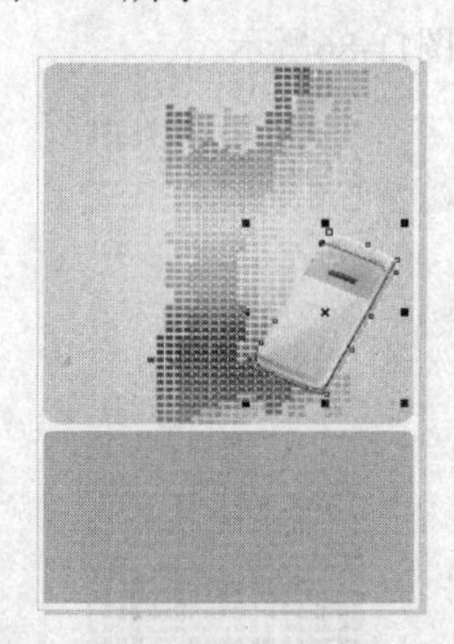
图 11-92 设置后的手机图像

Step 07 选择手机图像将其复制，并进行翻转。按住Ctrl键后单击手机图像，在容器中使用交互式透明度工具对手机图像进行编辑，制作成透明效果，如图11-93所示。调整完成后再按住Ctrl单击空白区域退出编辑，效果如图11-94所示。

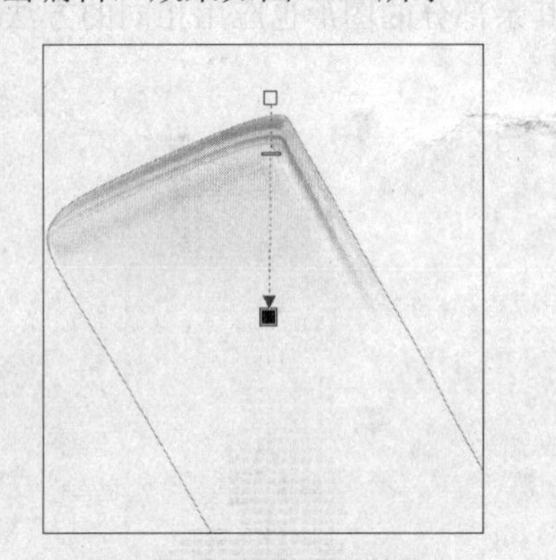
图 11-93 制作透明效果

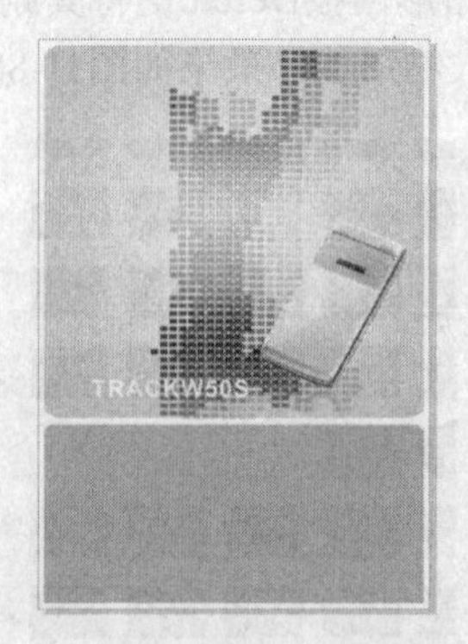

图 11-94 调整后的效果

Step 08 下面为页面添加文字，应用文本工具在图中输入所需的文字，并将文字向右倾斜，如图11-95所示。然后编辑文字，分别对文字填充上颜色，设置后的文字效果如图11-96所示。

图 11-95 输入文字

图 11-96 设置文字效果

Step 09 选择之前编辑好的手机图像，并将其复制，再对手机图像进行旋转等操作，放置到合适位置上，如图11-97所示。为手机底部添加背景，应用椭圆形工具在图中绘制两个椭圆，并填充上不同的颜色，效果如图11-98所示。

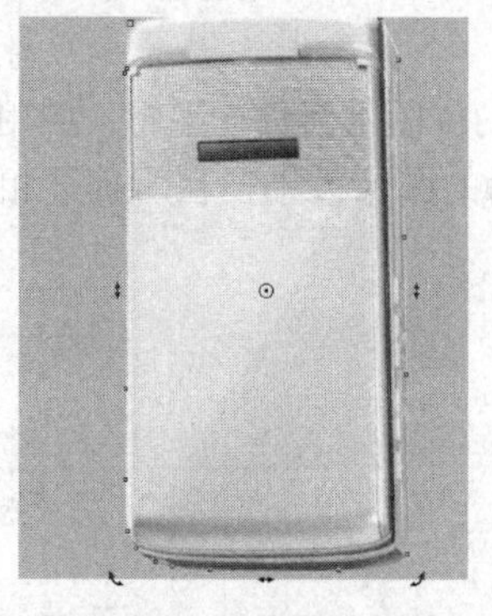

图 11-97　调整手机位置

图 11-98　添加手机背景

Step 10　下面再将原始文件夹中其余的手机图像导入，并将其设置到合适大小，应用椭圆形工具绘制两个椭圆，填充为白色后放置到手机图形底部，效果如图11-99所示。再输入文字并编辑成合适的效果，完成后的最终效果如图11-100所示。

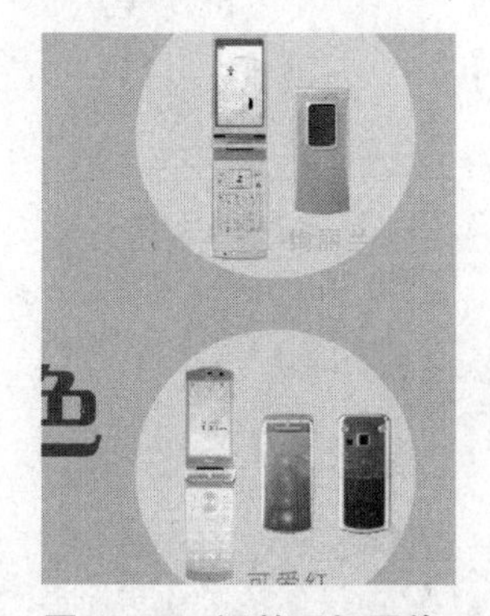

图 11-99　调整手机图像

图 11-100　完成后的效果

11.6　本章小结

本章首先从矢量图形和位图之间的转换开始讲起，再讲解应用透镜和位图颜色遮罩对位图的初步编辑，制作出突出部分位图的效果，后面着重讲述应用滤镜对图像的编辑，通过不同类型的滤镜制作出各种特殊图像效果。

11.7　专业解析

1. CorelDRAW 中如何改变位图背景为透明？

答：可以利用CorelDRAW色彩遮罩工具、整形工具、交互式透明工具或者CorelDRAW中简单抠图的方法，使部分色彩变为透明或无色。

2. CorelDRAW 中导入的位图属于嵌入还是链接？

答：导入CorelDRAW中的图片默认为复制图片后嵌入CorelDRAW文件页面的，不依赖其他任何文件，当然也可以在置入对话框中勾选位图外部链接按钮。要想在另一台电脑中也能打开，最好将格式保存为8.0版本（8.0是通用版本）。导入图片越大，这个cdr文件也越大。外加上CorelDRAW早期版本（特别是版本9）的不稳定因素，建议读者在导入大于50M以上的文件时不使用嵌入功能，因为文件越大，出错的几率就越大。

3. Corel PHOTO-PAINT X4 可以对图像进行哪些操作?

答：在“Corel PHOTO-PAINT X4”对话框中可以对所导入的位图重新进行编辑；应用滤镜对图像进行调整，通过执行相应的滤镜命令，在图中预览应用滤镜后的图像效果；在所打开相关的对话框中设置相关参数。

11.8 思考与练习

1. 填空题

（1）CorelDRAW提供了__________种立体三维特效。

（2）负片的制作方法是通过执行“效果>变换>__________”菜单命令。

（3）__________效果是指通过提高与邻近像素的对比度来强化图像边缘。

2. 选择题

（1）将矢量图形转换为位图时，可以设置的是（ ）。

A. 颜色模式
B. 分辨率
C. 光滑处理
D. 背景透明度

（2）下面的特殊效果和创造性滤镜相关的是（ ）。

A. 工艺
B. 天气效果
C. 儿童游戏
D. 转换效果

（3）调整伽玛值是指（ ）。

A. 校色方法
B. 处理位图的一种特殊效果
C. 改变图片大小的方法
D. 图片透明处理的一种方法

3. 判断题

（1）CorelDRAW颜色转换滤镜有梦幻色调效果。（ ）

（2）安装COREL GRAPHICS SUITE X4后，在CorelDRAW X4 中双击一幅位图，是没有任何反应的。（ ）

（3）鱼眼属于透镜效果。（ ）

4. 问答题

（1）简述透镜的作用以及如何打开“透镜”泊坞窗。

（2）扭曲滤镜包含的效果有哪些?

（3）高通滤波器效果的主要作用是什么?

5. 上机题

（1）打开如图11-101所示的图形，将其转换为剪贴画效果，如图11-102所示。

图 11-101　导入素材

图 11-102　剪贴画效果

（2）将exercise文件夹中的图像导入到窗口中，如图11-103所示。应用模糊滤镜对图像编辑，效果如图11-104所示。

图 11-103　导入原图像

图 11-104　应用模糊滤镜调整图像

（3）将exercise文件夹中的图形导入到窗口中，如图11-105所示。应用彩色玻璃滤镜对图像编辑，效果如图11-106所示。

图 11-105　原图像

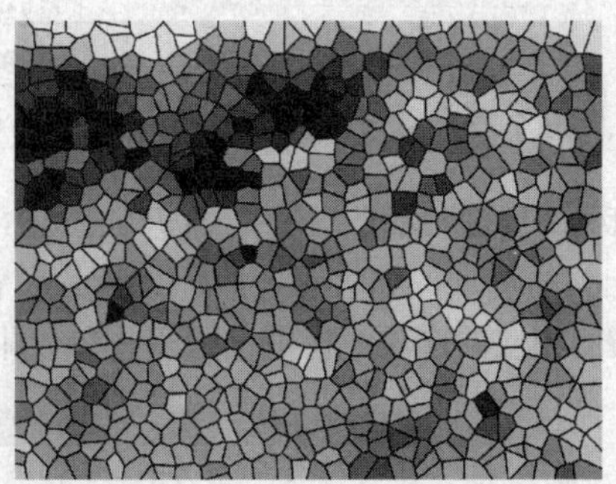

图 11-106　应用彩色玻璃滤镜调整图像

版面的组织和管理

12

本课所需时间： 3 个小时

课程范例文件： sample\ 第 12 章 \

课后练习文件： exercise\ 第 12 章 \

必须掌握：

- 页面的设置

深入理解：

- 图层的设置
- 版面组织和管理

一般了解：

- 辅助线的设置
- 图形和文字的排列

课程总览：

页面设置范围广泛，包括设置页面的大小和方向，也包括了页面的背景和标签等设置。在应用页面时，可以结合图层，创建不同的图层，以快速选择其中包括的图形，并且可以移动或者复制图形。本章最后通过综合实例来说明如何应用页面设置，以及如何绘制图形和排列图形。

12.1 页面的设置

页面设置最基础的是设置页面的类型。新建一个图形文件后首先要调整页面大小及方向，在CorelDRAW X4 中可以在属性栏中设置包括页面大小和方向等参数，如图12-1所示。

图 12-1 设置页面属性栏

执行“版面>页面设置”命令，打开如图12-2所示的“选项”对话框。该对话框中包含了众多与页面设置相关的选项，如大小、版面、标签和背景等。用户可以通过使用鼠标单击左侧的选项命令，然后在右侧相应的选项面板中设置相关参数即可。

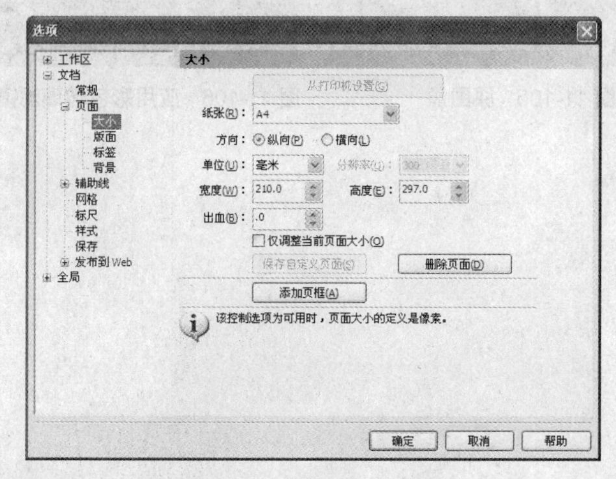

图 12-2 “选项”对话框

12.1.1 大小设置

页面大小决定了打印区域，创建图形文件时默认的文件大小为A4，也可以在属性栏中重新对页面大小进行设置，除此之外，还可以打开“选项”对话框对大小重新定义，具体操作如下所示。

Step 01 首先执行“版面>页面设置”命令，打开“选项”对话框。在对话框中选择“大小”选项，在右侧选项区中设置所需的纸张及方向，如图12-3所示。设置完成后单击“确定”按钮，在图形文件中即可查看到如图12-4所示创建的纵向页面。

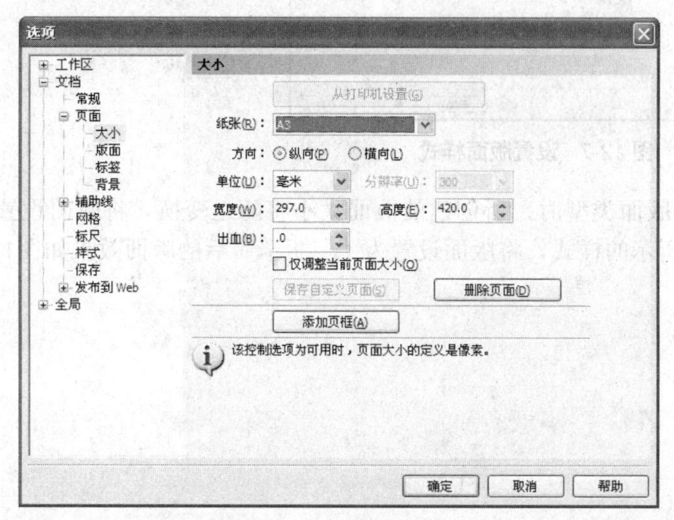

图 12-3 设置页面大小

图 12-4 纵向页面

Step 02 如果在“选项”对话框中单击“横向”单选按钮，即可创建横向页面，如图12-5所示。在“选项”对话框中单击“添加页框”按钮，则可以在创建的页面上添加一个和页面相同大小的矩形，如图12-6所示，这与用户双击工具箱中的“矩形工具”按钮□绘制同样大小的矩形的效果一致。

图 12-5 设置横向页面　　图 12-6 添加页框

12.1.2 版面设置

版面设置主要包括设置版面类型。在“选项”对话框中单击左侧的“版面”选项即可对版面进行设置。在对话框中的“版面”下拉列表框中提供了7种常见的版面，分别为全页面、活页、屏风卡、帐篷卡、侧折卡、顶折卡、三折卡片，如图12-7所示。

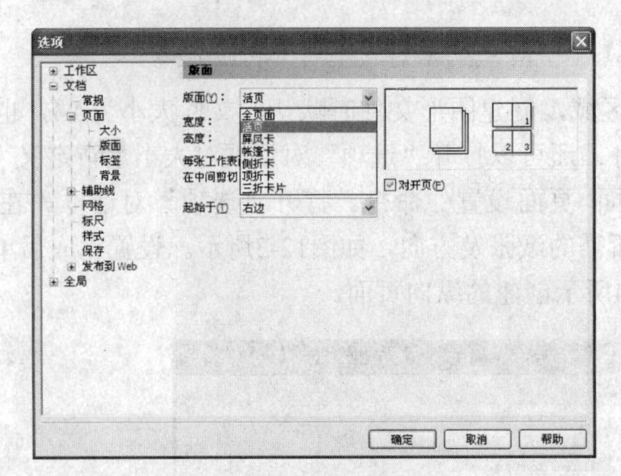

图 12-7　设置版面样式

在“选项”对话框中设置不同的版面类型时，所创建的页面大小将随之变换。将版面设置为“帐篷卡”后页面大小变为如图12-8所示的样式，将版面设置为“三折卡”后的版面效果如图12-9所示。

图 12-8　帐篷卡版面　　　　图 12-9　三折卡片版面

12.1.3　标签设置

标签常用在一个版面中打印多个图形时使用。系统提供有多种标签图形，选择相应的名称，则在右侧会显示标签的预览形状，如图12-10所示。有时标签形状及其大小和设置的页面大小会不符，因此需要重新设置标签的样式，使其符合版面大小。

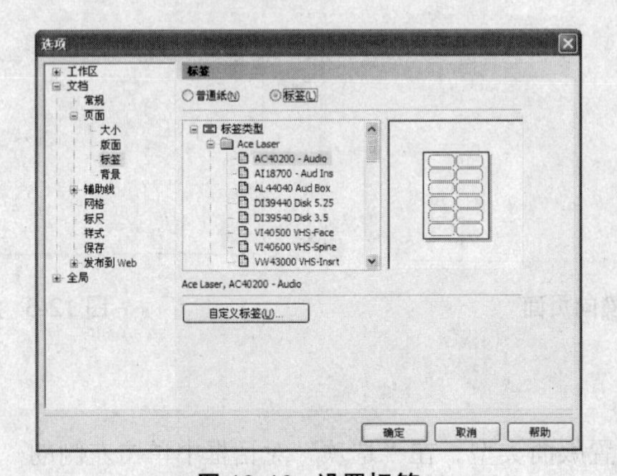

图 12-10　设置标签

在“选项”对话框中选择要设置的标签样式，如图12-11所示。然后单击对话框中的“自定义标签”按钮，弹出如图12-12所示的“自定义标签”对话框。在对话框中用户可以重新对标签大小及其之间的距离重新设置。

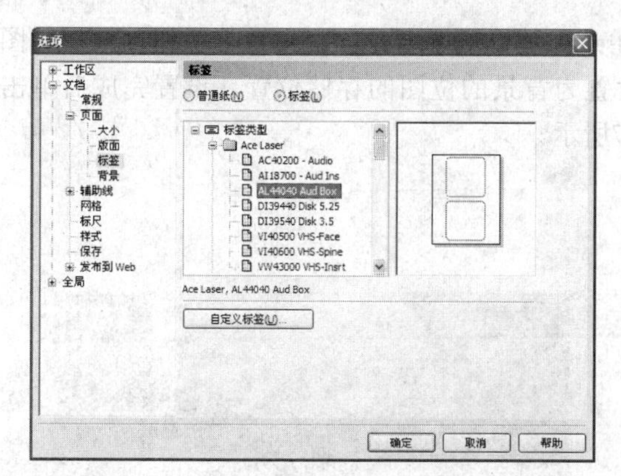

图 12-11 选择标签样式

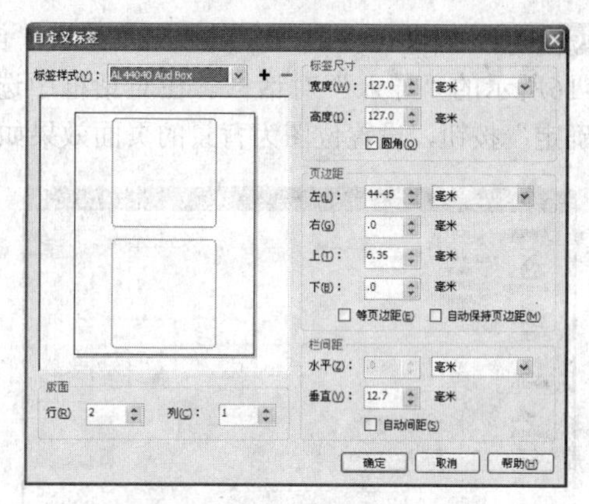

图 12-12 “自定义标签”对话框

12.1.4 背景设置

背景设置是指为创建的页面添加纯色或位图背景。在“选项”对话框中单击相应的单选按钮即可对背景图形进行设置，如图12-13所示。选择无背景时，背景的颜色为默认的白色；选择纯色时可以通过单击相应的色标选项来设置所需颜色；选择位图时则可以通过单击“浏览”按钮到“导入”对话框来选择位图图形。

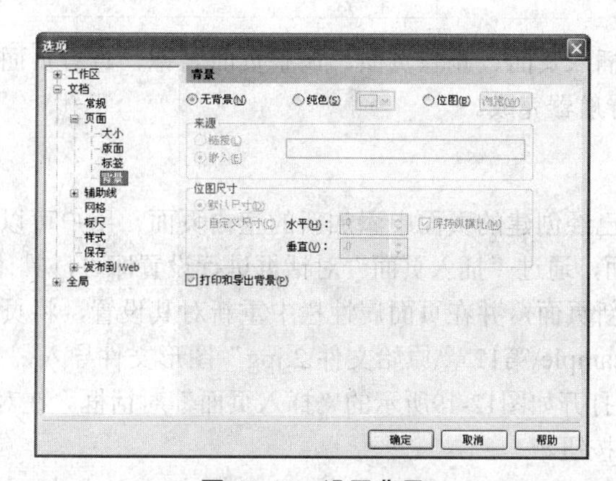

图 12-13 设置背景

Step 01 执行“版面>页面背景”命令，打开“选项”对话框。在对话框中单击“纯色”单选按钮，然后在色标选项栏中选择翠绿色，如图12-14所示。设置完成后单击“确定”按钮，背景色即可变为翠绿色，如图12-15所示。

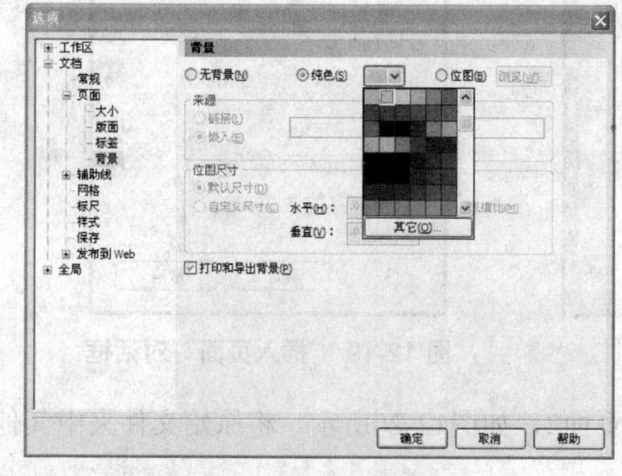

图 12-14 选择颜色

图 12-15 填充背景颜色

Step 02 如果在“选项”对话框中单击“位图”单选按钮，则需要单击“浏览”按钮，打开如图12-16所示的“导入”对话框。在对话框中选择要设置为背景的位图的存储位置。设置完成后单击“确定”按钮，设置位图为背景的页面效果如图12-17所示。

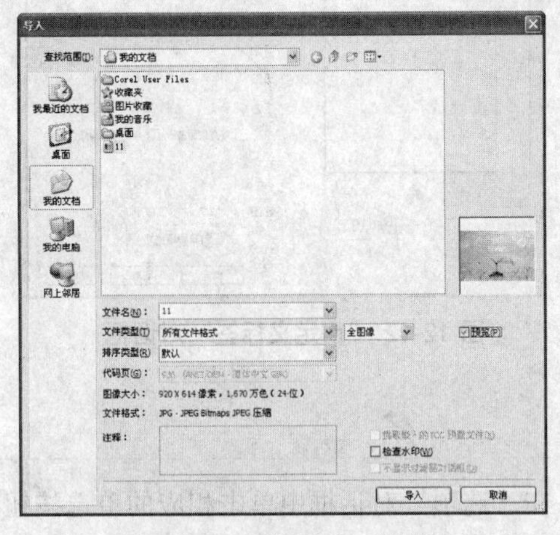

图 12-16 “导入”对话框

图 12-17 设置后的背景

12.1.5 多页面设置

多页面设置主要包括插入页面、删除页面、调整页面名称、查看页面等操作，可以通过版面菜单完成，也可以通过页面导航器完成。

1. 添加新页面

添加新的页面是指在已经创建的页面中添加新的空白页面，用户可以在已有的页面之前添加页面，也可以在其后添加页面，通过“插入页面”对话框进行设置即可，具体操作步骤如下。

Step 01 首先创建一个新页面，并在页面属性栏中重新对其设置，将页面宽度设置为260mm，将高度设置为140mm。将“sample\第12章\原始文件\2.jpg”图形文件导入，如图12-18所示。然后执行“版面>插入页面”命令，打开如图12-19所示的“插入页面”对话框。在对话框中将插入的页数设置为1，并单击“后面”单选按钮。

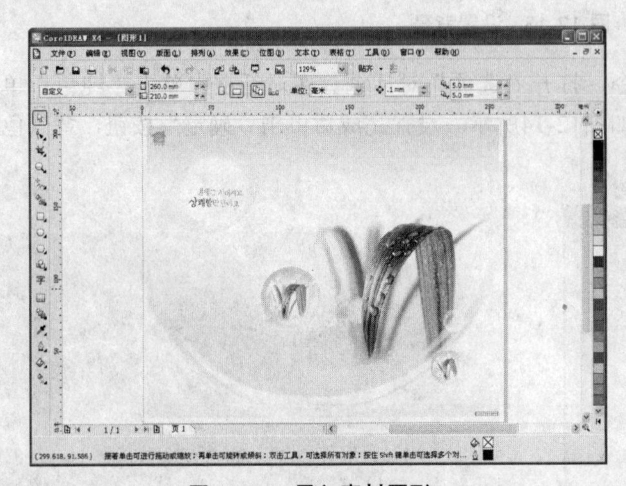

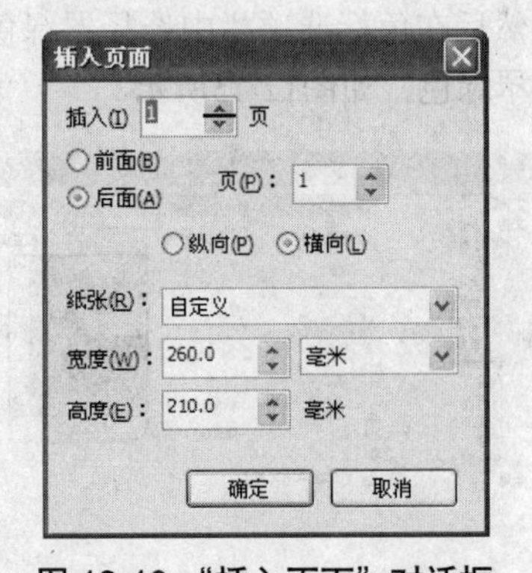

图 12-18 导入素材图形

图 12-19 “插入页面”对话框

Step 02 设置完成后单击“确定”按钮，即可新建页面2，如图12-20所示。将原始文件夹中其他的图像导入到图像窗口中，如图12-21所示。

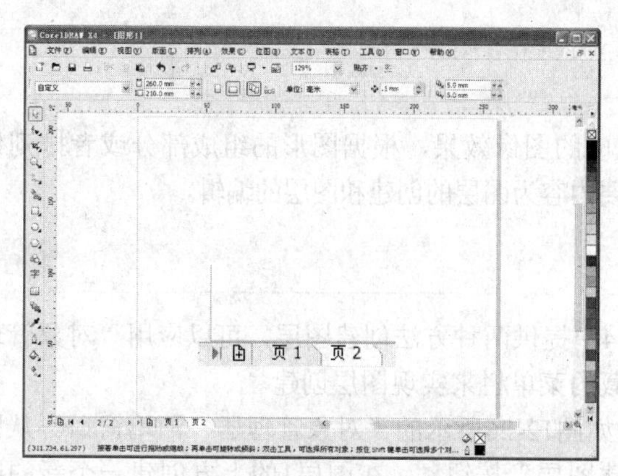

图 12-20 新建页面 2

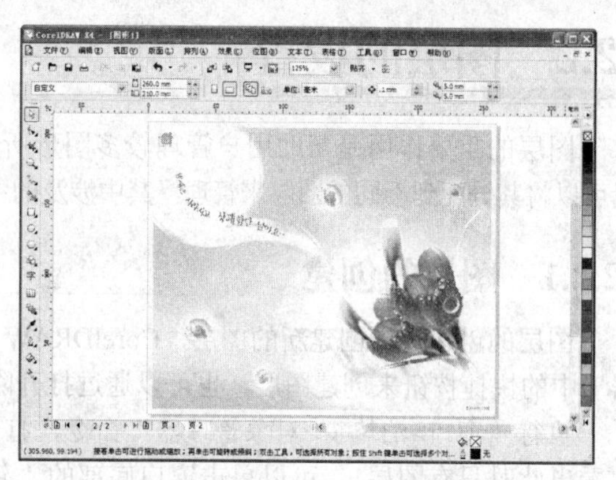

图 12-21 导入新的素材图形

2. 重命名页面

重命名页面可以使用户在绘制图形时快速查找和编辑所需的页面。选择要重命名的页面，单击鼠标右键，在弹出的快捷菜单中，选择“重命名页面”命令，如图12-22所示。此时选择页面2，打开如图12-23所示的“重命名页面”对话框，在对话框中将名称设置为“花朵”，设置完成后单击“确定”按钮，即可看到页面2的名称已更换。

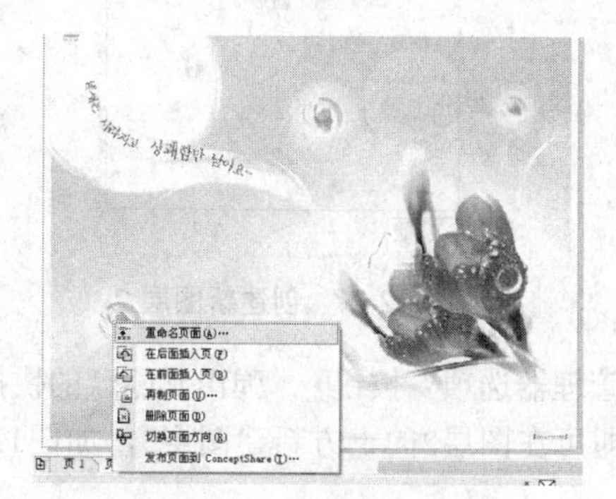

图 12-22 选择重命名页面命令

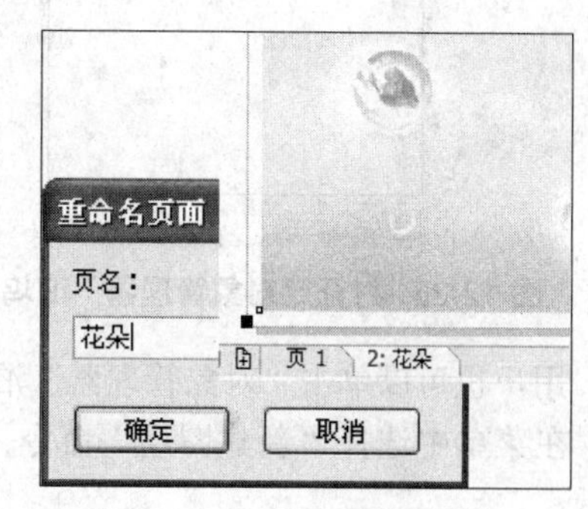

图 12-23 输入新名称

3. 删除页面

删除页面的方法有两种，可以通过“删除页面”对话框实现，也可以通过快捷菜单栏完成。选择要删除的页面，执行“版面>删除页面”菜单命令，打开如图12-24所示的“删除页面”对话框。在对话框中设置要删除页面的顺序标号，设置完成后即可将页面2删除，如图12-25所示。用户也可以在页面导航器中选择页面2，并单击鼠标右键，在弹出的快捷菜单中选择“删除页面”命令，也可以将页面2删除。

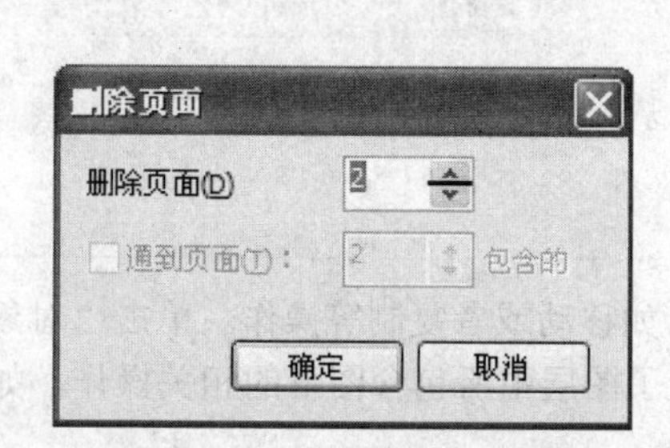

图 12-24 “删除页面”对话框

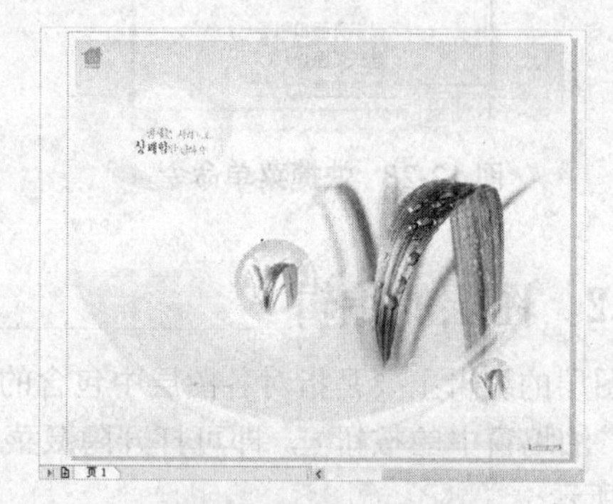

图 12-25 删除页面 2

12.2 图层的设置

图层的重要作用是帮助用户管理较多图形所组成的图像效果，根据图形的组成部分或者排列位置可以将其分配到不同的图层来管理，其中涉及的主要内容为图层的创建和图层的编辑。

12.2.1 图层的创建

图层的创建是指创建新的图层，CorelDRAW X4中提供两种方法创建图层，可以应用“对象管理器”中的快捷按钮来创建图层，也可以通过打开隐藏的菜单栏来实现图层创建。

执行“窗口>泊坞窗>对象管理器”命令，打开如图12-26所示的“对象管理器”泊坞窗口。从图中看出此时只有图层1，可以单击窗口底部的“新建图层”按钮，在图层1的上方创建一个新的图层，如图12-27所示。

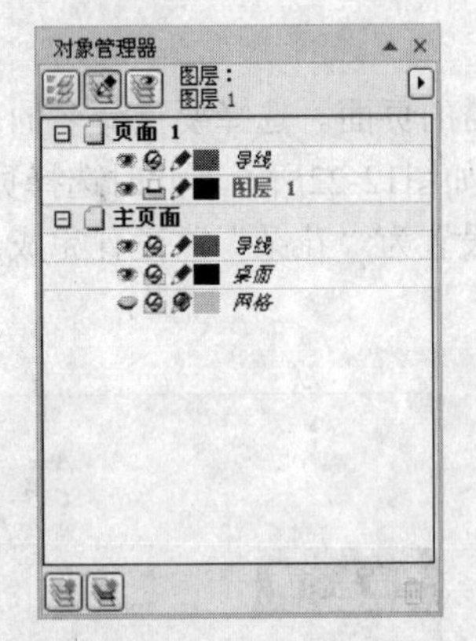

图 12-26 打开“对象管理器”泊坞窗

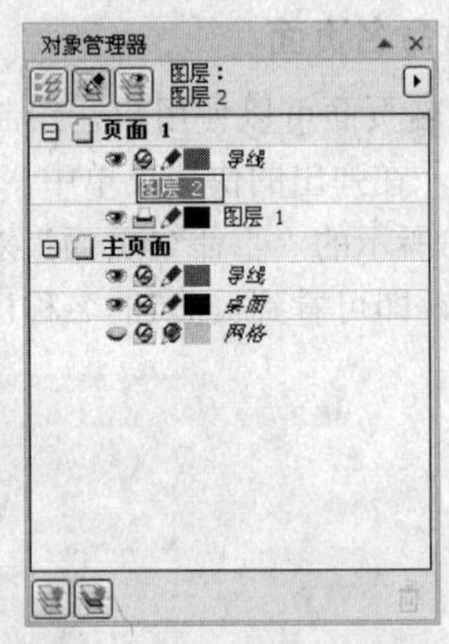

图 12-27 创建新图层 2

用户也可以单击“对象管理器”泊坞窗顶部的“对象管理器选项”按钮，弹出其隐藏的快捷菜单，在菜单中选择“新建图层”命令，如图12-28所示，即可在图层2的上方新建图层3，如图12-29所示。

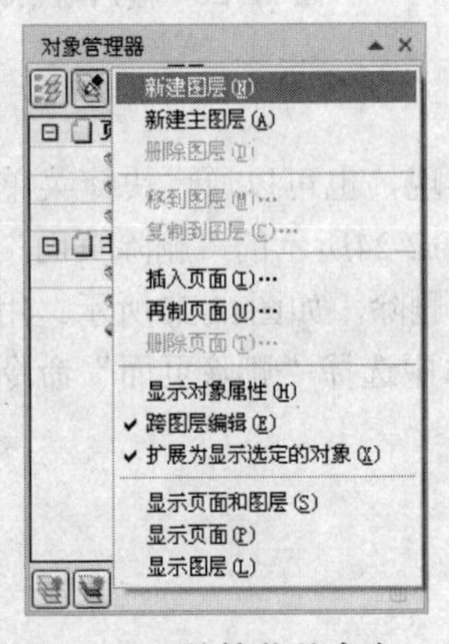

图 12-28 快捷菜单命令

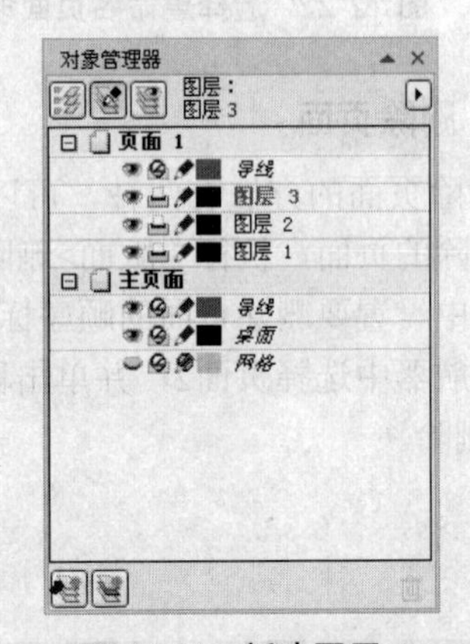

图 12-29 新建图层 3

12.2.2 图层的编辑

图层的编辑主要是指对各图层中包含的图形进行编辑，如移动或者复制等操作。单击“对象管理器”泊坞窗中的按钮，即可打开隐藏菜单。该菜单显示了图层中所包含图形的相关操作，如图12-30所示。

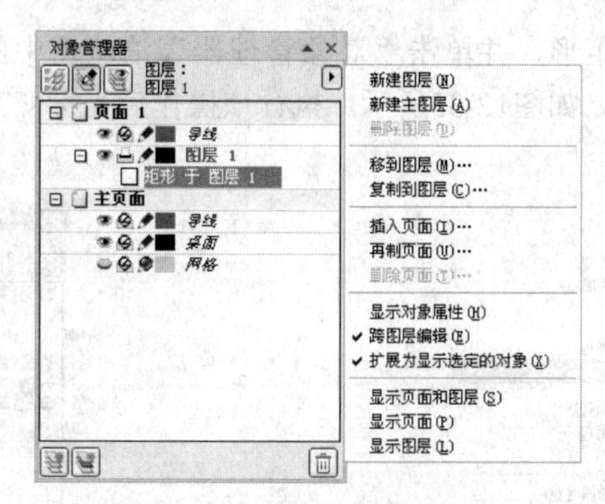

图 12-30　打开隐藏的菜单

1. 移动图层中的对象

移动图层中的对象是指将位于一个图层中的图形移动到另外的图层中，而不影响该图形的效果，具体操作步骤如下。

Step 01 首先在相应的图层中绘制矩形，如图12-31所示。在图层1中绘制一个新的矩形，并单击“对象管理器”泊坞窗中的▶按钮打开隐藏的快捷菜单，选择“移到图层”命令，如图12-32所示。

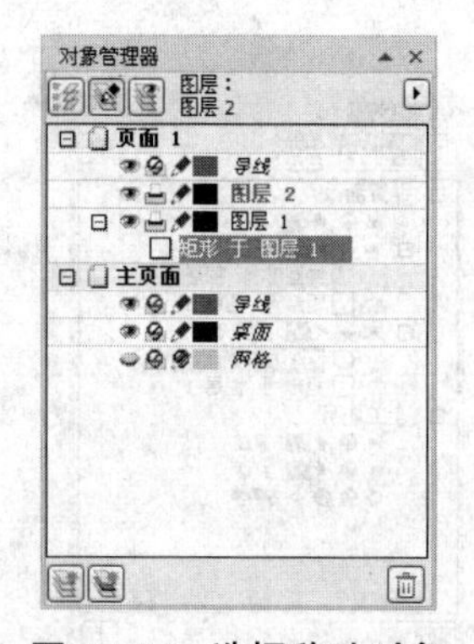

图 12-31　选择移动对象

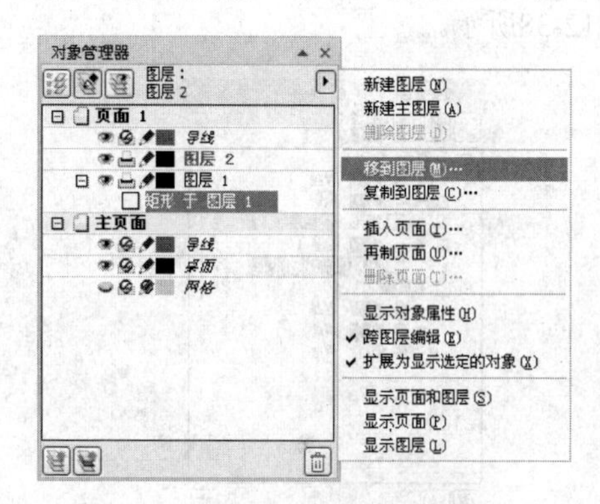

图 12-32　选择“移到图层”命令

Step 02 执行该操作后光标变为➜▮形状时，单击目标对象图层2，如图12-33所示，即可将矩形移动到图层2中，效果如图12-34所示。

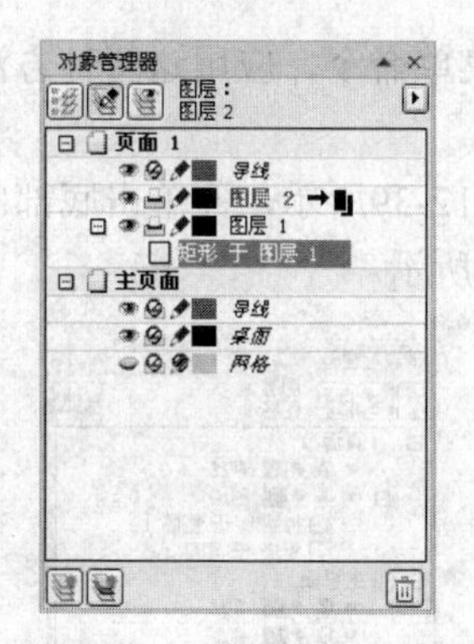

图 12-33　单击目标对象

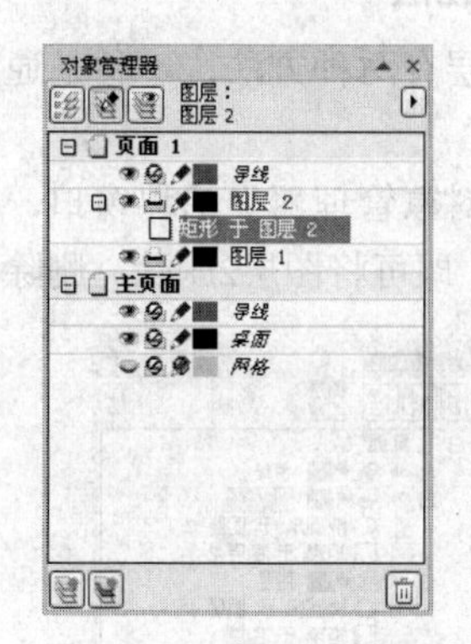

图 12-34　移动后的图形

2. 图层中对象的复制

图层中对象的复制是指将图层中绘制的图形复制到另外的图层中，同时图形的属性保持不变，具体操作步骤如下。

Step 01 选择图层2绘制的矩形，并单击“对象管理器”泊坞窗中的按钮，弹出隐藏的快捷菜单，选择“复制到图层”命令，如图12-35所示。执行该操作后光标变为形状，此时单击图层1，如图12-36所示。

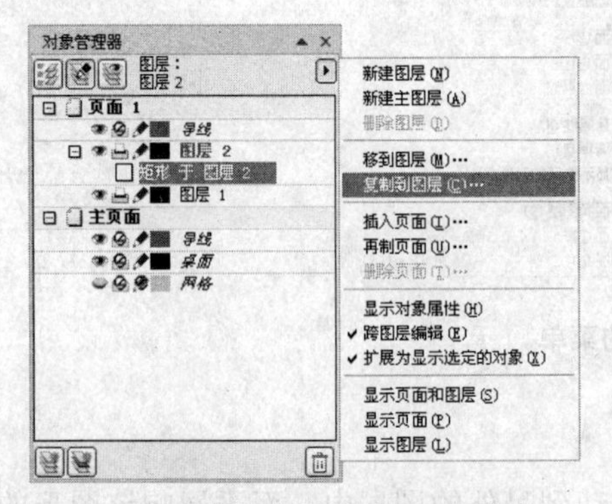

图 12-35 选择“复制到图层”命令

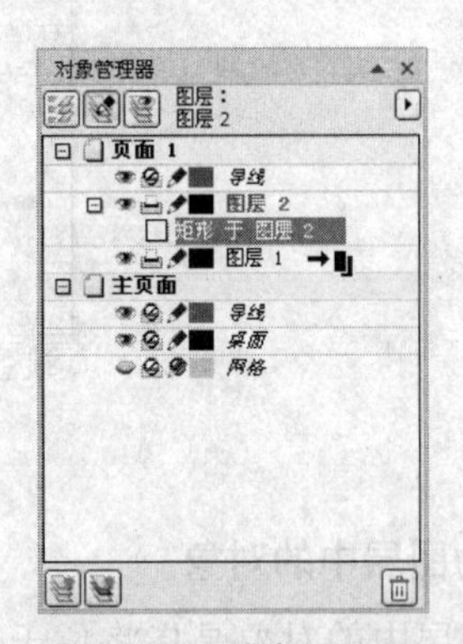

图 12-36 单击图层 1

Step 02 执行上一步操作后即可在图层1中显示出矩形，在“对象管理器”泊坞窗中显示出来，如图12-37所示。同样在图层2中绘制椭圆形，然后通过复制图形的方法，在图层1中复制出该椭圆形，如图12-38所示。

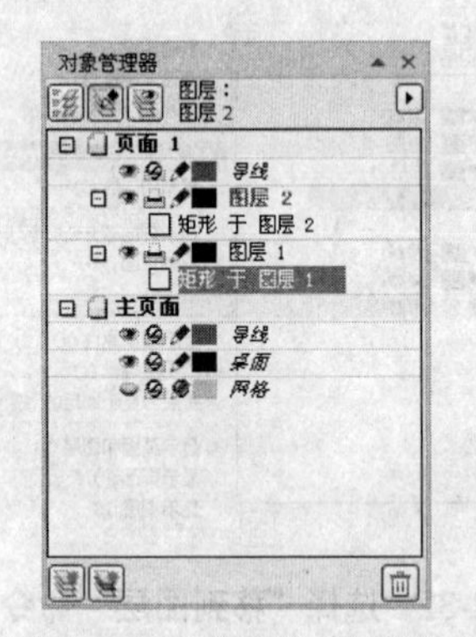

图 12-37 复制矩形图形

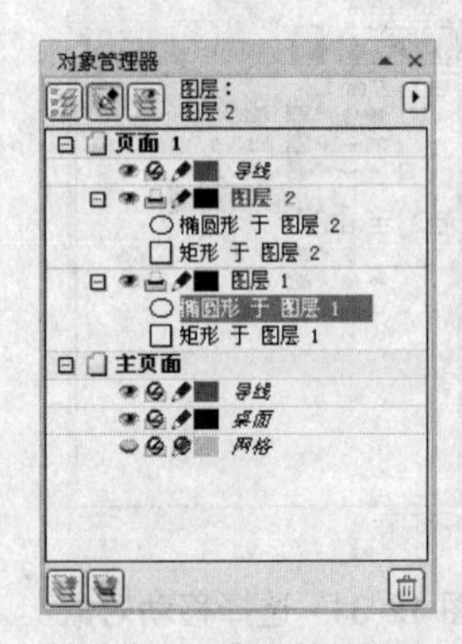

图 12-38 复制椭圆形

3. 删除图层

删除图层有两种方法，一种是通过快捷按钮，一种是通过菜单命令，应用这两种方法都可以将图层删除。

打开“对象管理器”泊坞窗口，选择要删除的图层2，如图12-39所示，并单击底部的“删除图层”按钮，即可将图层2删除。删除后只剩下图层1，如图12-40所示。

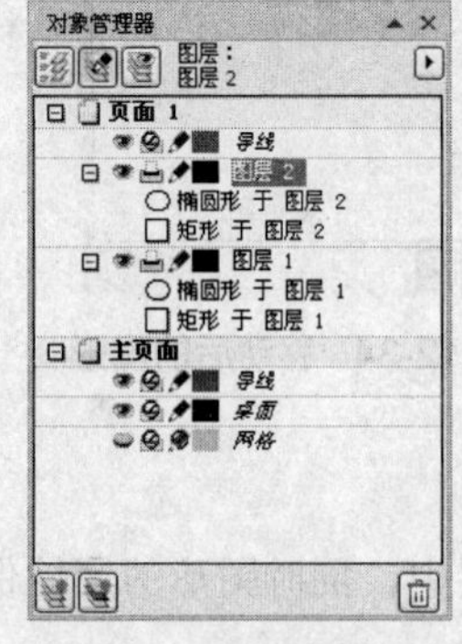

图 12-39 选择图层 2

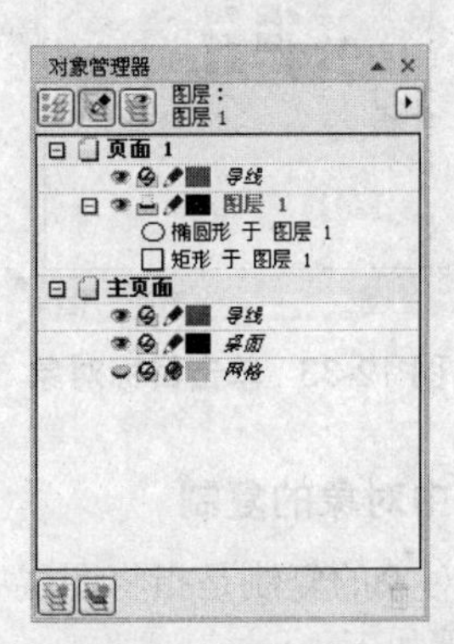

图 12-40 剩下图层 1

应用快捷菜单命令也可以删除图层。在“对象管理器”泊坞窗中选择要删除的图层，并打开隐藏的快捷菜单，选择“删除图层”命令，如图12-41所示。删除图层1后只剩下图层2，如图12-42所示。

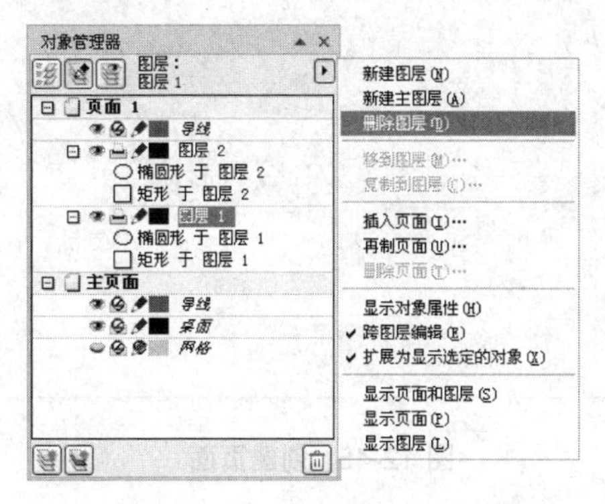

图 12-41　选择“删除图层”命令

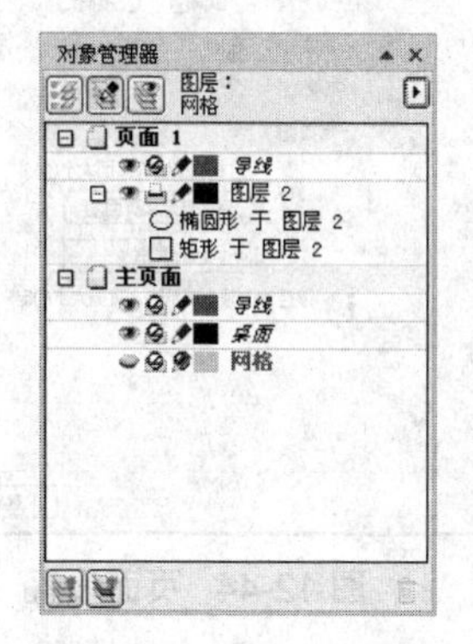

图 12-42　图层 1 被删除

12.3　版面组织和管理实例

DV广告版面的制作过程包含版面的设置及管理，通过制作的一般步骤使读者详细了解版面设置及制作的具体过程，并通过添加辅助线等方法合理调整文字和图形在版面的位置，完成后的效果如图12-43所示。

图 12-43　实例效果

12.3.1　背景的创建

背景的创建是指在新建的页面中绘制背景图形，包括背景色的填充和背景中装饰图形的添加。背景色的设置通过应用交互式填充工具，而背景花纹则通过打开素材图形并填充的方法来完成，具体操作步骤如下所示。

Step 01 首先创建新页面，执行“版面>页面设置”命令，打开“选项”对话框。在对话框中将页面的方向设置为“横向”，并单击“添加页框”按钮，如图12-44所示。设置完成后单击“确定”按钮，即可创建一个横向的页面，并添加了一个和页面相同大小的矩形，如图12-45所示。

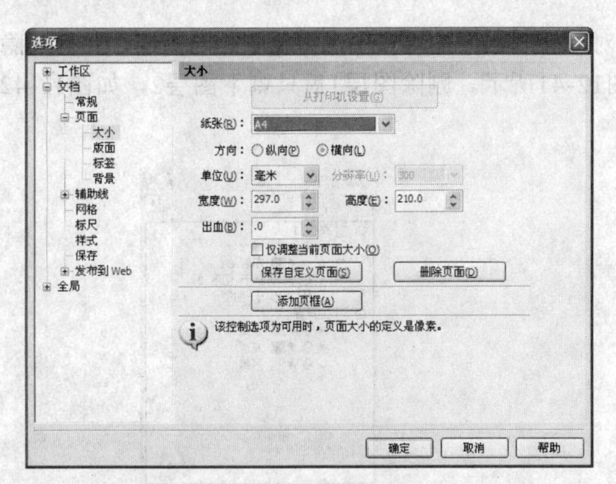

图 12-44　页面设置

图 12-45　创建页面

Step 02　选择工具箱中的交互式填充工具，在绘制的矩形中填充上渐变色，如图12-46所示。再对填充起始处的颜色重新设置，设置CMYK值为（3，49，24，0）的颜色，填充后的效果如图12-47所示。

图 12-46　应用交互式填充工具填充渐变色

图 12-47　调整填充颜色

Step 03　然后在右侧调色板中的按钮╳上单击鼠标右键，去除轮廓线，并为图形中间添加过渡色。应用“颜色”泊坞窗设置好颜色后，将其向图形中间拖动，填充后的图形如图12-48所示。再应用矩形工具在页面底部绘制大小不一的两个矩形，并分别应用交互式填充工具将其填充上颜色，效果如图12-49所示。

图 12-48　填充背景

图 12-49　填充底部颜色

Step 04　将“sample\第12章\原始文件\4.cdr”图形文件打开，如图12-50所示。选择其中较大的花朵图形，将其复制到创建的页面中，并变换为不同大小，如图12-51所示。

图 12-50　素材图形

图 12-51　填充后的图形

Step 05　选择步骤4打开图形中的小花朵图形，也将其复制后放置到页面的合适位置中，并分别将其填充上颜色，效果如图12-52所示。最后应用椭圆形工具在图中绘制出多个椭圆并放置到合适位置，填充上颜色，完成的背景效果如图12-53所示。

图 12-52　编辑小花朵图形

图 12-53　添加圆点图形

12.3.2　主体图形的创建

主体图形的创建包括编辑位图和矢量图形。将位图通过图框精确剪裁的方法放置到合适的容器中，并制作倒影效果，然后将提供的矢量图形复制并填充，分别放置到页面中，制作添加装饰效果，具体操作步骤如下。

Step 01　将"sample\第12章\原始文件\5.jpg"图形文件导入，如图12-54所示。然后结合钢笔工具和形状工具沿DV机的外形进行绘制，如图12-55所示。

图 12-54　导入素材图形

图 12-55　绘制图形轮廓

Step 02　选择DV图形，执行"效果>图框精确剪裁>放置在容器中"命令，将图形放置到上一步所绘制的轮廓图形中，并将白色部分图像隐藏，效果如图12-56所示。再将"sample\第12章\原始文件\6.jpg"图形文件导入，如图12-57所示。

图 12-56　将图形放置到容器中

图 12-57　导入图形

Step 03　同样也应用钢笔工具和形状工具沿DV的屏幕绘制出一个图形，使用图框精确剪裁的方法将风景图形放置到屏幕图形中，如图12-58所示。将所有DV图形都选择，按+号键进行复制，并单击属性栏中的按钮，将图形在垂直方向上翻转，并移动到合适位置上，效果如图12-59所示。

图 12-58　将风景图放置到容器中

图 12-59　制作倒影

Step 04　对放置到容器中的DV图形进行编辑。应用交互式透明度工具将其调整为透明效果，如图12-60所示。编辑完成后，按Ctrl键并单击空白区域退出编辑。然后对DV的外形也应用交互式透明度工具编辑，如图12-61所示，同时对DV屏幕中的图形也使用交互式透明度工具编辑。

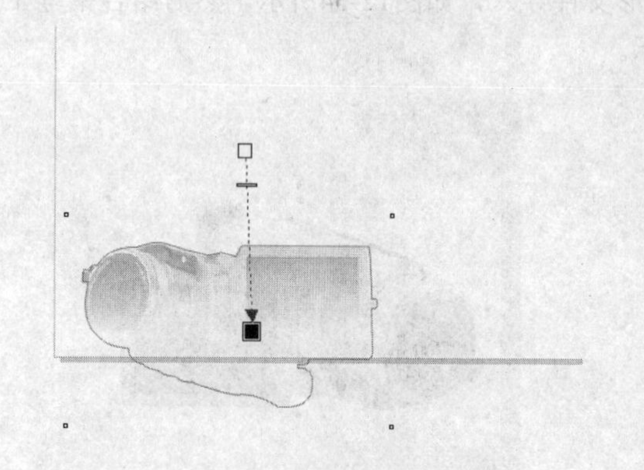

图 12-60　调整透明度

图 12-61　调整外形透明度

Step 05　将"sample\第12章\原始文件\7.cdr"图形文件打开，如图12-62所示。然后复制并将其分别放置到页面中合适的位置。对于超出页面边缘的图形则需要先转换为位图，再用修剪图形的方法将多余图形剪掉，效果如图12-63所示。

图 12-62　打开花朵图形

图 12-63　编辑后的效果

12.3.3　辅助线的设置

辅助线的作用是为了将图形排列整齐，同样对于文字也适用。将文字向添加的辅助线上移动即可将其对齐辅助线。添加辅助线时可以添加水平、垂直以及旋转的辅助线，旋转辅助线和旋转图形的设置方法相同，单击辅助线，在控制点处按住鼠标左键进行拖动即可。

Step 01　辅助线的设置主要通过拖动光标完成。从左侧的标尺中向右拖动即可形成垂直方向的辅助线，从顶部的标尺向下拖动光标，可以添加水平位置的辅助线。添加边缘辅助线后效果如图12-64所示。用户也可以在顶部位置上添加辅助线，以重新定义图形位置，如图12-65所示。

图 12-64　添加边缘辅助线

图 12-65　添加顶部辅助线

Step 02　为了使输入文字可以更整齐地排列到页面中，需要设置文字的位置。添加文字所在位置的辅助线，如图12-66所示，用户如果需要将细节图形的位置也确定出来，可以拖动出更多的辅助线，如图12-67所示。

图 12-66　添加文字辅助线

图 12-67　添加细节图形辅助线

12.3.4 图形对象和文字的排列

图形对象和文字的排列主要包括文字大小以及字体等设置，将不同的文字靠齐辅助线并对齐，形成有错落顺序的排列方式。

Step 01 下面为页面添加文字，应用文本工具在图中添加文字，如图12-68所示，然后执行“文本>项目符号”命令，弹出“项目符号”对话框。在对话框中选择圆点符号，并将大小设置为8.2pt，如图12-69所示。

图 12-68 输入段落文字

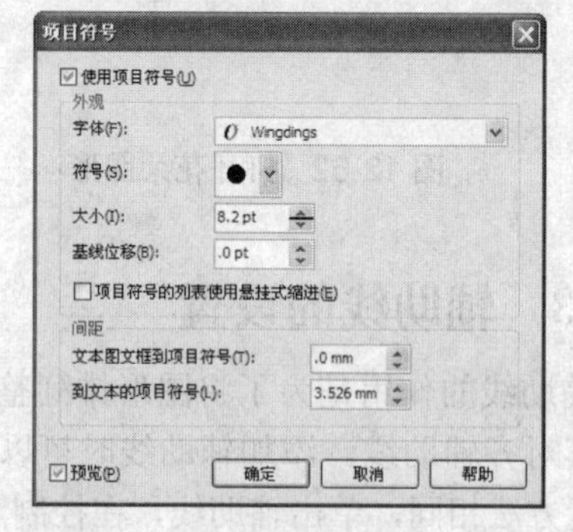

图 12-69 “项目符号”对话框

Step 02 设置完成后单击“确定”按钮，即可为输入的文字添加项目符号，如图12-70所示。然后添加装饰图形，应用椭圆形工具在图中绘制出椭圆图形，并在图形上方应用文本工具添加上说明文字，放置到合适位置上，如图12-71所示。

图 12-70 添加项目符号

图 12-71 添加细节图形

Step 03 下面添加说明性文字，应用文本工具单击页面的中间文字，分别将文字设置为不同的字体，再放置到辅助线边缘的位置上，如图12-72所示。输入完成剩下的商品名称以及文字，最终效果如图12-73所示。

图 12-72 添加广告语

图 12-73 完成后的效果

12.4　综合实例——地产报纸广告的制作

地产广告的制作过程先从背景开始，首先将素材图像导入到窗口中，并在其中添加房子和草地等元素，共同组成广告的主体内容，然后将其放置到页面中，与添加的说明文字、项目图形以及电话等内容共同组成完整的报纸广告，具体操作步骤如下所示。

Step 01　首先新建一个横向页面，并应用矩形工具在图中绘制出两个大小不一的矩形，如图12-74所示。然后创建新页面，将“sample\第12章\原始文件\8.jpg”图形文件导入，如图12-75所示。

图 12-74　绘制矩形

图 12-75　导入图形

Step 02　再将“sample\第12章\原始文件\9.psd”图形文件导入，如图12-76所示，放置到天空图像上方。再导入10.PSD图形文件到编辑的页面中，放置到合适位置，如图12-77所示。

图 12-76　导入房子图形

图 12-77　导入草地图形

Step 03　选择楼房图像，应用交互式透明度工具对图形编辑，将底部变为透明，如图12-78所示，显示出底部的树木图形。选择所有的天空图形和草地图形，移动到绘图区域的空白处，应用图框精确剪裁的方法，将所有图形都放置到前面绘制的矩形中，并调整图形到合适大小和位置，效果如图12-79所示。

图 12-78　编辑后的图形

图 12-79　放置到容器中

Step 04 选择另外的矩形，填充CMYK值为（7，6，16，0）的颜色，效果如图12-80所示。再应用文本工具在图中输入所需的文字，分别调整其大小，如图12-81所示。

图 12-80 填充底部图形

图 12-81 添加广告语

Step 05 将“sample\第12章\原始文件\11.cdr”图形文件打开，如图12-82所示。然后全部选择标志图形复制到当前编辑的页面中，调整至适当大小，效果如图12-83所示。

图 12-82 导入标志图形

图 12-83 添加到图中

Step 06 下面绘制项目地址路标，结合钢笔工具和形状工具绘制，绘制的图形效果如图12-84所示。接下来为广告添加介绍文字，应用文本工具在图中输入说明文字，并按照上节中所讲述的添加项目符号的方法，为输入的文字添加项目符号，如图12-85所示。

图 12-84 绘制道路图形

图 12-85 添加文字

Step 07 下面添加电话和项目地址，应用文本工具输入文字后，将电话号码颜色的CMYK值设置为（41，57，49，13），字体大小设置为30，如图12-86所示。制作完后的最终效果如图12-87所示。

图 12-86　添加联系电话

图 12-87　完成后的效果

12.5　本章小结

本章从页面设置开始学习，涉及页面大小、版面以及标签等方面，用户不仅可以调整单个页面的图形，也可以设置多个页面的图形，还可以将图层与页面结合使用。本章还讲解了图层的相关基础操作，如新建图层、删除图层等。通过学习本章讲解的版面组织和管理知识以及相关实例的制作，使读者能对不同印刷品有初步的认识和了解。

12.6　专业解析

1. 设置页面大小时有没有更有效的方法？

答：在CorelDRAW中，默认创建的图形文件大小为A4，在属性栏中可以重新设置页面大小，另外在“选项”对话框中同样可以重新定义大小。

2. 如何设置 CorelDRAW 的对页版面？

答：选择“菜单>版面>页面设置”命令，弹出“选项”对话框，在左侧选择“页面>版面”选项；在右边的版面选项中，选择全页面；勾上对页（从第二页开始在画面中间就会有一竖线），再确定即可（需要增加几页才能看得到）。

3. 如何灵活移动标尺？

答：在CorelDRAW中是可以自由移动标尺位置的，只要在标尺上按住Shift键并拖动鼠标，就可以移动标尺。如果想将标尺放回原位，只要在标尺上按住Shift键同时双击鼠标，即可将其立即归位。

12.7　思考与练习

1. 填空题

（1）新建页面时，不能通过属性栏设定的是__________。

（2）制作稿件时，常会遇到“出血”线，那么出血的尺寸为__________。

（3）文字的__________不属于文字属性的内容。

2. 选择题

（1）在CorelDRAW X4中可以对页面设置的属性有（　）。

A. 大小

B. 版面

C. 背景

D. 标签

（2）在CorelDRAW中可以使用（　）作为页面背景。

A. 矢量

B. 位图

C. 彩虹色

D. 图案

（3）删除页面辅助线的方法有（　）。

A. 双击辅助线，在辅助设置面板中选择删除命令

B. 在要删除的辅助线上单击右键，选择删除命令

C. 选择要删除的辅助线并按DEL键

D. 单击右键选择要删除的辅助线并按 DEL键

3. 判断题

（1）在对象管理器中，在主页面的辅助线层上绘制一正方形，则多了一个正方形对象。（　）

（2）在CorelDRAW中，可以通过页面分类视图添加页面。（　）

（3）图层上的对象可拖放到主图层上。（　）

4. 问答题

（1）如何创建新图层？

（2）如何移动图层中的对象？

（3）如何复制图层中的对象？

5. 上机题

（1）在不同页面中添加辅助线。在页面中添加横向辅助线，如图12-88所示，在页面2中添加纵向辅助线，如图12-89所示。

图 12-88　创建横向辅助线　　图 12-89　创建纵向辅助线

（2）将图层1中的图形复制到图层2中。打开“对象管理器”泊坞窗，选择要复制的图形，如图12-90所示，然后将其复制到图层2中，如图12-91所示。

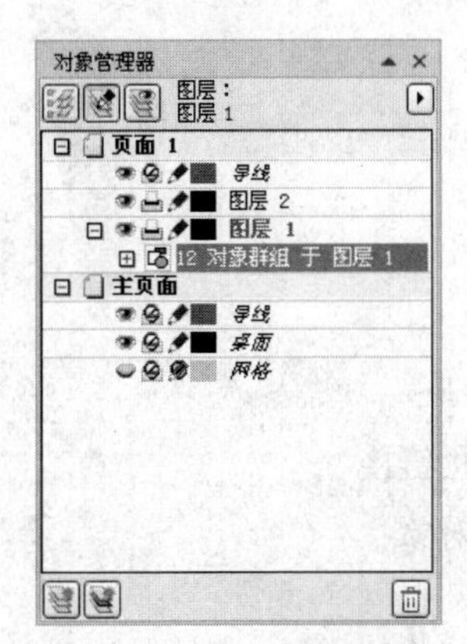

图 12-90 选择复制的图形

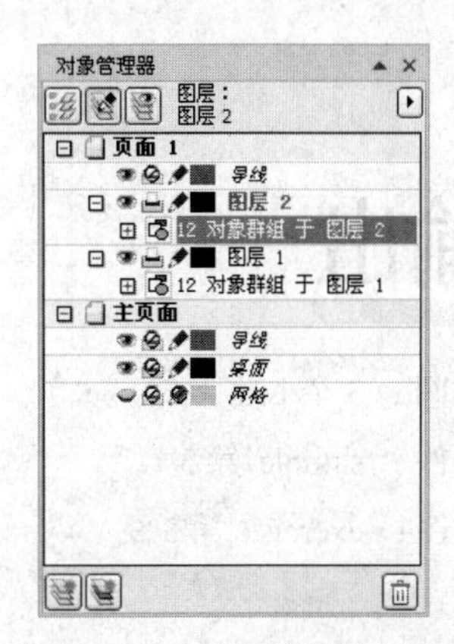

图 12-91 复制到图层 2 中

（3）将如图12-92所示的素材制作为页面背景，效果如图12-93所示。

图 12-92 导入素材图形

图 12-93 制作为页面背景

打印输出 13

本课所需时间： 3 个小时

课程范例文件： sample\ 第 3 章 \

课后练习文件： exercise\ 第 3 章 \

必须掌握：

- 打印设计

深入理解：

- 对象的链接
- 插入对象

一般了解：

- 插入条形码
- CorelDRAW X4 的网络发布

课程总览：

学习打印文件的相关设置有助于读者了解如何输出图形。通过设置可以将其他应用程序中的图形嵌入到CorelDRAW X4程序中，也可以将CorelDRAW X4的文本和图片发布到网络上共享。

13.1 打印文件

打印文件是导出文件形式的一种，可以通过添加打印机，将通过CorelDRAW X4绘制的图形打印为成品图像，其中需要学习的相关知识有打印设置、打印预览显示，以及重要的打印选项设置，通过设置才能将图像文件通过打印机准确打印出来。

13.1.1 打印设置

打印设置主要通过“打印设置”对话框完成，在对话框中用户可以设置打印机等选项，并且查看打印的相关参数及位置等。

Step 01 选择要打印的素材文件，执行“文件>打印设置”菜单命令，如图13-1所示，弹出如图13-2所示的“打印设置”对话框，在对话框中将显示打印机的位置以及类型等信息。

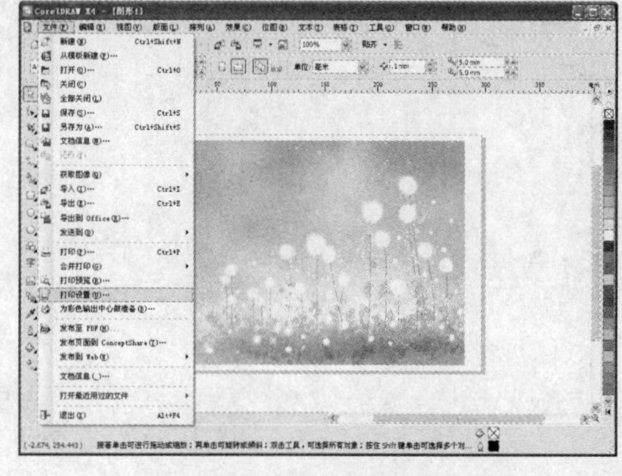

图 13-1 执行相应命令

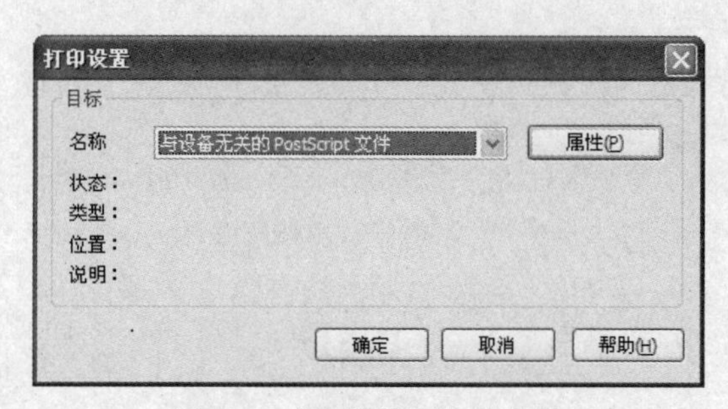

图 13-2 “打印设置”对话框

Step 02 继续在对话框中设置，单击“属性”按钮，进行打印机属性的设定，如打印纸张、页面的位置等，如图13-3所示。

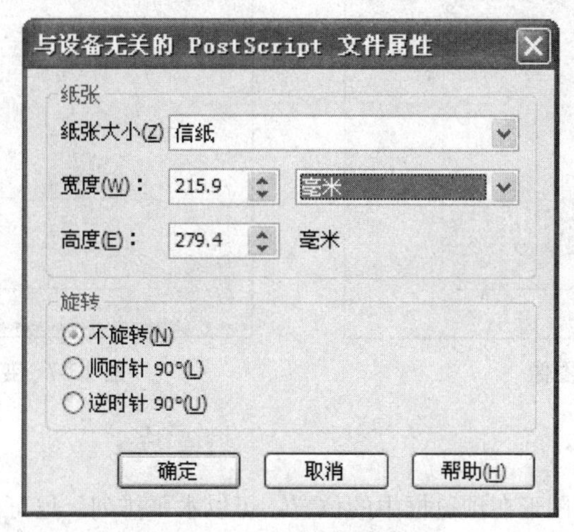

图 13-3 设置打印属性

13.1.2 打印预览

通过打印预览可以查看打印后的效果，根据预览效果可以对文件大小、版面布局、颜色模式等重新设置，也可以重新设置预览版面。

1. 设置大小

大小设置是指在预览状态下，对打印区域中图像的设置，主要通过对话框左侧相应的工具来完成，具体操作步骤如下所示。

Step 01 将“sample\第13章\原始文件\2.jpg”图形文件导入，如图13-4所示。执行“文件>打印预览”命令，在弹出的对话框中应用挑选工具移动图形位置，如图13-5所示。

图 13-4 选择要预览的图像

图 13-5 调整图像

Step 02 继续应用挑选工具移动图形，直至显示出人物脸部图形，如图13-6所示，然后编辑图形大小，将其调整至预览框中可打印页面的大小，如图13-7所示。

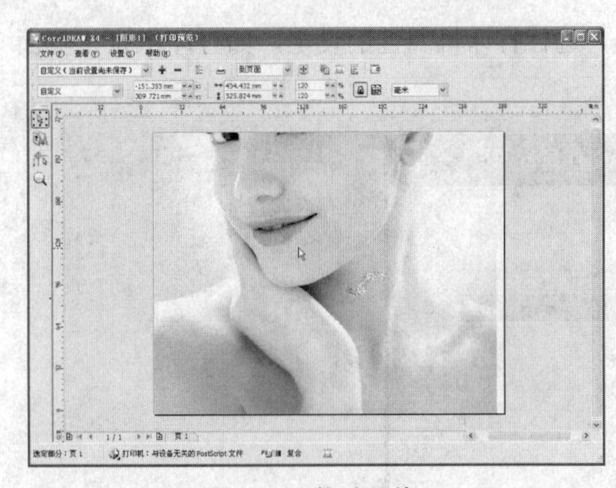

图 13-6 拖动图像

图 13-7 变换到合适大小

2. 版面布局

版面布局是指要打印的图形在预览框中的位置，可以水平排列，也可以将其翻转重新排列。

Step 01 在“打印预览”对话框中，单击左侧工具箱中的“版面布局工具”按钮，预览效果显示为箭头图形，如图13-8所示，此时单击中间的数值，页面边框和箭头显示为红色，如图13-9所示。

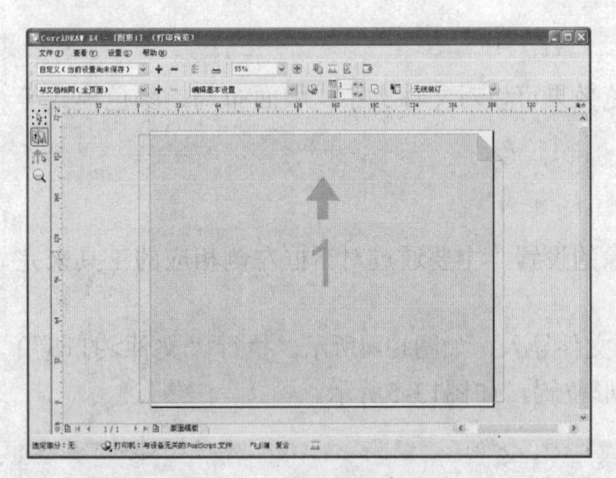

图 13-8 设置版面布局

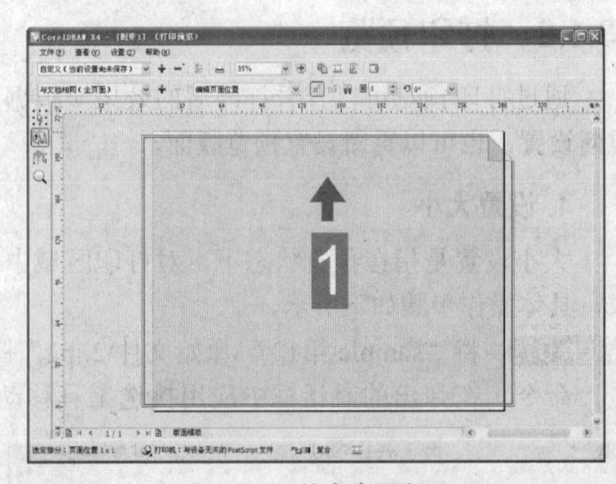

图 13-9 单击中间版面

Step 02 旋转版面。将光标放置到红色箭头上，形状将变为，如图13-10所示，并单击红色箭头，即可将版面翻转，效果如图13-11所示。

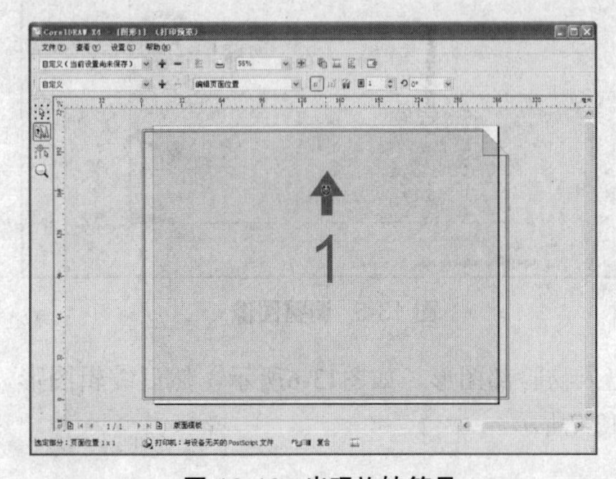

图 13-10 出现旋转符号

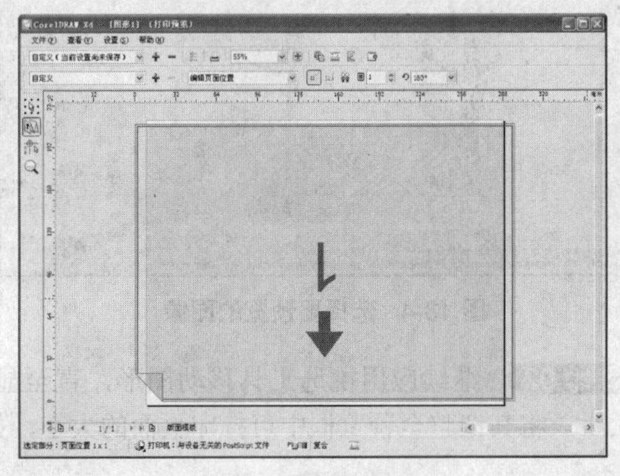

图 13-11 翻转后的页面

3. 预览比例的设置

在“预览”对话框中还可以设置显示的比例，以帮助用户更详细地查看图形细节部分。主要通过标准栏来设置，单击“缩放”下拉列表框右侧按钮，即可选择合适的缩放比例，如图13-12所示设置为“到页宽”的效果，如图13-13所示为设置为200%缩放后显示的图像效果。

图 13-12　到页宽

图 13-13　200% 显示

4. 颜色预览

颜色预览是指对图形以另外的颜色模式预览，主要通过“查看”菜单中的相关命令来完成操作。选择预览的图形，然后执行“查看>颜色预览”命令，弹出级联菜单，如图13-14所示，选择“灰度”命令后，即可将彩色图像转换为黑白效果，如图13-15所示。

图 13-14　选择“颜色预览”命令

图 13-15　灰度图像

13.1.3　打印选项的设置

打印选项设置是指在“打印选项”对话框中对相应的选项卡进行设置，每个选项卡中的选项控制的区域都不相同，主要包括“常规”、“版面”以及“分色”等选项区。

1. 常规选项的设置

执行“设置>常规”菜单命令，将弹出如图13-16所示的“打印选项”对话框，该对话框中有关于打印各种参数的设置，单击“常规”标签即可对常规选项进行设置，主要包括打印范围、份数以及打印类型等设置，通过设置后，用户可以将打印的相关参数保存，在后面的工作中还可以调出重新使用。

2. 版面的设置

在“打印选项”对话框中单击“版面”标签，则可以设置预览时的版面，主要设置包括图像位置和大小以及版面布局，如图13-17所示。设置图像位置和大小主要是指设置图像与页面之间的位置关系，用户可以将图像调整到打印页面大小，并且可以定位图形的中心位置。版面布局则包含了常见的创建文档的类型，用户可以根据新建的文档来选择版面布局，使打印区域和文档区域一致，单击“将图像重定位到”单选按钮则可以对图形的打印坐标重新设置，还可以设置出血的数值以及平铺重叠参数。

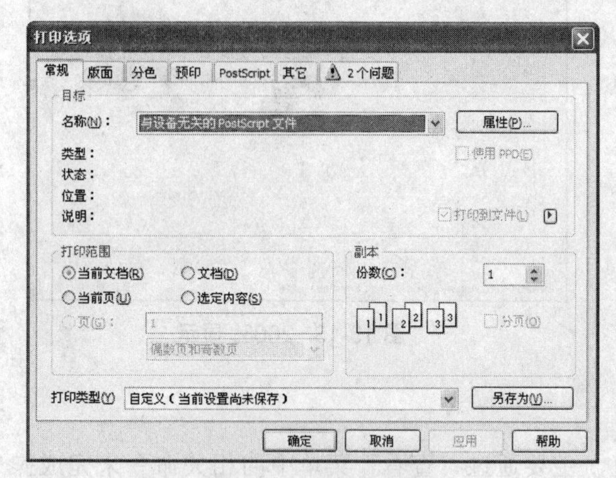

图 13-16 设置常规选项

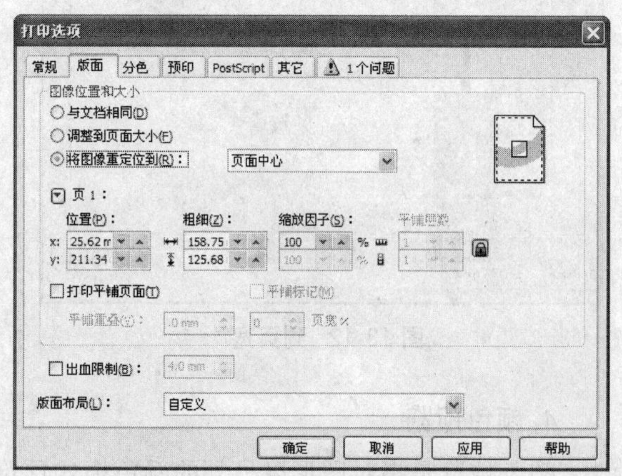

图 13-17 设置版面选项

3. 分色选项设置

在“打印选项”对话框中单击“分色”标签，即可对设置分色相关的选项，如图13-18所示，主要设置的内容包括相关颜色选择和排序等。勾选“打印分色”复选框后，才可以设置相关的分色。勾选不同的复选框，将会对不同的颜色进行分色。勾选“六色度图标”复选框后，将会显示出另外进行分色的色彩名称和图标，如图13-19所示。

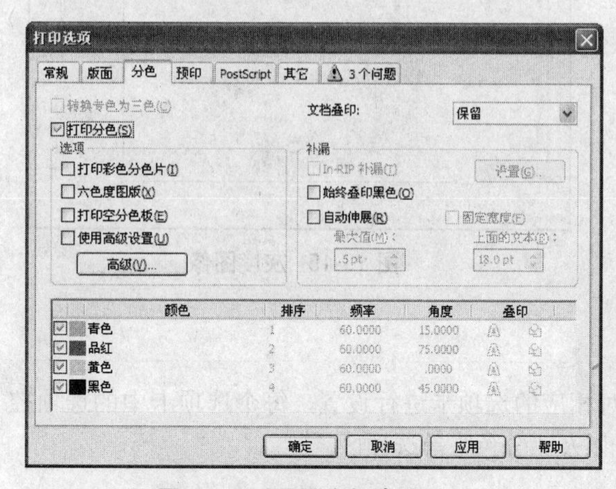

图 13-18 设置分色选项

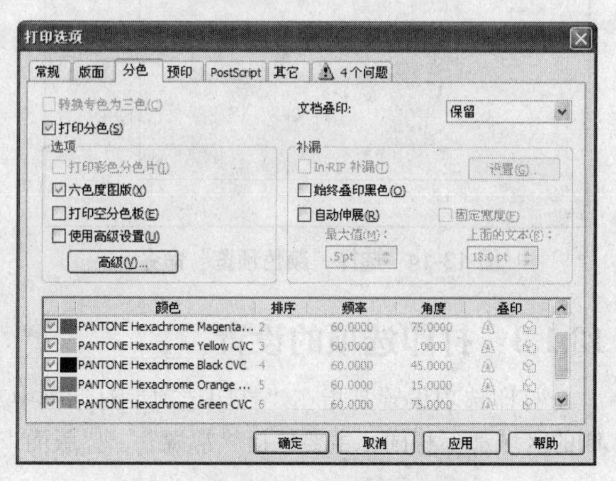

图 13-19 设置另外颜色

13.2 对象的链接与嵌入

对象的链接与嵌入是指将另外程序中的图形或文件，通过链接等操作在CorelDRAW X4应用程序中反映出来，如果对图形或者文件进行了编辑，那么编辑后的效果也反映在CorelDRAW X4程序中。

13.2.1　创建链接或嵌入的对象

打开其他应用程序中需要复制的对象，通过“选择性粘贴”命令可以将其应用到CorelDRAW程序中，并建立一种新链接，使粘贴的对象反映到源程序中，并以图标等形式显示在文档中。

1. 创建链接对象

创建链接对象是将存在于其他程序中的图形或者文档，通过选择性粘贴的方法粘贴到CorelDRAW程序中使用，具体操作步骤如下。

Step 01　打开“图片收藏”对话框，选择要链接的文档，执行“编辑>复制”菜单命令，如图13-20所示。然后启动CorelDRAW X4应用程序，创建一个新的图形文件，执行“编辑>选择性粘贴”菜单命令，如图13-21所示。

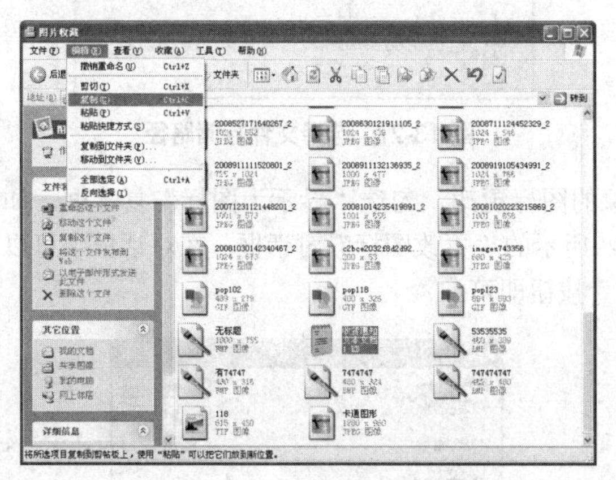

图 13-20　执行复制命令

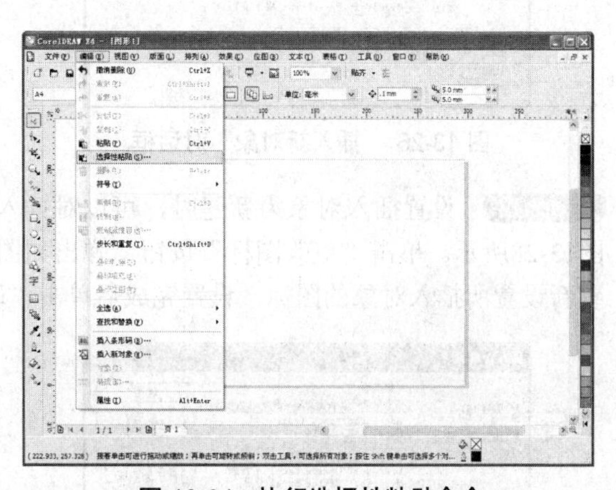

图 13-21　执行选择性粘贴命令

Step 02　此时系统将弹出如图13-22所示的“选择性粘贴”对话框，对话框中将显示文件的来源路径，单击“粘贴链接”单选按钮，如图13-23所示。

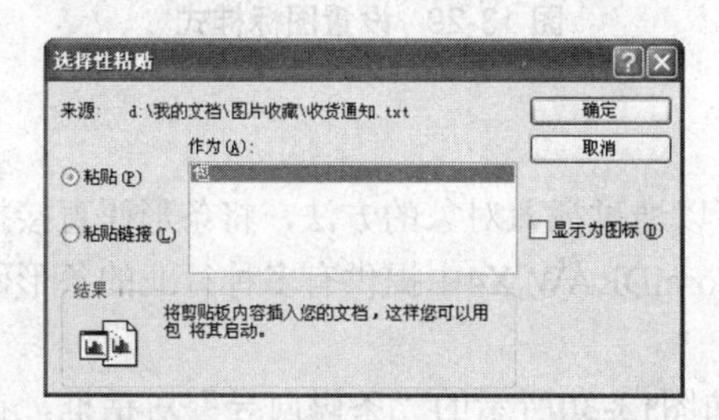

图 13-22　“选择性粘贴”对话框

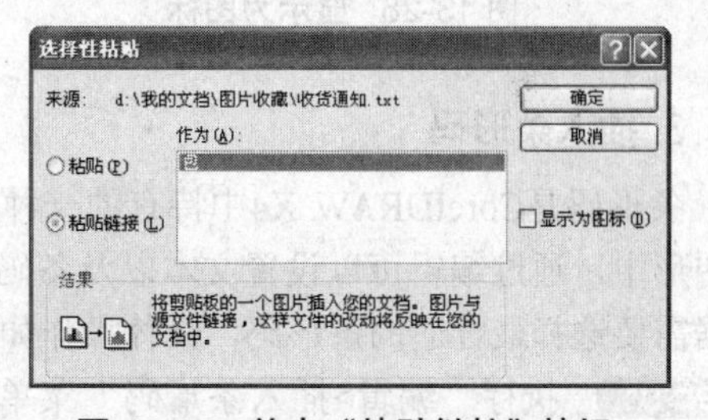

图 13-23　单击“粘贴链接”按钮

Step 03　勾选“显示为图标”复选框，然后可以设置图标另外的样式，如图13-24所示，单击对话框中的“更改图标”按钮，打开如图13-25所示的“更改图标”对话框，在对话框中有多种可以选择的图标。

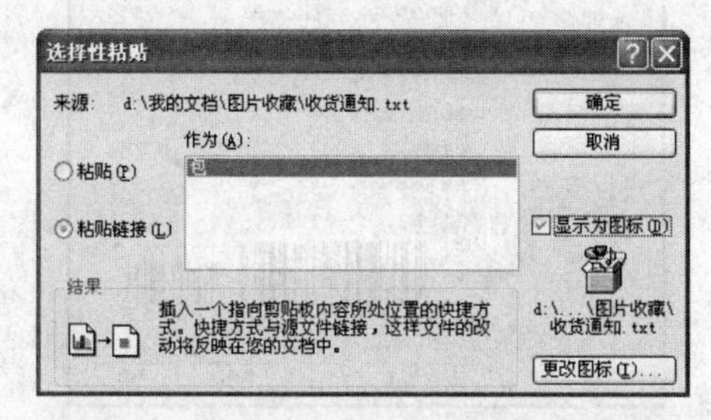

图 13-24　勾选“显示为图标”复选框

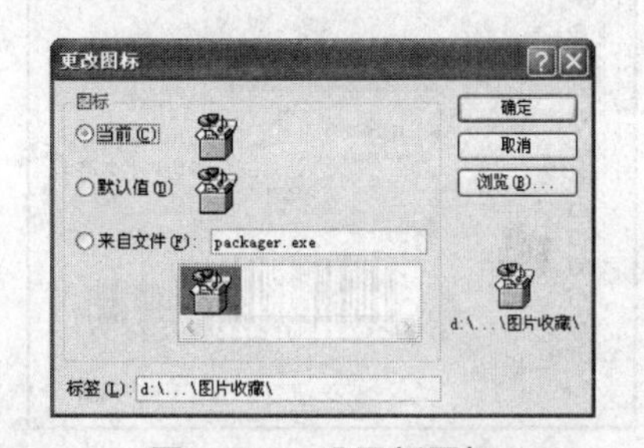

图 13-25　设置新图标

2. 创建嵌入对象

在CorelDRAW X4中执行菜单中“编辑>插入新对象”命令，可以将在其他应用程序中的对象插入到CorelDRAW X4中并使用，其中有两种方法，分别为新建文件和由文件创建。

Step 01 首先执行“编辑>插入新对象”菜单命令，弹出如图13-26所示的“插入新对象”对话框，在对话框中可以选择插入对象的类型，或者在对话框中单击“由文件创建”单选按钮，设置所插入对象存储的路径，如图13-27所示。

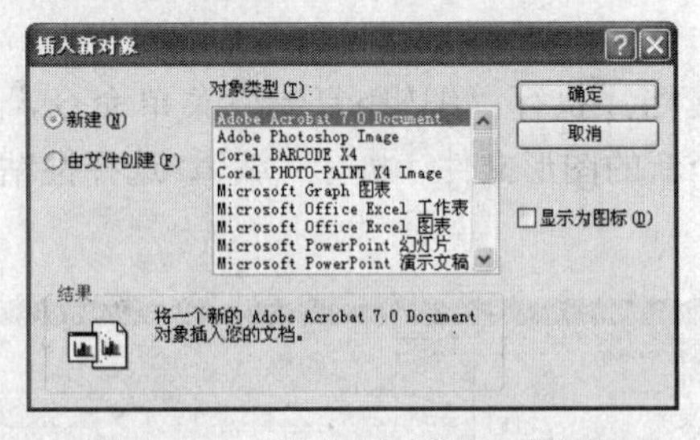

图 13-26 “插入新对象”对话框

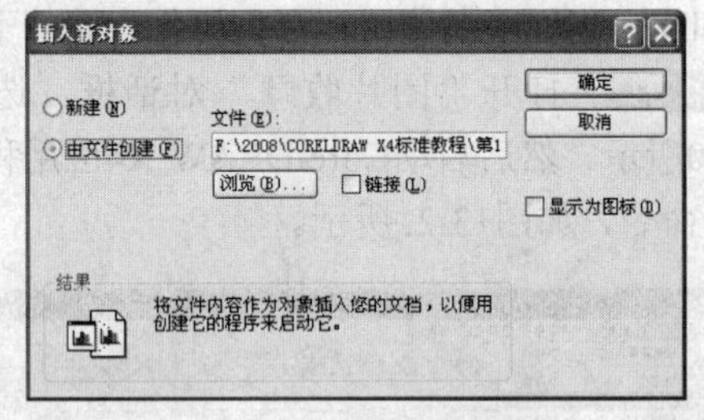

图 13-27 选择文件存储路径

Step 02 设置插入对象为新建时，可以对插入对象的图标更改，勾选“显示为图标”复选框，如图13-28所示。单击“更改图标”按钮，弹出如图13-29所示的“更改图标”对话框，在对话框中可以重新设置所插入对象的图标，设置完成后单击“确定”按钮即可。

图 13-28 显示为图标

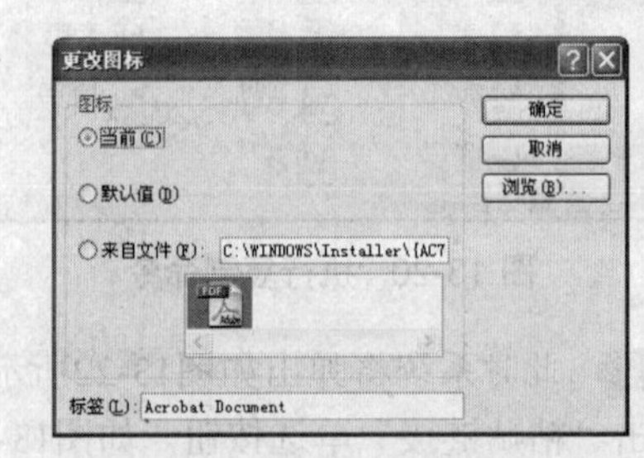

图 13-29 设置图标样式

3. 插入条形码

条形码是CorelDRAW X4中特有的一种图形，用户可以通过插入对象的方法，将条形码直接插入大图形中，通过编辑可以设置文本以及条码的宽度等，CorelDRAW X4中提供有多种行业的条形码，根据需要选择最合适的条形码，具体操作如下所示。

Step 01 执行“编辑>插入条形码”菜单命令，弹出如图13-30所示的“条码向导”对话框，在对话框中选择条码类型，并输入相应的数值，设置完成后单击“下一步”按钮，打开如图13-31所示的对话框，在对话框中设置条码的样式，主要包括条码的宽度及缩放比例等。

图 13-30 “条码向导”对话框

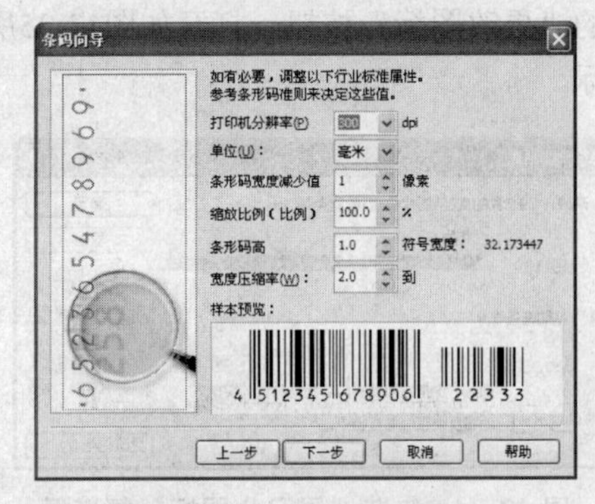

图 13-31 设置条码样式

Step 02 设置完成后，单击“下一步”按钮，继续在对话框中设置添加的条形码字体，并且在预览框中查看设置后的效果，如图13-32所示。设置完成后单击“确定”按钮，即可在文件中显示出插入的条形码，如图13-33所示。

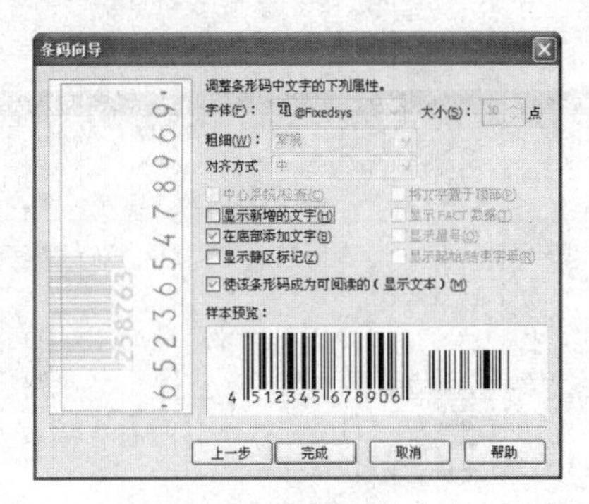

图 13-32 设置字体大小

图 13-33 插入的条形码

13.2.2 编辑链接或嵌入的对象

编辑链接或者嵌入的对象是指用户可以直接在CorelDRAW X4应用程序中对链接对象进行编辑，主要通过编辑菜单中的相关命令来完成。

Step 01 打开要嵌入文件对象存储的路径，选择要嵌入到CorelDRAW X4中的图形，执行“编辑>复制”菜单命令，如图13-34所示，然后打开CorelDRAW X4应用程序，执行“编辑>选择性粘贴”菜单命令，打开如图13-35所示的“选择性粘贴”对话框，在对话框中选择粘贴的类型。

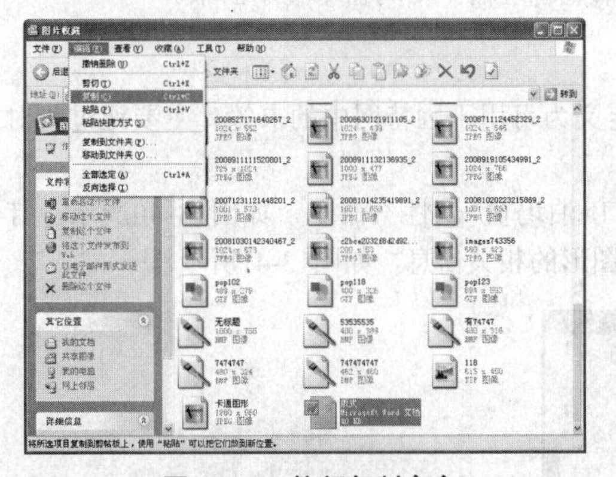

图 13-34 执行复制命令

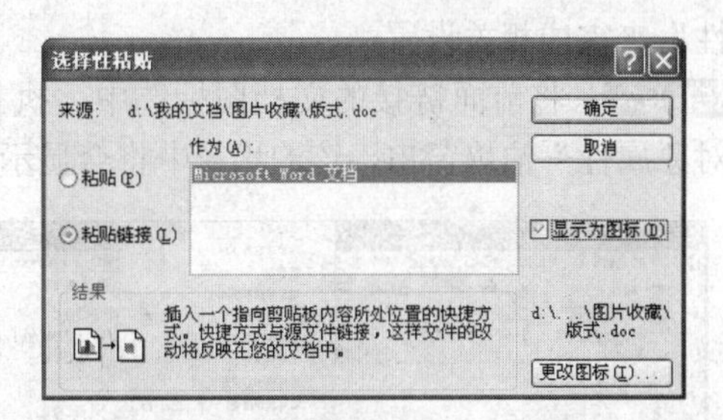

图 13-35 “选择性粘贴”对话框

Step 02 设置完成后单击“确定”按钮，可以看到在CorelDRAW X4文件中出现一个图标，如图13-36所示，然后再执行“编辑>文档对象>转换”菜单命令，如图13-37所示。

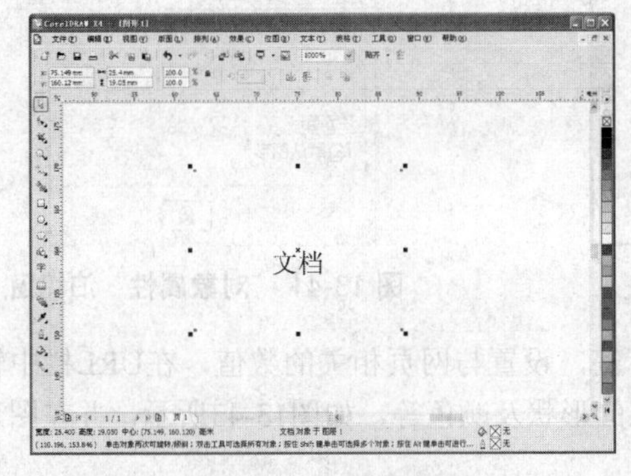

图 13-36 显示为图标

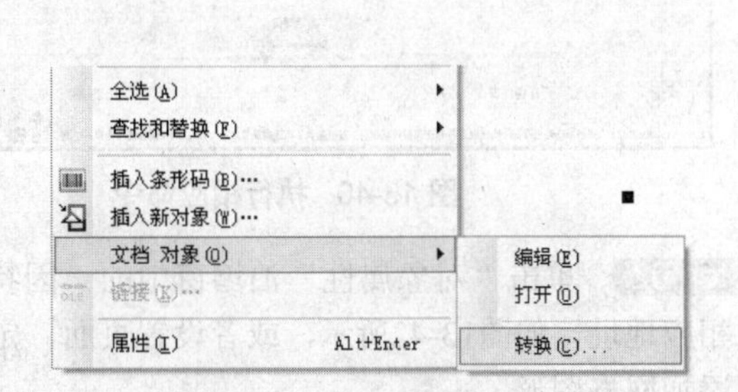

图 13-37 执行转换命令

Step 03 此时弹出如图13-38所示的“转换”对话框，在对话框中单击“转换成”单选按钮，并选择合适的对象类型，设置完成后单击“确定”按钮。用户还可以将文档发送到桌面、U盘等应用程序，执行“文件>发送到”菜单命令，在级联菜单中会出现相关的选项，如图13-39所示，选择相应的选项即可。

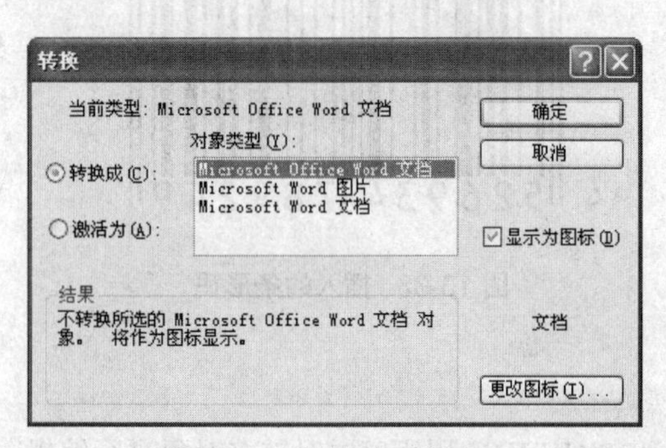

图 13-38 “转换”对话框

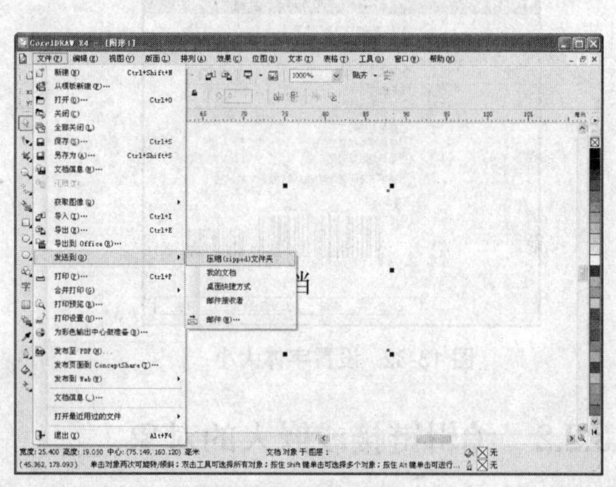

图 13-39 选择发送的方式

13.2.3 创建超级链接

创建超级链接主要包括指定书签和因特网书签管理器，首先通过“对象属性”泊坞窗将指定的图形或者文档设置为书签，且这些设置将在“因特网书签管理器”泊坞窗中显示出来。

1. 指定书签

指定书签是将选择的图形或者文档通过设置，定义为可用于因特网中的书签，主要通过“对象属性”来完成相关设置。

Step 01 将前面链接的文档图标选中，执行“窗口>泊坞窗>属性”命令，如图13-40所示，打开“对象属性”泊坞窗口，该泊坞窗中将会显示所选择图形的相关信息，如图13-41所示。

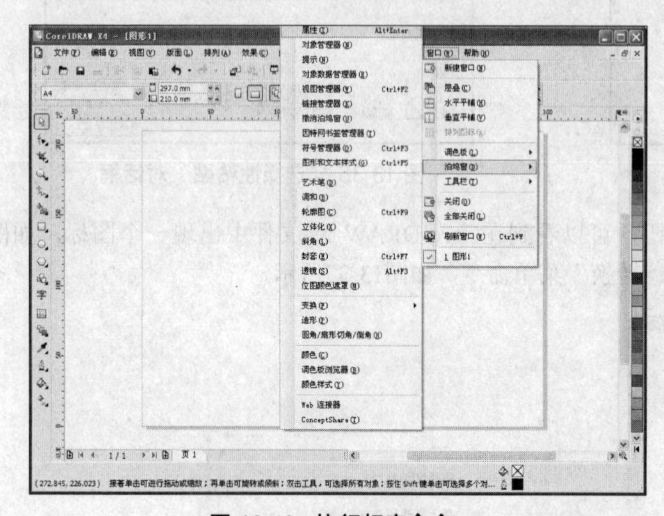

图 13-40 执行相应命令

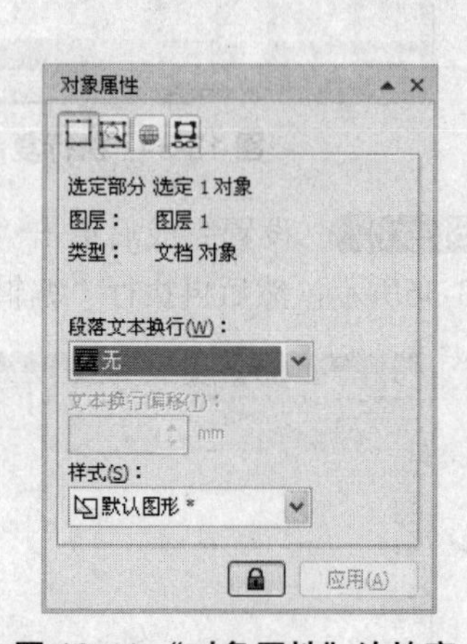

图 13-41 “对象属性”泊坞窗

Step 02 单击“对象属性”泊坞窗中的“因特网”标签，设置与网页相关的数值，在URL栏中输入相应地址，如图13-42所示，或者设置页面，定义热点的形状及颜色等，如图13-43所示，并在图形上添加网格图形。

图 13-42　URL 向导地址

图 13-43　设置类型

2. 因特网书签管理器

因特网书签要和对象属性中添加的书签相结合。将选择的图形定义为属性的方法是通过在“对象属性”泊坞窗中的“功能”下拉列表框中选择“书签”命令，如图13-44所示。然后执行“窗口>泊坞窗>因特网书签管理器”菜单命令，打开如图13-45所示的“书签管理器”泊坞窗口，其中将会显示出所制作的标签页面。

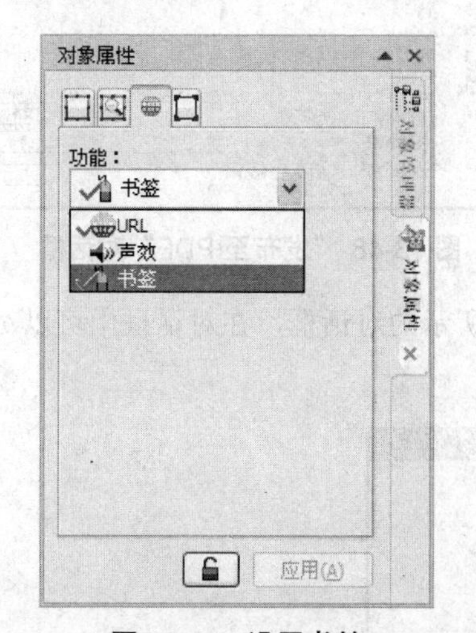

图 13-44　设置书签

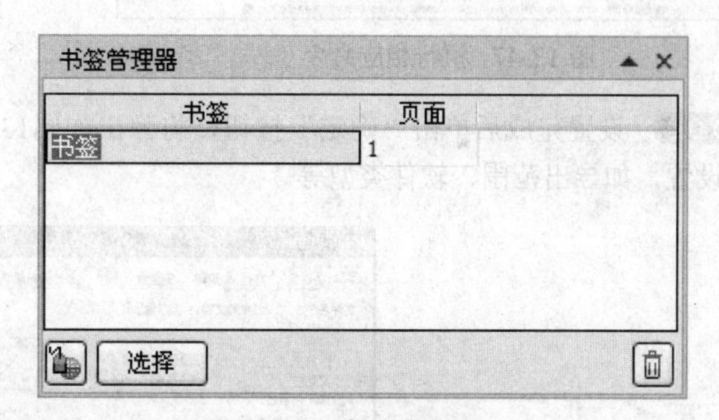

图 13-45　书签管理器

在“书签管理器”泊坞窗口中，单击 “移除”按钮，可以将添加的书签删除，如图13-46所示，也可以通过重新打开“对象属性”设置书签的方法来重新定义书签。

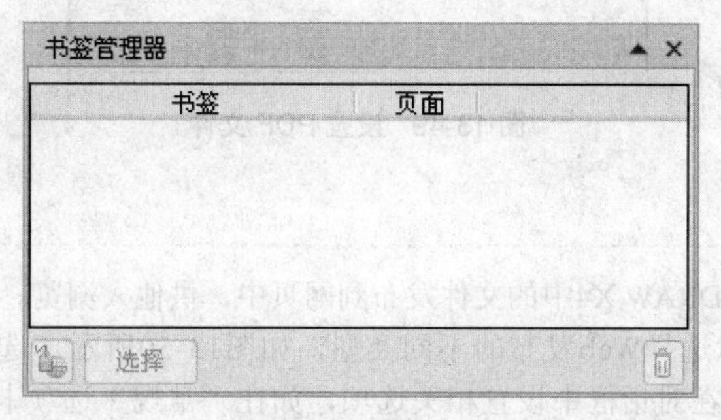

图 13-46　删除书签

13.3 CorelDRAW 与网络发布

CorelDRAW的网络发布是将在CorelDRAW中绘制的图像效果，通过设置，发布成为网页中适用的文件，其中主要包括PDF文件的发布、Web的发布，以及将文档转换为因特网文本。

13.3.1 PDF文件的发布

PDF文件的发布是指将CorelDRAW X4中的文档以PDF文件的形式进行发布，在存储路径中可以找到PDF文件。

Step 01 在CorelDRAW X4选择要编辑的图形，执行“文件>发布至PDF”命令，如图13-47所示，打开“发布至PDF”对话框，在对话框中的“文件名”文本框中输入文件名称，设置“保存类型”为“PDF文件”，如图13-48所示。

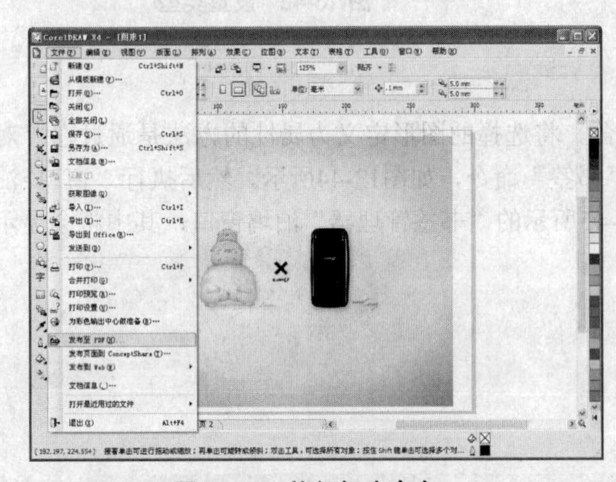

图 13-47 执行相应命令

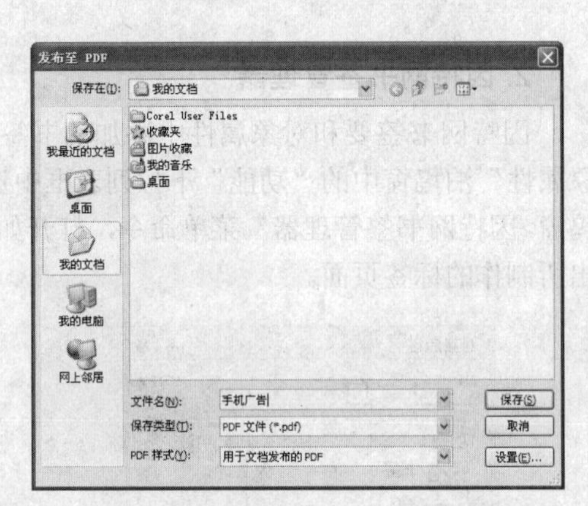

图 13-48 “发布至 PDF”对话框

Step 02 设置完成后单击“确定”按钮，将弹出如图13-49所示的对话框，在对话框中可以对PDF文件设置，如导出范围、软件类型等。

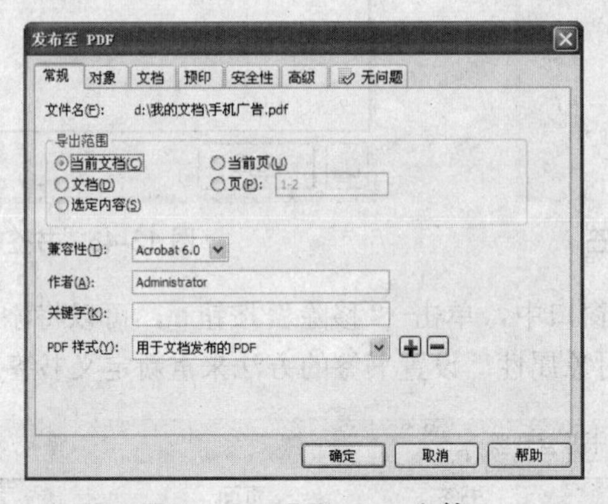

图 13-49 设置 PDF 文件

13.3.2 Web的发布

Web的发布是将CorelDRAW X4中的文件发布到网页中，供他人浏览。执行“文件>发布到Web”命令，在级联菜单中可以选择Web发布的不同类型，如图13-50所示。选择“HTML”命令，打开“发布到Web”对话框，在对话框中设置相关选项，如在“常规”选项卡中可以设置HTML排版方式、目标文件存储路径、导出范围和FTP协议等。

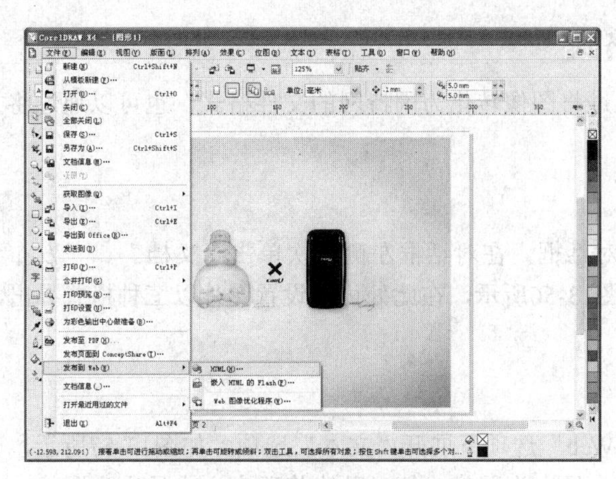

图 13-50 执行相关命令

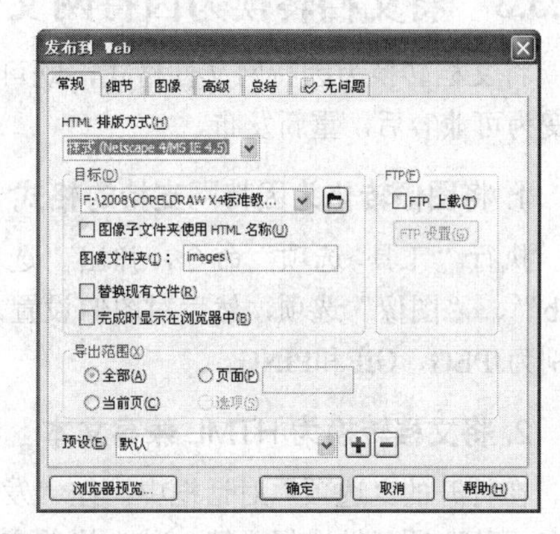

图 13-51 “发布到 Web”对话框

单击“细节”标签，继续对“细节”选项卡设置。在该选项中可以显示生成HTML文件时，各个页面的名称以及文件名，如图13-52所示。

单击“图像”标签，对“图像”选项卡设置。在其中可以设置预览图像，以及图像的新名称，也可以查看图像的类型，如图13-53所示。

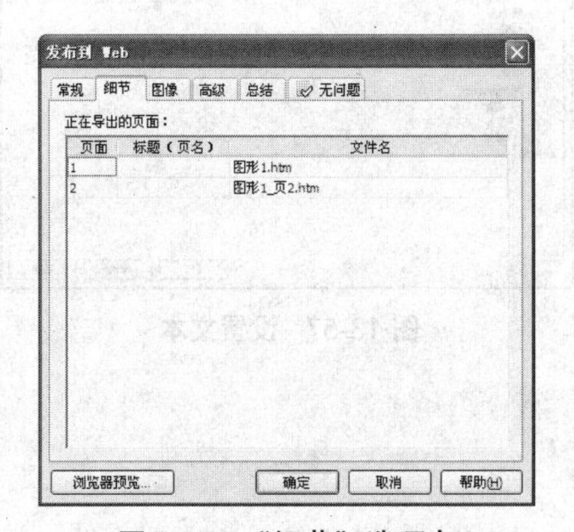

图 13-52 “细节”选项卡

图 13-53 “图像”选项卡

单击“高级”标签，设置“高级”选项卡，包括四种选项，分别为“保存链接至外部链接文件”、“生成翻译的JavaScript”、“CSS版面样式的用户ID”和“文本样式使用CSS文件”，勾选不同的复选框后，会生成不同的效果样式，如图13-54所示。

单击“总结”标签，设置“总结”选项卡中的参数，如图13-55所示，会显示文件的名称、大小以及其中包含文件数量，不同的位置会设置不同的下载时间以及速度等。

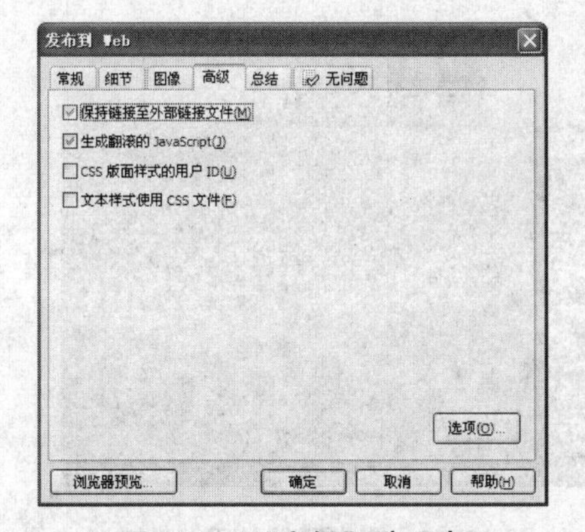

图 13-54 “高级”选项卡

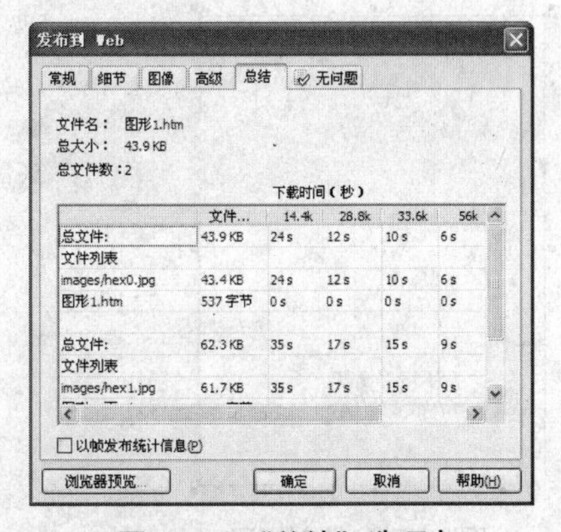

图 13-55 “总结”选项卡

13.3.3 将文档转换为因特网文件格式

将文档转换为因特网文件格式，既可以通过将图像转化为因特网的文件格式，也可以通过将文本变为可兼容后，重新发布。

1. 将图像转化为因特网支持的格式

执行“工具>选项”命令，弹出“选项”对话框，在对话框左侧依次单击“文档”、“发布到Web”、“图像”选项，然后对图像设置，如图13-56所示，在此处可以设置图片以三种格式导出，分别为JPEG、GIF和PING。

2. 将文档转换为 HTML 兼容文本

在打开的“选项”对话框中，在“发布到Web”选项下展开“文本”选项，如图13-57所示，其中有两种选项可供选择，第一种为将兼容的文本导出为图像，第二种为将所有文本导出为图像，发布后下载的时间会延长，但是不会影响文本的显示效果。

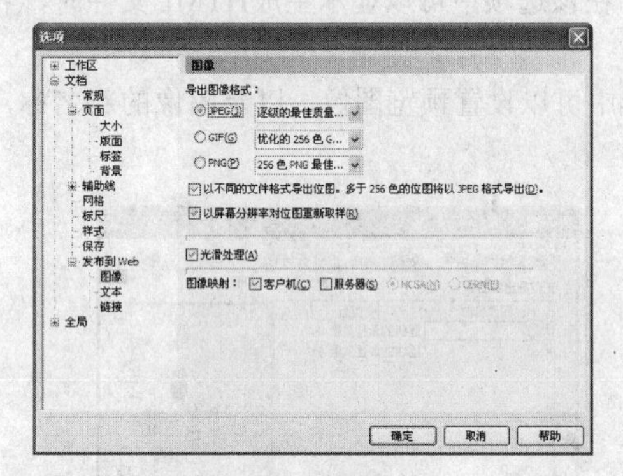

图 13-56 设置图像

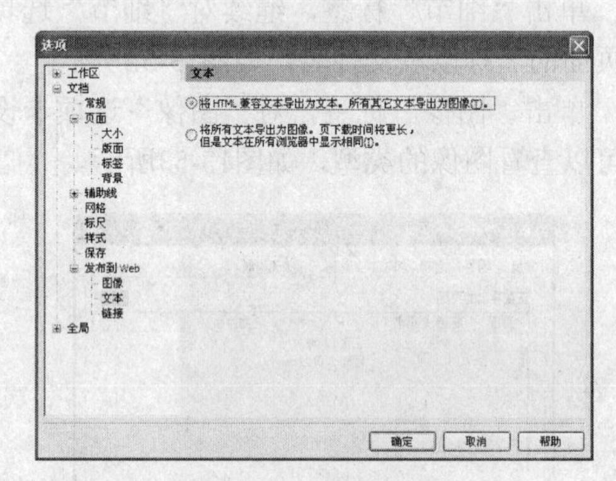

图 13-57 设置文本

13.4 综合实例——杂志广告设计

杂志广告的制作包含了文字、产品图形以及装饰图形等元素，通过编辑和变换将这些元素组合起来，形成特殊的宣传手法，该广告设计的操作步骤从背景出发，然后将导入提供的素材并进行变换，再分别放置到页面中合适的位置上，添加装饰图形和文字和说明，具体操作步骤如下。

Step 01 首先创建一个纵向页面，设置宽度为220mm，高度为285mm，双击工具箱中的“矩形工具”按钮，创建一个和页面相同大小的矩形，如图11-58所示，然后将“sample\第13章\原始文件\4.jpg”文件导入，导入图像效果如图13-59所示。

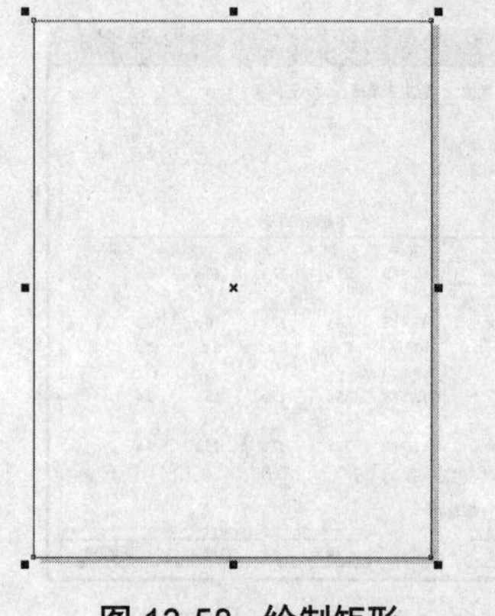

图 13-58 绘制矩形

图 13-59 填充后的效果

Step 02　选择上步导入的素材，执行“效果>图框精确剪裁>放置在容器中”命令，将导入的素材放置到前面绘制的矩形中，并调整图形大小，如图13-60所示。然后选择向日葵图像，执行“效果>调整>通道混合器”命令，打开“通道混合器”对话框，在对话框中将“输出通道”设置为红色，将红、绿和兰通道参数分别设置为40、-10和170，如图13-61所示。

图 13-60　放置到容器中

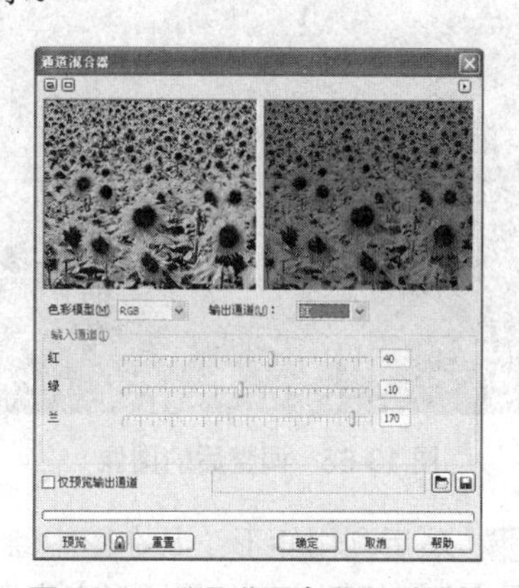

图 13-61　“通道混合器”对话框

Step 03　继续在对话框中设置，将“输出通道”设置为绿，然后分别将红、绿、兰通道设置为0、40和0，效果如图13-62所示，然后再将“输出通道”设置为兰，将红、绿、兰通道分别设置为0、110和130，效果如图13-63所示。

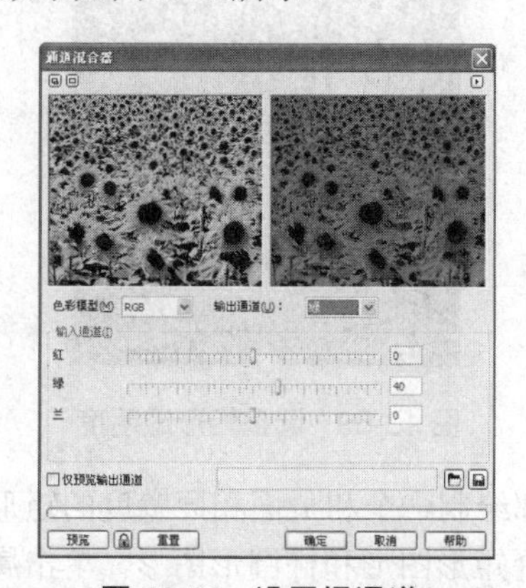

图 13-62　设置绿通道

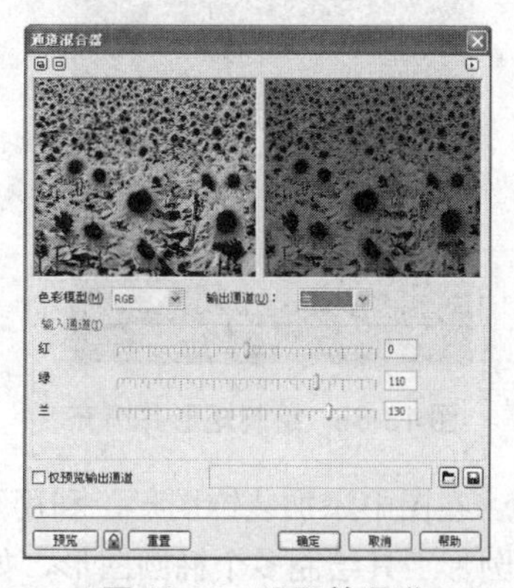

图 13-63　设置兰通道

Step 04　设置完成后单击“确定”按钮，调整后的图像效果如图13-64所示，然后执行“效果>调整>亮度/对比度/强度”命令，将设置亮度为-23，设置对比度为29，将设置强度为53，如图13-65所示。

图 13-64　设置后的效果

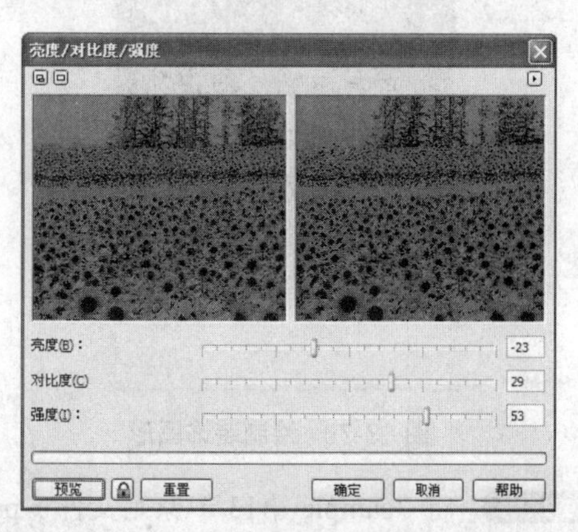

图 13-65　执行“亮度 / 对比度 / 强度”菜单命令

Step 05 设置完成后单击“确定”按钮，调整后的效果如图13-66所示，然后按住Ctrl键单击空白区域，退出对图像编辑，效果如图13-67所示。

图 13-66 调整后的图像

图 13-67 编辑后的效果

Step 06 然后利用矩形工具在图中绘制一个矩形，并填充为黑色，如图13-68所示，再设置透明度，使用交互式透明度工具将图形变为透明效果，如图13-69所示。

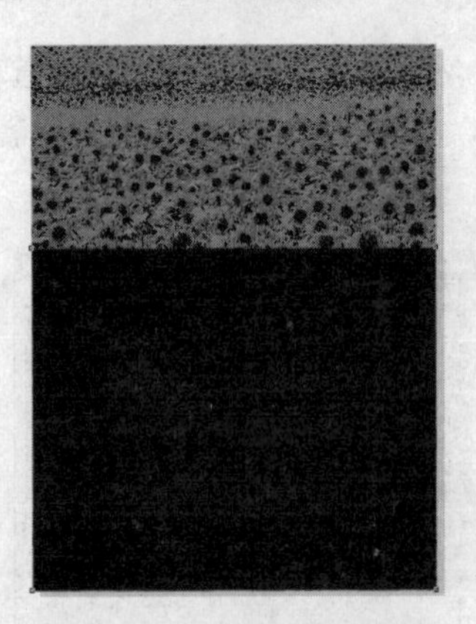

图 13-68 绘制矩形并填充

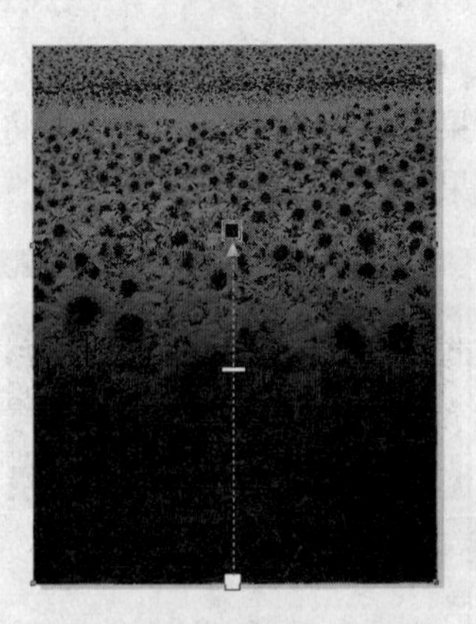

图 13-69 调整矩形透明度

Step 07 在图中添加装饰图形，利用矩形工具在页面底部绘制一个和页面相同宽度的矩形，然后再应用椭圆形工具绘制多个椭圆图形，如图13-70所示。选择矩形图形和椭圆形图形，单击属性栏中的“焊接”按钮，焊接后的图形效果如图13-71所示。

图 13-70 绘制装饰图形

图 13-71 焊接后的效果

Step 08 将“sample\第13章\原始文件\5.psd”图形文件导入，并将其变换到合适大小，如图13-72所示。然后在图中添加圆弧图形，应用椭圆形工具在图中绘制圆形并通过修剪图形的方法制作出圆环图形，效果如图13-73所示。

图 13-72　导入相机图像

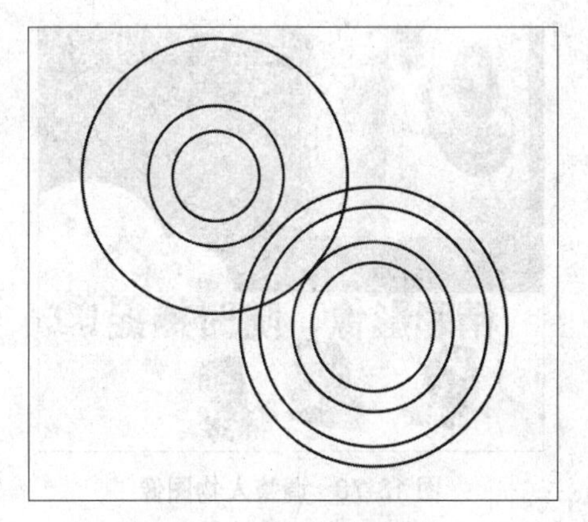

图 13-73　绘制圆环图形

Step 09　与上步所示绘制圆环方法相同，绘制出更多样式不同的圆环图形，如图13-74所示，将绘制的圆环放置到页面合适的位置上，并分别填充上不同的颜色，效果如图13-75所示。

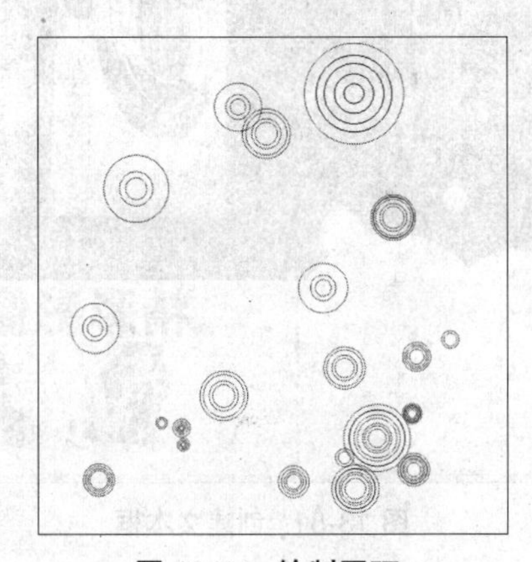

图 13-74　绘制圆环

图 13-75　填充圆环

Step 10　下面在页面中添加文字，应用文本工具在图中输入广告语，应用交互式填充工具将输入的文字填充为渐变色，效果如图13-76所示。再将“sample\第13章\原始文件\6.jpg”图形文件导入，如图13-77所示。

图 13-76　添加文字并填充

图 13-77　导入人物图像

Step 11　同上步所示方法，将原始文件夹中其余人物图像导入，并放置到图中合适位置上，如图13-78所示。然后利用钢笔工具在图中绘制标志图形，再使用形状工具对标志图形编辑，编辑后填充为黑色，效果如图13-79所示。

图 13-78　调整人物图像

图 13-79　添加标志

Step 12　然后在页面中添加表示名称的文字，并放置到左上角的位置上，如图13-80所示，下面在图中添加段落文字，首先选择文本工具在页面中添加文本框，如图13-81所示。

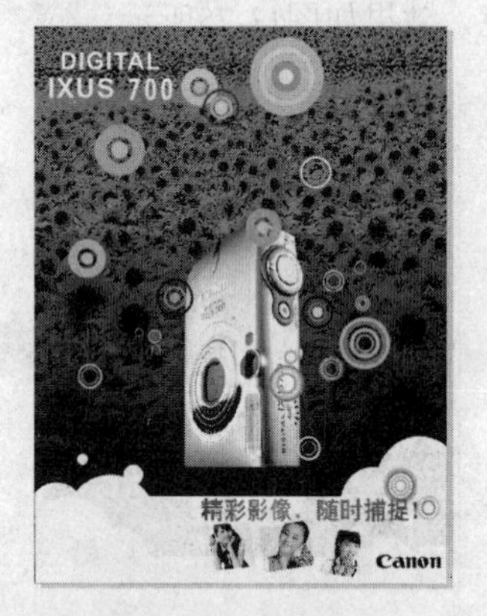

图 13-80　添加文字

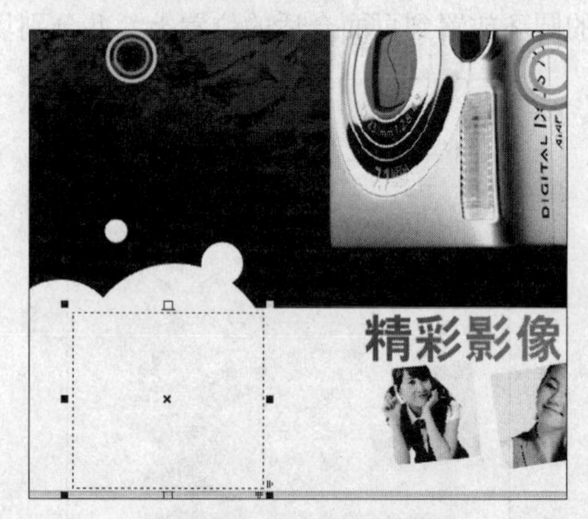

图 13-81　创建文本框

Step 13　然后在文本框中输入产品的相关特点，如图13-82所示，再执行“文本>项目符号”命令，打开如图13-83所示的“项目符号”对话框，在对话框中设置项目符号的大小和距离，设置大小为13.2pt，设置到文本的项目符号的距离为2.426mm。

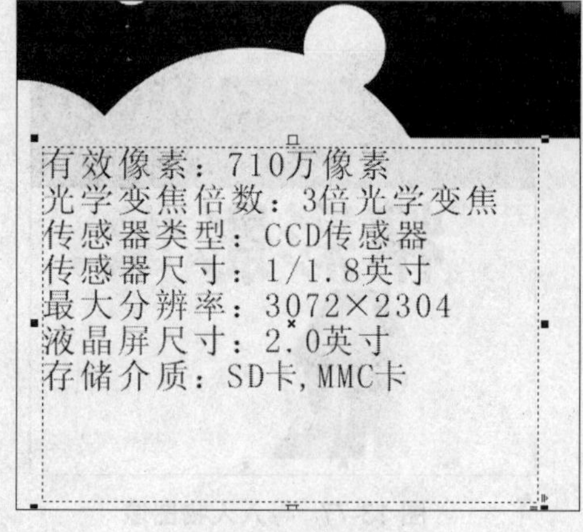

图 13-82　输入文字

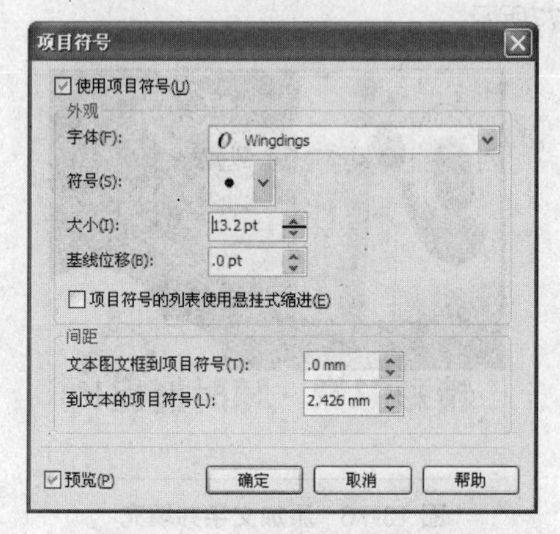

图 13-83　“项目符号”对话框

Step 14　设置完成后单击“确定”按钮，设置的项目符号如图13-84所示，然后将文字设置为黑体，设置后的文字如图13-85所示。

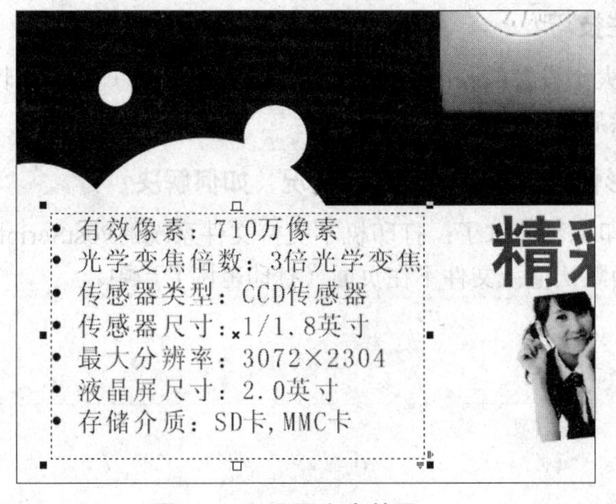

图 13-84　设置文字效果

图 13-85　设置文字颜色

Step 15　利用文本工具选择添加的项目符号，并其颜色设置为红色，设置后的效果如图13-86所示，然后将段落文本放置到合适位置，完成后的效果如图13-87所示。

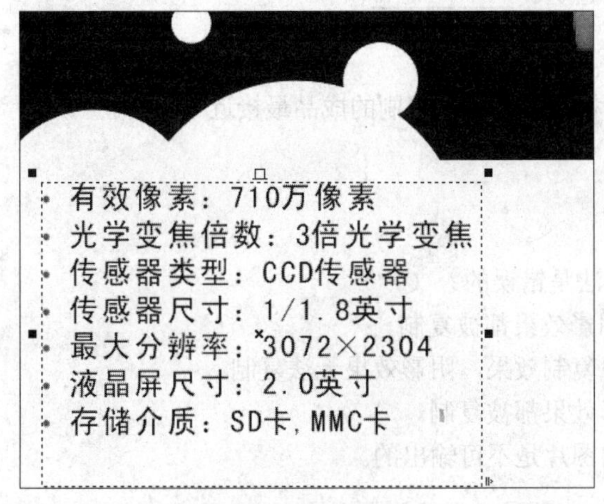

图 13-86　设置项目符号

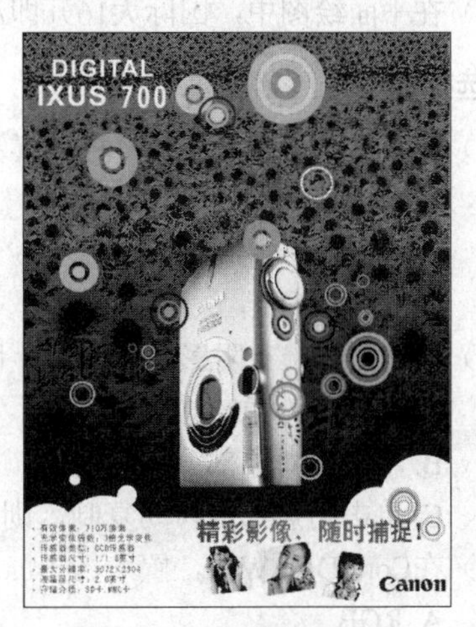

图 13-87　最终完成效果

13.5　本章小结

打印输出涉及的知识分为打印和输出两个部分来讲述，打印时要设置打印预览以及打印机等参数，包括预览大小、颜色模式、页面方向、打印数量等，而输出则是将CorelDRAW X4中的文件应用另外的程序显示出来，发布到Web中或者发布成PDF文档，读者通过学习可以将自己的作品输出所需的格式或者文件。

13.6　专业解析

1. CorelDRAW 中输出分色如何操作？

答：选择“文件>打印”菜单命令，在“打印”对话框中选择“分色”选项卡名称，再勾选“打印分色”复选框，分别勾选C、M、Y、K四色，再单击“打印”按钮，存储打印的文字名称为PSD文件，得到四色独立文件。

2. 将 CorelDRAW 文件输出到刻字机有哪些技巧？

答：在CorelDRAW中设计时，按输出纸张的大小设置CorelDRAW页面大小，然后可以直接设计图案，注意图案与图案及文字间的距离，便于刻绘后撕纸方便。

3. 如果出现打印机打出的是白纸，或者图形偏大、偏小、偏色等情况，如何解决？

答：打印出是白纸可能有以下几种原因：打印机没墨水了；打印机不支持文件系统的PostScript字体，建议转换所有字体为曲线；打印设置里改为默认值；文件不在页面（打印范围）当中。

13.7 思考与练习

1. 填空题

（1）__________指的是要打印的图形在预览框中排列的位置，可以水平排列，也可以翻转后重新排列。

（2）在CorelDRAW X4中保存的备份文件格式是__________。

（3）在平面绘图中，国际大16开即A4纸的尺寸应为：__________。

2. 选择题

（1）显示器、打印机以及打样的样品三者颜色相差很大时，印刷的成品最接近（　）。

A. 显示器

B. 打印机

C. 打样的样品

（2）移动复制带有阴影的对象时，以下哪种说法是错误的？（　）

A. 单击原对象部分移动复制，则对象与阴影效果都被复制。

B. 单击原对象部分移动复制，仅得到对象复制效果，阴影效果无法复制。

C. 单击阴影部分移动复制，则对象与阴影效果都被复制。

（3）在CorelDRAW中，置入（　）色彩模式的图片是不可输出的。

A. RGB

B. CMYK

C. 灰度

D. Bitmap

3. 判断题

（1）显示器、打印机以及打印的样品三者颜色相差很大时，印刷成品与打印的样品最为接近。（　）

（2）执行“文件>发布到Web”菜单命令，可以打开“发布到Web”对话框。（　）

（3）色彩管理器是用来管理色彩显示方式的。（　）

4. 问答题

（1）如何更改控制页面的方向？

（2）如何应用因特网书签管理器？

（3）如何创建链接对象？

5. 上机题

（1）打印预览图像时，设置以100%比例显示，如图13-88所示。

图 13-88　100% 预览打印图像

（2）导入如图13-89所示的图片，并发布为PDF文件，如图13-90所示。

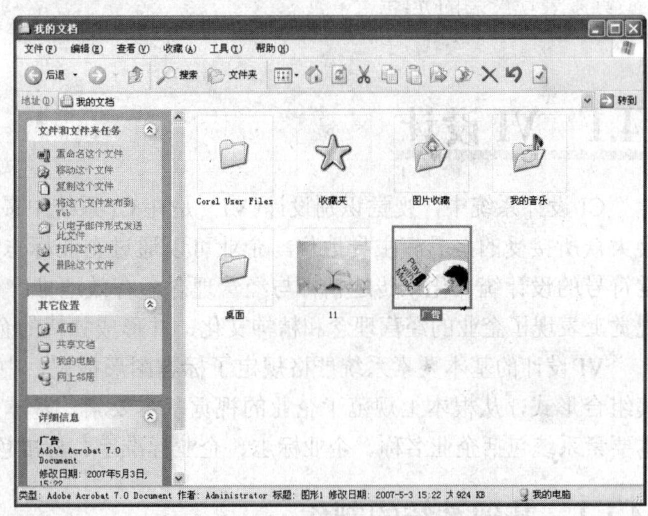

图 13-89　导入图像

图 13-90　发布为 PDF 文档

（3）在新建的CorelDRAW X4窗口中创建链接的文档对象，并以图标显示，如图13-91所示。

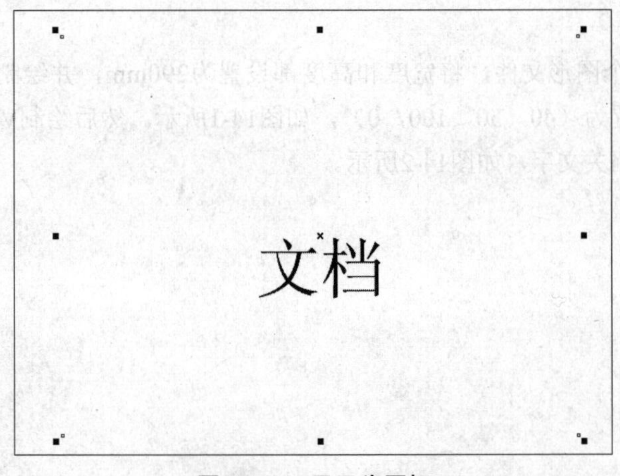

图 13-91　显示为图标

14 CorelDRAW X4 实战演练

本课所需时间： 3 个小时
课程范例文件： sample\ 第 14 章 \
课后练习文件： exercise\ 第 14 章 \
必须掌握：
- 绘制造型

深入理解：
- 填充有质感的图形

一般了解：
- 产品综合效果
- VI 设计内容

课程总览：

通过两个实例的制作过程讲述了应用 CorelDRAW X4 完成综合效果的方法。首先制作完整的 VI 系统，从基础部分到应用系统，详细讲述了其中所包含的内容，而制作 MP4 图形则通过填充工具来表现产品的光泽。

14.1 VI 设计

CI 设计系统中，视觉识别设计（VI）是在 CI 系统中最具有传播力和感染力的，也是最容易被社会大众所接受的，具有主导地位。企业可以通过企业标志等元素形成企业固有的视觉形象，透过视觉符号的设计统一化来传达精神与经营理念，有效地推广企业及其产品的知名度和形象。VI 设计从视觉上表现了企业的经营理念和精神文化，并形成独特的企业形象，本身就具有形象价值。

VI 设计的基本要素系统严格规定了标志图形标识、中英文字体形、标准色彩、企业象征图案及其组合形式，从根本上规范了企业的视觉基本要素。基本要素系统是企业形象的核心部分，企业基本要素系统包括企业名称、企业标志、企业标准字、标准色彩、辅助图形以及组合之间的应用等。

14.1.1 基础系统的制作

基础系统的内容主要包括制作标志、绘制基础图形和相关颜色图标以及辅助图形等，同时还包括对制作标准进行规范，将文字和标志图形都放置到绘制的网格中，应严格按照规定的范围排列和放置。

Step 01 首先新建一个图形文件，将宽度和高度都设置为290mm，并绘制一个矩形图形，将矩形轮廓颜色的CMYK值设置为（40，50，100，0），如图14-1所示。然后绘制VI设计版面图形，在其中添加制作的基础应用等相关文字，如图14-2所示。

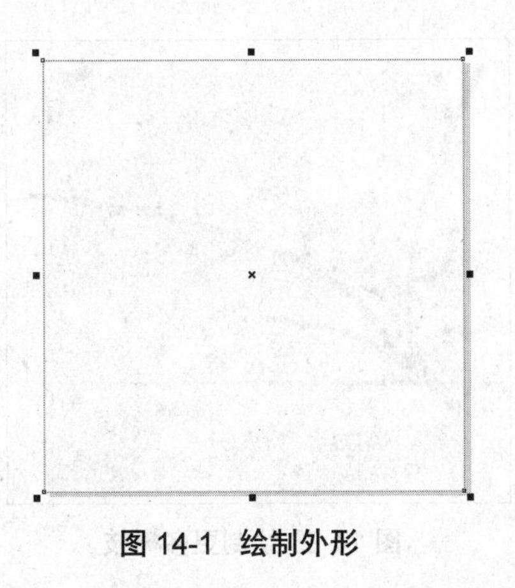

图 14-1 绘制外形

图 14-2 添加基础应用相关文字

Step 02 为图形添加标题，显示出要制作VI设计的企业，如图14-3所示。下面绘制标志图形，应用矩形工具在图中绘制一个矩形，并填充颜色的CMYK值为（30，0，100，0），填充后的效果如图14-4所示。

图 14-3 添加文字

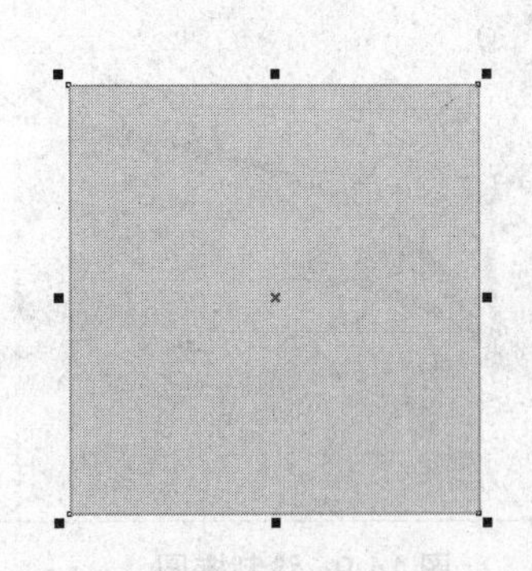

图 14-4 绘制矩形并填充颜色

Step 03 绘制其中的树枝图形，应用钢笔工具绘制其大致形状，如图14-5所示。然后选择所有绘制的树枝图形，按F12键，弹出如图14-6所示的“轮廓笔”对话框，在对话框中将“宽度”设置为1.5mm。

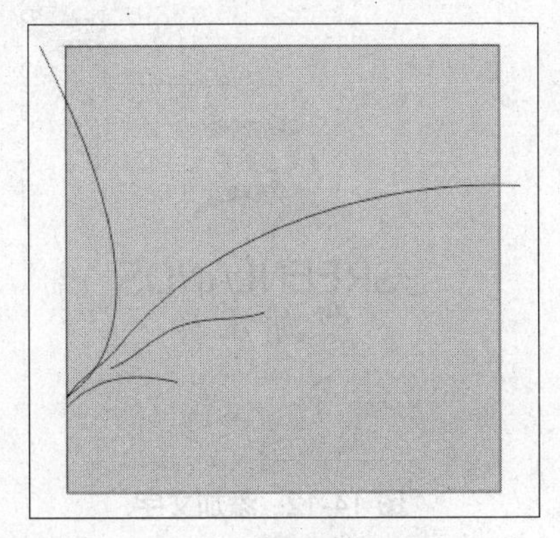

图 14-5 绘制树枝图形

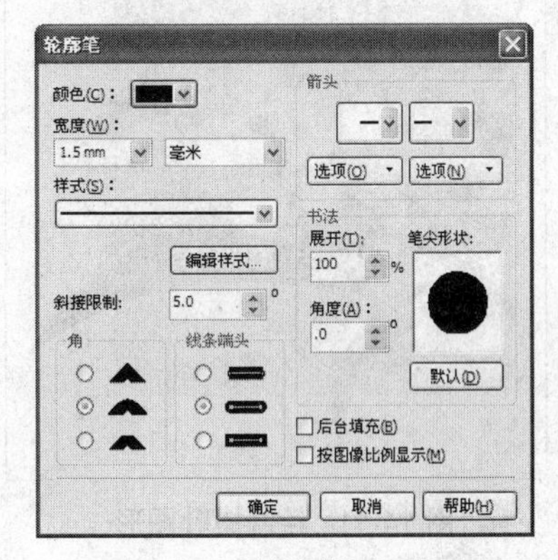

图 14-6 “轮廓笔”对话框

Step 04 设置完成后单击“确定”按钮，并填充轮廓颜色的CMYK值为（50，40，100，10），设置后的轮廓效果如图14-7所示。继续应用钢笔工具绘制出其余树枝图形，并应用同样的方法进行设置，效果如图14-8所示。

图 14-7 设置后的轮廓

图 14-8 绘制更多树枝

Step 05 下面绘制椭圆图形。应用椭圆形工具在图中绘制出多个椭圆图形，如图14-9所示，将绘制的椭圆图形都选择，并填充为白色效果，如图14-10所示。

图 14-9 绘制椭圆

图 14-10 填充后的图形

Step 06 下面绘制树叶图形。应用钢笔工具绘制出树叶的大致轮廓，并填充为与树枝轮廓相同的颜色，效果如图14-11所示。最后应用文本工具在图中输入所需文字，分别设置字体为Tohoma和文鼎CS大宋，绘制完成后将标志图形放置到之前所制作的版面中，效果如图14-12所示。

图 14-11 绘制树叶图形

图 14-12 添加文字

Step 07 添加说明文字。此处添加的文字是说明如何设置此标志，VI设计的页面1基本完成，效果如图14-13所示。下面继续制作另外的版面，单击页面导航器中的按钮，添加一个新页面，同时也将版头等图形制作出来，单击工具箱中的“网格工具”按钮，在属性栏中将网格的数量均设置为30，绘制后的网格如图14-14所示。

图 14-13　添加说明文字

图 14-14　绘制表格

Step 08　将前面制作完成的标志图形复制，放置到网格图形中，并设置其位置，效果如图14-15所示。创建一个新页面，用于制作黑白图像标志。将标志图形制作成黑白效果后放置到表格图形中，如图14-16所示。

图 14-15　调整标志位置

图 14-16　制作黑白图形

Step 09　再创建一个新页面，用于制作标准色彩、标准图形以及辅助图形等。将标志图形拖动到页面合适的位置上，并制作出辅助颜色和标准颜色，如图14-17所示。辅助图形也应用背景的形式表现出来，效果如图14-18所示。

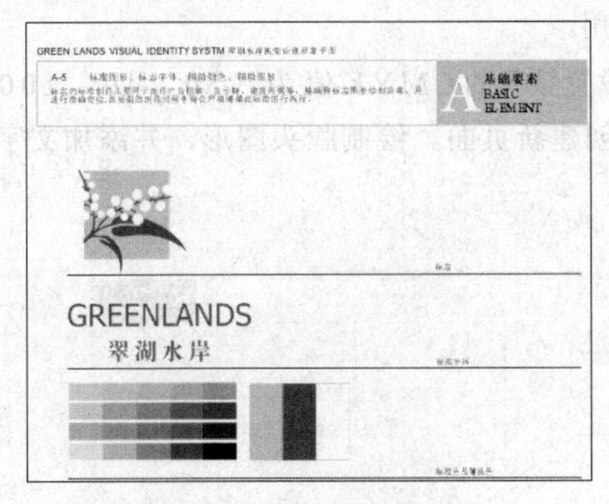

图 14-17　制作标志图形

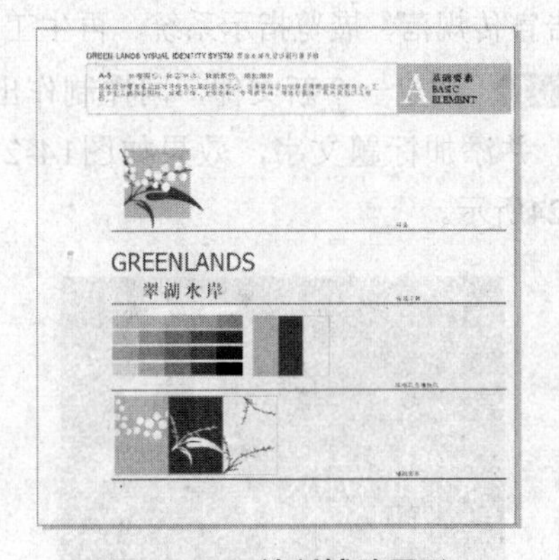

图 14-18　绘制辅助图形

Step 10　下面制作排列的标志图形，对于后面的应用起到规范作用。先绘制出底部的颜色，因为要制作黑白图形，所以要绘制黑色矩形，分别绘制6个矩形形状，如图14-19所示。根据之前绘制的标志图案，将已绘制的标志复制并更改颜色，放置到合适位置，设置图形效果如图14-20所示。

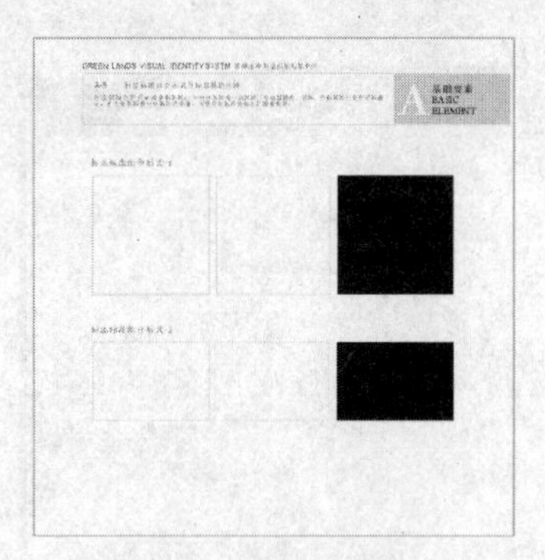

图 14-19　绘制多个矩形

图 14-20　添加标志图形

Step 11　为基础部分添加封面，应用矩形工具绘制和页面相同大小的矩形，设置填充颜色的CMYK值为（60，0，100，0），并输入标题，如图14-21所示。然后在右侧输入相对应页数中所制作的VI设计的内容，如图14-22所示。

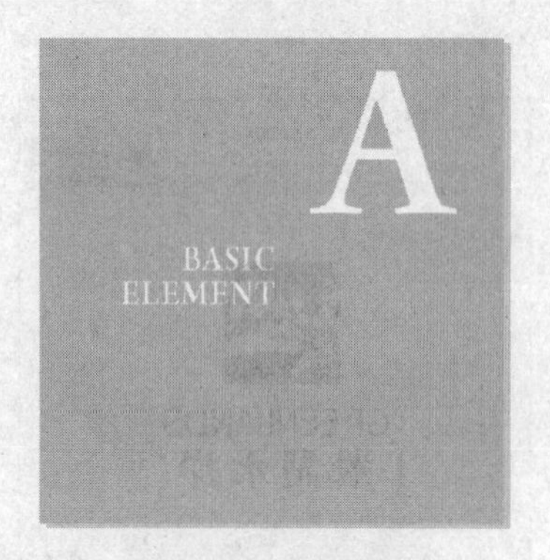

图 14-21　制作封面

图 14-22　输入文字

14.1.2　应用系统的制作

VI 设计中的应用系统是将已有的基本要素标志、标准字、标准色应用到具体的企业相关产品和服务当中去，应用系统涉及的范围很广，主要包括了办公用品设计、公告关系赠品设计、员工服装、服饰规范、企业车体外观设计、标志符号指示系统、销售店面标识系统、企业商品包装识别系统、企业广告宣传规范、展览指示系统、再生工具等方面的应用。

Step 01　创建一个新文件，同样制作出封面图形，设置颜色的CMYK值为（50，40，100，10），并添加标题文字，效果如图14-23所示。然后创建新页面，绘制版头图形，并添加文字如图14-24所示。

图 14-23　制作另外的封面

图 14-24　制作版式图形

Step 02 然后应用矩形工具在图中绘制出名片和信笺的外形，如图14-25所示。然后添加名片中的具体内容，将标志图形放置到页面中合适位置上，并添加电话、名称等，如图14-26所示。

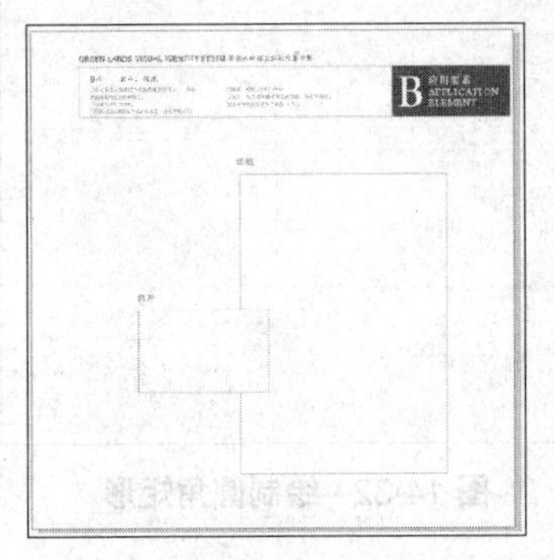

图 14-25 绘制名片和信笺

图 14-26 添加图形

Step 03 与制作名片的方法相同，添加完成信笺中的图形，内容包括标志和公司电话等，如图14-27所示。创建一个新页面，首先绘制版头上的图形，并添加文字，然后绘制信封外形，并将各个区域都填充颜色，效果如图14-28所示。

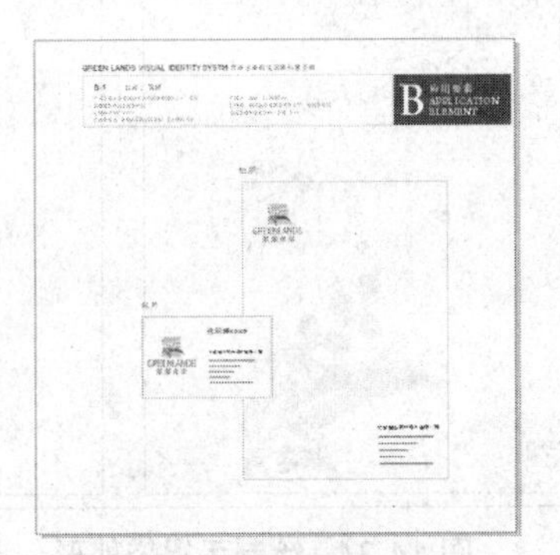

图 14-27 添加信笺图形

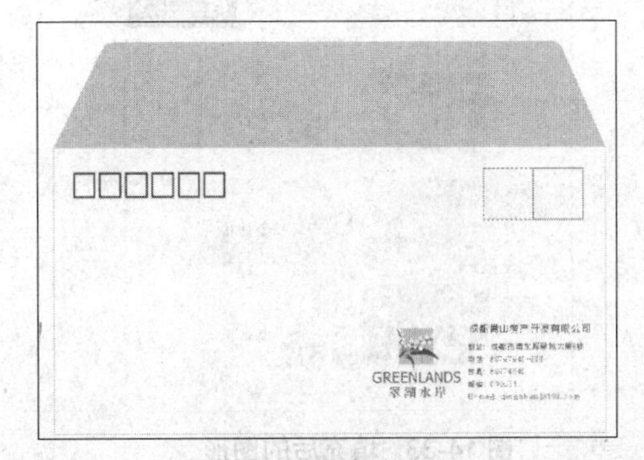

图 14-28 绘制信封

Step 04 然后制作另外样式的信封。只在上面添加标志以及文字，分为正面和背面效果，完成的版面效果如图14-29所示。创建一个新页面，用于绘制文件袋和企业宣传旗帜，将绘制的标志放置到绘制的图形形状中，在相应的位置添加文字等信息，如图14-30所示。

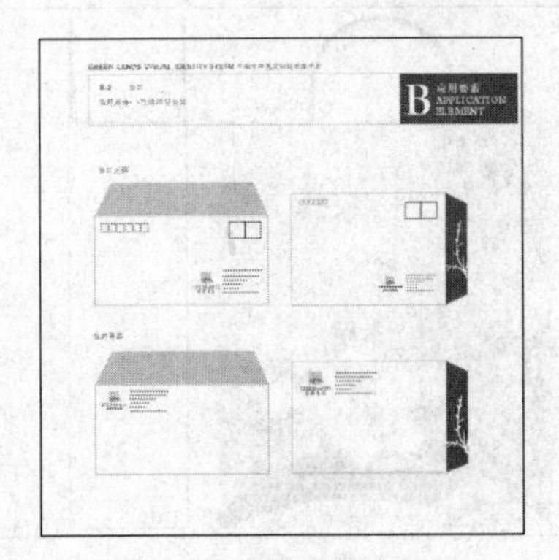

图 14-29 绘制完成信封

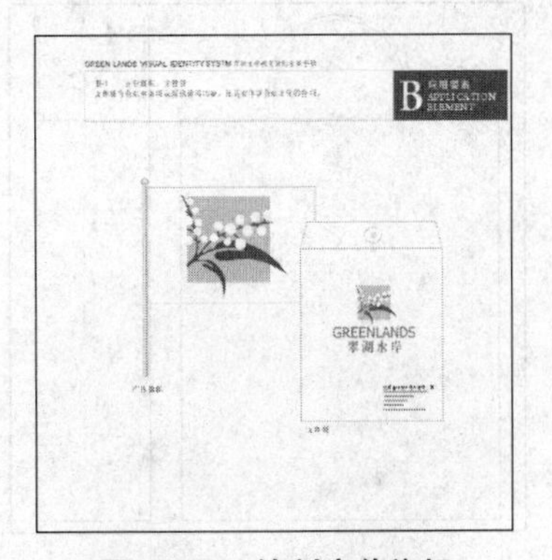

图 14-30 绘制宣传旗帜

Step 05 下面绘制工作牌。首先绘制出图形的轮廓，然后添加上标志、姓名等，工作证分为挂牌和横牌两种，如图14-31所示。下面绘制住户卡和优惠卡等，应用矩形工具在图中绘制多个矩形，并在属性栏中设置圆角，如图14-32所示。

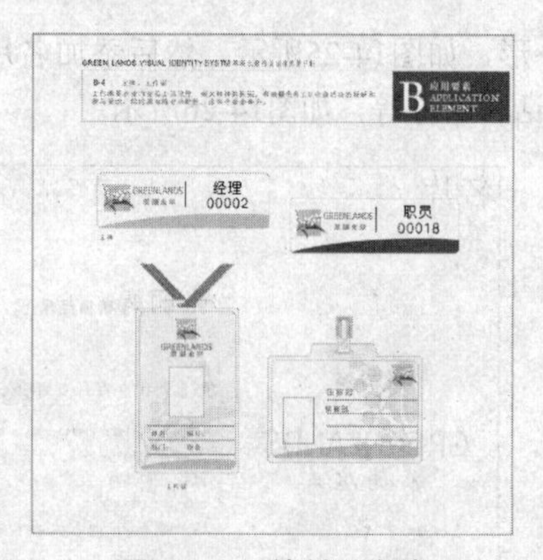

图 14-31　绘制工作牌

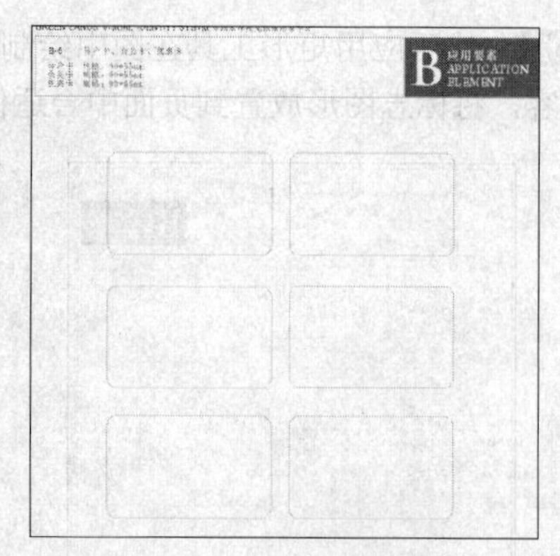

图 14-32　绘制圆角矩形

Step 06　分别选择上步绘制的图形并填充上颜色，将辅助图形复制后放置到绘制的卡片中，并添加文字，以区别不同类型，效果如图14-33所示。创建一个新页面，绘制手提袋。绘制两个矩形，如图14-34所示。

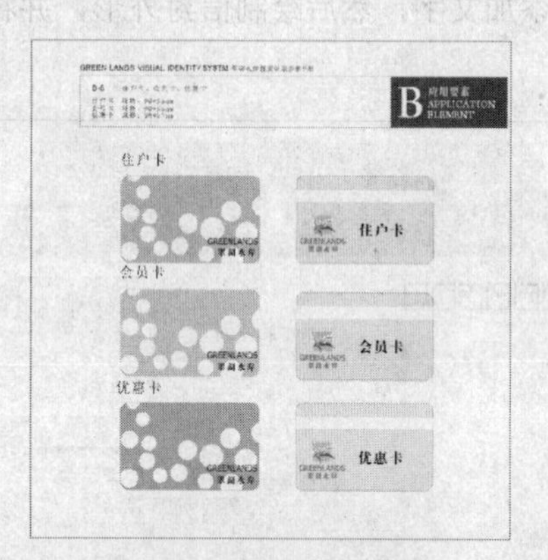

图 14-33　填充后的图形

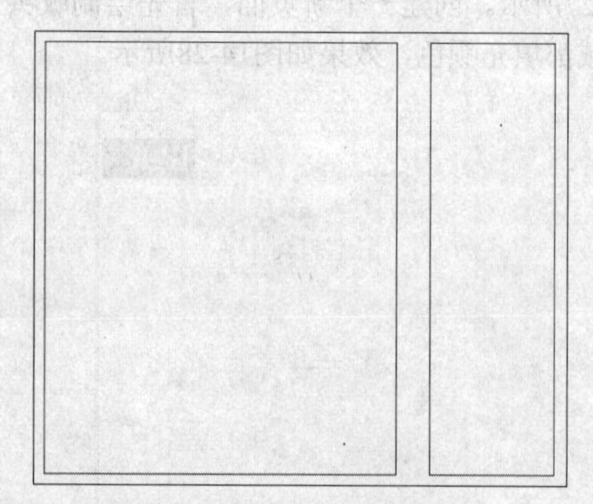

图 14-34　绘制手提袋外形

Step 07　继续绘制图形，结合钢笔工具和形状工具绘制出弯曲的图形，如图14-35所示。并选择绘制的图形，填充合适颜色，然后将标志图形通过图框精确剪裁的方法放置到矩形图形中，调整后的效果如图14-36所示。

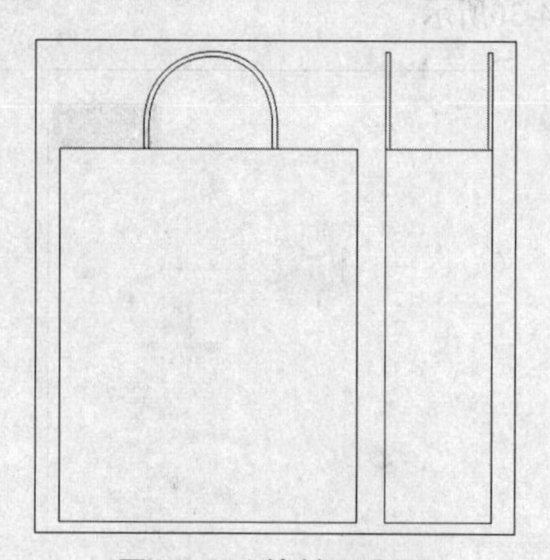

图 14-35　绘制圆弧图形

图 14-36　添加上图案

Step 08　然后为手提袋添加文字，将绘制的标志图形复制后放置到图形中，并添加与公司相关的说明文字，效果如图14-37所示，还可制作出另外的手提袋效果，分别将图案放置到不同位置，完成的手提袋版面效果如图14-38所示。

图 14-37 添加文字

图 14-38 完成的手提袋效果

Step 09 下面制作挂旗效果。应用矩形工具分别绘制出不同区域的图形，并填充上标志图形中使用的颜色，将绘制完成的标志图形分别放置到挂旗中，并添加上文字，效果如图14-39所示。将室内挂旗也绘制出来，设置所需颜色，完成的版面效果如图14-40所示。

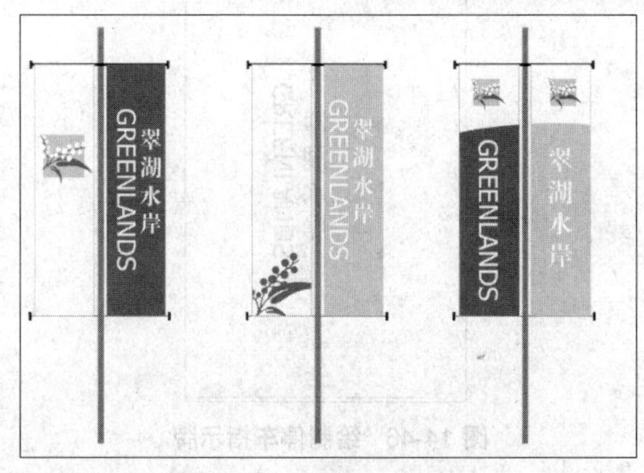

图 14-39 制作户外挂旗

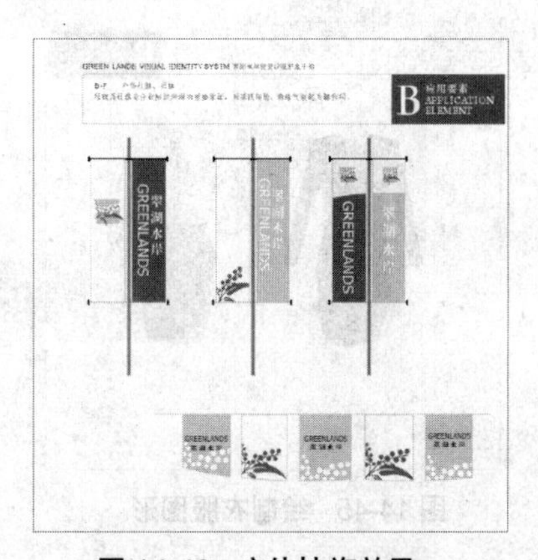

图 14-40 户外挂旗效果

Step 10 创建一个新版面，绘制服饰图形。结合钢笔工具和形状工具绘制出衣服的外形，如图14-41所示，然后再应用同样的方法绘制出裙子图形，效果如图14-42所示。

图 14-41 绘制衣服外形

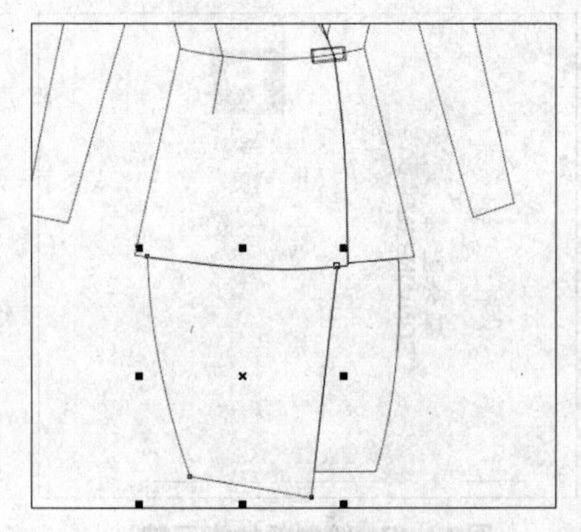

图 14-42 绘制裙子形状

Step 11 将上一步绘制的图形分别填充上颜色，完成后的效果如图14-43所示。下面绘制夏装，结合钢笔工具和形状工具，分别绘制出衣服和裙子图形，选择不同的图形填充上合适颜色，效果如图14-44所示。

图 14-43　填充颜色

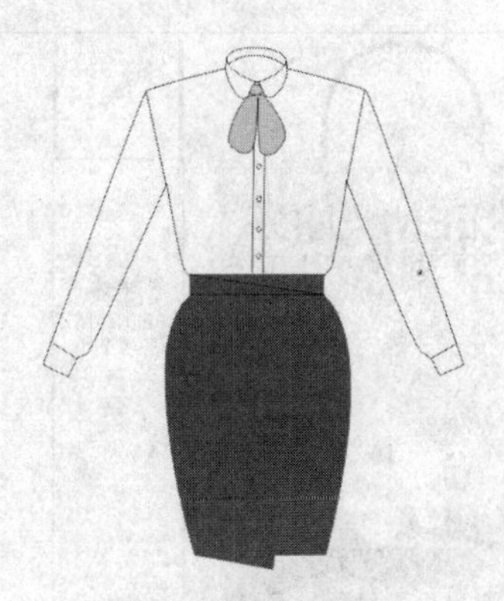

图 14-44　绘制夏装

Step 12 创建一个新页面，将该页面内容设置为服饰，并放置到版面合适的位置上，效果如图14-45所示。下面绘制停车标识。应用矩形工具绘制出标识的外形，并分别填充上颜色，将标志图形放置到图形中，效果如图14-46所示。

图 14-45　绘制衣服图形

图 14-46　绘制停车指示牌

Step 13 按照上一步绘制的停车牌，再绘制一个新的停车牌，并将标志图形放置到页面中，添加上箭头符号等图形，如图14-47所示。下面绘制门牌号的外形，应用矩形工具绘制，并设置为圆角矩形，效果如图14-48所示。

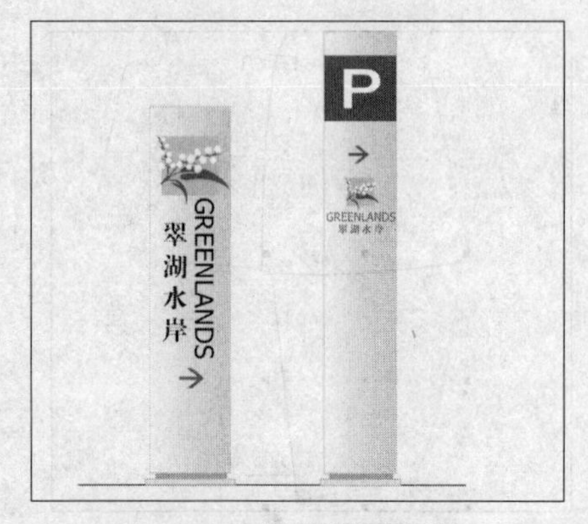

图 14-47　绘制新的指示牌

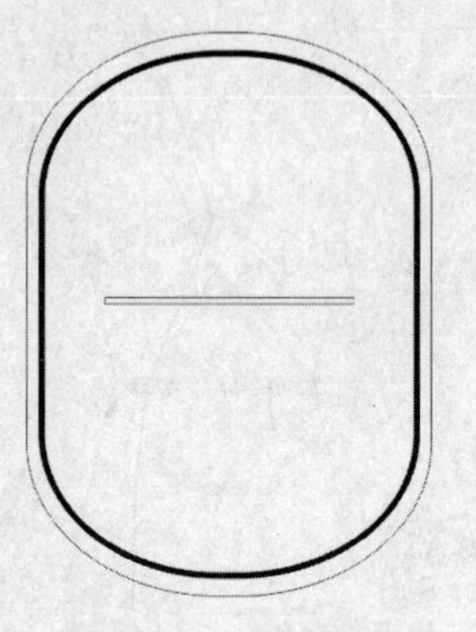

图 14-48　绘制门牌

Step 14 填充绘制图形，分别选择各个图形的区域，并填充颜色，添加文字，如图14-49所示。绘制横向的门牌也应用了同样的方法，首先绘制出图形轮廓，然后为中间添加上图案以及文字，效果如图14-50所示。

图 14-49 填充后的图形

图 14-50 绘制门牌

Step 15 将前面绘制完成的门牌等图形放置到新建的页面中，共同组成新的图形，如图14-51所示。下面制作户外宣传图形，首先绘制的是汽车图形，结合钢笔工具和形状工具绘制出汽车的外形，如图14-52所示。

图 14-51 完成的版面

图 14-52 绘制车的形状

Step 16 下面填充汽车图形，分别选择绘制的图形，应用交互式填充工具将其填充，填充后的图形效果如图14-53所示。然后绘制车身上的细节图形，应用钢笔工具绘制出多个线条图形，如图14-54所示。

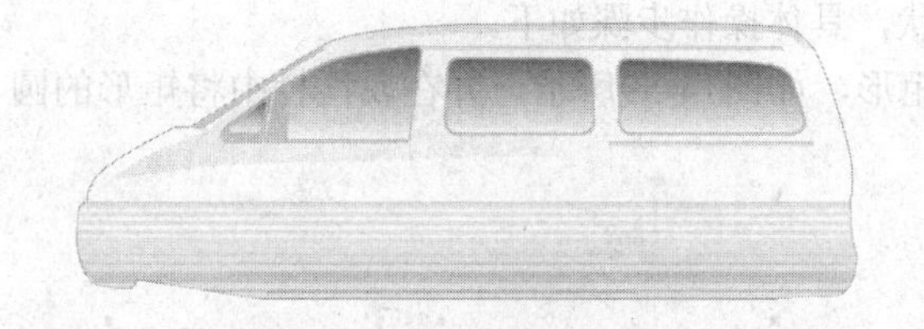

图 14-53 绘制车深形状

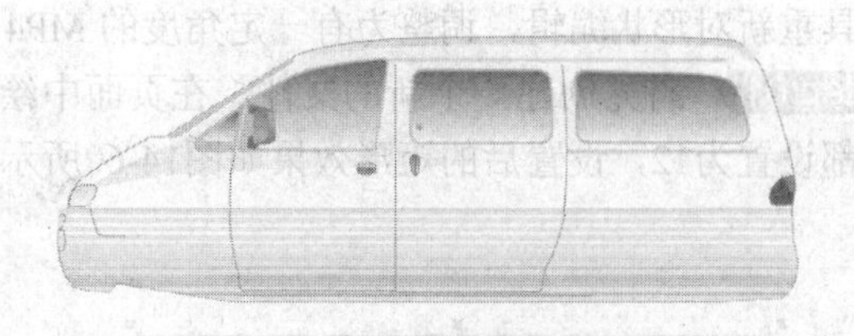

图 14-54 绘制细节线条

Step 17 继续绘制汽车图形，绘制出车轮廓图形，并将车身上的不规则图形填充为与标志相同的颜色，效果如图14-55所示。选择标志图形进行排列组合，再放置到车身图形上，效果如图14-56所示。

图 14-55 绘制车轮

图 14-56 添加图案

Step 18 按照上步所讲绘制汽车的方法，绘制另外的汽车图形，并绘制出汽车的顶部图形，如图14-57所示。然后将标志图形通过编辑放置到汽车图形上，制作成户外宣传的效果，最后为版面添加上说明文字以及标题，效果如图14-58所示。

图 14-57 绘制其余车子图形

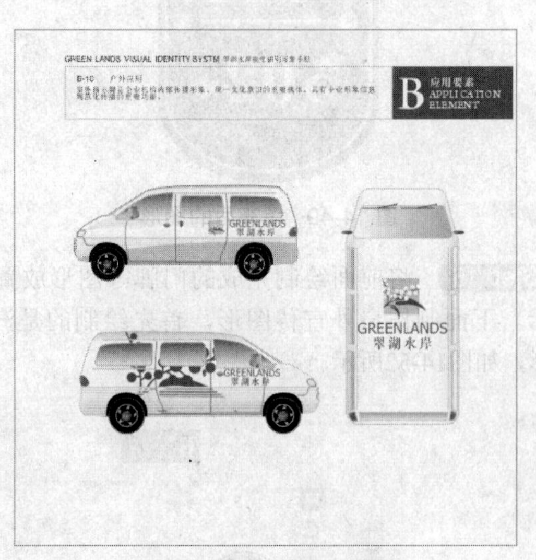

图 14-58 完成的版面

14.2 产品造型设计——MP4 的制作

产品造型设计的主要特点是模拟出真实的图形效果。通过绘制复杂曲线制作轮廓，分别选择不同区域的图形，应用交互式填充工具或者交互式网状填充工具对其填充颜色。

14.2.1 MP4整体造型的制作

MP4 整体造型主要指外形的绘制。应用矩形工具绘制出 MP4 的外形，并转换为曲线。应用形状工具重新对形状编辑，调整为有一定角度的 MP4 形状，具体操作步骤如下。

Step 01 首先创建一个新的文件，在页面中绘制矩形，如图14-59所示。并在属性栏中将矩形的圆角都设置为12，设置后的矩形效果如图14-60所示。

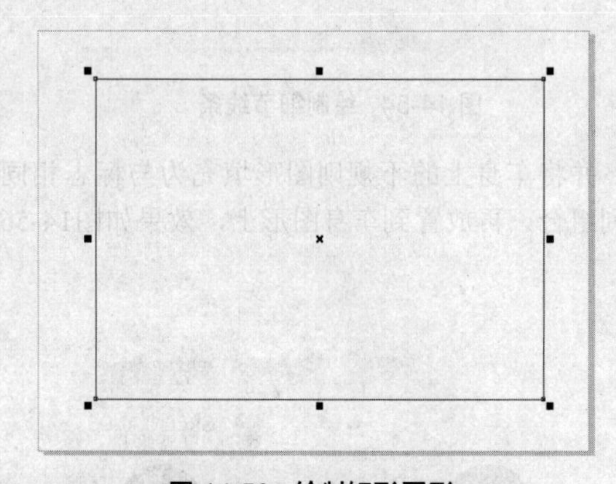

图 14-59 绘制矩形图形

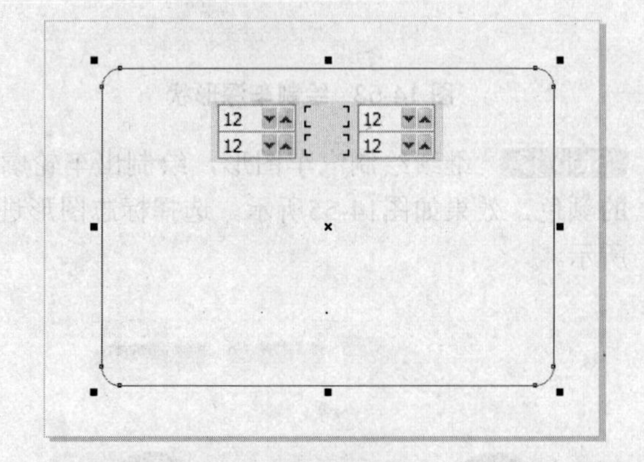

图 14-60 设置圆角

Step 02 然后斜切编辑矩形，选择要编辑的矩形，单击该矩形，在矩形顶部向右侧拖动，如图14-61所示，形成向右倾斜的图形，效果如图14-62所示。

图 14-61 制作斜切的图形

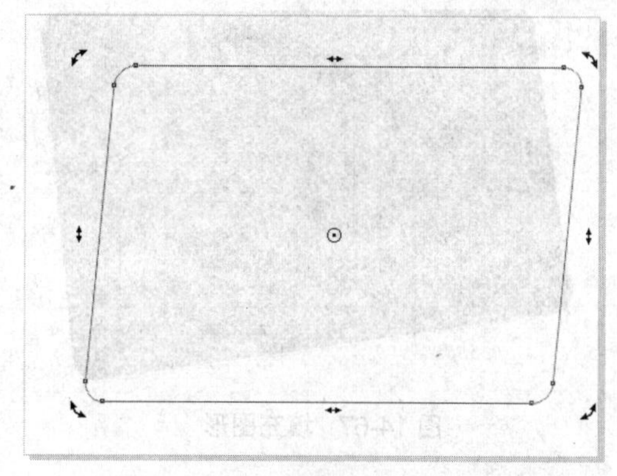

图 14-62 调整后的图形

Step 03 单击工具箱中的“转换为曲线”按钮，应用工具箱中的形状工具对形状进行细节部分的编辑，调整成如图14-63所示的图形。然后应用钢笔工具在图形顶部绘制出一个图形的高光区域，如图14-64所示。

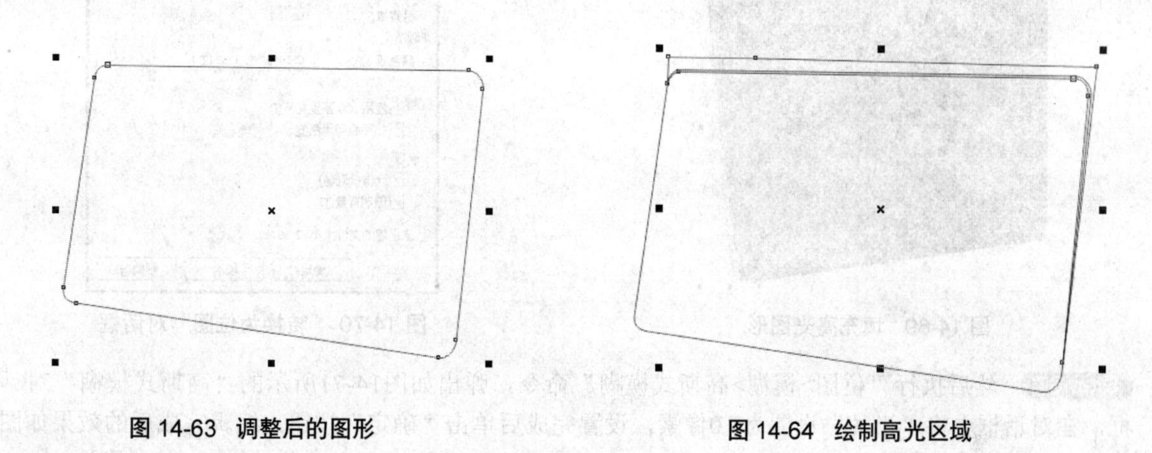

图 14-63 调整后的图形　　图 14-64 绘制高光区域

Step 04 将绘制的两个图形都选择，单击属性栏中的“相交”按钮，将多余的图形删除，仅留下中间相交区域的图形，如图14-65所示。然后再应用钢笔工具绘制出MP4图形的厚度，并编辑为圆滑的曲线，如图14-66所示。

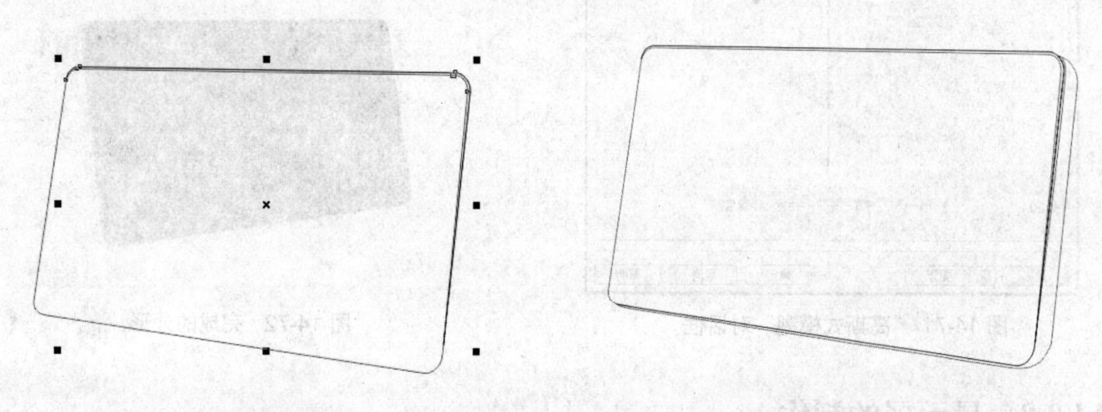

图 14-65 相交后的图形　　图 14-66 绘制厚度图形

Step 05 下面填充图形。首先选择MP4的屏幕图形，应用交互式填充工具进行填充，效果如图14-67所示。对于厚度图形也应用同样的方法进行填充，效果如图14-68所示。

图 14-67　填充图形

图 14-68　填充厚度图形

Step 06　下面绘制一个边缘的高光图形轮廓，如图14-69所示，并将其填充为白色，去除轮廓线。执行“位图>转换为位图”命令，打开如图14-70所示的“转换为位图”对话框，参照图上所示进行设置，设置完成后单击“确定”按钮。

图 14-69　填充高光图形

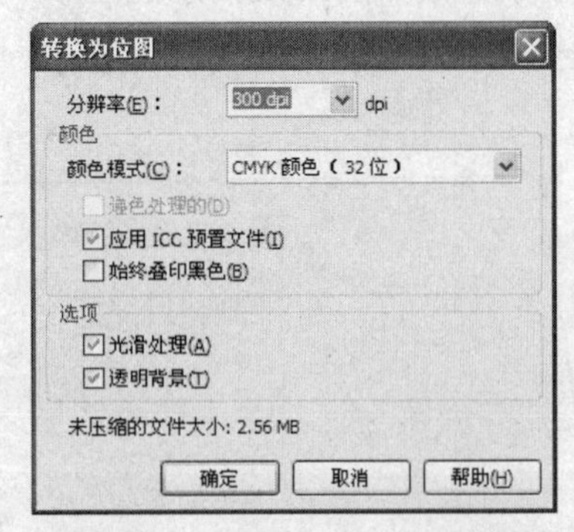

图 14-70　“转换为位图”对话框

Step 07　然后执行“位图>模糊>高斯式模糊”命令，弹出如图14-71所示的“高斯式模糊”对话框，在对话框中将“半径”设置为5.0像素，设置完成后单击“确定”按钮，编辑完成后的效果如图14-72所示。

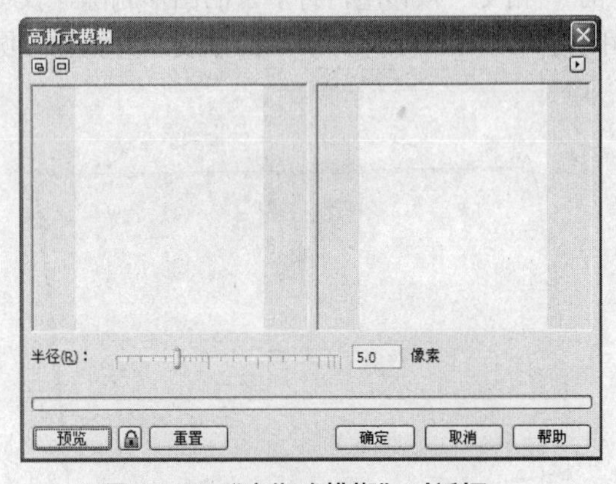

图 14-71　“高斯式模糊”对话框

图 14-72　完成的外形

14.2.2　显示屏的制作

制作显示屏主要包括制作显示屏中包含的图像，以及屏幕上图标和播放条。屏幕图像应用图框精确剪裁的方法编辑，而进度条则应用绘制图形再编辑的方法，具体操作步骤如下所示。

Step 01　首先结合钢笔工具和形状工具绘制出不规则图形，如图14-73所示，并将“sample\第14章 \原始文件\1.jpg”图形文件导入，如图14-74所示。

图 14-73　绘制屏幕图形

图 14-74　导入图形

Step 02　执行 “效果>图框精确剪裁>放置在容器中”命令，将人物图像放置到绘制的矩形中，并编辑容器中的人物图形位置，如图14-75所示。按住Ctrl键单击空白区域，退出编辑，完成的效果如图14-76所示。

图 14-75　将图形放入到容器中

图 14-76　编辑后的图形

Step 03　沿人物图形边缘，绘制出一个矩形边框，并将边缘填充为白色，如图14-77所示。应用交互式透明度工具编辑图形，选择交互式透明度工具，在其属性栏中将类型设置为 “标准”，将透明度操作设置为 “添加”，将透明度设置为70，设置后的效果如图14-78所示。

图 14-77　绘制边缘图形

图 14-78　设置透明效果

Step 04　继续在屏幕中添加图形，应用钢笔工具在图中绘制出如图14-79所示的图形，将其填充为白色后，应用交互式透明度工具对其编辑，将透明度设置为40，然后添加上播放图标，应用钢笔工具在图中绘制出底部的白色箭头，效果如图14-80所示。

图 14-79　绘制屏幕条

图 14-80　绘制按钮

Step 05　制作进度条。绘制出各区域的形状，并分别填充颜色，效果如图14-81所示。为进度条添加音量大小图标。应用钢笔工具绘制出喇叭形状，并填充为白色，在右侧添加上数字，如图14-82所示。

图 14-81　制作进度条

图 14-82　绘制喇叭图标

Step 06　接下来绘制电池图标，同样应用钢笔工具绘制，并填充上白色，并为歌曲的显示进度添加数字，如图14-83所示。绘制完成的屏幕图形如图14-84所示。

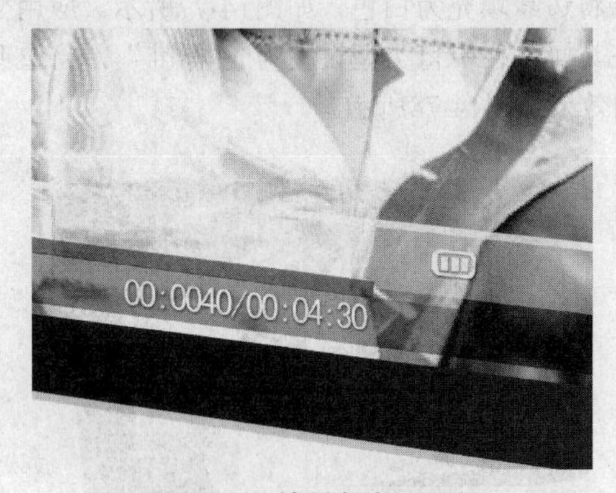

图 14-83　绘制电池及文字

图 14-84　完成的屏幕图形

14.2.3　耳机的制作

耳机的制作主要应用了绘制并复制曲线的方法，先将耳机的外形绘制出来，然后应用交互式网状填充工具对细节部分图像进行填充，制作成逼真效果的耳塞，应用设置透明效果的方法，对耳塞泡沫图形进行编辑，具体操作步骤如下。

Step 01 首先应用钢笔绘制出耳塞连接处的大致形状，然后应用形状工具将其编辑为平滑的曲线，如图14-85所示。继续绘制耳塞其余形状，如图14-86所示。

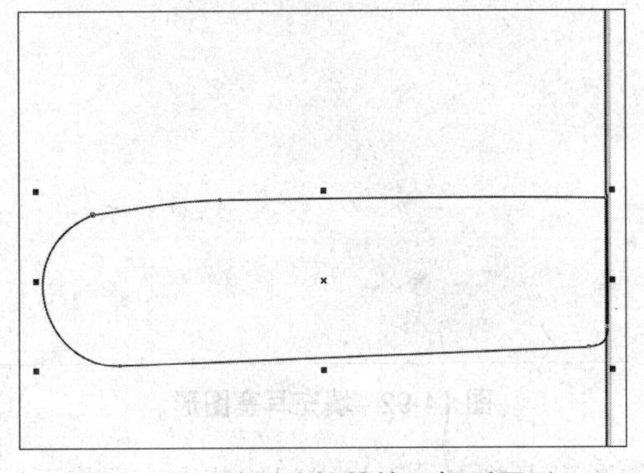

图 14-85 绘制连接处的不规则图形

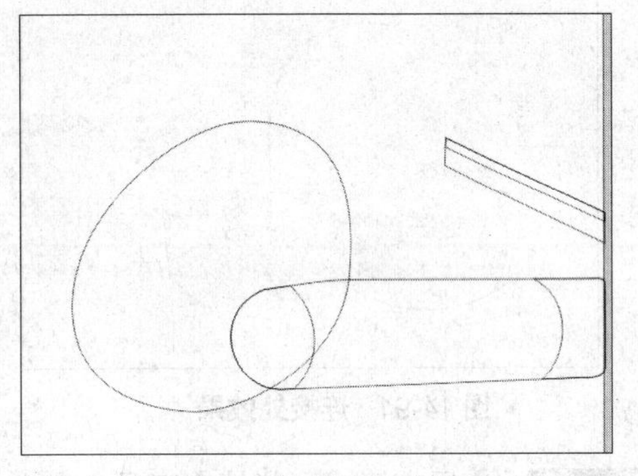

图 14-86 绘制其余形状

Step 02 耳塞的细节部分也绘制出来，并划分出不同的区域，小孔上的图形应用椭圆形工具绘制，完成的外形效果如图14-87所示。下面填充图形，应用交互式网状填充工具，选择中间连接处的图形，并添加多个节点，如图14-88所示。

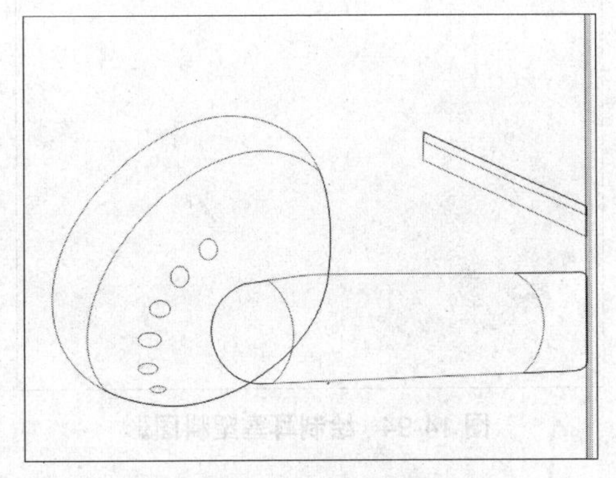

图 14-87 绘制细节图形

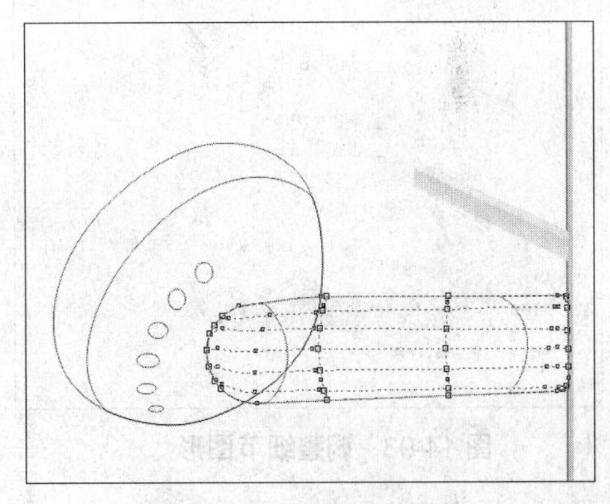

图 14-88 添加网状节点

Step 03 下面填充图形，在“颜色”泊坞窗中设置所需的颜色后，单击相应的节点，并填充上设置的颜色，注意图形的明暗关系，填充后的图形如图14-89所示。凸出的图形也应用同样的方法填充，效果如图14-90所示。

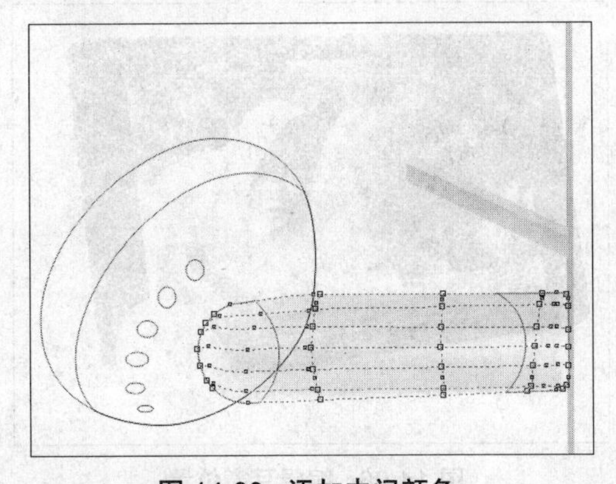

图 14-89 添加中间颜色

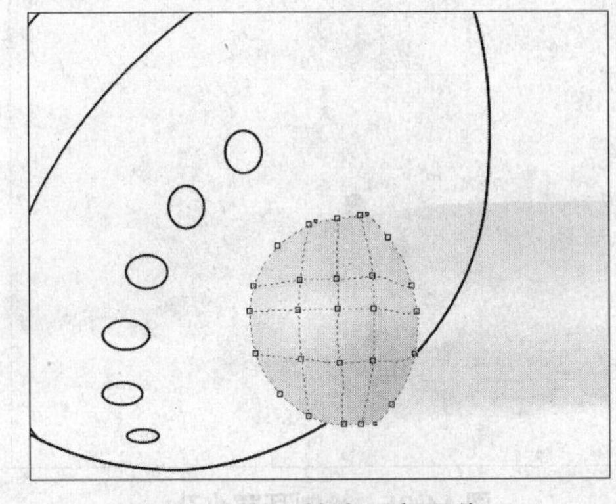

图 14-90 填充顶部图像

Step 04 绘制完成的连接处图形效果如图14-91所示，下面填充耳塞的细节部分。首先选择如图14-92所示的形状，应用交互式填充工具将其填充为渐变色。

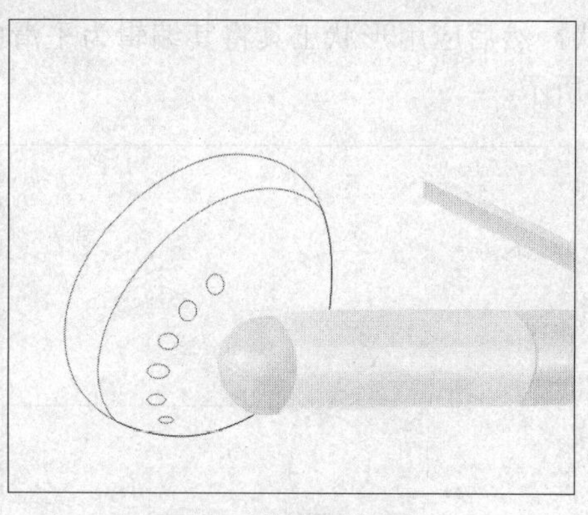

图 14-91 连接处效果

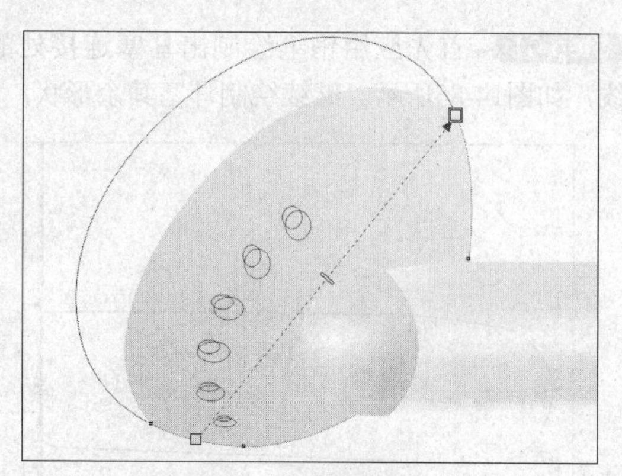

图 14-92 填充耳塞图形

Step 05 应用交互式网状填充工具，在上一步绘制的图形上单击，添加中间的节点，再将不同的区域分别填充上颜色，效果如图14-93所示。对于耳塞顶部的图形也应用同样的方法填充颜色，效果如图14-94所示。

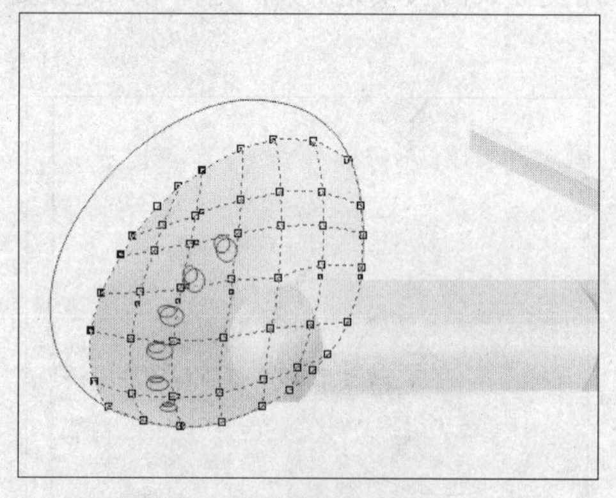

图 14-93 调整细节图形

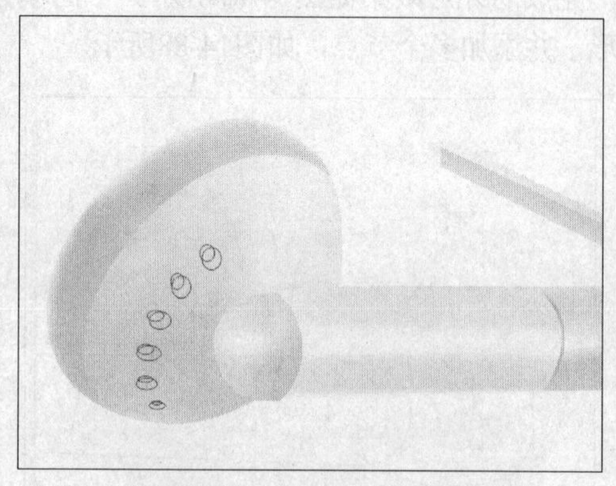

图 14-94 绘制耳塞塑料图形

Step 06 耳塞上的小孔分为亮部和暗部。首先绘制出亮部的大致轮廓，并填充上不同的渐变色。对于暗部区域则应用椭圆形工具绘制出轮廓，填充为纯色，注意其中的深浅变化，效果如图14-95所示。将所有绘制完成的耳塞图形都选择，复制到前面绘制完成的MP4图形中，再放置到合适位置，效果如图14-96所示。

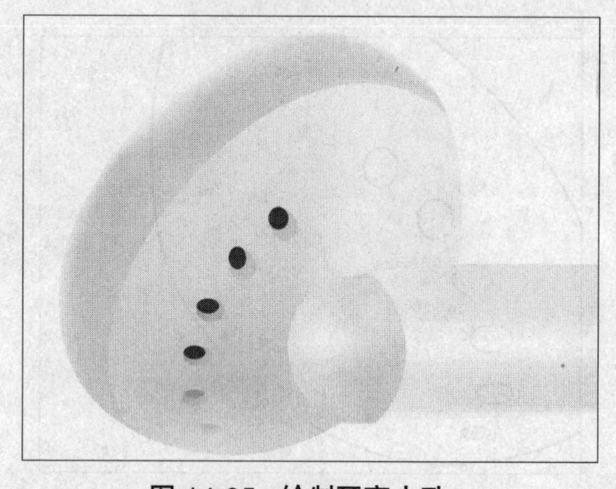

图 14-95 绘制耳塞小孔

图 14-96 编辑耳塞位置

Step 07 下面绘制左侧的耳塞图形。分别绘制出不同区域的轮廓，如图14-97所示。然后填充底部的图形，同样应用交互式网状填充工具进行编辑，效果如图14-98所示。

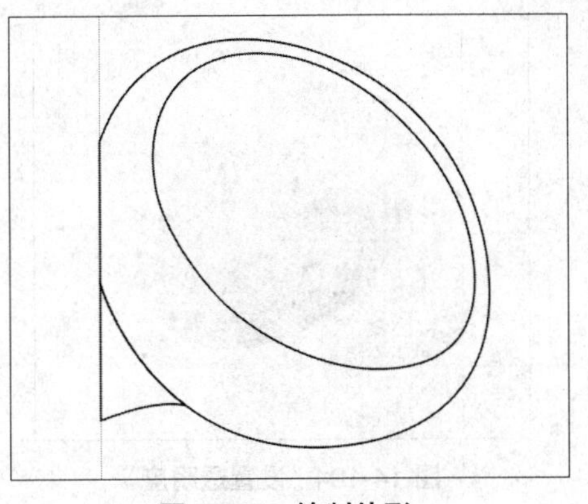

图 14-97　绘制外形

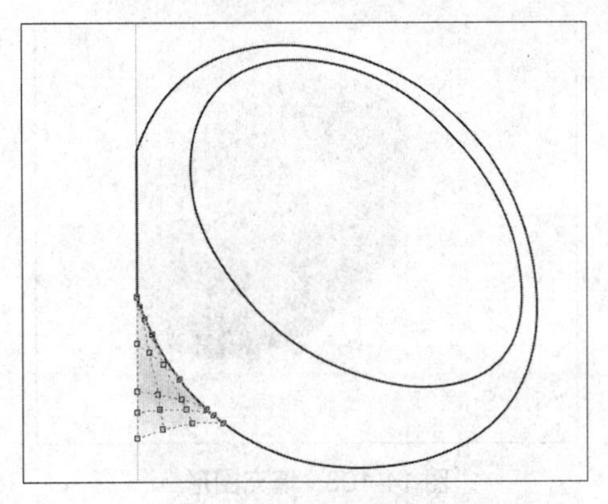

图 14-98　填充图形

Step 08　继续填充耳塞图形。注意其中的明暗变换关系，效果如图14-99所示。然后选择中间的椭圆形，单击工具箱中的“填充工具”按钮，在弹出的工具栏中选择“底纹”，将打开如图14-100所示的“底纹填充”对话框，在对话框中将底纹样式设置为“灰泥”，在右侧设置底纹的参数。

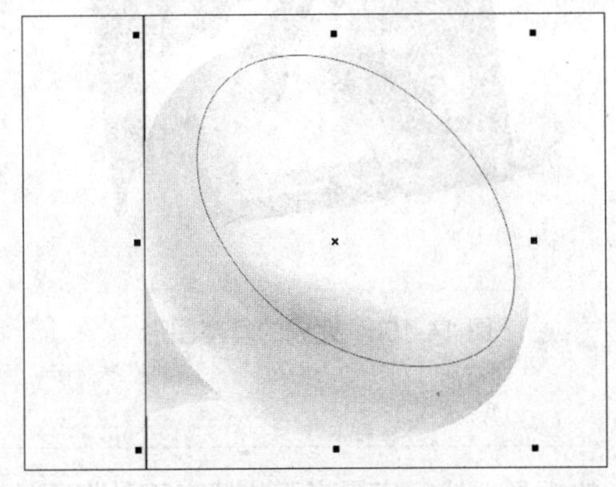

图 14-99　绘制另外的形状

图 14-100　“底纹填充”对话框

Step 09　设置完成后，单击“确定”按钮，即可将绘制的椭圆填充上颜色，效果如图14-101所示。应用交互式透明度工具对图形编辑，在属性栏中将透明类型设置为“标准”，将透明数值设置为30，设置后的效果如图14-102所示。

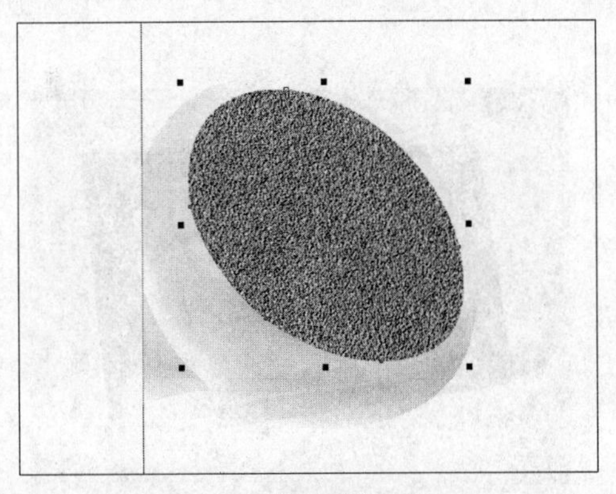

图 14-101　填充后的效果

图 14-102　应用透明度编辑图形

Step 10　继续绘制出同样大小的椭圆图形，并应用交互式网状填充工具对其填充，填充后的图形如图14-103所示。将填充图形的透明度设置为30，设置后的效果如图14-104所示。

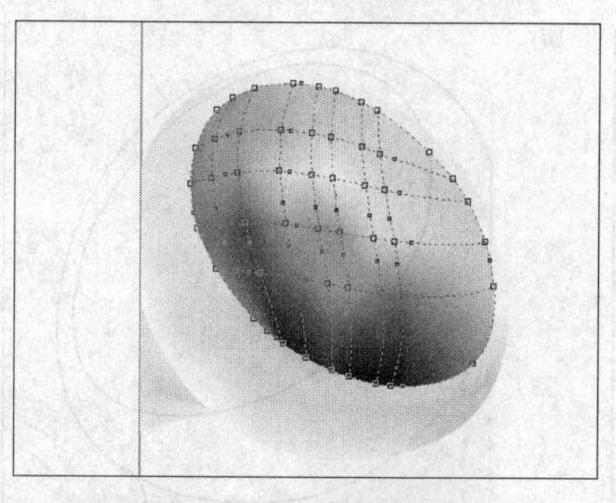

图 14-103 填充图形

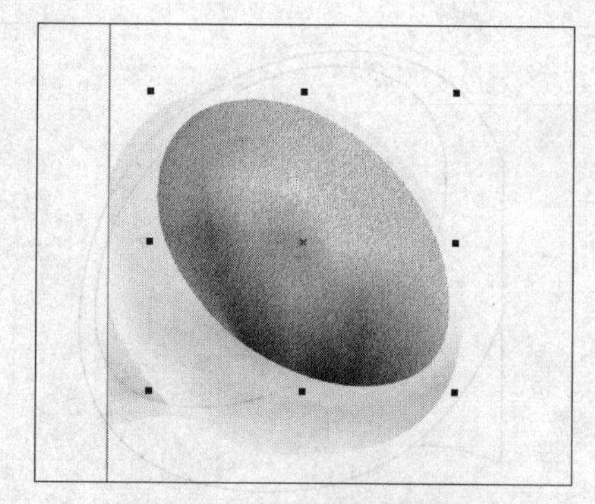

图 14-104 设置透明度

Step 11 将编辑完成的耳塞图形放置到MP4图像中，效果如图14-105所示。完成耳塞图形绘制的效果如图14-106所示。

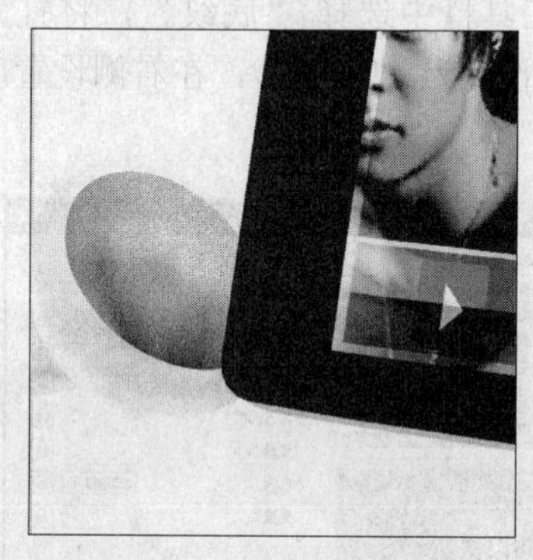

图 14-105 编辑后的效果

图 14-106 完成的耳塞图形

14.2.4 背景和细节的制作

背景的绘制，先应用矩形工具绘制和页面相同大小的矩形，然后应用交互式填充工具将其填充颜色，然后选择不同的图像，将其复制后翻转，应用交互式透明度工具对图形编辑，制作出倒影效果，具体操作如下所示。

Step 01 双击工具箱中的“矩形工具”按钮□，创建一个和页面相同大小的矩形，并应用交互式填充工具将其填充射线渐变，效果如图14-107所示。将绘制的背景放置到MP4图形的底部，效果如图14-108所示。

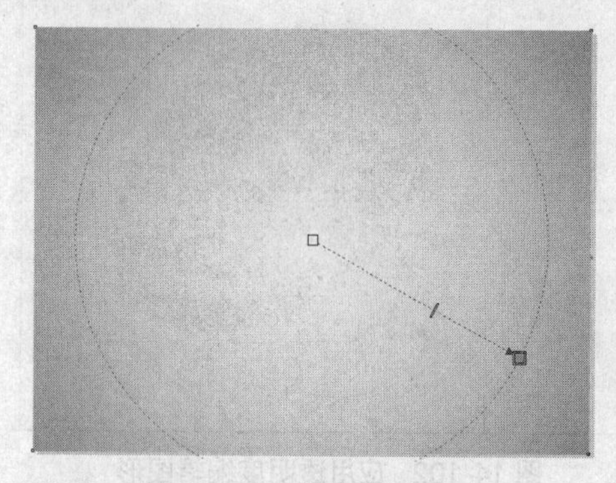

图 14-107 填充背景图形

图 14-108 放置背景

Step 02 选择绘制完成的MP4图形，但不包括耳塞图形，并复制，然后单击属性栏中的“垂直镜像”按钮，将图形翻转，再移动到合适位置上，如图14-109所示。然后应用斜切图形的方法，对图形的左右位置编辑，效果如图14-110所示。

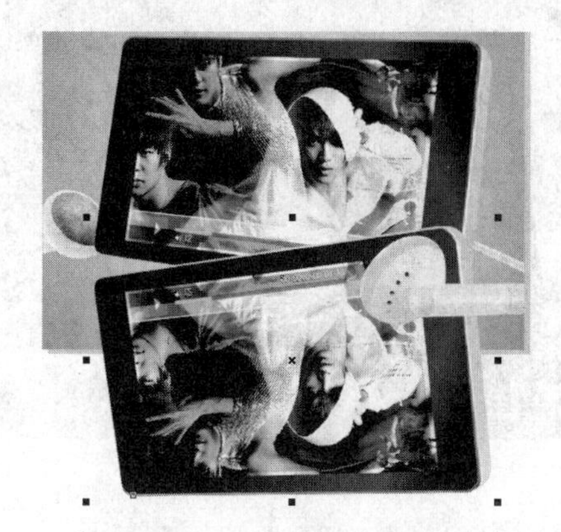

图 14-109 翻转后的图形

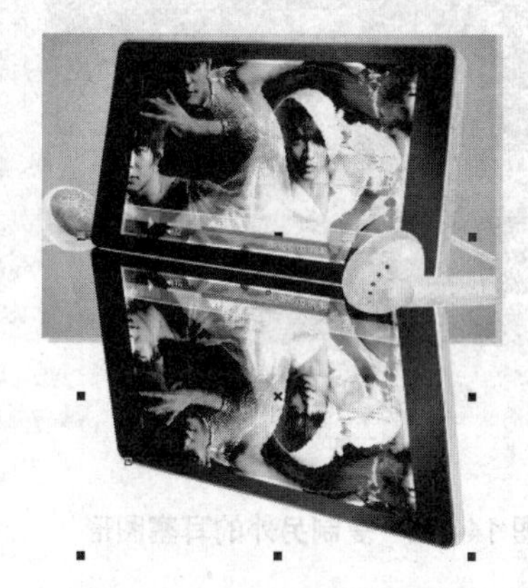

图 14-110 编辑后的形状

Step 03 然后将图像向左边的位置斜切，制作成平行效果，如图14-111所示。再执行 “位图>转换为位图” 命令，将翻转图形转换为位图，应用裁剪工具将超出页面的图形裁剪掉，并使用交互式透明度工具对图形编辑，制作成倒影效果如图14-112所示。

图 14-111 继续编辑图形

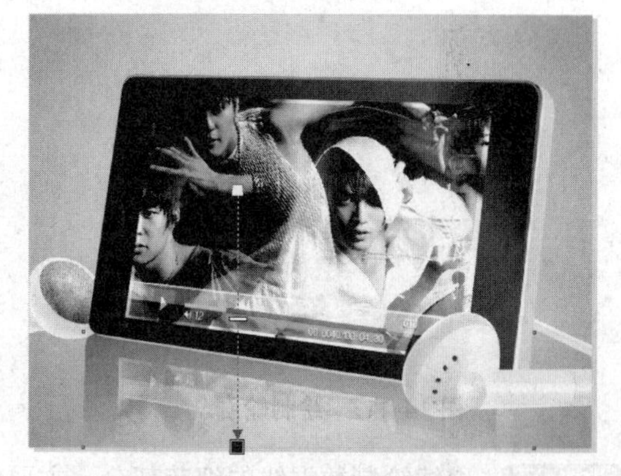

图 14-112 设置倒影效果

Step 04 下面编辑耳塞图形。选择左侧的耳塞图形，同样将其复制后进行垂直镜像翻转，效果如图14-113所示。再应用交互式透明度工具对图形编辑，制作成透明效果，如图14-114所示。

图 14-113 复制耳塞图形

图 14-114 设置透明效果

Step 05 选择右侧的耳塞图形，也将其复制并翻转，再移动到合适位置上，如图14-115所示，应用交互式透明度工具对图形编辑，制作成透明效果，完成后的效果如图14-116所示。

图 14-115　复制另外的耳塞图形

图 14-116　完成后的效果

Step 06　单击工具箱中的“钢笔工具”按钮，使用该工具连续在图中绘制出连接线的大致轮廓，如图14-117所示。然后应用形状工具对绘制的图形编辑，将其调整为平滑的曲线，如图14-118所示。

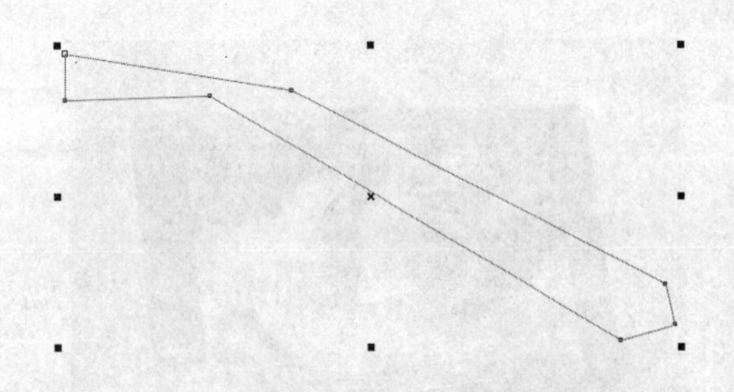

图 14-117　绘制轮廓

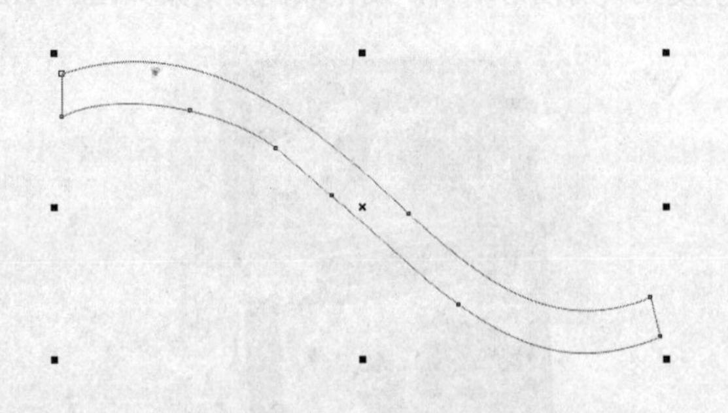

图 14-118　调整为曲线

Step 07　继续绘制数据线的细节部分，主要绘制数据线中间的图形。结合钢笔工具和形状工具绘制，效果如图14-119所示。将数据线的接口轮廓绘制出来，并将其划分为几个区域进行绘制，如图14-120所示。

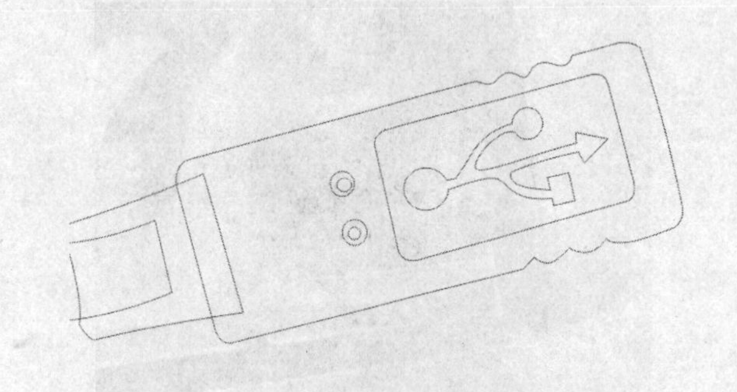

图 14-119　绘制中间细节图形

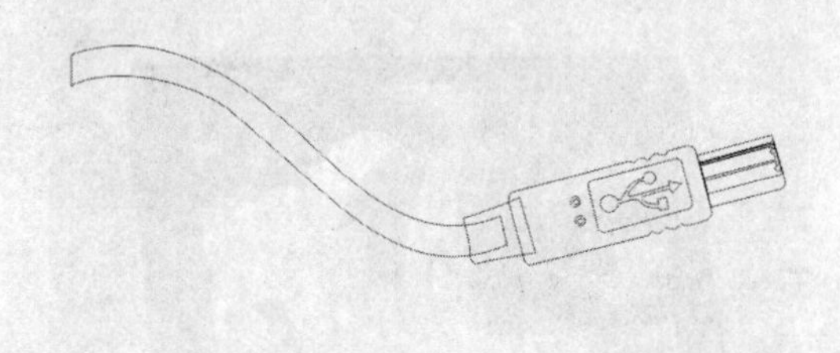

图 14-120　绘制完成的形状

Step 08　选择绘制的数据线，应用交互式网状填充工具对图形填充，将其暗部区域和亮部区域明显表示出来，效果如图14-121所示。选择前面绘制的其余图形，分别将其填充上颜色，效果如图14-122所示。

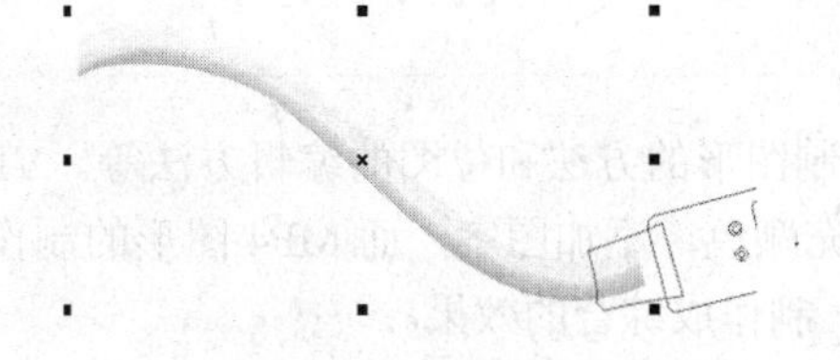

图 14-121 填充数据线

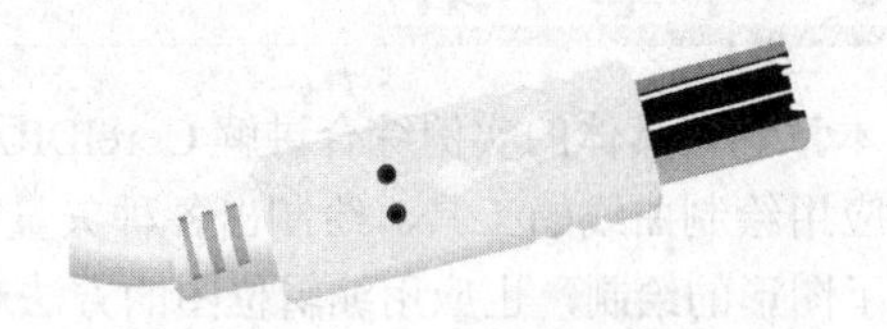

图 14-122 填充其余图形

Step 09 绘制出图形的阴影。选择前面绘制的中间装饰图形，通过复制和编辑的方法制作成阴影图形，如图14-123所示。然后将所选择的图形转换为位图，执行“位图>模糊>高斯式模糊”命令，打开如图14-124所示的“高斯式模糊”对话框，将“半径”设置为5.0像素。

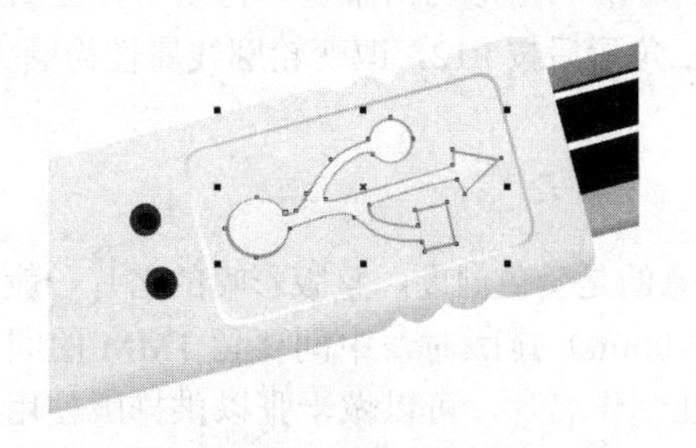

图 14-123 绘制细节图形

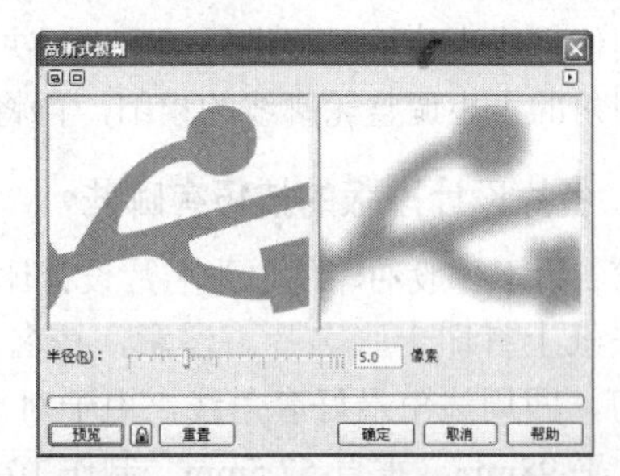

图 14-124 “高斯式模糊”对话框

Step 10 设置完成后单击“确定”按钮，应用滤镜模糊后的图形如图14-125所示。然后绘制细节图形，如暗部和亮部区域，如图14-126所示。

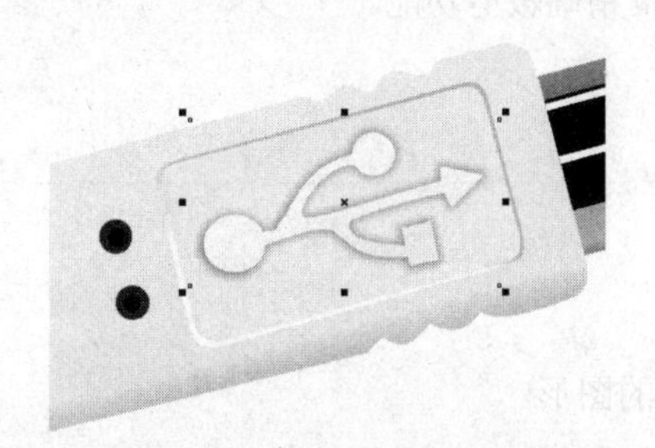

图 14-125 模糊后的效果

图 14-126 绘制细节图形

Step 11 选择上步添加的细节图形，利用交互式填充工具分别填充上颜色，效果如图14-127所示。选择所有绘制完成的数据线图形，并按Ctrl+G键将其复制，将复制的图形放置到前面制作的MP4图形中，为该图形添加倒影，制作完成的效果如图14-128所示。

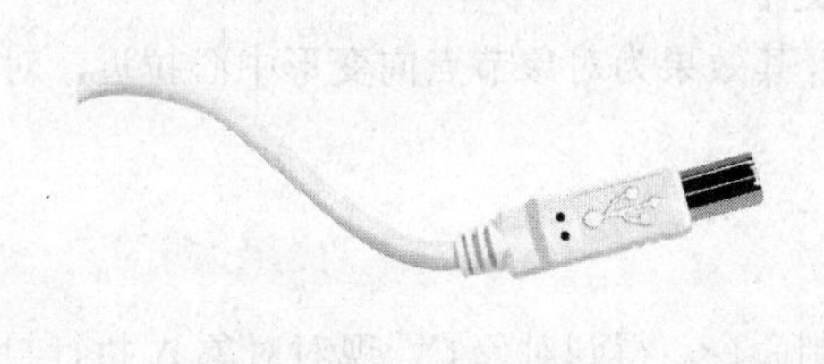

图 14-127 填充后的图形

图 14-128 完成后的效果

14.3 本章小结

本章利用具体的实例综合讲解 CorelDRAW X4 中绘制图形的方法和位图的编辑方法等。VI 设计着重应用绘制曲线的工具，绘制出各种矢量图形，并填充颜色，添加图案，而 MP4 图形的制作不仅讲述了图形的绘制，也应用编辑位图的方法对位图编辑，制作成综合的效果。

14.4 专业解析

1. CorelDRAW 如何为三角形倒圆角？

答：CorelDRAW 中给正方形倒圆角可以直接拖动节点，而为三角形倒圆角时设置比较麻烦。解决方法一：绘制一个三角形，再绘制一个圆，使圆的切点对准三角形的两条边，再用节点工具或焊接工具使之成为一体，再进行调整；解决方法二：绘制好三角形后按 F12，改变轮廓线属性为圆头线，根据圆角的大小调整轮廓线的粗细，再将对象打散即可。

2. 名片设计排版的技巧有哪些？

答：用于一般油印的单张名片设计比较简单，需要注意的是套色问题。整版彩喷的名片一般都是在一张纸上打印十张名片。注意，按名片标规（55mm×90mm）排版时，中间要留 1MM 的间距用于切刀，四周边角最好套角线，用于对准。如果是文印社制作名片，可以做十张以供排版使用，位置为水平 98mm、垂直 57.5mm。制作 10 张套再将 10 张套放在页面正中，这样利于名片机裁切。

3. 如何切割导入 CorelDRAW 中的位图？

答：这实际上就是一种变相的抠图操作。一是导入位图后，利用整形工具编辑矢量曲线编辑位图；二是根据需要先用铅笔工具勾好预置的图形，然后应用图框精确裁剪功能。

14.5 思考与练习

1. 填空题

（1）交互式工具包括__________种工具。

（2）交互式调和工具不能用于应用__________编辑后的图形。

（3）按__________键可以打开“轮廓图”泊坞窗。

2. 选择题

（1）如果要想对（　）等对象进行节点修改，以得到更复杂的形状，就必须先将其转换为曲线，然后再使用节点工具对其修改。

A. 矩形　　B. 椭圆
C. 美术文字　　D. 段落文字

（2）在“推拉变形”中，向左拖动节点效果为“拉”。其效果为对象节点向变形中心拉近，对象的边角（　）。

A. 拉近　　B. 内
C. 向外扩展且变尖锐　　D. 弧形

（3）对对象 A 执行克隆命令，再对子对象 B 执行再制命令，得到对象 C，现对对象 A 执行封套命令，结果是（　）。

A. ABC 效果一起变　　　　B. B 变 C 不变
C. BC 都不变　　　　　　D. C 变 B 不变

3. 判断题

（1）预设的美工文字不能被删除和重命名。（　）
（2）Ctrl+2 可以改变字体大小。（　）
（3）对一个美术字增加封套可以使美术字变形。（　）

4. 问答题

（1）导出文件的基本步骤是什么？
（2）Lab 颜色模式图像的特点有哪些？
（3）设置首字下沉的具体操作有哪些？

5. 上机题

（1）绘制一套如图 14-129 所示的办公用品。

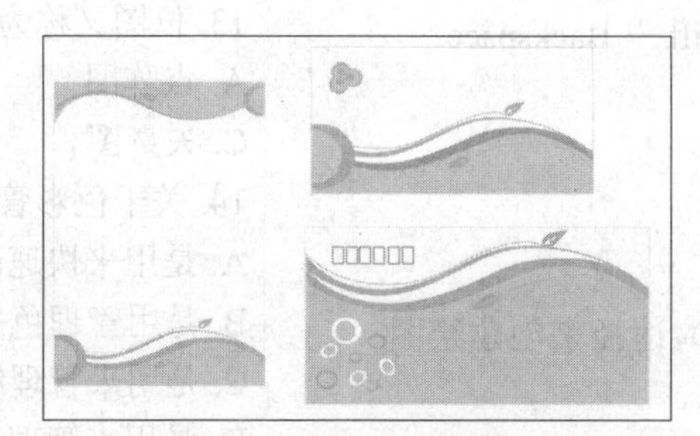

图 14-129　办公用品

（2）绘制一张如图 14-130 所示的圣诞贺卡。

图 14-130　圣诞贺卡

（3）应用综合绘制图形的方法，制作出如图 14-131 所示的网站界面。

图 14-131　制作网站页面

附录

认证模拟题一

一、选择题

1. 下列哪种操作为显示“缩放”工具( )。

A. 工具－＞选项－＞勾选“缩放”复选框

B. 视图－＞工具栏－＞勾选“缩放”复选框

C. 窗口－＞工具栏－＞勾选“缩放”复选框

D. 工具－＞工具栏－＞勾选“缩放”复选框

2. 用挑选工具选定群组对象中隐藏的对象，需按住( )键。

A. Shift ＋ Alt　　B. Ctrl ＋ Alt

C. Shift ＋ Ctrl　　D. Shift ＋ Backspace

3. 双击挑选工具将会( )。

A. 页面内的对象

B. 某个单个对象

C. 文档中的所有对象

4. CorelDRAW 提供了( )途径来创建绘图中的副本。

A. 复制，再制、粘贴

B. 复制、再制、剪贴板

C. 再制、克隆、剪贴板

D. 复制、克隆

5. 当有许多个选择对象时，要取消所有选定对象按( )键。

A. Shift　　B. Alt

C. Ctrl　　D. Esc

6. 需要绘制一个正圆形或正方形时，需要按住( )键。

A. Shift　　B. Alt　　C. Ctrl　　D. Esc

7. 两次单击一个对象后可以拖动它四角的控制点进行( )。

A. 移动　　B. 缩放

C. 旋转　　D. 倾斜

8. CorelDRAW 中有( )文本格式。

A. 1　　B. 2　　C. 3　　D. 4

9. CorelDRAW 中文本对齐方式有( )种。

A. 4　　B. 5　　C. 6　　D. 7

10. 交互式阴影工具产生的阴影可以改变颜色吗( )。

A. 可以　　B. 不可以

11. 对两个不相邻的图形执行焊接命令，结果是( )。

A. 两个图形对齐后结合为一个图形

B. 两个图形原位置不变结合为一个图形

C. 没有反应

D. 两个图形成为群组

12. 在 CorelDRAW 中能进行调和的对象有( )。

A. 群组对象　　B. 艺术笔对象

C. 网格填充对象　　D. 位图

13. 位图又称为( )

A. 点阵图　　B. 像素图

C. 矢量图　　D. 向量图

14. 关于色彩管理器以下说法正确的有( )。

A. 是用来快速改变颜色的

B. 是用管理色彩显示方式的

C. 是用来管理绘制所用色彩模式的

D. 是用来管理色彩样式的

15. 对美工文本使用封套，结果是( )。

A. 美工文本转为段落文本

B. 文字转为曲线

C. 文字形状改变

D. 没有作用

16. 在CMYK颜色模式中，不包括的颜色是( )。

A. 青色　　B. 品红

C. 黄色　　D. 红色

17. CMYK 颜色模型被称为( )模型。

A. 加色　　B. 减色

C. 等量色　　D. 混合

18. 在使用手绘工具绘制曲线时，按住鼠标不放的同时按住( )键沿绘制的路径返回，可以清除所经过的路径。

A. Shift　　B. Ctrl

C. Alt　　D. Shift+Alt

19. 进行“文本适合路径”操作后若把路径删除则( )。

A. 影响文本，文本恢复原样

B. 不影响文本，文本仍受先前路径的影响

C. 必须把文本和路径打散后，才能删除路径不影响文本

D. 必须把文本和路径打散后，才能删除路径，仍会影响文本

20. 使用"刻刀工具"不能切割的图形对象是( )。

A. 位图

B. 添加了立体效果的对象

C. 无填充的矩形

D. 美术字

二、判断题

1. 属性栏显示被选对象的相关属性。( )

2. CMYK 是印刷模式，RGB 模式可以在显示器中预览。( )

3. 改变属性栏中的相关属性，可以使被选对象产生相应的变化。( )

4. 按住 Shift 键可以画一个等比例向外扩展的圆。( )

5. 透明效果一旦施加就不能更改。( )

6. 显示器、网上出版和幻灯片放映都是采用索引来显示各种颜色。( )

7. 用"压力式"自然笔工具，要想绘制渐渐变细的对象，要结合向下方向键。( )

8. 按住 Ctrl+Shift 键可以画一个以鼠标起始点为中心向外扩展的圆。( )

9. 属性栏的使用大大减少了对菜单的访问。( )

10. 可对图形的填充色和边线色分别施加透明效果。( )

认证模拟题二

一、选择题

1. 双击挑选工具等于( )。

A. Ctrl+A　　B. Ctrl+F4

C. Ctrl+D　　D. Alt+F2

2. 下列哪几种方法是格式化文本( )？

A. 指定字体、大小和粗细

B. 添加和修改下划线

C. 在文本中添加符号

D. 将美术文本转换成段落文本

3. 下列标准属于等同采用国际标准的是( )

A. IS09001；2000

B. GB/T19001；2000

C. GB3502；1989

D. IS090002；1994

4. 在 CorelDRAW 中置入图片，在旋转、镜像等操作后，打印输出会出现错误的是( )。

A. PSD　　B. TIF

C. JPG　　D. Bitmap

5. 在 CorelDRAW 中执行"转换为位图"操作会造成( )。

A. 分辨率损失

B. 图像大小损失

C. 色彩损失

D. 什么都不损失

6. ( )情况下段落文本无法转换成美术文本。

A. 文本被设置了间距

B. 运用了交互式封套

C. 文本被填色

D. 文本中有英文

7. CorelDRAW 不能创建为符号的对象有( )。

A. 群组对象　　B. 非封闭路径

C. 立体化对象　　D. 网格填充对象

8. 使用"使文字适合路径"命令后，文字没有适合路径，可能因为( )。

A. 文字是段落文本

B. 文字为美工文本

C. 文字是曲线

D. 路径上已有一段文字

9. 将对象转换为曲线的快捷键为( )。

A. Ctrl+O　　B. Ctrl+Shift+Q

C. Ctrl+Q　　D. Ctrl+I

10. 下列属于连接节点的方法是( )。

A. 使用连接两个节点的命令

B. 使用将曲线延伸成封闭命令

C. 使用自动封闭曲线命令

D. 运用贝塞尔工具连接

11. 使用"图框精确剪裁"时，可以作为"容器"的对象是( )。

A. 多边形　　B. 网格图形

C. 螺旋线　　D. 段落文本

12. CorelDRAW 默认的保存备份文件时间为( )。

A. 5　　B. 10

C. 20　　D. 30

13.( )是工程绘图中必不可少的一部分，它不仅可以显示对象的长度、宽度等信息，还可以显示对象之间的距离等。

A. 度量工具　　B. 修补工具

C. 刻刀工具　　D. 擦除工具

14. 若 CorelDRAW 中的作品需印刷，则应选择( ) 颜色模式。

A. CMYK　　B. RGB

C. HSB　　D. 网页可用颜色

15. 在 CorelDRAW 默认状态下，贝赛尔工具绘制曲线过程中得到一个尖突节点的方法有( )。

A. 绘制时按 S 键

B. 绘制时按 h 键

C. 绘制时按 C 键

D. 没有办法

16、欲选择群组中的单个对象需按快捷键( )。

A. Ctrl　　B. Shift

C. Ctrl+Alt　　D. Alt

17. 当 CMYK 各项值均为 100% 时，表示( )。

A. 黑色　　B. 白色

C. 灰色　　D. 以上均不正确

18. 在 CorelDRAW X4 中，默认的调色板是( )。

A. RGB　　B. CMYK

C. Lab　　D. 灰度

19. 当框选一组对象执行对齐操作时，作为对齐标准的是( )

A. 位于最前端的对象

B. 位于最低端的对象

C. 最大的对象

D. 最小的对象

20. 在 CorelDRAW 中( )命令是通过奇偶计算法计算，对象相交的部分被挖空。

A. 群组　　B. 分离

C. 拆分　　D. 结合

二、判断题

1. 我们使用的 CorelDRAW X3 是美国的 Corel 公司开发的。( )

2. 在网格填充中，可按下 Shift 键选择若干个点实现多点填充。( )

3. 通过 CorelDRAW 的欢迎界面能打开上次编辑过的图形文件。( )

4. 在默认状态 下使用“螺纹工具”，所绘制出的螺旋形是只有四圈而且间距均匀。( )

5. 3 个曲线点最多可以形成 4 个弧。( )

6. 双击工具箱中的矩形工具按钮，可以在绘图窗口中添加与打印区域同样大小的矩形。( )

7. 在 CorelDRAW 中，不同文本类型不可以相互转换。( )

8.添加透视点命令对矢量和位图都起作用。( )

9. GIF 格式是网上常用的文件格式，采用的压缩方式可使文件所占硬盘空间减少。( )

10. 当没有选中任何对象时，系统默认的属性栏中显示页面属性。( )